小熊英二

Eiji Oguma

第III冊
一九七〇年的典範轉移

1968
日本現代史的轉捩點，
席捲日本的革命浪潮

19_68

1968〈下〉
叛乱の終焉とその遺産

小熊英二　著／羅皓名、馮啓斌　譯

1968 年 10 月 21 日，新宿騷亂事件，全學聯學生破壞電車車窗，這次事件是學生運動史上首次適用騷亂罪。（每日新聞社提供）

1970 年 3 月，三里塚鬥爭。當地農民以打樁挖掘地下坑道、將身體綁在樹上等多樣的抵抗方法來表達抗爭的決心。（每日新聞社提供）

越平聯固定於每月第一個星期六展開抗議遊行，人們聚集在東京赤坂的清水谷公園，平和地持續從事抗議活動。（每日新聞社提供）

1969 年 5 月 17 日，在新宿西口廣場舉行「反戰民謠集會」的越平聯年輕人遭到警察驅離。（每日新聞社提供）

目次

第Ⅲ冊　一九七〇年的典範轉移

註釋

支援逃兵活動／支援逃兵的舞台背後／佐世保的活動與佐世保越平聯的誕生／「創造出新型溝通方式的運動」／市民團體在「六月行動」中的共鬥／年長者與年輕人的對立以及新左翼黨派的介入／越平聯的「激進化」／年長者與年輕人之間的緊張與合作／捧著花的抗議遊行／與全共鬥運動的關係／援助逃兵的實情與間諜／新宿西口的民謠游擊隊／闖進衝突現場的花束遊行／不定型的運動／一九六九年六月十五日的成功／越平聯的擴大與「找尋黑幕」／「反萬博」的咎責騷動／「Old越平聯」批判／從高昂到停滯／一個季節的結束／分散的越平聯／「冷物」論爭／「如果麥子不死」

第Ⅰ冊　經濟高度成長與「現代的不幸」

第Ⅱ冊　大學民主化與自我否定的鬥爭

第Ⅲ部

第Ⅳ冊　從聯合赤軍到肯定消費社會

第十二章　高中鬥爭

本章以一九六九年秋天蔓延全國的高中鬥爭為中心，探討高中生運動。[1]高中的鬥爭，因為大部分都在短時間內被鎮壓，或者多數被視為是在仿效大學鬥爭，因此並未如大學的全共鬥運動那般受到注目。然而，高中生的運動在兩個意義上具有與大學鬥爭不同的特徵。

第一，高中生的運動是在比大學生更為艱難的情況下進行的。大學的鬥爭很大程度上受到「大學自治」的保護，校方往往會盡可能避免引入警隊，但高中對於動用警察或退學處分毫不留情。許多高中鬥爭的情況都比大學更為嚴峻，因而在短時間內遭到鎮壓。

第二，高中生的運動有很多能讀到他們真實的聲音的資料。不同於大學生的鬥爭用從組織或書本學來的東西過度粉飾，高中生欠缺那樣的粉飾，留下了笨拙卻生動的聲明等資料。從那些資料中，可以更明確地窺見當時年輕人面對的「現代的不幸」的全貌。

高中生運動的出現

從一九五〇年代起，就已經有共產黨領導的高中生運動。直至一九六八年十二月，共產黨領導下的民青同高中班已在全國組織了約一萬兩千人。相較之下，同時期新左翼各黨派的高中組織合計還未滿三千人。[2]

民青同高中班採取穩健的路線，批判新左翼的黨派。在一九六八年十二月召開的民青派高中生集會上，有人發言表示「吵鬧著三派還是革馬派，如今這些被當成學生運動，但我們高中生不是被三派、革馬派的暴力主義扭曲的學生運動，而是在自己的日常生活、學校生活中感知，對於矛盾、不公義展開強力的抗議，展示高中生團結的力量」、「為此，無論如何都會努力反對托洛斯基主義者策動的挑撥與破壞，讓團結統一的運動得以延續」。[3]

由於共產黨並不將高中班視為實戰部隊，因此主要的活動是充實學生會、舉辦文化祭、體育祭、遠足健行與電影放映會等，組成討論政治問題的校內班。[4]就筆者所知，一九六九年的高中鬥爭中，也沒有以民青同高中班為主軸進行的例子。

在反日共派中，中核派高中生組織的「反戰高協」成立於一九六五年七月，是人數最多的組織。共產同派的高中生會議，雖然與一九五八年的共產同幾乎同時成立，但隨著六〇年代前半共產同的四分五裂，活動陷入停滯，到了一九六四年七月，社高同成立，並與高中生會議並存。另外，也有社青同解放派系的反帝高評、第四國際派的無產階級國際主義派高中生委員會、ＭＬ派的高中生解放戰線等組織的成立。[5]高中生參與反日共派的示威行動，也包含一九六五年的反對《日韓基本條約》鬥爭及一九六七年十月八日的第一次羽田鬥爭。[6]然而，反日共派高中生獨立行動的先聲，是一九六七年十月二十日在東京都立川市的反對軍事物資輸送的國勞支援集會上，中核派的反戰高協以「高中生協議會」之名發放傳單。其後，一九六七年十一月十二日的第二次羽田鬥爭中，反戰高協派的高中生約五十人參加，六人因妨礙公務遭逮捕。一九六八年一月的佐世保鬥爭中，高中生參加了社青同解放派的遊行。同年春天，三里塚與王子的鬥爭中，也有來自各派的高中生約數十人參加。[7]王子鬥爭中，高中生也組成了獨立的遊行隊伍。在第一次羽田鬥爭中死去的山崎博昭，也是在就讀京大前就是反戰高協的運動者。

關於一九六七年新設立的二月十一日「建國紀念日」，將之視為戰前「紀元節」的復活而反對的聲音很多。一九六八年的這一天，在東京召開了全都高中生集會，有中核派、共產同派、社青同解放派等約兩百三十人。[8]如第十四章所述，六〇年代各新左翼黨派對天皇並沒有太多關注。這個高中生們的集會可以說是新左翼回應天皇問題的早期事例。

雖然這麼說，這些高中生組織的規模從數十人到數百人，也有很多因為不斷的重組而沒有定下來的名稱。然而，新左翼黨派弊端的武裝內鬥也波及到了高中生組織。

例如一九六八年二月十一日的集會，主張在十八日召開集會的中核派反戰高協，與希望在十一日召開的其他組織起衝突，根據某個參加者的說法「越來越不懂到底在搞什麼」。三月，反戰高協與反帝高評的運動者在武裝內鬥中互毆。四月二十六日全學聯各派的統一集會上，反戰高協與共產同系也展開了妨礙對手演說的麥克風對抗戰，相互叫罵「共產同滾回去」等等。[9]

即便如此，反日共派的高中生組織還是持續擴張。如後續第十五章所述，以越平聯為中心的六月行動委員會主辦的一九六八年六月十五日的集會中，各派高中生約有兩百四十人參加。六月十六日，廣島高中反戰會議的學生策劃了衝進廣島美軍彈藥庫的行動。八月十五日在名古屋召開了全國反戰高中生集會，八月二十七日於封鎖中的東大安田講堂召開了「十・二一鬥爭高中生實行全國委員會」的成立大會。這時，聚集了兩百名來自全國約六十所高中的代表。[10]

而在一九六八年十月二十一日的新宿事件中，如第十三章所述，高中生的規模增加到了讓新左翼黨派的領袖驚呼「居然有這麼多高中生……」的程度。依據當時是教育大學附屬駒場高中學生的四方田犬彥的回憶錄，自己熟識的一位日後成為舞踏家的女高中生，當時「在松本深志高中加入反戰高協，以身穿水手服頂戴頭盔的裝扮參加了政治集會。」[11]

加入新左翼黨派、參加示威遊行和集會的高中生懷著各式各樣的參加動機。當時的報導刊載了下述的聲音：[12]

「現在的高中生活裡沒有活著的意義。大家埋頭於準備考試與修學分。另一方面對於社會的現實只感到憤怒。我在電視上看到『佐世保』，心想我們不能不做些什麼，所以參加了運動。」

「對我來說，決定性的關鍵是羽田事件〔山崎博昭的死〕。我認為高中生當然也是承擔全人民鬥爭責任的一分子。」

「我感覺到這個社會中的諸多矛盾，自己思考『為什麼會變成這樣』成了出發點。運動十分煎熬，不能不和自己戰鬥。但是，如果我將死去的話，我想要帶著『啊，這是一個充實的人生』這樣的感慨離開，我參加運動就是追求這樣的生存方式。」

「我們高三生雖然要準備考試，但想著絕對要拼到十．二一，就留在這裡過夜繼續努力了。甚至有同伴為了開闢七〇年安保的突破口，說著自己就算死了也無所謂。」

「搞運動的話，以現實而言就沒有準備考試的時間。我有重考的覺悟。但是在這裡結交到真正的夥伴真是太好了。」

「我們對日大的校園鬥爭非常感興趣，因為客觀條件和高中生的運動很像。非常能理解以『非政治性』學生為中心掀起熱潮，也就是所謂普通學生激進化的過程。」

由此可以窺見高中生們被升學考試追趕、被校規束縛、對於「三無主義」的同學感到惱火、面對認同危機與孤獨感，為尋找發洩青春活力的對象，追求「生存方式」與「夥伴」而參加運動的狀態。

此外，反日共派高中生運動的興起，被認為是因為相對於民青同高中班是共產黨領導下的組織，無法充分發揮高中生的自主性，反日共派則強調「高中生自發運動的獨立性」。[13]當然新左翼各黨派的高中生組織也有來自高層與前輩的指導，但是比民青同高中班來得鬆散。而作為能夠自主活動的場所，反日共派的高中生組織更具有魅力。

但也因此，比起受到完善指導的民青同高中班，新左翼各黨派的高中生組織相對不夠成熟。當時，研究學生運動的鈴木博雄認為，反日共派的高中生運動「相較於民青派運動，戰術稚拙且直接。即使只拿一張傳單來看，民青派的傳單有地區民青同幫忙做出漂亮的活版印刷，文章也條理清晰，以無論是誰都能輕易理解的平易用語書寫而成。相較起來，反日共派的傳單幾乎都是學生手工製作的木刻版轉印潦草手寫字，只有試圖控訴的熱切情感走在前面，文章的表現能力卻未能跟上，放任抽象的觀念性語句胡亂蹦出，文章的邏輯不連貫，錯字、漏字、借字也隨處可見。」[14]

然而，「戰術稚拙且直接」或是「只有試圖控訴的熱切情感走在前面，文章的表現能力卻未能跟上，放任抽象的觀念性語句胡亂蹦出」的情況，也一樣發生在因為「找不到話語」而困擾的東大全共鬥學生及研究生身上。不管是「稚拙」還是「只有試圖控訴的熱切情感走在前面」，比起被整齊收編到高層指導框架中的民青派，反日共派運動更能抓住當時抱持著無以名之的不滿與不安的年輕人的心。這一點，可以說不管是高中生還是大學生都一樣。

高中生運動者的實例

我們從一九六八年的報導來看幾個高中生運動者的具體事例。

被雜誌報導稱為「L君」的學生，曾是民青同高中班的班長。[15]然而因為山崎博昭的死，他開始對共產黨有所質疑。「共產黨的遊行中有像是反對物價上漲等等的口號，但是關鍵的反越戰、反對佐世保企業號卻怎麼也不提。」接著，他試圖在民青同高中班上討論山崎的死，卻被以「那是托洛斯基主義者的躁進行為，沒有討論的必要」為由制止。早已對民青的運動方法抱持懷疑的他因此辭去班長，加入了山崎曾所屬的中核派反戰高協。

一九六八年一月，為了佐世保鬥爭暫時離開東京的他，在中核派機關報上如此寫道：

> 過去不管在哪個示威遊行裡，都不曾體驗過的發狂的棍棒、摻有催淚液的水車噴水、滿身泥濘、全身濕透地抱著滲血的頭、試圖從棍棒的亂打中逃脫，跌跌撞撞地逃竄到醫院大門口裡的那種恐怖，以及民眾來到我們的連署簿前為我們打氣，要和我們握手的佐世保市內募款活動，所有這些恐怖、感激的總體讓我感受到的，那就是所謂「鬥爭」的意義。我認為，不管從哪種意義來看，除此之外不存在「鬥爭」這件事的真正意義。我自己對此深信不疑。

由此可知，能夠體驗到這樣真實的生命感是加入反日共黨派的一大魅力，事實上這也是新左翼黨派吸收民青同高中班成員的常見手法。具有高度社會意識，同時並未完全接受民青思維邏輯的民青同高中班成員，是絕佳的組織對象。一九六九年二月十五日的《朝日新聞》刊登了從民青同高中班加入新左翼黨派的高中生日記。從第一次羽田鬥爭開始的日記如下：[16]

昭和四十二年（一九六七年）十月八日（高中一年級、羽田事件）和我一起行動的人竟然死了。不能讓同志山崎的死白白浪費。我無法忘記這一天。受到前輩邀約，戰戰兢兢地跟在大學生屁股後面去了羽田。燃燒的裝甲車。瀰漫竄起的黑煙。丟石頭的聲音。歡呼聲。赤旗的波浪。我毫不懷疑，革命的日子即將到來。

十二月X日　被民青除名，雖然我只加入不到半年。在某次會議上：

問　什麼是托洛斯基主義者？

答　從右翼那裡獲取金錢行動的傢伙們。

荒謬的狗屁！即使成為狼，也不要成為鬣狗。

昭和四十三年一月十七日（佐世保事件）和學校的兩個朋友去日比谷公園。激烈的之字形遊行。高中生有五十個。我們學校有四個。

一月二十一日　一個人前往橫須賀集會。被機動隊毒打。憎恨權力。

二月二十日　第一次戴上頭盔，前往王子集會。一到遊行隊伍的前排便遭到機動隊的強烈反擊。雖然頭盔被摘掉，遭受到了很多羞辱，但我也萌生了莫名的膽量。

四月九日（高中二年級）在成田、王子的衝突中，兩位同學住院。儘管如此我還是退縮了。太可怕了，那個硬化鋁合金防暴盾嘎吱嘎吱的相互碰撞聲。

六月八日　今天和F子約會。缺席了成田遊行。下午一點在新宿。突然想要看海。三點，品川碼頭。在如此廣闊世界裡的只有我們兩人。一望無際的倉庫、吊車、卡車。開始下雨了。一艘外國船快速地駛過。

六月十一日　鬥爭。在那裡，理論與思想便為一切。思想性的脆弱將使我的行動退縮。反省。從馬克思的《共產黨宣言》開始重讀！正確地理解身邊的矛盾！

六月十二日　我們的高中生活有著什麼樣的目標呢？只是在考試中拿到高分進入知名大學嗎？那個大學（在紛爭中）是如此慘況。

六月十五日　我們的傳單總是散落在教室地上被踐踏。被車子的話題、女人的話題埋沒的享樂派。「在那邊妨礙上課自己生活也沒過好的傢伙」，用這樣的眼神看我們的那些書呆子。大家都過著舒適安逸的生活，只有我感到疲累。即使被大家用不悅的表情對待，我還是繼續發放傳單。

六月十六日　F子，只有妳懂我。雖然辛辛苦苦製作了傳單。但我似乎哪裡搞錯了。距離安保還有兩年。會變得怎樣呢？

七月X日　在大學的街壘裡迎來早晨。嘴裡只有兩個飯糰的味道。暴力。串連感。對指揮部的信賴。了不起。

七月X日　直接穿著遊行的服裝參加了同學的露營。然而，這種漫無目的的集體生活與昨天大學公社中緊張又滿足的生活之間有落差。我很不爽要忍受這件事。

八月二十日　列寧《帝國主義論》的摘要接近完成。讀完了馬克思的《德意志意識形態》、

《黑格爾法哲學批判》、《費爾巴哈論》。人是什麼？存在是什麼？意識是什麼？愛是什麼？讀了新島淳良的《毛澤東辯證法中的諸問題》與毛澤東的《老三篇》。

九月四日　我的將來是什麼？進大學搞運動嗎？高中畢業後成為勞動者嗎？

九月七日　出生以來第一次拿著武鬥棒，〔作為聲援部隊〕參加日大鬥爭。用空揮確認了自己的幹勁。毫不猶豫地向警備車投擲石塊。我的自我變革的產物，武鬥棒。

昭和四十四年一月二十三日　東大安田講堂淪陷。御茶水街壘。能夠療癒荒廢的精神和疲憊身體的是紅旗、頭盔和《國際歌》。啊，我們何時才能得到回報呢？

一九六八年時為知名都立高中二年級生的女學生，在當時的雜誌上發表了〈我是「戰鬥的全高聯」的少女領袖〉的手記。以下引用稍微有點長，這篇手記率直地記錄了她從平凡的中學生成長為經歷過許多戰鬥的運動者的軌跡。當時十七歲的她這麼述說參加運動的動機：[17]

……使我個人參與這種運動的契機是一本書。

中學二年級快結束的時候，在學生會OB[i]的推薦下我讀了大江健三郎的《廣島札記》。我自己雖然沒有直接經歷戰爭及核爆，但當我閱讀《廣島札記》時，透過被爆者們的聲音，無意義的戰爭的恐怖感深深地觸動著我。

i　譯註：畢業生所組織的團體。

因為這本書，我開始了與政治及社會的相遇。接著閱讀了開高健的《越南戰記》、岡村昭彥的《南越戰爭從軍記》，對我來說又是一次巨大的震撼。

「妳還太年輕。如果不更加努力唸書，就無法做出正確的判斷。」

雖然也曾有老師這樣告訴過我，但對於之前一心準備升學考試的我來說，突然間覺得唸書變得空虛無趣。

「啊，真是討厭。唸書竟然是這樣的冷淡無味。就像是沒味道了的口香糖。我難道不能逃往某個無人島嗎？」（中學三年級的日記）

即便如此，還是乖乖地進了高中，高一時的成績也在四百人中的二十、三十名左右。然而對於學校生活的空虛感也一樣沒有消失。

男同學們手持塑膠的飛機模型，嘟囔著「超帥的啊」天真地把玩著。說到女同學的興趣，不是購物，就是在餡蜜甜品店裡毫無重點地閒聊……

我實在提不起興趣融入他們，於是主動成為學生會的委員，加入「社會部」的社團。在社團裡，馬克思與列寧的著作被當成教材使用。

然而，加入社會部還不到兩週，四十二年（一九六七年）十月八日發生了京大生山崎博昭被虐殺的第一次羽田事件。

我在吃早餐的餐桌上讀到了那篇新聞報導，慘不忍睹的光景映入眼簾，我無法抑制激烈的憤慨，隨便吃了早餐就去學校了。……放學後，馬上拿著週刊的剪報到社團展開討論，大家意見不一。尤其是社會科的老師，

「那種傢伙叫做暴徒。用那種手段來抗議是下下策，這就是魯莽的年輕人。」

完全沒有討論的餘地。讓我感受到社會的矛盾與邪惡的根源之深的，就是這一刻。我重新思考了高中這種東西應有的樣子。現在的高中，依升學率被區分為一流、二流、三流，有些學校因為男學生和老師認為「和女生在一起的話分數會下降」，所以雖然是男女共學，但還是有到了高二以後施行男女分班的學校。

也就是說，從一開始就被押上了「男性＝優秀，女性＝劣等」的烙印。更進一步思考的話，只有男性能在社會上工作，女性只被當成生孩子的工具，這樣的未來構圖難道不是清楚地浮現在眼前嗎？這樣不行，必須做點什麼。在經過煩惱與思考後，我決意投入高中生運動。

在那之後，她去看了第二次羽田鬥爭，並別著越平聯的徽章去上學。老師雖然叫她拿下徽章，但她拒絕了。幾天後，有個三年級的男生跑來問「妳是越平聯的嗎？」並提出「下次要一起去遊行嗎？」的邀約。就這樣，她參加了一九六八年三月十日前往三里塚的抗議遊行。

如第八章所述，那一天機動隊襲擊了在市營運動場上開解散會議的學生、工人及農民。她這麼記下了那天的樣子：

被編入救護對策班的我，為了守護將近五十名受傷的大學生，組成了手勾手的人牆進行防禦。與其說守護，不如說是為了凸顯設置在運動場邊緣空地上的「野戰醫院」才圍起的人牆。

但是，作為美國私人軍隊的機動隊卻毫不在意。我被撞倒、被拉扯頭髮、小腿前側有五公分左右的裂傷，腰部被重擊，成為完全的傷兵。有三位夥伴輪流背著我到成田站，在車站前的拉麵店吃了晚餐。吃完以後，我驚訝到差點跳了起來。

「啊，不行。付完拉麵錢就沒錢買車票了。」

將每個月父母給的兩千圓零用錢全部都用在參加運動與募款上的我，一直都是個窮鬼。

這時候，隔壁桌帶著頭盔的大學生團體傳來聲音，說拉麵錢他們要付。我好開心。在一起組成人牆的陌生人中感受到了像兄弟一樣的夥伴意識，讓我的身體不禁充滿了熱情。

然而，回到家的她因為受傷遭到母親責罵。「妳究竟做了什麼？我不記得我有把妳養成會去參加粗魯示威遊行的女孩。明天起不要再做這樣的事了。」然而，已經決定「絕對不會妥協」的她，留下「請幫我保密，和爸爸說我去社團的合宿了」的紙條，跑到在三里塚認識的學生的大學過夜，學習和訓練成為運動者。她如此記下成為運動者的經過：

翹家當然是第一次，外宿也是第一次，但是在學校裡過夜的感覺實在太棒了。雖然不能洗澡有點美中不足，但遇到的每個人都像是朋友一樣。吃飯就在拉麵店解決，辦學習會、出去街頭募款，也幫忙製作了傳單。……在這樣的生活中，我逐漸養成了就算戴著頭盔、拿著木棍也不會感到抗拒的性格。

第三天中午過後，終於回家了。母親一看到我的臉，就在哭倒在玄關前。

「我拜託妳不要再去了……。我整晚都沒睡，一直擔心著妳。」

真是討厭，這是挽留的第二階段吧，從威脅變成哀求，我冷靜地看著母親這樣的舉動。

在那之後，我無視了母親哭泣的表情，也出門去了立川的美軍基地與王子的美軍野戰基地抗議。有時候甚至一週兩、三次。

如果是早上的抗議，我就在上學前拿著書包直接參加。有時候因情勢所逼，我會翹掉一、兩小時的課。因為拿著頭盔被看到會很麻煩，我就把它裝在大紙袋裡不讓別人發現地帶著走，小心選擇暫放的地方，也是相當地辛苦。

這麼說來，也有過這樣的事情。阻止美軍王子野戰醫院開設的抗議是在四月十五日。上午，我在準備前往抗議，整裝的時候發現「武裝用」的襪子、褲子與夾克不見了。到處翻找了以後，發現是母親事前在報紙上得知了抗議的事情，所以前幾天把這些東西和垃圾一起丟掉了。

我只好穿著一般的衣服準備出門，走到玄關口時，奔出的母親緊緊抓著我不放，而且門也被上了鎖打不開。

「妳如果被抓了、受傷了、被退學了的話要怎麼辦？拜託妳了……」

慌亂的母親哭著，在自己的孩子面前跪下，雙手合十懇求著。看到母親這樣的舉動，情感上果然還是會過不去。就是在這種時候，更應該要狠下心對自己說：「這也是鬥爭的一部分」，腦中浮現出機動隊的模樣，咬緊牙關忍下來才是，但是，只有在這個時刻，我無法抑制自己，大顆大顆的淚水不禁流了下來。

在與這種「家庭帝國主義」衝突的過程中，她繼續從事運動，成為了所屬高中同志組織的領導者。被老師叫去訓話時，她也以「大學生運動者們教導的方式」回應：「我不承認你們這些人是教師。像你們這樣怯懦的反動教師，我會在七〇年粉碎你們。」

在那之後，她還是持續進行著一大早去教室放秘密傳單等踏實的行動。一九六八年十月二十一日，她成功召開了有三百名學生參加的全學集會。指揮這些學生參加遊行的她，與其他高中生的遊行隊伍會合，約七百人朝向新宿前進。她在新宿遭受了機動隊的暴力，還遭辱罵「妳這個撒尿的小子，會怕的話就不要再來了」、「小王八蛋，得意洋洋地搞什麼遊行！」等等，被便衣刑警跟蹤也成了日常。但是，她最終還是成為了強大的高中生運動者。

高中生運動者對於社會與政治究竟理解到哪裡？當然也存在這樣的疑問。《縣立靜岡高中新聞》一九六八年十二月二十三日刊載的高中生座談會上有了這樣的爭論：[18]

「可以說，高中生裡幾乎沒有人在理論上掌握了現在的政治體系的本質吧。因此我認為理論性地行動的人其實不多。大多數的高中生都是出於其他動機而參與政治行動的，不是嗎？」「我有實際參加過行動，但過程中有時候會讓我很不解。到底是目的是什麼？訴求又是什麼？我認為這些都非常模糊。比起說是政治鬥爭，反倒更像是人類鬥爭，想要從中尋找所謂的自己。」

確實以高中生的知識與思考能力，具備扎實的「理論」根據是有困難的。但是這一點，恐怕當時大部分的大學生運動者也是一樣。他們在社會裡抱持著茫然的不安和不滿，因此參與了所謂「想要從中尋找所謂的自己」的「人類鬥爭」。

依照當時的教育學者鈴木博雄的分類，參與高中生運動的學生大致可以分為兩類。[19]一種是像上述女學生那樣，早熟且具備高度思辨力的學生，在名校裡因社會與升學考試體制的矛盾而覺醒。另一種類型，是在非名校或高職裡，因為成績不好而對未來感到絕望，從而對社會產生不滿的學生。

至此所描述的高中生運動者的例子屬於前者。由於大眾媒體的報導一味地集中在名校的紛爭或運動者上，而關於後者，高中生自己撰寫的活動紀錄等等很少存留於當時的報導中，但在一九六九年的雜誌上記載了這樣的內容：[20]「去年年底，有個在新宿認識的纖瘦高中生自豪地說過『我也常去參加三派的抗議喔』。大阪反戰高協的某個高中生也說『比起那些好學生，叛逆的傢伙能更快進入狀況馬上就能被組織』。他認為『這只是用頭腦確認疏離感，還是用感覺體會疏離感的差別而已』。」

或許，判斷「用頭腦確認疏離感」的是名校的早熟學生，而「用感覺體會疏離感」的則是成績不好的非名校學生，這是一種方便的分類。然而事實上，「用頭腦確認」的高中生，也還是以「感覺」體會到了社會與升學制度的矛盾。

就這樣，各黨派的高中生運動者越來越多。從一九六八年十月到一九六九年四月，民青同高中班的人數成長率是十一％，而反日共各派為四十七％，合計人數達到了四千人。[21]這些人成為了一九六九年秋天「高中反叛」的一分子。

累積的不滿與反叛之芽

然而，高中反叛也有社會因素的背景。就像一九六五年的慶大鬥爭和一九六八年的日大鬥爭等是自發興起的，一九六九年的高中反叛也與黨派的動向不同，是從一九六七年開始逐漸萌芽發生的。

如第一章所述，當時的高中生痛切地感受到在高中升學率的劇烈上升中的「升學戰爭」壓力，以及老師與學生之間的交流不足等等。那不僅是高中生加入運動的背景，某些時候也促使了紛爭的自然發生。

這些紛爭，比起黨派總是高舉的政治性訴求更加貼近生活。具體來說，「升學戰爭」、服裝規定、「不良行為」等問題都曾被提出。服裝規定或「不良行為」的問題化，是在經濟高度成長帶來的社會劇變中，儘管年輕人的風氣及文化有了變化，但各地高中卻依然惰性地維持著從前的服裝規定及校規所致。

一九六九年四月二十四日的《讀賣新聞》報導了某間都立高中的女生制服自舊制的府立高女以來都沒有變過，並報導了以下家長的聲音：[22]「創立以來半世紀，居然完全沒有變過。一月和五月的氣溫差這麼多，一件水手服根本不能通用，一整個學期也都不能拿去洗。」此外，將男學生不剃寸頭或稍微的無假外出等行為視作「不良行為」而處分的高中也不在少數。

一九六七年九月二十二日，關西某間公立工業學校發生的事件，就是一起自然發生的紛爭。[23]那一天第四節課時，約一百名男學生罷課並在中庭召開集會。他們爭取「希望允許留長髮」（拒絕剃寸頭），並沒有政治訴求。集會開始時，《朝日新聞》的記者與攝影組前來採訪。擔心被校方單方面鎮壓的學生方，為了將問題訴諸公眾，事前告知了記者集會的時間。

黨派和學生會完全沒有參與這個行動。第一章已經提及，在這個時期之前，學生會淪為學校的御用機關，導致活動停滯。在這個高中，學生會的幹部雖然每年都會做出「允許長髮」的承諾而當選，但卻從來沒有成功扭轉校方的立場。學生們對學生會徒感失望，從而展開獨立的行動。

參加集會的是高二生（部分是高一生），而沒有動員高三生參加。在這間工業高中，高三是就業的時期，行動核心的學生們主動地避免了將高三生捲入這場預期將受到校方處分的行動。

校方對於這場突如其來的集會感到震驚，教職員最後說服了學生中止集會。在職員會議上，對如何處理這起事件進行了長時間的討論。對於學生方的訴求，雖然也有強硬派主張「絕對不可以讓學生以為只要會吵就有糖吃，應該要嚴懲首謀者」，但是在已有記者跑來採訪的情況下，要將問題壓下來在校內悄悄解決是很困難的。最後，校長壓下反對意見，做出「在經過若干準備期間後將允許留長髮」的結論，事情暫時平息。

一九六七年春天，栃木縣立足尾高中將具有多次「不良行為」記錄的高二生退學時，發生了同年級學生要求撤回處分，因而罷課並要求團體交涉，進而闖入職員室的事件。一九六八年三月，這間高中又發生為了抗議八名學生因學分不足等原因被留級，二十幾名高二生毆打校長、教務主任等十九名教師，造成八人受傷的事件。學生們還朝著校長室丟擲石塊，破壞了玻璃窗、電話與茶具。[24]

這些反叛中，既沒有黨派的介入，也沒有政治訴求。然而這些事件卻呈現出，由於經濟高度成長造成的社會變動，以及接受了民主教育的學生的意識變化，自然地形成了反叛的土壤。

這種自然發生的反叛，似乎從一九六七年前就已經出現。上述兩起事件是被大眾媒體報導的，而一九六九年一月當時為早大四年級生的某學生，如此回憶自己高三時（一九六四年）發生的事件：[25]

……我們是在高中的時候，不把〔對於「秩序」的〕違和感放著不管，而是變成一定要與「秩序」對決的。

起因說起來是一件很無聊的事情。我們班在文化祭的企劃（鬼屋大會），雖然在學生會上一度被核准了，但卻被學生會的顧問老師以「會給人不好的印象」為由建議盡可能取消。順應他口中的「對話」後，我們知道「建議取消」就是「取消」和「不准這麼做」的意思。乖順的學生會執行部也不可靠，當我們試著發表意見時，也因為「秩序」遭到學生會審查，甚至傳單一張也不能隨便發。

這樣寫或許會讓人覺得這是一間極度嚴格的封建學校吧，但實際上與一般的高中比起來，這是一間十分「自由」的高中。對於服裝和其他私人事項沒有任何干涉。就算是被編進升學考試體制的我們，和其他學校比起來都還算「自由」的。可是，在這背後的是，以創價學會或能研測驗[ii]為題的社團研究，都在老師的「指導與建議」下「自主的」不公開而消音。……我們絕對反對「自主的」撤回〈鬼屋大會的企劃〉。我們主張，反對自主審查、反對欺瞞性的對話、澈底追究過去事件的真相，以及拒絕被編進升學考試體制的自己。基於學生會只是空殼，無視其進行活動是理所當然的事。

我們為了訴諸全校學生，用油漆寫下標語，秘密地發放傳單。結果，未經審查的傳單被年級長「自主的」搜集起來丟掉，寫著標語的場所也變成「施工中請勿進入」的區域。當事情變得藏不住時，標語被當成「塗鴉」，我們被當成犯人追究，校方勸說我們「自首」。過去的事件在校方單方面的說明會中不了了之，伴隨著退學、停學的恫嚇，校方強力主張要捍衛用功讀書的校園秩序。……我們因為自主地拒絕秩序而打開了視野，並未屈服於這種秩序的道德下。那是高中生活中唯一真正活著的時期。然而，臨近考試的冬天，我們曾或多或少抱有幻想的全校學生，在「秩序」的面前紛紛屈服、沉默，「事件」也就隨著我們的畢業結束了。

恐怕這種未被大眾媒體揭露就結束的自發性反叛，在各地都有發生。一九六九年秋天，高中鬥爭頻發的時候，諸如大眾媒體都將其視為是對大學全共鬥運動的模仿，然而，一九六四年或一九六七年上述事件的發生，顯示了高中鬥爭並不都只是在大學運動的影響下發生的。

另外，學生會的停滯與「三無主義」的滲透也都成了反叛的土壤。受到校方指導束縛的學生會，讓積極的學生失望，擴大了不關心派的人數。神奈川縣某間縣立高中的報紙記載著「我知道了學生會的真實情況，其模樣十分殘破」，「問題倒不如說是認為『學生會怎樣都沒關係』的不關心派。這些漠不關心的人數竟如此龐大」。[26]依據教育學者鈴木博雄於一九六八年十一月在都立新宿高中做的調查，視學生會等自治活動為「完全的自治」的受訪者只有一成左右。[27]

而愛知縣立瑞陵高中的校內誌是這麼呼籲的：[28]「現今，三無主義被說是青少年的風潮。」「從〔學生會〕執行部委員選舉異常的……低調程度來看，某個面向上，瑞陵生的三無主義狀態是無法否定的事實。」「是什麼將我們的主體性奪去了呢？」「我們從中學生時期開始，或說從那之前開始，就活在歧視與篩選的教育中。……為了一分的差別斤斤計較的同時，抱持著所謂『如果能順利考上高中』的淡淡希望入學。然而，這個希望，從中學以來就被一直持續著的考試主義給輕易地打碎了。」

鈴木從這樣的調查結果分析，「大多數學生對於自治活動的漠不關心與缺乏動力，孕育出對其感到反彈而走向激進行動的激進派學生」，並將其定位成「非政治性與激進的兩極分化」。[29]正如我們看到的，前述的高中生運動者們，對享樂派與由「書呆子」為代表的不關心派同學都一樣感到不爽，而

ii　譯註：一九六三年開始實施的大學入學測驗，分成升學適性能力測驗、職業適應能力測驗、學力測驗三種。在一九六九年終止。

在公立工業高中的例子中，運動者無視學生會逕自召開集會。

如果學生會活動如第一章描述的戰後初期的情況那樣，能以學生的「完全自治」運作的話，也許就不會有不關心派的擴散與激進派的出現。可是，大多數不關心派與少數激進派的出現，以及激進派無視既存自治會展開行動的現象，在大學的全共鬥運動中也相同。高中鬥爭也是在與大學共通的社會結構中發生的事件。

另外，因高中的激增而造成的教師素質下降、毫無熱忱的教學、師生的交流不足等等，也形成了反叛的土壤。京都府立鴨沂高中的畢業典禮致詞上，批判了「用彷彿十年一日般同樣的抑揚頓挫講述著相同內容」的課堂。而依據《都立杉並高中新聞》，「當問到『老師與學生之間的對話多嗎』的問題，有九成的學生都回答很少」。[30]另外，依一九六九年《朝日新聞》描述，日比谷高中等「名校老師大多因為〔補習班講師等〕兼差相當忙碌」。[31]可以說，升學率的急速上升與嬰兒潮世代的升學、枯燥無味的課堂、師生的交流不足等等大學鬥爭共通的土壤，在高中也同樣存在。

一九六八年三月，東京都立兩國高中的學校報紙，刊載了以下的記事：[32]

> 現在的我們一點也不快樂。被考試追著跑、日復一日地預習和複習，不管是睡著還是醒來的時候都浮現出老師的臉。眼睛充血、揉著帶著倦意的眼睛仔細聽著講課。校方也將升學率當成最優先的問題，因此上課比什麼都重要，學校的活動變成第二、第三順位的事情。
>
> 前幾天舉行的某場集會中的分科討論會上，有「教育」這個題目。……出現了這樣的意見：雖然有負責的老師，但只有在上課的時候能碰到面，老師連HR〔班會〕也沒有出席，無法和老

師有課堂內容以外的對話或諮商。這是現今升學學校常見的現象，既然高中被稱為大學的升學補習班，也是不得不接受的現實吧。……

這個現象在變成學校群制度之後又更加明顯。從前幾天舉行的學力測驗的結果來看，二年級成績及格和優良的二十人中，有四個班級佔了大多數，而在一年級，成績及格和優良的學生，有兩個班級佔了半數以上。反之，也有的班級沒有一個人上榜。這種情況是偶然發生的嗎？就算是這樣，差距未免也太大了吧？六一群的其他兩個學校，據說依據入學分數開設了特殊的班級。我們學校雖然沒有明說，但一定存在著特殊編班吧。

由此可以知道，當時依考試分數進行能力分班相當普遍，公開宣稱沒有能力分班的學校，其實私底下還是實施分班。

文中的「學校群制度」，指的是東京都從一九六七年的入學考試開始採用的制度。在此之前，在東京，人氣都集中在日比谷高中或立川高中等由舊制中學改制的公立名校，私立高中除了一部分學校以外，被視為低學力的學生去的地方。文部省以防止升學競爭過熱的名義，採用了以地區為單位將多間都立高中編成「群」，考生接受「群」的入學考試，合格後再分發進「群」內高中的制度。

因此，日比谷高中為首的名校，在學校群制度施行以後，就不得不接收學習能力低於以前的學生。此後，都立名校的排行下跌，人氣改為集中於私立的升學學校。也就這樣，學校群制度的施行帶來的僅是都立名校的沒落與私立升學學校的興起，對於防止升學競爭過熱一點幫助也沒有。

然而，這個學校群制度的施行卻對高中鬥爭造成了意想不到的點火效果。當時為都立新宿高中學

生的評論家平井玄，在一九八三年這麼提及：[33]

……諷刺的是，「學校群制度」為過去的高中生運動理論無法完全掌握的動態性「高中生群眾運動」提供了幾個引爆點。……後來，超級菁英學生前往知名的私立學校，而都立高中之間則形成了一個有些微差距的分層結構。在這樣的形態穩定下來之前的那幾年裡，所謂的都立名校（讓人討厭的詞）尤其陷入了混亂之中。那樣的菁英培育機關受到了過去從未面對過的「普通的高中生」大舉入侵，此外，所謂「優秀的學生」也特意不去私立的升學學校，而去明知混亂但學費便宜的公立學校就讀，這些感覺有點古怪的傢伙也令人關注。簡言之，在不斷培養出無力的菁英，殘留著過往腐臭舊制高中的特權自由主義味道的溫水中，突然被丟進兩種劇烈藥物，進而引發了化學反應。

延續自過去生產出許多東大生的舊制府立第一中學的日比谷高中等，以舊制中學的自由主義校風自豪。那是基於只收高學力的學生入學，就算不施行特別的升學指導、能力分班、嚴格的校規，全部交由學生自己管理也不會有問題的前提上。可是，由於學校群制度導致大量低學力的學生入學，這樣的學校也開始施行升學指導與限制自治等措施。

一九六九年的秋季頻繁爆發高中鬥爭，其原因之一是「由於學校群制度的施行，學生學力下降的普通高中的老師在上課時總是反覆說著『以前的學生都很優秀，和他們比起來你們這些傢伙……』。這個行為加深了學生的壓力，進而激起對老師的反抗心態」。這樣的說法廣為流傳。[34]因此，日比谷高中、青山高中、新宿高中等，都立的前菁英學校的高中鬥爭也就進一步激烈化。以一九六七年新設立「建國紀念日」為標誌的教育保守化，也讓激進派感到惱火。一九六八年七月的《愛知縣立旭丘高中新聞》中刊載了以下的文章：[35]

> 今年三月，為了反對東京王子美軍野戰醫院的設置，高中生獨自舉行了抗議遊行。而在六月，這些參與遊行、集會的高中生越來越受到關注，日比谷公園聚集了眾多高中生舉行抗議集會，反對為遏制這種趨勢所召開的全國高中校長會議，並反對在國會上被廢除的教育三法。……在今年五月文部省發表的小學指導要領中，社會科裡選用了神話故事，導入了試圖讓小學生內化「萬世一系之天皇統治的日本」的皇國史觀，這一點格外引人注目，特別教育活動的項目中甚至寫著「希望在國民的節日儀式中，能使學生理解其意義，並鼓勵升國旗、唱《君之代》」。
>
> 我們為了自身安全與接受更正確的教育，是否能不屈服於眼前升學考試的壓力，過著日常的生活呢？這個答案是否定的。在所謂旭丘和平的太平氛圍中，我們難道不是被埋沒在日常性裡，為了唸書而唸書、為了社團活動而社團活動，甚至在不知道實質內容的情況下，只是機械式地進行著被指派的活動嗎？在逐漸走偏的社會中，我們必須探索永恆的和平與繁榮，並將其確立起來。我們必須脫離每天的日常，積極地朝著目標展開行動。唯有不被怠惰的情感影響，透過反戰運動等追求自身的存在，我們才能獲得所追求的生活，不是嗎？

這裡也可以看到，在多數學生沉浸於保守化高度經濟成長的「太平氛圍」，努力準備升學考試的情況下，也存在著少數感到不滿的激進派學生。

高中報紙也刊載了更具思辨性的文章。在一九六九年的私立灘高中學生會誌上，刊登了之後成為了作家的高橋源一郎的〈民主主義的暴力〉。[36]文中，高橋批判報紙對於第一次羽田事件的論調——批判「暴力」與提倡「對話」的「民主主義」，並主張「『民主主義的神話』只不過是沒有實體的幻覺，但卻依舊操縱著許多人的腦髓」。他這麼寫著：

學生運動本身的自立性，並非如角材所展示的那種對「權力」的直接攻擊，而是對沉浸在體制中的同學的一擊，也同樣必須是對自身的一擊。他們能多麼深刻地否定「民主主義」，並與「民主主義者」決裂呢？……無須多言，這是他們的問題也是我們的問題。

我指的「民主主義中的暴力」是什麼？我敢肯定，那意味著破壞已然不再是民主主義的「民主主義」，並使其重新恢復。如果我們現在想做點什麼，並且這個行動是以自由為目標的話，那麼這個行動或許就會被人們稱為「暴力」吧。讓那些想指指點點的人自己去說吧。暴力不是「暴力」也不是『暴力』。民主主義不是「民主主義」也不是『民主主義』。……我們因為長時間被教導「A是A，B是B」，所以不禁誤以為那就是真實。我們必須從已死體制的固定觀念中逃出來，奪回我們原來的想像力。

高中生們已經感受到，校方以「民主主義」或「對話」為幌子組成的學生會或班會，只剩下空殼並支持校方的體制。這看起來，就像是議會制民主主義成為了自民黨政權用以提供自身正當性的狀況一樣。如果要否定這種「幻覺」的「民主主義」，並且展開追求自由的行動，那麼這個行動或許將會被人們稱作「暴力」吧。然而，那既是「破壞已然不再是民主主義的『民主主義』」的行為，也是恢復真正的「民主主義」的行為。

當然，高中生只憑著自己的力量構築出這樣的理論並不容易。高橋自己也承認，這篇稿子「很多地方參考《現代之眼》十二月號上鈴木道彥所寫的〈民主主義中的暴力〉」。但就算是從雜誌論文或書籍學來的形式，一部分的高中生還是否定了空殼化的學生會等組織，支持直接行動。

然而，能在校內報紙等刊物上書寫這種文章的高中生已經算是幸運的一群了。因為學校的審查等而無法自由公開發表文章的高中生，則是自行製作木刻版印刷的傳單報紙在校內秘密發放。當時的報導這麼描述這種活動的其中一例：[37]

晚上六點，在S君租屋處的房間聚集了四個人。……G高中是縣內屈指可數的升學名校。順道一提，該校採用從高二開始依志願分為國公立理科、國公立文科、私立理科、私立文科等四種路線的能力分班。

這一天，四人開始著手製作第三號的游擊報紙。原稿已經備好。字很漂亮的T君已經開始揮舞著鐵筆。

標題是《新G高新聞》。S君解說道——在G高中，有作為學生會正式刊物的《G高新聞》。然而，這個刊物會受到新聞部顧問教師、學生指導部教師的嚴密審查。有時候甚至還會被拿到職員會議上討論。批評學校、批評文教政策、男女交往論、學生運動論、政治問題等記事，絕對不可能會被批准放行。……

最近，新聞部成員開始自我審查，不做可能無法通過審查的報紙。「入學考試結果」、「與其他學校的校際對戰成績」、「校長、教務主任的談話或訓話」等記事佔據著大幅版面。甚至連這種報紙，都因為部員人手減少，一年只能發行兩、三次。

「那種東西早就不是新聞了。那是廣告和公關報紙。」秘密討論學生運動等問題的四人，從大約一年前開始聚集在S君租屋處的房間，決定「非法出版」一份可以稱得上「這才是我們的報紙」的出版品。然而，這個行為伴隨著相當程度的危險。在學生守則中規定「校內的出版、集會、公告、廣播必須得到校方許可」。要違反學生守則，必須有被處以最短一週的「禁閉處分」的覺悟。如果累犯，還有可能被停學、退學。就算是這樣，四人還是決意冒著危險行動。那種「難以乾坐著等待」的焦躁感，早已經籠罩著四人。

這個《新G高新聞》的第一、二號直接親手發送到了信得過的學生的手上，內容訴求廢除學生守則與批判升學考試體制。第三號則是半夜闖入學校，偷偷放了四百份在教室的桌子上。

然而老師發現了這個報紙，並將其作為「未經審閱的非法出版品」全數沒收。校方在開始尋找「犯人」的同時，也一面公告「在我校已有正式的學生會刊物《G高新聞》，全部學生發表自我主張的機會應已獲得保障」。然而，四人還是持續進行著報紙發行活動。

如前述，有很多學生被老師要求拿掉越平聯反戰徽章。都立世田谷工業高中的學生，在一九六八年三月畢業後，向雜誌投稿文章：38

我還是高中生的時候，雖然有幾個朋友配戴了反戰徽章，但只有我一直戴到畢業，也因此遭受到老師的暴力與中傷。

一開始，我的朋友被老師說「這是什麼？拿掉。」朋友反問「為什麼？」「什麼？我叫你拿掉就拿掉。」

朋友乖乖地摘下了徽章。他想試著說些什麼，但因恐懼臉色蒼白而發不出聲音。……沒多久後，我也被老師說了。

那時，老師的態度甚至讓人覺得他是不是發瘋了。他指著我的胸口問道，「這是什麼？」「這是反戰徽章。」「拿掉！」。……

但在畢業典禮的當天，我又被老師要求拿掉徽章，並威脅如果繼續戴著就不准出席畢業典禮。因為這是畢業典禮，媽媽也有來，不想和老師起衝突，所以我暫時拿下徽章進入典禮會場，但沒過多久就跑出來了。……

典禮結束以後，我向老師問原因，他說「為什麼沒去典禮？給我乖一點。太卑鄙了！要做這種事情就不要來學校！現在馬上給我退學申請書！給我乖一點！」

老師到底想說什麼呢？卑鄙到讓人覺得這樣還算老師嗎？而且還動手打人。我固執地追問老師為什麼非得要拿掉徽章。

「在學校戴這種東西不符常理。」

「在校外要做什麼隨便你，但在校內就要聽老師的話。」

「如果不聽老師的話，就不要來學校。」

「你的思想和學校不一樣的話，你就離開學校吧。」

「這是常識，你還太年輕所以不懂。」

……全都是我無法接受的，讓人吃驚的話。如果老實地說「在學生裡面要是有戴著這種徽章的人，身為老師會很困擾，請給我拿掉」，或許還會乖乖聽話也說不定。把「常識」掛在嘴邊的老師，不顧旁人地在課堂上抽菸，把學生當成商品強迫就業，嘴裡說出的內容，不是稱頌戰爭與愛國心，就是〔批判學生運動是〕「魯莽的暴力」。「乖一點」、「卑鄙」、「退學」、「常識」、「思想」、「年輕」這些詞彙，我想要原封不動地回敬給這個老師。

這些規定也涉及學校的活動。一九六九年三月，在神奈川縣立平塚江南高中，在文化祭執行委員會的名目下組成「安保、沖繩研究會」時，校方對此表示「沖繩如果是觀光和風土民情的話可以，但不允許安保研究會」，並對委員和家長施加壓力，導致原本約三十人的委員會到最後只剩下三個人。這三人曾呼籲進行班級討論和全校會議，但在「升學考試至上主義」的氛圍底下，隨著期末考和暑假的到來，這個呼籲最後無疾而終。[39]

高中鬥爭一方面受到全共鬥運動的刺激，從一九六九年的秋天到冬天頻繁發生。然而，早在此之前，引發反叛的土壤就已經形成，上述類似的事情也零星地發生著。

「畢業典禮反叛」的頻發

在一九六九年的街壘封鎖等行動發生之前，高中生將畢業典禮的送別辭和答謝辭當成表達思想的場合。在一九六八學年度的各地畢業典禮上，頻繁發生含有反對越戰和批評升學考試體制內容的送辭和答辭，成功逃過教師的審查而被朗讀出來的事件。

雖然這麼說，但這並不是一九六八學年度才突然開始的現象。[40]根據大眾媒體報導，一九五三年在京都府立洛北高中，就已經有學生朗讀了觸及禁止原子彈氫彈與被歧視部落問題的答辭，這是「社會派答辭」受到關注的開端。此後，幾乎每年各地的高中都會出現批判文教政策或升學考試體制的送答辭。

隨著越南戰爭的戰況升級，這個趨勢也更為顯著。一九六七年三月在大阪府立泉大津高中，學生宣讀了主張反對越南戰爭的「反戰答辭」。一九六八年三月，主張反戰與批判升學考試體制的送答辭，進一步擴散到福島縣立福島高中、京都府立鴨井高中等十幾間學校。

其中，據報導，在福島高中朗讀送辭的時候，從學生和家長裡頭「傳來騷動與掌聲。中間雖然一度有人發出『停下來』的噓聲，但在批判高中教育等等的『關鍵時刻』，在校生之間爆出了熱烈的掌聲。」朗讀這份送辭的二年級學生，被以朗讀的內容與提交給學校的送辭不同為由，被處以五天的禁閉處分。[41]

在一九六八學年度末的一九六九年三月畢業典禮上，全國共有八十八所學校的畢業典禮陷入了混亂。其中，藉由送答辭批判體制的有三十五校、街壘封鎖的有四校、因勞動歌曲、叫囂而陷入混亂的有二十九校，懸掛布幕、發放傳單、豎立看板等有三十五校，校內遊行或集會的有十校。[42]

一九六九年三月的畢業典禮上事件頻發的原因有二。首先，新左翼黨派受到大學內全共鬥運動的刺激，也開始在高中採取「只靠街頭行動並不能推進運動，應該在各所學校內展開行動」的路線。[43]

然而，另一原因是一九六八年的大學鬥爭對高中生們的意識產生了影響。高中生們曾經期待只要能進入大學，就會有充實且自由的人生等待著他們，因此忍受著升學考試的壓力。可是，東京大學和其他大學的鬥爭事件卻暴露出了大學內部的真相。

這種衝擊，溢出了之前已參與政治運動的高中生，進而影響了對政治漠不關心、專心認真唸書準備考試的高中生。當時為升學高中之一的都立青山高中三年級生的學生，在一九六九年三月這麼說道：[44]

「過去，我們被老師們說服，只要好好忍耐撐過這三年的苦讀，順利進入大學的話，就保證能夠獲得所有的自由與自主，以及發展自我個性。我們如此相信著，於是忍住不做自己想做的事情。可是，現在的大學鬥爭，難道不是正在揭發其實全國所有的大學都充滿著矛盾的現實嗎？大學的自由只是幻想。即使我們按照老師們的說法刻苦地準備考試，畢業後還是不會有什麼真正的自由。我對於過去自己將周遭的矛盾視而不見感到羞愧。」

教師們無法回應這些學生的心聲。在東大鬥爭陷入泥沼的一九六八年末，長野縣名校松本深志高中的一位教師不禁吐露出「我已經不知道該如何和學生交談了」。[45]

此外，因東大決定取消入學考試而遭受打擊的重考生這麼寫著：[46]

「自從我懂事以來，我就為了考上東大而一直努力唸書。然而，起因自醫學部學生的處分問題，從六月左右開始，整間學校的紛爭不斷高漲，最終導致全校封鎖，入學考試的舉辦也可能遭受波及。這種情況下，我當然無法好好唸書。我感到憤恨、迷惘和困擾。……接著在十二月底，入學考試取消的基本方針終於確定了……這給了我極大的打擊。然而，我卻理解到了更大的東西。我所信任並盲從的絕對權威『東大』，竟然屈服於一部分學生的意願，展現出如此可恥的姿態。『是啊，社會上的大家就是這樣的。除非是自己思考、自己開創出的東西，否則無法信任。』我變得更加堅強了。讓我們拋棄那些陳腐的矇騙吧。讓我們重新審視所有的一切，創造出新的事物吧。」

在高中生中出現這種契機的情況下，如前述，一九六九年三月各地的畢業典禮變成了「重新審視所有的一切，創造出新的事物」的場所。這裡介紹兩段在該年度畢業典禮上被學生們朗讀出來的兩篇自主答辭。第一段，是在一九六八年三月被朗讀出來的京都府立洛北高中的畢業生答辭：[47]

> 現在，幾乎在所有的課堂上，教師們用彷彿十年一日般同樣的抑揚頓挫講授著相同的內容。
>
> 這樣的老師們無法講解自己所教授的內容的含義，僅僅只是轉述教科書上的文章而已。……那些話語僅是輕輕掠過我們的耳邊，並未能喚起我們的內心。
>
> 老師們甘於接受這種現況，聲稱「老師也是有生活的」，試圖隱蔽自己非主體性的欺瞞行徑。……然而，我們也必須關注文部省對其他府縣的老師施行勤務評定，並且修訂教育指導要領，對老師們進行層層約束的事實。對於老師們的情況，我們學生之中有些人受到出世主義或My Home主義的影響，大大妥協於目前的大學升學考試體制並盲目追隨，也有些人對於枯燥無味的課堂漠不關心，變得軟爛，快速倒向頹廢的情緒中。……現在，作為社會機制裡一枚齒輪的個人的存

在，在機械文明的自我發展中受到了嚴肅的質問，過去的人際關係正與封建的秩序觀一起崩毀。而且，在東京大學、日本大學，以及附近的京都大學、立命館大學，海的另一端則有巴黎、加州大學等地發生了校園紛爭，學生們正試著親手改革現存的教育體制。

並且，七〇年即將到來，作為日本人，我們也必須做出具民族意志的決定。面對這樣的情勢，我們也不能不反省自己在主體性的議論中，僅僅只是批判現狀而沒有付諸任何創造性的變革行動。「難道不是我們自己安逸的人生觀和世界觀，支撐起了升學考試體制嗎？」「難道不是我們的政治過敏，允許了政府推動產學合作路線，將高中教育多樣化，並單方面壓制法律允許的高中生政治活動嗎？」也就是現在，我們必須對這個批判反躬自省。我們必須拒絕被管理，改變被飼養的現狀。

另外，在兵庫縣尼崎北高中，一九六九年二月的畢業答辭中出現了以下的段落。[48] 一九六八年十月，這間學校發生了學生試圖自主舉辦一場抗議政府「明治百年祭」的演講會，卻遭到校方的阻礙，學生們從而廢除學生守則的事件。

各位老師和一、二年級的同學們，我們第十八期的畢業生決定以我們親手寫下的內容代替傳統的畢業答辭，並由我作為代表來朗讀。……四月，抱著明亮的春光與對新生活的期待，我們開始了高中生活。……然而，在每學期的考試和沉悶的日常課堂中，卻發現了自己不知不覺間變得軟爛而麻木不仁。我們為了想要擺脫這種狀態而掙扎著，但每次都感受到更深的無力感。那些勝利組的優等生不加思考地合理化了自己的位置。就算這樣，還是會在突然間意識到自己的行為的空虛。「我這麼辛苦到底是為了什麼呢？」但是，我不知道這個事情的答案。不管怎樣必須先考上大學再說，我總是這樣安慰著自己。……

政府在最近採取了一些引發大量質疑的政策，例如小學中的神話復活、明治百年祭等等。在這樣的情勢中，家永三郎教授的教科書訴訟案也正在進行。我們最為熟悉的教科書，這麼重要的教科書居然引發了必須上法庭的事件，面對這樣的事實，我們怎麼也不應該漠不關心。……這件事在政府於十月二十三日宣布決定舉辦明治百年祭時爆發了。在此，我們必須注意到的是，這場爆發並不是由那些總是對政治深感興趣的學生發起的，而是由平時愛打瞌睡、吃便當、踢足球的學生引爆的事件。

事件的反響遠遠超過這些人的預期。……老師們希望平息事態，於是安排了學生並未要求的講師。然而，已經覺醒的學生的行動，是想要攔也攔不住的。他們以廢除學生守則的方式展現了這種立場。就算這一場行動可能是在異常興奮的情緒中展開的，但在大家心中，都有著維持現況絕對不是好事、希望能做出改變的情緒。這種情緒的存在，是怎樣也無法否定的事實。這篇答辭也是從中誕生的。

確實，要是我們把眼睛閉上，不管發生什麼事情或許都與我們無關。但是當自覺到所謂的自己真的正在活著的時候，我們感受到了無限的喜悅與充實感。一、二年級的各位同學，我們對你們寄予厚望。從現在開始也不算晚。請再次環顧自己的周圍。高中生活真的這樣就夠了嗎？自己的青春真的這樣就好了嗎？然後，請展開行動吧。朝著自己的理想前進……。

為了寫出基於五百位〔畢業生〕整體意見的答辭，我們在班級中討論，並對初稿進行了三次修改。……這篇答辭還不成熟。但是，透過寫出這篇答辭，我們有自信已經為尼北的歷史增添了輝煌的一頁。一、二年級的各位，請在我們所添加的這篇新頁上，用力刻下你們的歷史吧。你們將是塑造明日尼北的人。我們將這篇答辭作為離去者和留下者朝向明日啟程的宣言。大家，再見。

朗讀了這種送答辭的高中相當多。在都立日比谷高中，有一篇送辭提到，「現今的教師們無法承認幾近崩壞的教育現狀，也無法朝著改革的方向前進。已經成為體制中人的教師們，不可能在作為其集合體的職員會議上，對於現代的我們做出有效的回應。」大阪府立茨木高中的答辭，則是控訴「茨木高中可以稱為是一群只考慮自身立場的人的聚所。教育場所如此，教師如此，學生也不免如此。」[49]

在都立武藏丘高中，畢業典禮當天，有八名學生佔領了校長室和教職員室，校方叫來了警隊。對於高中生們的反叛，多數教師都沒有能與之對話的言辭或態度，只能一味地借助警察的力量。都立九段高中、日比谷高中、都立大附屬高中、杉並高中、新宿高中、青山高中等校的畢業典禮，則是有制服和便衣的警察站在校門前。在都立兩國高中，還發生了學生們一同譴責當時畢業典禮會場內的便衣警察的事件。[50]

但是，就算加強了警備，反叛也沒有停止。當時的雜誌上，刊登了這段高中生的發言：[51]「這三年間的不滿，我們每一個人身上都有。只是沒有找到爆發的方向罷了。」

有的畢業典禮變成了相互叫囂的局面，也有些學校改為舉辦「自主畢業典禮」。當時的報導描述了一九六九年三月都立九段高中畢業典禮的情況：[52]

> 東京都立九段高中的畢業典禮，從一開始就以《君之代》和《國際歌》的混唱開場。在已然一片騷動的氛圍中，當擔任司儀的教師宣讀「授予畢業證書」和典禮程序時，立刻有人高喊「放屁」。
>
> 就算被唱到名，不回應也不起立的畢業生一個個接續出現。每次這種情況發生，周圍就會爆出「沒有異議」的歡呼聲。校長的致辭，變成了像是與叫囂聲的對罵。「你們將肩負起日本的未來……」（「屁話」、「國家主義者！」）。「希望你們能夠找到自己真正感興趣的事物……」（「阻礙了這件事的是誰啊！」、「給我說得更具體點」）。「那些內容接下來就將由你們自己去發現……」（「難道不是你們這些傢伙沒有教我們嗎」、「不要推卸責任」）。
>
> ……送辭雖然簡短且內容「保險」，但也遭受了叫囂聲的集中攻擊。
>
> 送辭說著「現在的高中教育確實存在著很多問題。然而，我們擁有可以歌頌青春的年輕和奮鬥」，但卻遭到了「優等生！」「你不是在校生代表，是學校代表」、「停止樣板化送辭」等凶狠的回應。

雖然典禮還是硬著頭皮進行到了這裡，但是在畢業生代表答辭時，情況終於爆發了。他向講台上的校長宣告：「若是同意這種由學校當局單方面主導的畢業典禮，那麼我們不就是在最後的最後，還是失去了被一直異化到現在的主體性嗎？從現在開始，將這個欺瞞的畢業典禮切換成自主畢業典禮吧」。他一說完，有數十名學生像是早已準備好似地，一起跳上講台，逼迫校長離席並奪取了麥克風。

主張「繼續進行典禮」的數名學生圍繞住講台，向「自主畢業典禮派」大打出手，雙方爆發激烈的肢體衝突。流血的學生、因為所有人都起身站起來而搖晃的家長席、女學生的尖叫聲。麥克風重複著「自主畢業典禮」、「自主畢業典禮」的喊叫。「畢業典禮」失去該有的樣子，變成了意想不到的混亂場面。教師們急切地說服學生「典禮程序就快結束了，結束以後要怎樣隨便你們」，終於在幾分鐘後典禮再次進行，不管是要贈送紀念品還是要代表家長致上謝辭的中年和服婦人，每一個都被投以「滾回去」、「滾回去」的大合唱。

……混亂過後，校長、教務主任等大半的老師，與幾乎所有的家長都匆匆離開了會場。再度有數名學生站上講台，宣告「自主畢業典禮」開始，催促地說著「允許所有言論自由地發言。想要發言的人請站到麥克風前面。」

超過三分之一的一百多位畢業生與一部分的在校生，還有幾位年輕的教師也參與了發言。學生們輪流上台，傾吐出高中三年來累積的不滿。他們在訴說共同的煩惱與相互理解的過程中，流露出非常滿足的、充滿生命力的神情。年輕的教師們也自願地走上講台。一位教師說「來到這間學校以後，第一次實際感受到能和各位同學互相對話」，並感慨地說道：「今天的這個集會，坦白說非常好。我認為應該要以此作為參考，找出取代以前畢業典禮的新形式。」

另一位教師則是充滿熱情地說：「因為你們還年輕、還不成熟，所以就閉嘴吧，這樣的想法是錯的。人類彼此是平等的。在今天的集會上，我才總算意識到這件理所當然的事情。我想以此作為送給各位的餞別語。希望你們變成大人的時候，不會成為對著比自己年輕的人說『因為你們還年輕所以閉嘴吧』的人。」

這場比畢業典禮還久的集會進行了超過兩小時。內容沒什麼組織，與其說是「典禮」，反而更像是一場閒聊會。然而，現場充滿熱情、氣氛愉悅，參加者始終保持著專注，場面和諧，讓人完全無法想像先前的咆哮與扭打。

也有學生主張他們「粉碎」了畢業典禮，揭穿了「戰後民主主義」的「欺瞞」。在都立大學附屬高中，納入了學生和民青同高中班的意見，於一九六九年三月舉行了學生們自主討論形式的畢業典禮。然而，自稱為「畢鬥委」的一群學生，很有可能受到了東大鬥爭等事件的影響，主張「我們畢鬥委的鬥爭不是所謂要求民主化的畢業典禮鬥爭」，「在都高裡面，戰後民主主義的殘渣在作亂，聚集著面帶這種表情的騙人的知識階層」，並以此為由，也以街壘封鎖的方式「粉碎」了這種討論會形式的畢業典禮。其中一位畢鬥委的成員如此記錄：[53]

對於都高生來說，不只是「和平與民主主義」，連「打倒日本帝國主義」都不比在考試中多得一分來得重要。……即使有人在討論會時讀參考書，也沒有任何一個人能讓他停下來。但是不知怎麼著，當我們用街壘封鎖粉碎了到昨天為止都還無所謂的畢業典禮時，他們就像失去了童貞一樣地生氣了起來。……

可以說，當一切都失去時，雖然他們早已在資本制社會中失去了一切，但當在所謂戰後民主主義的虛構狀態中被給予的東西也失去了的時候，有些事情發生了。他們抱持著被奪走的東西似乎有某種意義的幻想，但這正是戰後民主主義最大的殘渣。他們擁有的是民主主義的幻想。這是高中生這種非生活者的頭腦的產物，是民主主義的幻想，而試圖除去這種幻想的，正是作為「暴行」的街壘封鎖。

這段記錄，受到了來自東大全共鬥幹部在大眾媒體上發表的論調的濃厚影響，這樣的學生無疑是少數派。然而，一部分的高中生對「戰後民主主義」進行了批判，這個事例卻讓人關注。

之前的事例都是所謂名校的例子。報導往往集中在名校的紛爭上，但在非名校或實業學校也發生了畢業典禮的反叛。當時的報導記載了一九六九年三月，都立世田谷工業高中畢業典禮的情況：[54]

> 在都立世田谷工高發生的，雖然是只有一名學生的小型「造反」，但當他闡述其動機時，卻清晰浮現出了侵害現代高中教育的一條病根。《君之代》響起時，他立刻在滿場注視中緩緩地離席。稀稀落落的掌聲響起。他挺起不算壯碩的胸膛，一面微微顫動著嘴唇，一面無視教師們投來的憤怒眼神離開了。
>
> 他說：「我想對只把我們看成『商品』的學校當局，順服於產業資本需求毫無骨氣的學校當局提出抗議。」世田谷工從昭和三十四學年度起，實行了史無前例的從附屬中學開始的產業教育。前校長的口頭禪是「我校是工業的『日比谷高』。」

如同這句話一樣，為了因應一流企業的要求，學校從中學階段就安排了相當多的實習時間，並且在高中入學的同時，根據機械、汽車、電氣、電子等各科目分班，進行細分化的教育。教師們之間存在著如何將學生送進一流企業的競爭。一些教師為了與來訪的企業會面，甚至將原本的授課時間改成「自習」。也有一些教師還會誇耀地說出「如果是XX企業的話，交給我就對了。」戰後被高唱的高中三原則之一的「綜合性」等，從一開始就相當於不存在，更糟糕的是，「關注社會的」文科類社團活動被以「放學時間五點」為藉口趕出去，而體育類和搖滾樂團等社團則被默許存在。

他說：「我不是產業的機器人。……選擇世田谷工是個錯誤的決定。」這種聲音與實行激底的產學合作路線的兵庫縣立相生產業高中學生們的心聲完全一致。他們常常掛在嘴邊的是，「很後悔在入學的同時，就已經選擇了一生的方向」，「如果可以的話，我想重新選擇過另一種人生」。

由此，可以說一九六九年秋季頻繁發生的高中鬥爭，是基於三個方面做好了準備。第一，是存在著隸屬於黨派，從一九六七到六八年開始從事校外政治活動的高中生運動者。第二，是從對於高中生活的不滿土壤中自然發生的紛爭，自六〇年代中期開始出現的事實。第三，是在學校報紙或畢業典禮上，批判越戰或升學制度的舉動的頻繁發生。一九六九年秋天的高中鬥爭，可說是這三者合流的現象。

在一九六九年三月畢業典禮的時間點上，就已經出現了匯流的現象。舉行「自主畢業典禮」的九段高中，從一九六八年開始，就已經被稱為「西之市岡，東之九段」，以作為擁有眾多黨派高中生運動者的「據點校」為人所知。在九段高中，一九六八年八月有人公然張貼傳單，宣告全國高中生運動者大會將在東大安田講堂舉行，九月的第二學期開學典禮也遭到了學生運動者的叫囂和散發傳單干擾。[55]

一九六九年三月九段高中的畢業典禮上，最先開始叫囂的也很有可能就是學生運動者。雖然這麼說，如同在隨後的「自主畢業典禮」上聚集了超過三分之一的畢業生所示，因為與一般學生的不滿有所共鳴，而產生了運動者與一般學生合流的現象。

但也有些合流失敗的例子。位於距離王子野戰醫院約四公里處都立城北高中，在一九六九年三月的畢業典禮答辭中提及了王子問題。早在一九六八年春天，校內的無黨派有志之士就已經張貼出了「一起討論野戰醫院」的海報。[56]

校方曾下令撤掉海報，但在與學生們協商後，同意了海報的張貼。之後，志願者組成的團體向全校學生舉辦了三次說明會，三月五日，一百二十名學生一起舉行了反對設置野戰醫院的集會。此外，也進行了班級討論，不管是否支持設置醫院，大多數的班級都反對暴力。

志願團體是無黨派的，雖然與中核派有過接觸，但在幾次接觸後，他們就切斷了與中核派的關係。依據志願團體的說法，「第一，他們（中核派）不重視互相討論，只想將不同的意見視為『胡扯』打發。第二，他們並沒有想要與一般學生共同努力的態度。這與『志願者』的作法完全相反。第三，參加暴力行動的少數同學在班級會議上並不熱中參與，甚至連發言都沒有。」

另外，在大阪府立茨木高中，民青派運動者約五十人和反戰高協派運動者約十人一直以來就處於對立狀態。反戰高協的運動者們，雖然掌控了一九六八學年度畢業典禮答辭起草委員會，並撰寫了答辭，但由於內容被認為「過於激進」，遭到了所有高三班級的拒絕，起草委員會因此解散。之後，反戰高協派的運動者與其他高中的支援部隊組成了不滿三十人的部隊，穿戴頭盔在畢業典禮當天佔領了會場的體育館，然而，他們並未得到一般學生的支持，畢業典禮被改以校內廣播以及在各教室發放畢業證書的方式進行。[57]

就像這樣，黨派僵化並且過度強硬的姿態，未必能切合一般學生的需求。如同在大學鬥爭中呈現出的狀態，有不少高中生儘管對政治抱持關心，但對黨派的姿態感到反感，從而選擇參與無黨派志願者的活動。另外，與大學相同，高中的一般學生中，多數也都不贊同暴力，在這個意義上，一般學生的意見也與黨派的方針不一致。當兩者不一致時，鬥爭就會像茨木高中那樣，在黨派運動者的獨立行動下結束。

話雖如此，在高中生心中累積著對學校生活與社會的不滿是事實。當這個不滿與黨派運動者的領導或其他要素相結合而爆發時，高中的反叛就會激化。就這樣，一九六九年的高中鬥爭在許多學校中發生了。

六九年秋天以前的高中鬥爭

一九六八年九月二日，大阪府立市岡高中發生的佔領校長室事件，被認為是正式的高中鬥爭最早的事例。市岡高中，如前述，是稱為「西之市岡，東之九段」的黨派據點學校。在一九六八年八月安田講堂的「十・二一鬥爭高中生實行全國委員會」成立時，市岡高中的學生被選為委員長，副委員長與書記長則是九段高中的學生。[58]

市岡高中的運動者，包括中核派的反戰高協、共產同系的府高聯、社青同解放派的反帝高評等。[59]此外，市岡高中也是日本教職員工會（日教組）旗下的大阪府高教工會的據點學校。因此，大阪府教育委員會也選派了被認為是對付工會老手的武內安治擔任校長。市岡高中成為了這三種政治勢力關注的焦點。

市岡高中鬥爭發生的契機，是在一九六八年五月，因為發現ＰＴＡ（家長教師聯誼會）徵收款中有資金流向不明（據高教工會表示約四百多萬圓），導致校長被處以警告，事務長則遭到解聘的事件。在此之前的一九六七年三月，曾發生過一名擔任會計監查委員的教師遭到強制調職的事件，而一九六八年初期又再次發生強制調職，使得府高教工會展開了阻止強制調職的鬥爭。以共同鬥爭的市岡高中學生為主力，組成了全大阪強制調職鬥爭委員會，並成為共產同系的府高聯的母體。

在當時的大阪，原本該由選舉制度決定的校務分工，被改成校長任命制的情況越來越多，因此教師工會展開了反對任命制的運動。一九六八年春天，府立高中六十五校中有十七間實施任命制，市岡高中在五月底不顧教師們的反對，以校長職權引入了任命制。同時，也一併進行調漲進路指導費，以及削減社團合宿補助費等措施。在這種情況下，資金流向不明問題的揭發，一口氣激化了教師工會與學生的反對任命制運動。

一九六八年六月，府高教工會市岡分會針對一連串的校內問題，透過傳單動員家長並召開了集會。六月十七日，學生議會通過了「反對削減社團合宿費、反對任命制分工」的決議，十八日，在學生總會上也通過了反對任命制的決議。六月二十六日的班級會議中，針對反對任命制的表態方法進行了全班討論。接著，七月二十日，第一學期結業典禮上，從屬於教師工會的教師決定拒絕合作，只有幾個非工會成員的教師和校長舉行了結業典禮，但因學生引發騷動，場面陷入混亂，結業典禮最後被迫中止。

接著在八月三十日，教師工會決定繼續抵制第二學期的開學典禮。然而，校長卻強行在九月二日舉辦了開學典禮。當日，合計約五十名戴著紅色頭盔的府高聯和藍色頭盔的反帝高評學生佔領了校長室。

然而，從早上九點開始佔領校長室的學生，在晚上八點過後卻撤到了校外。有一種說法是，這是因為他們對於即將導入警隊的傳言感到驚嚇。

在後續的發展中，很明顯看得出來教師工會與學生運動者之間的步調不一致。事件隔天，市岡高中教師工會批判佔領校長室的行為，並發放傳單，將這場學生行動的責任歸咎於校長的態度。另一方面，學生會雖然也發放了「聲討校長逃亡行為」的傳單並召開了集會，但未能引起一般學生的興趣，最後以失敗告終。

儘管一度在學生總會上做出了反對任命制的決議而造成轟動，市岡高中的鬥爭卻以這樣的結果收場。其背後因素之一是，新左翼黨派的抗爭與教師工會和一般學生在意識上的分歧。

在六月十七日的學生議會和六月十八日的學生總會上，通過了反對削減社團合宿補助費和反對任命制分工的決議，這被市岡高中的學生運動者視為一次比預期還理想的勝利。於是，中核派的反戰高協主張在二十九日舉行全校投票，試著達成「學生與教師自主管理校園」的決議。共產同系的府高聯，更為積極地在二十六日全班級討論會上主張同一議題的全校投票。這些行動被認為是受到了當時在日本大學等地方，藉由街壘封鎖實行校園自主管理的影響。

雖然兩派意見僵持不下，但掌握了學生議會議長職位的府高聯，二十六日突然向各班級發放了選票。但是對一般學生來說，他們雖然反對任命制和社團合宿費用被削減，但校園自主管理等等的主張卻超出了他們的想像。選票的發放引起了一般學生的強烈反對，有超過半數的班級抵制投票。因此，一般學生曾經一度高漲的關心，也在新左翼黨派的擅自行動下冷卻了。

就這樣，學生運動者脫離了一般學生，採取了佔領校長室的強硬手段。另一方面，主張二十九日投票的反戰高協的學生運動者們，批判了府高聯強行在二十六日舉行投票的行為，也沒有參與佔領校長室的行動。但是，就算是在二十九日才舉行投票，結果恐怕也是相同的吧。如此一來，擅自行動的學生運動者招來了一般學生的反感，也未能在佔領校長室後成功召開集會。

另一方面，教師工會一方也沒有考慮過要進行校園自主管理。在教師工會中有共產黨系的工會成員，也有人指責校園自主管理或佔領校長室是「托洛斯基主義者的躁進行為」。大阪府高教工會也批判佔領校長室的行動「造成父母和府民的不安，帶來了對民主教育的不信任」，「為鎮壓學生及加強管理提供了理由」。另一方面，反戰高協則認為「對於教師，我們不應該以串連的方式與他們一起鬥爭，而是必須藉由推動我們的鬥爭迫使他們前行才對」，並且將教師工會批判為「史達林主義者」。[60]

就這樣，一九六八年市岡高中的鬥爭，雖然一度成功貼近了一般學生的不滿，但學生運動者脫離了一般學生，被教師工會批判為「托洛斯基主義者的躁進行為」，可以說就像是大學裡許多全共鬥運動所經歷的過程的迷你版，就此告終。然而，佔領事件也在高中發生的事實，對全國教育相關人士造成了衝擊。

與市岡高中事件幾乎同一時期，都立九段高中發生了妨礙開學典禮的事件。而在一九六九年一月，都立新宿高中定時制課程[iii]發生了街壘封鎖事件。校方開除了七名遲繳學費的學生，同情他們的四位高三生組成「志願聯合」，與校方協商希望重新研議處分方式，但遭到拒絕，因此三次發放了訴求撤回處分的傳單，隨後，在連通校長室與辦公室的走廊兩處推疊書桌和置物櫃，建造起了街壘。[61]

新宿高中的「志願聯合」與黨派沒有關聯。根據當時的報導，運動最初起因自對被開除學生的同情，但校方與教師的回應不誠實且流於形式，讓他們感到「未能作為人好好地回答我們的問題」，這成了他們行動的動機。[62]可以看出，在其背後的原因中，存在著對於「作為人」的待遇方式以及對話的期盼。

從一九六九年二月到三月，上述「混亂的畢業典禮」在各地發生並受到關注。而在街頭行動中，二月十一日，反對建國紀念日遊行裡，聚集了大約七百名東京的高中生；三月十九日，發起畢業典禮妨礙行動的各黨派高中生運動者約三百五十人，與約一百人的一般高中生聚集在東京港區的芝公園，舉行了畢業典禮鬥爭的「最終集會」和示威遊行。在這次集會上，提出了「將畢業典禮鬥爭的成果轉化為校內的日常鬥爭」，「與教育課程多樣化等高中的反動化路線對決」等主張。[63]

進入一九六九學年度後，各黨派動員高中生參加四月二十八日的沖繩日。四月二十七日，在法政大學召開了全國高中生總誓師集會，估算在二十八日沖繩日的參加者中，除了約兩百名反戰高協成員

iii 編註：日本的「定時制課程」、「定時制高中」指的是與全日制高中不同的一種學校制度，專為那些無法按照正常學校時間上學的學生設立。這類學校的課程通常在下午或晚上開設。

外，高中生的參加者約有七百人。在街壘封鎖中的大學裡，運動者的學習與訓練也如火如荼地進行。六月十五日，舉行了樺美智子追悼紀念日的遊行，由於是非暴力的遊行，因此約有兩千兩百名高中生參加。九月二十七日，如後續將於第十三章描述的，九月上旬有八個新左翼黨派聯合組成了全國全共鬥，隨後來自五十所學校的五個新左翼黨派的高中生組織成員約六百人，在東京的清水谷公園召開集會，成立了高中生粉碎安保共鬥會議。另外，在第十五章將敘述的越平聯的新宿西口民謠游擊集會，據稱約有一成的參加者是高中生。[64]

在這些集會或遊行的參加者中，也包含了一般的高中生。特別是在新宿西口的民謠遊擊集會等活動，成了渴望交流、抱持孤獨感的高中生們，可以與同年齡的年輕人及年長者一起討論時事問題乃至人生觀等話題的珍貴場所。

當時，想要理解學生的心情而參加了新宿西口的民謠集會的高中教師大河原禮三這麼說：[65]「在他們常去的新宿西口廣場上，我體會了那種氛圍，並試著與來自其他學校的一位高中生交談。那時，我發現他們洋溢著愉快的解放感。這和他們在學校時的樣子完全不同。我想，『學生們追求的就是這個吧』。」

引爆一九六九年秋天一連串高中鬥爭的導火線，是一九六九年八月三十一日，靜岡縣掛川西高中抗議處分的高中生闖入自己學校校園，導致十一人遭到逮捕的事件。[66]

掛川西高中的事件，有著一段之所以發展至此的漫長背景。掛川市是一個人口約五萬的古老城下町，一九六八年十一月，地方報紙主辦了由岡村昭彥主講的，關於越南戰爭問題的演講。聽了這場演講並受到刺激的學生，組成了致力於解決校內問題的志願團體。他們想要處理的是能力分班的問題。

在掛川西高中，學生被依據英語和數學的考試成績進行分班，施行著將高三學生分為每週上五小時數學的班級和每週上三小時數學的班級的「數學五．三制」。

志願團體將這個能力分班視為歧視，試著在班級會議上發起討論。然而根據當時的報導，班級會議已然空殼化，「從很早以前開始，就已經變成只是書寫未來大學志願，以及登記五．三制度的地方。」

但是，私底下對能力分班抱持懷疑的學生並不少。一開始還不到十人的志願團體，受到這些學生的支持，逐漸將運動擴展至班級討論、抵制登記與抵制授課等等。然而校方對於志願團體的行動，只進行了部分的制度更動，讓一週只上三小時數學的學生也可以選擇社會、理科、古典等與考試相關的其他科目，而一般學生也接受了校方的方案。

不滿意的志願團體參加了校外的反戰高協合宿，展開了運動者的學習。他們接著組成「掛川西高中反戰會議」，取得了學生會正副委員長的席位，並提出廢除傳單及海報的事前審查制度的訴求。其中的三人，接著在一九六九年四月二十八日的沖繩日前往東京參加了遊行，六月八日，有八人在靜岡縣伊東市參加了阻止ＡＳＰＡＣ（亞洲太平洋閣員會議，因為是越戰中西方陣營的亞洲國家會議，因此被視為越戰協力國會議而引發了反對運動）的鬥爭，四人遭到逮捕。

當天在伊東市，掛川西高的教師一直在尋找學生的蹤跡，對參與鬥爭的八人做出了無限期的禁閉處分。志願團體雖然對此處分表示抗議，但校方找來家長，說服他們「如果自己退學的話，對日後轉學等情況比較有利」，除了一人做出轉向宣言復學以外，其餘七人被迫接受了退學處分。

明明過去也有人參加過校外的鬥爭，但卻只有六月八日的鬥爭參加者受到了處分，「反戰會議」

的成員們對此無法接受。另外，不光只是被逮捕者，連參加鬥爭的所有人都遭到了處分。這件事也讓他們感到不滿。在一般學生裡頭，也有不少意見認為「先不管是不是要撤回處分，應該要求學校重新討論處分」。雖然志願團體一面共同生活，一面靠著打工與募捐維持生計，要求撤回處分，但並未能進一步引起一般學生更多的關注。[67]在這樣的情況下，八月三十一日，包含外校的反戰高協學生在內的高中生們，喊著「撤回不當處分」衝進了學校。

校方對於這件事的反應可以說相當過頭。面對僅約十人的高中生，出動了約七百人的機動隊與二十台卡車與鎮暴水車，還在掛川西高的周圍設置了有刺鐵絲網。然而，一部分闖入的高中生還是突破了包圍網，爬上學校的屋頂揮舞著旗幟。[68]

事件過後的九月十一日，在「掛川西高反戰會議」發放的傳單中如此陳訴：[69]

「『為了改變現在這個只能創造出片面的、劃一的人的荒廢校園，我們必須怎麼做呢？』『在越戰參戰國的日本，現在，如果要真正地反對戰爭，難道不是得要否定默認了本國參戰的自己的生活方式嗎？』『什麼是讀書？』『什麼是人？』——對於這些問題，老師他們是否曾經有過任何一次誠實地回答呢？我們不過只是說出了糟糕的事很糟糕而已。正是因為存在著試圖壓制我們這種人性之聲的人，我們才集結了我們的一切力量，在八・三一進行了戰鬥。我們的Gewalt（編註：德語的『暴力』），對抗著暴力者的暴力（假借教育之名的暴力＝處分），是『為了守護生而為人』、『守護正確的事物』的正當暴力。」

而對他們抱持同情的掛川西高志願者學生發放的傳單上，如此批判對處分問題漠不關心的一般學生：[70]

我們在作為高中生之前，先是作為人。我們必須對於「活著」這件事提出問題。有人說，高中生還不成熟，無法在社會與政治上扮演任何角色或負起責任。因此，讀讀書是好的，但要實踐還太早。然而，這樣的論點完全沒有意義。因為，我們不是活在柵欄裡的動物。……

可是自私自利的人類＝西高生，到底在做什麼呢？……〔這次的事件是〕你們自己的軟爛與漠不關心造就出來的情況。逼迫他們走到那種地步，也是你們自己的責任。即使如此，你們還是要不明就理地繼續唸書嗎？「這是為了想要上大學，想要獲得一份工作，過上安定的生活」，你們只能回答出這種可悲的答案。到底上大學意味著什麼？獲得一份工作又是什麼意思？你們是否曾經反問過自己這些問題呢？你們又是否曾經思考過自己與社會之間的關係呢？

沒有問過這些問題的話，上大學的欲求，只能說是建立在可悲的安心感之上的欲求而已。不，可以說只是在回應著社會的要求而已。

我們是背負著未來的年輕人。我們必須確實理解當代，創造出未來的基石才是。

然而，在保守的地方都市，運動無法再進一步擴大了。另外，「反戰會議」的女學生曾在一份總結中寫道，中核派的反戰高協只會一味地按照中核派的方針，高呼阻止佐藤首相訪美的「十一月決戰」（將於第十三章後述），對校內問題不夠重視。[71]由此可知，新左翼黨派的邏輯和一般學生的意識，就像在大學看到的一樣難以結合。

成為最大反叛的青山高中鬥爭

掛川西高的事件也波及了都立青山高中。因闖入掛川西高中而遭逮捕的十一人中，包含一名青山高中的學生。根據報導，這名高中生在掛川西高的屋頂上揮舞了「反戰高協‧青山高中支部」的旗幟。[72]青山高中的教務主任與班主任特地去到掛川了解情況，造成了青山高中一部分學生的抗議，隨後成立了青山高中全鬥委。自此，青山高中鬥爭開始。當時的自民黨和文部省因擔心大學逐漸成為學生運動據點的情形蔓延到高中，在提案大學立法的同時，文部省也向高中發送了「在高中裡指導學生的諸問題」。九月九日，青山高中全鬥委提出了五項問題的抗議質問狀，要求在十日進行「大眾團交」。這五項問題為：（一）教務主任去掛川的目的為何？（二）對掛川西高中做出的處分的看法為何？（三）對被捕學生的行為的看法為何？（四）撤銷學生守則第十一條（言論、集會的報備制度）（五）如何回應文部省的指引手冊？[73]

青山高中鬥爭的過程概述如下。[74]一九六九年九月十一日，校長以校內廣播說明了情況，主張學生活動應在正常規則下進行。隔天的十二日，全鬥委以未獲得校方有誠意的回應為由，封鎖了三年五班的教室，十三日封鎖了校長室。十四日晚上，校方引入機動隊，解除了校長室的封鎖，對從事佔領行動的學生處以禁閉，學校臨時停課。十五日與十六日，校長和教務主任相繼住院。十七日到二十七日之間，學生多次舉行了全校集會；十八日，有五名學生為了抗議引入機動隊而進行絕食；二十四日絕食被中止；二十八日，學生會議室被封鎖；二十九日，三年級的教室也被封鎖；三週過後，十月二十一日再次引入了機動隊解除封鎖，學校進入停課狀態。全學年重新開始上課的日期，是在事件發生兩個月後的十一月十日。

但以上的事件過程不過只是事件的表面。依據當時的報導稍微詳細地描寫的話，鬥爭似乎經歷了以下的過程。

首先，青山高中全鬥委（之後改名為青山高中全共鬥），雖然從約十人增加到興盛期的五十人左右，但反戰高協只是其中的少數，大部分都是無黨派，特別是在鬥爭末期，所有人都是無黨派。而身為全鬥委領導者的那位高三學生，在高二上學期和高三上學期擔任過學生會長。在青山高中的慣例裡，會避開即將參加考試的高三生，選擇高二生擔任學生會長。但因為沒有其他候選人，他在高三上學期還是擔任了學生會長。這反映出全國學生會活動的停滯。[75]

正如前述，校長在校內廣播表示，如果是在「正常規則」下說明情況的話，他願意進行。佔領校長室後，一部分的學生批判全鬥委的領導者，「少數人不應該進行佔領行動，既然你是學生會長，應該先透過學生會裡的程序向教師提出要求才對吧？」然而，他反駁道，「就算你這麼說，我開了多少次學生總會，你們來參加了嗎？透過學生會就是什麼都辦不到，不是嗎？」[76]

在一般學生漠不關心，學生會也無法召開的狀態下，全鬥委直接到校長室提交了質問狀。但是，根據全鬥委方的證詞，「校方僅以我們是未獲認可的團體為由，就回絕了全鬥委的質問狀，一次也沒有試著與我們對話。」[77]因此，他們才採取了佔領校長室的非常手段。然而，即使在佔領校長室以後，教師們和校長也未相應地展開任何對話，只是帶著苦笑地說著「我們跟你們的立場不一樣啊」，或只是單方面地喊著「請盡快離開」等等。[78]

依當時週刊的報導，一位參加佔領行動的學生的家長這麼說：[79]

說起來，這本來只是詢問老師們對於「ＡＳＰＡＣ鬥爭」有什麼想法的簡單問題而已啊。照我兒子的說法，老師只回答「那種政治性的事情一點都不重要」。我兒子向老師提出「跟我的意見不同也沒關係，請好好回答」的過程中，逐漸演變成佔領校長室、引入機動隊的結果。明明只要有一個老師願意和學生談話，就不會發生這樣的事情了……。

九月十四日晚上引入機動隊的決定也十分突然。校方宣告「立即離開」和「全員無限期禁閉」後，機動隊就進入了學校。根據全鬥委方的說法，「十四日晚上是文化祭前夜，學校已經和全鬥委說好了，在不讓外校運動者進入的條件下舉辦文化祭。雖然校長室的封鎖依然持續著，但從來沒想到居然會引入機動隊。我們對老師還抱著一絲絲幻想，卻被趁虛而入了。」[80]

隨後，校方封鎖了校舍，宣布取消文化祭，並張貼出「臨時停課。除經許可者外，其餘人等禁止進入學校。如進入學校將會被管束」的公告。這個單方面的措施，對於之前一直漠不關心的學生也造成了衝擊。十五日正午，約兩百名抗議封校和中止文化祭的學生，聚集在校門口前向教師們提出質問。當時的報導如此描寫了那時的景象：[81]

> 「為什麼不可以進入自己的學校呢？」一名女學生哭倒在旁，從她後面傳來「為什麼？為什麼一定要取消文化祭呢？」一名高大的男學生也同樣流著淚抗議。教師只是沉默地仰望著天空。
>
> 在各處討論的圓圈都有學生大喊「為什麼——」「老師，請告訴我們發生了什麼事？」的哭喊聲，老師只是不斷重複著相同的句子，「明天再解釋，今天請先回家。」

「我明明以前還相信過老師。老師，拜託你，請告訴我。」

這些學生看起來拚命地向教師抗議，試圖找回失去的信任。但教師的說詞沒辦法說服他們，只是焦躁地盯著學生的臉。話雖如此，但為什麼連一個有朝氣的老師都沒有呢？

在這個夏天，當我和幾位橫須賀的高中生說話時，他們一再地抱怨：「我們學校的老師全都是老年人吧。無論我們怎樣不加修飾地駁斥他們，他們都沒有任何回應。他們如果覺得那傢伙看起來像是會說些麻煩的事情，就會故意避開那個學生。想必已經對教學這件事情失去熱情了吧。這麼一來，課堂變得很無聊，也失去了去學校的動力。」或許因為教育現場教師的老齡化，不再能期待教師會帶著充滿生氣的熱情，與學生相互激盪的教育態度。避開麻煩，也避開要求展開政治上敏感情勢分析的問題，這種在教育現場的消極主義，可能在不知不覺中讓學生遠離了教室。

過去漠不關心的青山高中的一般學生們，之所以連續數日在學生集會上集結，其背後有著這樣的過程。這可以說，與因為東大校方引入機動隊進到安田講堂，從而點燃了一般學生意識的東大鬥爭有著類似的模式。

九月十六日，校方承諾將舉行全校集會說明情況。然而，卻以全校集會可能會有危險為由，將全校集會改成在公園等地，由班導師向各個班級說明。這些以班級為單位的說明會，也變成了學生譴責教師的場合。當時的報導，如此描寫了其中一個班級說明會的樣子：[82]

「他們說是因為擔心青高學生的安危，所以才不惜取消文化祭強行封校，但是我們明明因為被機動隊管制，甚至有人因此受傷，卻完全沒有任何一個老師前來阻止，也沒有任何一個老師因為擔心過來看看，不是嗎？老師們真的擔心學生安危嗎？」

當老師們反駁「無法想像機動隊會使用暴力」時，一名女學生展示著她的腳和手腕上剛纏繞好的繃帶，質問道「這些是被機動隊用防暴盾毆打時造成的傷。這難道不是暴力嗎？」其他學生也一個個展示起淤青和傷口，控訴著機動隊管制的真實情況。在這些學生們的面前，老師們最終不得不進行自我批判。

「封校是個錯誤。我們在不知道你們抗議的真實動機與機動隊管制的實際情況下，試圖用引入機動隊解決問題的判斷太過輕率了」，教師深深地低下頭說著。「這不是說『太過輕率了』就可以打發的問題。就算老師試圖道歉也解決不了什麼。學校應該要自我批判並解除封校才對。另外，老師參加過（一九五八年的）反對警職法鬥爭與反對勤務評定鬥爭對吧？」學生們如此回應並質問教師。教師像是只有在這個瞬間重新找回驕傲似地抬起頭，瞇著眼睛點頭，但當學生再次質問「那你不可能不知道機動隊管制是什麼樣的東西才對」時，教師又再次無力地低下了頭。

「真是丟臉。」老師道歉著說。「你即使跟我道歉也沒有用。就算接下來解除了封校，你還有自信作為老師教育我們嗎？」學生反問。「沒有自信，我無顏以對。」教師回答。「那麼就算上課也沒有意義了吧。比起不信任，我對老師只剩下瞧不起的感覺了。」女學生哭著訴說。「接下來你還來教室幹嘛？是來站著打發時間的嗎？」學生說。

但這樣的教師還算是有良心的。那天下午，在學生們的強烈施壓之下，在青山高中的操場上舉行了全校集會。根據當時的報導，學生們一個個報告了哪個教師又在各個班上講了些什麼。過程中，有學生報告指出，老師向自己班上的學生說「不要出席十六日的集會，因為那是由中核派的學生在背後操縱的」。學生們在集會上追問那位教師，教師承認自己這個發言毫無根據，供稱「在學生運動黨派中，我只知道中核派這個名字，所以就忍不住脫口而出了。」[83]對於教師這樣的態度，學生們的憤怒越來越深。

青山高中全共鬥在十月十日做出的「中期總結」上這麼描述：[84]「九月十四日晚上十點的機動隊進入校園——對於這件發生在眼前的事情，在場的一百名學生喪失了一切的信任。對於澈底露出真面目的教師們，『為什麼？為什麼這樣？』的疑問與遺憾——那已經不再是憤怒，而是一種『作為人的悲哀』——一起迸發了出來。」「校長和機動隊長彼此鞠躬互道『辛苦了』的畫面，讓這世上所有的形容詞都顯得欺罔。青山的鬥爭以引入機動隊為契機，在被教師管理者式的應對所背叛的情況下，引發了群眾的流動化。」

隨後，幾乎是每一天接連舉行全校集會，持續到了二十七日，在十八日到二十四日這段時間，有五名學生進行了絕食抗議。然而，到了九月二十二日，校方在全校集會上宣稱「引入機動隊是無法避免的」。[85]最終，校長和教務主任住院，校方沒有提供令人滿意的回答，於是全鬥委於二十九日封鎖了高三的教室。

在封鎖的街壘裡面，也與許多大學一樣開設了自主講座，學生們享受著解放感。當時的報導這麼描述：[86]

由無黨派占絕大多數的約五十名全共鬥學生，每天都討論到深夜，接著在隔天早上製作傳單，書寫立牌。自從九月底進入了街壘封鎖之後，為了防備校方叫來警察，他們輪流守夜，在學校周圍巡邏。在如此緊繃的每一天裡，他們顯得充滿生命力且快樂。

「如果沒有這場鬥爭，我現在可能每天都在準備升學考試吧」、「說起來我從停課以來可是從來沒有缺席也沒有遲到過喔」、「以前每一天都覺得再也受不了了，但也還是這麼過了兩年半」、「但是，從鬥爭開始以來，我感覺到我終於了解了真正的朋友關係，意識到在那之前，我們是如何偽裝著與朋友相處的。」

空閒的時候，就拿出吉他唱著民謠歌曲，有時候還拿起手持麥克風上到天台開設搞笑的「解放廣播」。幾個男學生甚至不回家在街壘裡過夜，偶爾去深夜的道路工程打零工，一個晚上賺三千圓當成飯錢和鬥爭資金。

起初，在街壘裡是由女學生負責煮飯，但有一天，因為男學生們抱怨「飯不好吃」，女學生們以「不允許在街壘中對人的異化」發起了罷工，男學生們只好不情願地自己動手煮食。即使在這樣的場景中，也存在著他們的青春。

青山高中反叛行動的背後原因之一，是前述的學校群制度。青山高中在一九六七年施行學校群制度以前，不僅是都立名校之一，也是其中一所以舊制中學「自由且重視自主性的校風」自豪的學校。

然而，隨著學校群制度的實施，學力較差的學生進入了學校，學校失去了維持「自由且重視自主性的校風」的餘裕，開始施行學力測驗等措施，並將重點放在大學升學考試的指導上。接著在一九六九年四月，由高三生——在實施學校群制度之前入學的學生——的志願者提出了一份公開質問狀，對因應升學考試體制而實施學力測驗一事提出了質疑，約四百名高三生中有約一百人抵制了學力測驗。[87]

抵制考試時提出的主要論述是，「不想被納入升學考試體制中，成為制度機器般的人。學力測驗是以此為目的的訓練裝置之一，我們拒絕被這些裝置訓練與強化」，抵制考試的學生們自行召開了集會和討論。[88]學生在掛川西高事件中遭到逮捕一事，只不過是觸發鬥爭的契機，學生們的不滿在此之前就已經逐漸高漲了。

如前所述，學生們以「我明明以前還相信過老師」、「這世上所有的形容詞都顯得欺罔」等話語表達失望，也是因為青山高中表面上宣稱著「自由且自主的校風」，學生們也在某個程度上相信著這件事。在前述的「青山高中鬥爭中期總結」中這麼提到：[89]「青山高中如之前所說，校規等並不怎麼嚴格，『相對地自由』。因此形成了『青高很自由』的傳統意識……產生了在師生的信賴關係下進行著自由教育的幻想。」這樣的「幻想」乃至「保守的」意識，因學校群制度與引入機動隊而被一舉摧毀。

這種現象，就類似於東大鬥爭，因為引入機動隊，摧毀舊帝大式的自由主義與大學自治的「幻想」，而使得鬥爭迅速升級。與大學一樣，在高中，過去的教育體制無法追趕上高速發展下的社會變化，從而被學生們視為是一種「欺罔」。

而青山高中全共鬥的學生們，也與東大全共鬥的學生一樣，試圖將問題視為社會整體的矛盾。在「青山高中鬥爭中期總結」中，他們寫道：[90]「高中是現代社會分工機制的共犯般的存在」、「為了維持分工體制，〔學生〕被迫參加數次競價市場（升學考試）。競價的標準是成績和金錢，人在對此提出異議後，很快就會被埋沒在社會機制中死去」。「當我們思考作為高中生的存在時，不能僅僅在青山高中這個封閉的共同體裡頭思考。在全校集會等活動中，雖然有試圖藉由教師和學生之間的『信賴關係』解決問題的行動，但教育體制是為了維持現有體制的存在，只要我們身在其中，問題就無法真正獲得解決」。

參與封鎖行動的學生也是成功錄取名校青山高中的學生，入學後的成績未必不好。然而，他們已經厭煩以準備升學考試為核心的高中生活。當時的報導這麼描寫了參加封鎖行動的學生們的對話：[91]

> 「拚命唸書，考上好大學，進入一流的公司工作……這到底是什麼意思？」「就算上了大學，和現在一樣自欺欺人的生活，還是會讓人幾近暈眩地持續下去吧。」「開始工作以後，情況又會更糟。」
>
> 他們的成績通常是「中」或「中上」。如果想在歷史或倫理社會科目寫出優秀的報告，那在滿分一百的數學考試中就只能得到十六分。然而，在中學時期，他們有許多人曾經是優等生。進入高中後，也有些學生曾經在高一被班主任說過「你的表現很完美，期待你未來的發展。」
>
> 這樣的他們，在某個時刻，因為某種原因「跌了一跤」。他們對那段時間與觸發動機幾乎沒有什麼記憶。

那個選擇可以說在「不知不覺中就變成這樣了」，自然而然中，無意識地發生了。「有一天，我突然意識到，我必須唸書準備升學考試這件事，既不是義務也不是什麼不能不做的事」、「甚至可以自由地談起戀愛，如果可以丟掉那會妨礙學業的觀念的話。」

參與封鎖的一名學生，在之後的座談會中，闡述了封鎖的理由：「無論如何，都想停止被升學考試為基礎的教育體制緊湊地安排好步調的日常。」[92]「想要停止」被放上「輸送帶」的「日常」，這個願望可說與大學的全共鬥運動一樣。

青山高中的街壘封鎖持續了大約三個星期。在封鎖期間的十月十日，有一場山崎博昭追悼遊行。當遊行隊伍通過在正門前立有「街壘封鎖中」立牌的青山高中時，學生們向遊行隊伍揮手，從遊行隊伍中則湧出熱烈的聲援與支持的掌聲。[93]

然而，他們的封鎖也沒有持續太久。十月二十一日，約兩百五十名機動隊入校並逮捕了四名以丟擲石塊等方式抵抗的學生。這個機動隊的引入並非學校方面的要求，而是十月二十一日國際反戰日警備計畫的一部分，是警方試圖摧毀遊行隊伍據點學校的清除作戰之一。青山高中與法政大學及東京大學一樣被選為這次作戰的對象，也是唯一的高中。因此機動隊才會進入校園。[94]

對於解除封鎖的感想，學校當局、教育委員會，以及同情封鎖學生的記者之間存在著相當大的歧異。首先，與學校當局立場相近的教育學者在一九七一年的著作中，對封鎖解除後的景象作了以下描述：[95]

……十月二十一日，當都立青山高中持續了約一個月的長期封鎖結束時，他們佔據過的教室慘狀中有許多令人吃驚的事情。不但有校外分子混入的事實，黑板被拆下並用釘子釘在窗戶上，書桌被釘子固定並用鐵絲捆綁在一起堆在走廊和入口處，牆壁被破壞，地板不但被拆掉，上面還有篝火的痕跡。鐵捲門被放下來，機動隊如果不鋸開就無法進入封鎖區域內。教室的各個地方，被用噴漆潦草地寫上不堪入目的塗鴉字句。教育委員會聯繫了各校校長，讓他們親自去看了封鎖的實際情況。校長先生們巡視著像是經歷過巷戰似的，幾乎變為廢墟的教室，震驚和憤怒到目瞪口呆。

另一方面，同情封鎖的學生一方的記者，在一九六九年的著作中如此描寫了解除封鎖當日的樣子：[96]

……強行解除封鎖之後，每個教師都在打掃被破壞的校舍內外。校門上貼有「禁止進入」的紙張。下午一點過後，在校門附近，約五十位被驅趕的青山高中全共鬥成員與支持的學生們又再度聚集。他們不久後組成了陣形，推開鐵門進到了學校裡面，在運動場上遊行了以後，在校舍的角落坐了下來，開始「抗議引入機動隊」的集會。

正潛伏在校園後方的機動隊這時突然朝著校門蜂擁而來，學生們重新組成陣形試圖從校門逃離。可是，一群便衣警察攔住了他們的去路，數名學生很快地就遭到了逮捕。事後聽說罪名是「非法侵入」。

被捕的學生們手臂被扭到背後，並被帶回了大門口。這時，教師們在校門內側一字排開，對被捕的學生們投以冷酷的眼神。便衣警察們用手抓著一個個學生的下巴，將他們的臉轉向教師的方向，理所當然似的詢問「這個孩子有進到裡面嗎？」「那這個呢？」

以表情痛苦的中年女教師與因為興奮而血管浮起的穿著道服的初老中年男教師為中心，都理所當然似地回答著「有，他在裡面就穿這樣」、「這孩子是其中一個帶頭者」等等，主動配合了這個「首級確認」的行為。更甚者，他們還指著逃跑後又回來的學生，指示警察說：「請逮捕那個孩子，破壞鐵門的是他。」其他的教師們也以搖頭或點頭的方式回答了便衣警察的問題。

教師們的臉上滿是看著討厭的東西時的表情。學生們也同樣滿臉憎惡地回瞪著。在老師們的「首級確認」下被判定「有罪」的學生們，被戴上手銬帶走。

十幾名一般學生從車道另一側的步道上目睹了這一幕。他們異口同聲地說著：「看到了嗎？老師把學生出賣給了警察」、「太壞了，真是亂來」、「這樣也算得上老師嗎」、「我不想在這樣的學校上這些老師的課了。」他們聲音顫抖地討論著。這樣的他們，也被機動隊斥責著驅趕「你們趕快回家」、「可以回家的就回家」。之後，機動隊駐守在校門口，急於恢復上課的老師們又再次開始清掃工作。

雖然只是幾分鐘內發生的事，卻已經是令人無法接受的現實。

以上，不管哪個都是事件其中一個面向的描寫。封鎖解除後，青山高中在十月三十日對十五名全共鬥派學生做出了懲處。接著，在封鎖解除約兩週後的十一月六日，恢復了一、二年級的授課，十日，也重新開始了三年級的授課。

然而，教師與學生之間的信賴關係並未復原。在之後的一段時間內，青山高中就像日大等各地發生了紛爭的大學解除封鎖後實施的一樣，讓每個學生各自持有通行證。根據當時的報導，這個通行證是在「上學時交給警衛，放學時取回。如果有引發什麼騷動，放學時就不會發還。隔天以後就算到了學校，也無法進入校園。」[97]校方對於學生的不信任與恐懼，已經高漲到了這種程度。

高中鬥爭的連續引爆

青山高中鬥爭開始後，在各地的高中接連發生了封鎖、集會和示威遊行等行動。

一九六九年九月二十二日，都立大附屬高中發生了街壘封鎖。[98]當時都高教工會（都高教組）的《東京的高中生問題》提到，從六月的都立大學街壘封鎖以來，附屬高中也開始出現了關於「阻止佐藤訪問越南與美國」和「以十月紀念祭為據點的街壘罷課」的討論。接著在九月十六日，舉行了反對青山高中引入機動隊的集會和遊行，部分學生以「聲討不讓學生去青山抗議的教師」和「粉碎資本主義體制下的課堂」為訴求，號召進行無限期罷課。

九月十八日到十九日，進行了班級討論。一部分人喊出了「青山連帶、粉碎波茨坦自治會、貫徹紀念祭自主」、「授業解體、都高教解體」等口號，但也有批評自治委員會未經許可就舉行學生集會的聲音。在學生內部意見分裂的情況下，二十日本館遭到封鎖。雖然很快就被解除了，但二十二日換成別館遭到封鎖。

接著九月二十三、二十四日舉行了集會，參與封鎖的學生提出五項要求：（一）廢除學分制和考試制度；（二）粉碎文部省的指導文件；（三）確實承諾不引入機動隊；（四）廢除處分權；（五）

向青山高中發出抗議書。二十五日，校長發出回應書，同意廢除定期考試並允許學生參與決定懲處的過程，並在十月二日的學生集會上進行了說明。校方柔軟的態度獲得大多數一般學生的接納，十月三日復課。孤立地進行著封鎖行動的學生們，也在十月四日自主解除封鎖。

十月六日，在都立九段高中，包含幾個大學生在內的全共鬥學生約二十人，在職員室、廣播室前的走廊築起了街壘。[99]他們提出「表明對文部省指引手冊、教育廳的處分基準案的看法」、「承認布告的全面自由化與集會自由」、「對青山高中教職員提出譴責聲明」、「對於便衣警察時常進出學校並且校方公然承認此舉一事，表明看法和態度」等六項訴求。

十月六日的學生集會上進行了討論，從六項訴求中刪除了兩項（被刪除的是「對教師一系列暴力打壓鬥爭的行為進行自我批判」、「針對以上各點以書面形式回應」），接著把「對青山高中教職員提出譴責聲明」改成較為溫和的「展示校方對青山高中教職員的統一見解」，在十月七日決定了以四項訴求將作為全校學生的訴求。可是在九日的投票中，贊成撤除街壘的有六百零七票，反對的則為一百八十七票。一般學生雖然對高中生活也有不滿，因此支持了四項訴求，但卻不支持由新左翼黨派運動者與混雜了大學生在內的全共鬥獨斷進行的街壘佔領。

根據當時參與座談會的九段高中的學生所說，「那個街壘最終只招來了一般學生的反感，什麼成果也沒留下」。此外，在一九六九年已經蔚為風潮的全共鬥運動常有的情況是，參與鬥爭的學生的紀律也變得鬆散，因為學生們在街壘內喝酒、抽菸、放煙火等行為，招致了一般學生的不滿。[100]

對於學生的四項訴求，校方在九日做出了回應，表示會將「指引手冊」的實物公開展示在圖書室，並將由九段高中的職員會議對於處分做出柔性的處置。在隨後的全校集會上，多數人認為校方的迅速回應值得肯定。這種一般學生的反應傳開後，全共鬥學生便從街壘內撤出，九日晚上的街壘已呈現無人狀態，十一日，發出了自主解除宣言，由全共鬥親手解除了街壘。

而在都立上野高中，十月二十七日，自稱全鬥委的部分學生提出了五項訴求：（一）廢除課堂時間表，允許自主研討會；（二）廢除學生守則；（三）廢除學生會各機構的顧問制度；（四）允許學生參與職員會議；（五）發表拒絕指導要領的聲明。然而，由於校長只含糊地回應，隔天的二十八日，約二十幾名戴著頭盔的學生，以街壘封鎖了校長室、辦公室、警衛室等地方。然而，隨後校方回應將廢除社團顧問制、撤銷學生守則，並允許舉行自主研討會等，由於幾乎所有的訴求都已獲得同意，學生們於是自主解除了街壘。[101]

在某間高中，從四月二十八日的沖繩日開始，一部分的教師就開始與關心政治的學生進行對話。十月，當他們開始搭建起街壘時，雖然教師們試圖制止，但與學生對話的教師描述：「有個女孩說：『對不起，老師，請讓我們這麼做。』聽到這個請求後，我就讓他們繼續搭建街壘了。」之後，教師對要去參加十月二十一日遊行的學生們說：「老師會替你們看守街壘」，因為他們在學生們不在時並沒有解除街壘，所以學生感激地說：「老師們並沒有背叛我們」，而自行解除了街壘。[102]

前面提到的這間高中屬於特殊情況。然而，上述的各所學校，都是因為校方迅速以柔軟的姿態回應了學生的訴求，也順利建立起教師與學生之間的對話，因此沒有發展成長期性反叛的例子。封鎖行動雖然一度喚起了一般學生的關注，但當看到校方誠懇地回應問題時，大多數學生對此表示滿意，從而並未支持封鎖行動，封鎖也就自主解除了。相反地，可以說在青山高中，因為校方單方面地採取了引入機動隊和取消文化祭等強硬手段，未能誠懇地回應，這激起了一般學生的憤怒，從而使反叛陷入困局。

當反叛平穩解決的時候，一般來說並不會發生教室被破壞的情況。在當時的高中教師座談會上，可以見到這樣的發言：「在我們學校，街壘解除後，什麼都沒有被破壞。只有教員室入口的兩片門壞了，還被打掃得比以前還要乾淨」、「我們的街壘封鎖很快就解除了。學生實施封鎖並號召舉行了全校集會。反對街壘的學生問：『為什麼要做到封鎖的地步？』『因為這樣才有了全校集會，所以封鎖算是成功了。』『那麼如果全校集會能夠像現在這樣繼續舉行，要解除封鎖嗎？』『如果現在在這裡可以繼續舉行全校集會的話，那就立刻解除封鎖。』……然後街壘就自主解除了。之後還整理得很乾淨，也確實賠償了破壞的東西。」[103]

然而，之後的高中反叛並非全都平靜地落幕。例如在都立日比谷高中和都立立川高中，為了解除街壘而引入了機動隊。

在都立立川高中，國際反戰日的隔天，幾名學生放下了本館二樓的鐵捲門，封鎖了八間教室。他們沒有提出具體的訴求，他們的目標，據稱是為了「喚醒非政治性的學生，並在整個學校帶動起認真討論的氛圍」。[104]根據教師的說法，該事件似乎是「恰好在十月二十一日的國際反戰日，一部分學生進行了演說。然而，一般學生幾乎沒有聚集過來。這件事成為了導火線，他們希望讓校內全體對政治有更多的關心，因此進行了街壘封鎖。」[105]

之後，在十月二十六日，街壘被暫時解除了。可是，在十一月十一日的學生總會上討論了復課問題後，部分學生在十四日表示反對，並提出五項訴求：（一）廢除出席點數；（二）廢除評價制度；（三）撤銷處分；（四）廢除學生守則；（五）對十月二十二日發表的學校說法進行自我批評。十五日，學生在職員室質問了校長和總務部長，並在職員室前靜坐。接著，他們在校門口附近設立了糾察隊，阻礙教師出入校園。儘管教職員和學生會執行部進行了勸說，但他們堅持實現訴求拒絕妥協，最終遭到了警察排除。[106]

在都立日比谷高中，九月二十四日，自稱全鬥聯的學生帶著約一百人份的連署，提出四項訴求：（一）對在畢業典禮上出現便衣警察和墨西哥大使館館員一事，進行自我批判；（二）拒絕文部省的指引手冊；（三）不准處分學生；（四）將班會的組織權交給學生，並要求校方在「大眾會見」中做出回應。[107]由於校方計畫在十月六日的第二學期開學典禮後的全校集會中回應，因此拒絕了在開學典禮前舉行大眾會見的要求，學生們隨即佔領了開學典禮的講台。

因此，開學典禮改為在各個班上進行，但全鬥聯方將此行為視為校方不誠懇的行為，因此約兩百三十名學生召集了集會。兩天後的十月八日，同窗會的如蘭會館遭到全鬥聯封鎖。

然而，如蘭會館並未用來上課，即使在封鎖期間，文化祭也仍然繼續進行。雖然全鬥聯中的四人，為了要求舉行大眾會見而絕食抗議，也試圖呼籲舉辦全校討論集會，但一般學生沒有什麼反應。在這段期間，封鎖中的如蘭會館發生了火災，這成為職員會議決定引入警察的契機，於是在二十八日，封鎖遭到解除。之後，日比谷高中進行了封校，學生們被要求持有通行證並重新開始授課。

新宿高中的鬥爭則長期化了。前新宿高中全共鬥的平井玄在一九八三年這麼回憶：[108]

> 九月，對於發放全國全共鬥成立大會傳單的處分下來了。隨即展開了反擊和抗議行動。
> 十月，面對一連串的攻擊，我們衝入並佔領了校長室，與校長進行大眾團交。進而發展成中

止授課與全學集會。佔領了一部分的學生會館。超過一百人參加全共鬥全體集會。提出六項訴求（政治活動的自由、廢止為了升學考試的特別測驗、廢除成績評分、允許服裝自由等等）後，全校停課兩週，主力部隊中最多人的二年級學生，實質上直到隔年新學期之前都在集體罷課。自認為是自由主義者的校長與學校當局，雖然一度接受了除了撤銷評分（這實質上是高中解體——拒絕升讀大學）以外幾乎所有的訴求，但文部省——都教委對此感到震驚並令其撤回承諾。當局的態度變得強硬。十・二一新宿反戰日前後，街壘情勢緊張。全學集會決裂，部分學生開始絕食。一一・一六、一七羽田決戰，一人遭逮捕。跨越到七〇年後，粉碎入學考試鬥爭遭到阻止。各黨派的內鬥激化、無黨派也顯露出強烈的疲態。四月，衝入並占領廣播室，進行了粉碎授課的廣播，全學集會。被處罰。開始為了全都高中全共鬥的成立展開行動。六月，六・二三抵制授課集會有二百人參加——轉變為遊行，在青山通上與機動隊發生衝突。首謀者遭到處分。……

這樣已經夠了吧？我即使是現在寫下這些，熱血沸騰的感覺和冷汗還是會交互地湧出。

如前述，當時是教育大附屬駒場高中學生的四方田犬彥提到，「在新宿高中煞有其事地流傳著有個三年級的學生，在被封鎖的音樂教室優雅地演奏了德布西的故事。過了很久以後，我才獲知那個學生的名字叫做坂本龍一。」[109]

高中鬥爭的發生與結束的方式各有不同。校方的應對是其中一個因素，但進行了封鎖等行動的學生是否能夠獲得一般學生廣泛的支持，則左右著鬥爭的走向。像青山高中那樣，大部分的全共鬥都是無黨派，並且提出了批判升學考試體制或廢除校規等等與高中生切身相關的訴求，就很容易獲得一般學生的廣泛支持。相反地，在疾呼「十一月決戰」的新左翼黨派的高中運動者高舉政治口號進行封鎖的例子中，就沒有獲得一般學生廣泛的支持。

例如在駒場高中，十月十八日，約十五名自稱全共鬥準備會的學生在校舍二棟往二樓的樓梯上，用桌椅築起了街壘，封鎖了通往教室的路徑。然而他們提出的口號是「粉碎安保、沖繩鬥爭勝利、武力阻止佐藤訪美、粉碎對高中生政治活動的限制」等等，並未能獲得一般學生的支持，二十二日，在全校集會上，全共鬥派學生們表示「無法承擔街壘罷課的責任」並自行解除了封鎖。[110]

該校的教師當時如此描述這場封鎖：[111]「十月十八日發生了街壘封鎖，那應該是為了要參加十月二十一日的國際反戰日而發起的吧。隔天的二十二日就解除了封鎖。」總之，這是在新左翼黨派的指令下，為確保「十一月決戰」的據點而做的封鎖行動，這自然不會得到一般學生的支持。

根據四方田犬彥的回憶，他就讀的教育大學附屬駒場高中，在十二月八日突然進行了街壘封鎖。封鎖行動由共產同系（當時的共產同系因為分裂而陷入四分五裂的狀態，參見第十六章）的高中生組織「高安鬥委」（高中生安保鬥爭委員會）的學生，以及來自校外的同組織學生所主導。他們以熟練的方式搭建起街壘，「無黨派運動者們幾乎沒有任何發言或插手的餘地」。此外，四方田還如此形容隸屬於這個黨派組織的學生，「他是個無論對方提出什麼意見，都會以『那是歷史的必然』這句話來切斷討論，之後，也只會用一些像是黨派成員之間的暗語來吹噓的人物」。[112]

當然，這個封鎖並沒有獲得支持。封鎖當天，雖然召開了三年級生的班級討論，但在十二個班級中就有七個班要求解除封鎖，剩下的班級也僅僅只是表達了反對引入機動隊的立場。

根據四方田的說法，原因是「對於不少學生來說，這種意料之外的情況是他們當前課題——準備升學考試——的絆腳石，他們更擔心的是，如果課程和特別考核不能如常進行的話，他們將遭受不利影響。」[113]對於大多數的一般學生來說，畢業或者升級遠比這場封鎖還要重要。

而那些從事封鎖的學生們，也在黃昏時分，因為學校請求機動隊出動的謠言而感到恐慌，屬於黨派組織的領導者突然之間宣布了「停止」，隨即解除封鎖並離開了街壘。[114]就這樣，這次封鎖僅僅一天就結束了。

當時正在調查高中紛爭的北澤彌吉郎，這麼描述由新左翼黨派所主導的封鎖：[115]

> 一旦封鎖了學校，正常的授課就變得不可能。一般學生不論喜不喜歡，都將被捲入這種異常狀態中。實際上，〔在許多高中鬥爭中〕進行封鎖的只是幾名到十幾名的少數人。只要放下防火鐵捲門，堆疊起桌子、椅子和置物櫃，就能輕易地展開封鎖。
>
> 然而，許多學校未能及早解除封鎖。這是因為，大多數的學生認為，「雖然封鎖的方式不對，但之所以會做出這麼激烈的行動，背後應該有一些想法才是。我們希望聽聽那些想法」……
>
> 然而，聽取從事封鎖的學生們的意見與要求的集會，很多時候卻變成以下這種情況：大多數的學生往往表示「不知道他們在說什麼」，提出問題後，論點逐漸偏離，常常變成最後只有少數人在對話的情況。大多數的學生們多半只是默默地聽著，而且往往需要花很長的時間才發覺，從事封鎖的學生們的意見和要求與自己不同。一旦封鎖或全校集會長期化，就有越來越多的學生覺得默許行動學生的行為很愚蠢，或認為這與自己無關而缺席集會，甚至還會有學生在集會時跑去運動場上做社團活動，讓整個局面變得越來越難以收拾。

對於一般學生來說，新左翼黨派學生「暗號式」的演說往往難以理解。當時的教師座談會指出，「無黨派的那群人，必須思考如何實現學校改革的鬥爭計畫。直接使用外來的政治口號，絕對無法動員大家。如果大家都不行動的話什麼也做不了，因此得從最切身相關的考試制度檢討開始。」但是，由新左翼黨派學生主導的鬥爭往往執著於「我們的目標是革命」，「無法縮小與高中生群眾的鴻溝」的例子很多。[116]

這種對新左翼黨派主導的高中全共鬥的反感，也存在於無黨派運動者之間。大阪教育大學附屬高中的一位無黨派學生在雜誌的投稿提到，這間高中的全共鬥被某個黨派把持，只會高喊著「十一月決戰」，「我們不管怎麼疾呼『教育』相關的議題，他們都不會聽。」然而，「十一月決戰」結束後，他們突然提出了自主研討會等校內問題的訴求，試圖獲得一般學生的支持。這間高中也在十二月六日被封鎖，但未能獲得一般學生的支持，最後在十五日遭到教職員解除。[117]

與在第十三章中描述的一九六九年以後的大學鬥爭一樣，一九六九年秋天的高中街壘封鎖行動並非經過深思熟慮，而更多是受到大學的全共鬥運動或青山高中等例子的刺激，單純只是「想要做看看」。當時日比谷高中的學生們在座談會中提到：[118]

「封鎖的理由什麼的，坦白說其實都沒有」。「打從一開始就不認為我們會贏」。「我們雖然不斷提出訴求，但我們自己也不認為會實現，大概只因為實在沒辦法才提出的吧」。「雖然沒有期待會被接受，但還是得提出來吧（笑）」。「我們只是因為想做就做了，或說是因為有了想這麼做的情況所以就做了，這應該是最切合的說法吧」。「我們是因為想追求自我解放的解放感，所以建造了街壘喔」。「在街壘封鎖裡頭，我們喝酒、烤肉，看A書，我們在沒有特別意識到的情況下，破壞了我們日常生活中的社會秩序」。

如前述，即使在學生的多項訴求獲得校方接受而自行解除封鎖的上野高中，學生的心態也有類似的地方。他們在當時的座談會上表示，「我們不是為了要學校吞下我們的訴求，而是真的只是想要做那件事〔街壘封鎖〕」、「最後雖然因為戰術上的原因而不得不解除封鎖，但那時候，女孩們唱著『肥皂泡泡飛起來了，飛到了屋頂上，飛到了屋頂上，破掉消失了』[iv]，真的很傷心。我們希望能一直繼續封鎖下去。」[119]

在由新左翼黨派主導的封鎖中，也存在這種激昂感。四方田犬彥不是一個政治性的學生，黨派主導的封鎖也讓他覺得哪裡不對勁，但他如此描述了進入街壘裡頭的心境：[120]「內心已經完全充滿了革命。從現在開始，將為了革命奉獻出我的人生。不管是為了文化祭的班級展覽夜宿學校，還是為了音樂祭的舞台而拚命練習，都完全無法比擬這種激昂的情感。」為了尋求這種激昂感，高中生們在一九六九年秋天如流行般投入了封鎖行動。

而在日比谷高中生的座談會上，學生們提到「想要教訓那些明明沒有教育的熱情，卻還硬要裝成老師的傢伙」、「從很久以前開始，日比谷高中就存在著一種壓迫性的寬容氛圍。像是日比谷高中生的良知、自主自立的精神之類的自律路線。我們的感性與這種路線完全相反。」[121]與青山高中一樣，日比谷高中雖然也是一間以舊制中學的「自由且自主的校風」自豪的學校，但隨著學校群制度的實施，學力較低的學生也進了學校，學校開始將重點放在升學指導上。從這裡可以看到，在這種情況下

iv 譯註：這是日本童謠〈肥皂泡泡〉（シャボン玉）的歌詞。

變得空洞化的「自主自立的校風」，在學生看來顯得「欺瞞」，引起了反感。

高中鬥爭的始末

在一連串高中鬥爭中，訴求的實現程度因情況而有所不同。概括來說，像是廢除學生守則、服裝自由化、開辦自主研討會等等，可以在高中內處理的訴求獲得實現的情況並不少。這與前全共鬥時期的大學鬥爭相同。

在前述的事例中，上野高中就是這樣的一個例子。此外，都立杉並工業高中學生在一九七〇年的投稿中這麼說：[122]

「現在，學校制定的學生規約已經被全面廢止。這是在去年十二月連續進行了大約一週的全學集會上做出的決定。當時，每天都有不知道哪裡的某所高中進行了抗爭並被大眾媒體的報導，但我們學校的情況卻沒有被公開報導。」當時的大眾媒體報導往往傾向於關注名校的紛爭，工業高中等等的鬥爭常遭到忽視。然而，現在已經實現了服裝自由化等訴求的高中，有不少是這個時期鬥爭的成果。

雖然也有以這種「勝利」結束的抗爭，但另一方面像是「粉碎安保」等政治性口號，或者「高中解體」、「升學考試體制解體」等全面社會性變革的訴求，幾乎都未能實現。這與大學鬥爭的情況相同，在某種意義上，可以說是想當然的結果。

也有一些激進的高中生受到東大鬥爭等刺激，主張「如果要澈底追求自我否定的話，那麼否定整個高中教育，否定身在其中的自己，就成了具體的課題」。另外，也有人否定「改良鬥爭」，認為「假設『學生協議事項』真的獲得了改善，那麼校方確實會聆聽學生的意見，讓事情變得比以前更理想也說不定。但是，這麼一來的結果會是如何呢？只不過會因為『已經納入了你們的意見』，所以更強烈地要求學生遵守規則罷了。……就算把壞的秩序變成好的秩序，只要不思考現行體制本身，就不會有任何意義。」[123]

另一方面，上野高中的學生說：「我們提出了包括自主研討會在內的五項訴求。其中有三項被接受。剩下的兩項是拒絕文部省指導要領和公開教職員會議。這兩項裡包含了一些難解的問題，而且，如果我們繼續進行街壘封鎖的話，那麼我們信賴的老師就會失去立場。因此，我們決定解除街壘。」教師方面也說：「在我們學校，提出問題的學生們並非完全沒有思考安保和沖繩等政治問題。他們基本上認為，除非整個世界的體制發生變革，否則什麼都無法解決。但是，就算把這些想法直接帶進來，三年的高中生活也不會有任何改變。他們認為這樣是不行的，所以決定從身邊的問題出發展開思考。因此，改變自己所在場所的，改良性的『個別校園鬥爭』受到了學生們的認可。」[124]

對於新左翼黨派的運動者來說，像上野高中那樣的「改良性鬥爭」可能是一種「無稽之談」吧。但是，推動上野高中鬥爭的學生們，與一味拒絕妥協的東大全共鬥相比，先不管是好是壞，可以說在「政治上」是更為明智的。

高中鬥爭和大學鬥爭一樣，學生們似乎也被劃分為「運動者」、「同情者」、「秩序派」和「不關心派」。高中鬥爭暫時告一段落後的一九七〇年三月的報導指出：[125]「雖然發起行動的從十多人到數十人不等，但在許多紛爭學校中，都會吸引兩百到三百名穩定的支持者。這大約是全校學生的五分之一到六分之一」。這與大學全共鬥運動中，運動者與同情者合計約佔二成的情況幾乎相同。一般學生也對高中生活有所不滿，同情者能擴展到多大的範圍，如前述將取決於學生運動者提出了什麼樣的主張。

根據這篇報導，「秩序派」是以「學生會官僚」為代表的優等生們。他們對公共服務和越南戰爭雖然有一定的關心，但對街壘封鎖抱持著最為強烈的反對態度，主張「以全體學生的意志」「展開對話」。寫下這篇報導的記者，或許聯想到的是東大鬥爭中的民青。

「不關心派」佔了最多數，「他們不參加學生總會。要麼準備升學考試，要麼遊戲，總之只封閉在自己的世界裡」。由於對高中生活的不滿，他們可能對街壘寄予無言的同情，或者只是在街壘周邊聚集，但當封鎖解除後又會回到漠不關心的狀態。他們相當於大學中的「睡罷課派」。

如前述，在激進的高中生中，出現了對「戰後民主主義」的批評。在高中鬥爭中，他們也無視學生會或高呼「解體」，並由志願者採取全共鬥的方式，在討論中追求全員一致的直接民主主義。當時的教師說：「共鬥準備會的那些人並不採取多數決原則。當要做出什麼結論時，就要大家一起來談，那真的會花很多時間。他們會一直討論到全部的人達成共識，這個等待的過程實在相當辛苦」。[126]

然而，從教師的角度來看，高中生們的「戰後民主主義」批判，如同後續將在第十四章敘述的大學生一樣，很多時候看起來顯得離題。在當時的座談會上，教師們這麼說：[127]

「他們雖然使用民主主義的空洞化這樣的詞彙，但民主主義什麼的幾乎完全沒有被當成問題。」「他們雖然明明學過民主主義，但並沒有真的了解。因為那是被迫學習、被迫實行的民主主義，並沒有真的內化。似乎正是因為這樣，他們開始思考民主主義的規則是不是一場騙局。懷疑這不過只是被強加的形式，自己的意志是否真的有自發展現出來過。」「在義務教育階段，民主主義只被以非常形式化的方式教授，這件事確實是必須反省的。」

高中生們在批判「戰後民主主義」以前，並未真的掌握「民主主義」。這樣的情況在反叛過程中也顯露了出來。大阪府立住吉高中在十一月四日發生了街壘封鎖，學生提出了三項訴求（廢除審查、集會自由、提出對府教委通知的拒絕聲明），並召開了班級討論與學年集會，但是過程並不順利。某位學生在雜誌投稿中說道：[128]「學校沒有教我們怎麼討論或進行議程，怎麼可能會順利呢？」

一九六九年的高中生，是在一九五八年勤評鬥爭後，也就是教育變得保守化之後接受了初等教育的世代。他們並不像一九六八年在大學中引領全共鬥運動的世代那樣，被教導要「帶有問題意識，用言語表達出來，進行深入討論」。僅僅幾年的世代差距，或許也在鬥爭中顯現微妙的差異。

在自主研討會也出現了類似的問題。上野高中的教師這麼說：[129]「自主研討會讓學生有地方可以學習自己想要學習的東西。對此學生們感到非常開心。然而從幼稚園到中學，他們一直是在接受被給予的東西。因此，當他們必須自己思考現在該做什麼時，許多學生只是佇在那邊，不知如何是好。」

同樣的情況也適用於自主講座。高中鬥爭中，雖然也在街壘內嘗試開設了自主講座，但根據當時的書籍，「在某間學校，雖然在街壘裡面開設了也有教師參加的所謂的自主研討會，但研討會並未帶來什麼有效的結果。」[130]自主講座就算是對大學生來說也是很困難的事，對高中生來說當然也就是不可能的了。

結果，從一九六九年九月到十二月，僅僅只在東京的都立高中內，發生各式反叛的就有三十一所，而出現了街壘封鎖的則有二十四所[131]（當時的都立高中總共有一百四十九所）。在都立高中的反叛中，恢復上課所需的天數平均為二十六．五天，其中以青山高中的六十八天為最長。[132]就算在其他地區，各種反叛也接連發生。

東京都教育委員會於十月二十四日發表了聲明，提到「為了早日解決紛爭並恢復正常授課，我們也將考慮調動學校校長或引入機動隊」、「絕對不允許部分學生的非法行為。不服從學校指示的學生將被退學或停學」。十月三十一日，文部省發布意見表示，「對於違反國家和社會法規或秩序的活動和暴力行動，應始終以嚴肅的態度進行適當的懲處」、「若在學校教育活動的場所中，默認學生進行政治性活動，那將違反規定了學校的政治中立性的《教育基本法》第八條第二項」。[133]以這種方式利用《教育基本法》中的「學校的政治中立性」，是過去常被用來對抗日本教職員工會的手段。

而包含「調動校長」在內的政策發布，相當於對教職員施加恐嚇。而且，日本教職員工會也普遍否定接受黨派支援的高中生的政治活動。

此外，根據當時教師的證言，最強硬地主張鎮壓高中鬥爭的，是一般學生的家長。相對有良心的教師們，由於知道若像是青山高中那樣，急著引入機動隊，反而會導致紛爭陷入泥沼，因此主張就算要花一點時間，還是要與學生對話。然而，據一位教師所言，「那時候最大的障礙是家長。因為一小群輕舉妄動的學生，他家的小孩就不能好好唸書。所以希望能及早讓孩子恢復正常的學習環境。從家長口中講出來的只有這樣的意見。」[134]

接著，考試和升級時期的來臨，也是使高中的反叛沉寂下來的背景因素之一。教師指出，不少「高喊打破體制的學生，一方面也在意著旺文社的模擬考結果」。[135]日比谷高中的一位學生也說，「直到大概一個星期之前，我都還決定不去上大學。但是不停地被身旁的人吵著，結果現在我又在考慮要不要去參加考試。我一度帥氣地想過要當工人，在工作之餘去大學旁聽就好。但不知道為什麼我又變得有點害怕……」[136]

九段高中的一名運動者，這麼描述了鬥爭結束後的樣子：[137]「不關心派」裡頭，雖然當街壘搭建起來的時候，曾經「有些人說出了像是在同情鬥爭的話語」，但隨著升級、畢業時期的逼近，「封鎖被解除後，他們就又回歸秩序派。」

教育大附屬駒場高中的封鎖，僅僅一天就結束了。拒絕回歸以往日常的四方田犬彥，在即將面臨升學考試的時候選擇去打工而沒去學校，一個人抵制著期末考試。然而，當他隔了一個月再次返回高中時，體育老師對他這麼說：[138]「我知道你在想什麼。但如果繼續這樣生活下去，你只會吃虧。你最好知道大家都比你機靈。你看著吧，那些不久前搞街壘封鎖的傢伙們，到了明年大家都會應屆畢業考上東大，成為官員或律師。」

這一點，與許多大學鬥爭都在面臨就業或升級時期時逐漸沉寂下來的情況一樣。一位都立竹早高中的學生，在一九七〇年二月的雜誌投書上這麼說：[139]

> 我校竹早自去年春天以來，教師的貪汙問題成為引爆點，不斷發生騷動，最後終於演變成了街壘封鎖，但也很快地自行解除。如果不趕緊進行一直延期的期末考，三年級學生就無法製作大學入學申請用的內部評量表。現在，我們全都在為爭取內部評量表的分數而忙碌不已。……
>
> 一次又一次的紛爭使我們的畢業也岌岌可危，但現在問題是畢業典禮要怎麼進行。今天，在班會時間問「誰贊成進行和以前一樣的畢業典禮」，贊成的只有兩個人。剩下的四十幾人都沒有表態。大家大概都在心裡想著，「反正不管怎樣都能夠畢業，畢業典禮什麼的怎樣都沒差，比起

這個，我得要早點回去唸數學才行。」

就這樣，在教育委員會和文部省的強硬態度，以及升學考試期間無言的壓力下，高中反叛在十二月平息。十二月二十六日，在被封鎖了將近一個月的都立北高——都立高中裡最後的封鎖被解除了。雖然仍有三名學生在裡面，但他們並未抵抗教職員的解除行為。[140]

如同許多參與過全共鬥運動的大學生最後進入了企業工作一樣，曾高喊「粉碎升學考試體制」並進行封鎖等行動的高中生，大多數也進入了大學。根據後來參加了聯合赤軍的加藤倫教的說法，在他就讀的名古屋東海高中，在一九六九年也由「全中鬥」舉行了遊行等行動。然而，加藤在加入了聯合赤軍的前身「革命左派」而遭到逮捕並獲釋後，到了「迎接年滿十九歲的春天時，曾經一起高喊『粉碎升學考試體制』、『反對升學教育』並一起遊行的夥伴們，大多數都進了大學。」[141]

之後，雖然一九七〇年在都立葛西工業高中、神奈川縣立川崎高中等校發生了反叛，但顯然反叛的高峰已過。相較於一九六九年三月，畢業典禮的混亂事件也相對減少。到了一九七〇年三月，雖然還有如新宿高中等校長期持續著反叛，但與大學全共鬥運動的瓦解幾乎是同一時間，高中的叛亂也幾乎沉寂了下來。

就這樣，表面上高中生的反叛沉寂了下來。但是，驅使他們展開鬥爭的各種問題，基本上完全都沒有解決。一九七〇年三月，在東京農大一高，二十幾名畢業生對三名教職員施加了暴行。那時接受報紙採訪的一般學生表示，「他們不願意聆聽學生們的說法。我能理解想要動粗的心情」、「在課堂上，只要稍微聊一下天，那堂課就會被記為缺席。」[142]

這起暴行事件中，並沒有政治性的主張。可以說，雖然一九六九年帶有政治性要素的高中反叛已經遭到了鎮壓，但其實只是回到了一九六七年以前不伴隨政治性主張的反叛形式而已，根本問題的解決被推遲，而沒有獲得處理。

上野高中的運動者自認「我們是一種問題少年」，並如此說道：[143]「的確，我們學會了各種話語，像是粉碎產學合作路線、高中教育應有的存在方式等等。但是，在脫離了大人及社會為我們決定的生活模式與軌道這一點上，不管是問題行為還是反叛，在本質上不都是一樣的嗎？」

就這樣，以「學會了話語」為形式的反叛遭到鎮壓後，高中和中學暫時恢復了平靜。但在八〇年代初期，在中學等地，未帶有政治性「話語」的「校園暴力」頻繁發生。文部省和教育委員會也透過強化管理，表面上鎮壓了這些現象。然而，自八〇年代後半以降，失去出路的學生們對於「現代的不幸」的反應開始轉往內在，「霸凌」或不上學、自殘行為等問題開始浮現出來。

第十三章　從一九六八年到六九年

——新宿事件、各地全共鬥、街頭鬥爭的連敗

本章將概述「激盪的七個月」以後一九六八年的動向、翌年一九六九年全共鬥運動的全國性擴散，以及一連串的街頭鬥爭。[1]

從結論來說，從一九六八年後期到一九六九年，運動雖然在量的層面上擴大，但在質的層面上卻衰退了。不只是沒有再次如一九六八年一月佐世保鬥爭那樣獲得了社會輿論的共感，各地的全共鬥運動也變得定型化。到了一九六九年底阻止佐藤首相訪美的「十一月決戰」，以武鬥棒及汽油彈進行的街頭鬥爭已經完全被警察壓制。

面對這樣的極限，開始發生了第十四章將敘述的一九七〇年的典範轉移、武裝鬥爭論的興起與武裝內鬥的激進化等等現象。

三派全學聯的分裂與黨派間鬥爭的激化

在所謂「激盪的七個月」之後，新左翼各黨派的街頭鬥爭暫時停滯。

原因在於，新左翼各黨派受到的損害太大。如同在第八章也描述過的，在「激盪的七個月」中，

中核派、社學同、社青同解放派的負傷者約三千人，遭逮捕者超過千人，遭逮捕者的保釋金約一千萬圓，負傷者的治療費超過兩千萬圓。[2]特別是中核派就佔了其中的近半數。

各派的資金來源，除了在他們掌控下的自治會費、機關報的銷售收入以外，就是街頭募款。佐世保鬥爭剛結束時，澀谷和新宿的街頭募款一天可以收到約十萬圓，但這只是暫時的。[3]一九六八年三月，秋山三派全學聯委員長在演說中表示，「即使在中核派內部也有已感到疲倦，提議暫時休息的意見，但我認為，不間斷鬥爭正是革命者的宿命」。[4]然而在王子鬥爭末期，中核派的勢力已經衰退到只能動員約一百人的程度。[5]

因此，在一九六八年四月的王子鬥爭告一段落後，新左翼各黨派發起的街頭鬥爭有限。除了六月八日在伊東市進行的阻止ＡＳＰＡＣ鬥爭（前述第十二章）之外，在一九六八年六月十五日，六〇年安保鬥爭樺美智子死亡紀念日，以越平聯為核心組成的六月行動委員會主辦了非暴力的遊行。這一天，東大有佔領安田講堂的行動，並成了東大鬥爭的導火線，這在第十章曾敘述過。

就算這樣，各黨派之間的衝突仍然沒有停止。在六月十五日晚上日比谷野外音樂堂的集會上，中核派和革馬派因爭奪致詞順序而開始了武裝內鬥。前來聚會的反戰青年委員會的工人們喊出了這樣的聲音：「頭人交涉也好、什麼也好，快點給我開始會議」、「他們喊著反帝反史達林主義什麼的，但在台上大吵大鬧的行為不正是史達林主義、自我中心主義嗎」、「學生之間的爭執給我去其他地方解決」，但這次集會仍以混亂收場。[6]

新左翼各黨派也無法採取統一的行動。一九六八年六月二十一日，從下午五點左右開始，當時在御茶水的中大社學同，戴頭盔持武鬥棒在明治大學前遊行，並用桌椅搭起了街壘。口號是「讓神田成為第二個拉丁區」。拉丁區，是前一個月的巴黎「五月革命」中，學生建築街壘的大學街的名字。學生們向御茶水派出所和附近的商店投擲石塊破壞窗戶，當機動隊出動時，他們則撤退回因「大學自治」，警察無法追進來的中央大學校內。[7]

然而根據中大擴大聯合自治會副委員長的說法，前一天的會議上，社學同提出全體罷課並主張「把神田變成拉丁區」，革馬派主張在王子舉行遊行，而ML派則提議發動遊行支援在抗爭中站穩腳步的日大。因此，實際上是由中大社學同單獨進行了鬥爭。[8]

巴黎的「五月革命」與工人總罷工結合，一起將戴高樂（Charles de Gaulle）政權逼到了絕境，然而日本學生的行動並未引發工人的任何反應。某位新聞記者評論道，「這不過是巴黎『五月革命』的山寨版」。警視廳的警備局長則評論，「這是比之前不合常理的行動還再更加不合常理的行徑。躁進行為除了被孤立以外，沒有別的下場。」[9]

六月二十六日，三派的學生在新宿舉行了示威遊行。如第一章所述，當時裝載著越戰用的美軍噴射機燃料的油罐車（簡稱「美罐」）在新宿站進行運送，並曾在一九六七年八月發生過起火燃燒的事故。而在一九六八年六月二十六日，工會等團體在新宿西口舉行了「反對美軍噴射機燃料及火藥運輸中央集會」，反對國鐵計畫將運輸量提高五成，這是總評主辦的「撤除軍事基地，廢除安保條約全國統一行動日」的第一波行動的首日活動。三派的遊行是半強行地參加了這場行動。

三派的學生和反戰青年委員會的工人一起移動到新宿東口站前廣場，在六點過後召開集會，並在繁華區展開了漩渦式遊行，他們在八點左右衝破剪票口，在新宿站月台上舉行了集會。這次的遊行與聚集而來的數千名「圍觀者」造成了交通堵塞，打亂了列車時刻表，但警方為了避免混亂並未嚴格管制。[10]

各派別也沒有採取共同行動，而是分散地進入新宿站，但是那些「圍觀者」因這種混亂玩得很開心。當時的雜誌這麼報導：[11]「晚上八點，社青同解放派出現在一、二號線，社學同ＭＬ派則佔領了五、六號線。到了十點左右，中核派和革馬派也跑來佔領了軌道。這麼一來，那些『看熱鬧』的人，開始不負責任地說著接下來應該輪到〇〇派來了，或者因為ＸＸ派還沒來所以還不會結束等臆測，看來玩得很開心。」這一天的情況，可以說是後述的十月二十一日的新宿事件的先驅。

但總體來說，這一時期的三派都避免展開激烈的行動。六月三十日，三派全學聯雖然在三里塚的集會中聚集了約一千四百人，但他們並未進行暴力抗爭就撤退了。[12]這也成為三派全學聯最後的統一行動。一九六八年七月，三派全學聯分裂為中核派全學聯，以及作為其他黨派集合體的反帝全學聯。

關於分裂的過程，一如往常雙方的主張不同，存在許多不明之處。根據當時的報導，似乎存在著種種傳言，包含社學同的上級組織共產同對中核派的上級組織「革共同」表示，如果全學聯委員長的位置不交給社學同，他們將不惜分裂。或者是對中核派的姿態不滿的其他黨派的中央委員們，故意挑了秋山委員長無法來得及回覆能否出席的日程，寄出將在七月五日召開擴大中央委員會的信件等等。[13]

不管怎麼說，七月五日三派全學聯召開的擴大中央委員會，是在以秋山委員長為首的中核派缺席的情況下舉行，並且罷免了秋山。中核派宣稱他們落入了其他黨派的陷阱，而其他黨派則主張中核派從全學聯「逃亡」了。[14]

然而，三派的學生相對冷靜。如第八章所述，原本三派間的對立就很激烈，遊行或集會也都分開進行。有一說是，由於中核派在羽田和佐世保中獲得了最多注目，因此中核派有了彷彿是三派代表一樣的行事作風，從而引發了其他黨派的反感。

在當時的雜誌上刊載了以下學生的聲音：「從羽田之後，就各自舉行集會、分別採取行動，這並不是讓人驚訝的事」、「秋山委員長一直都在搞譁眾取寵的自我表現，不代表三派全學聯」等。一位新聞記者認為，第一次羽田鬥爭時三派就應該已經分裂了，但由於山崎博昭的死讓他們暫時團結了起來，才得以在中核派主導下，直到佐世保和王子的行動都持續維持著暫時性的統一狀態。[15]

就這樣，中核派全學聯和反帝全學聯在七月分別開了各自的大會。但反帝全學聯的各個黨派之間也彼此對立，社學同在中大，而社青同解放派和社學同ML派在明大開了「反帝全學聯大會」，第四國際則抵制了上述兩方。[16] 革馬派全學聯、民青派全學聯和結構改革派的全國自治會共鬥會議的集會也都分別舉行。

隨著這樣的情況，各黨派下的反戰青年委員會也產生了分裂。根據當時的反戰青年委員會委員藏田計成的說法，當時的情況是「東京地區反戰組織也隨之分裂，許多的地區反戰組織甚至分化到每一個黨派都有自己的地區反戰組織。A地區反戰組織分裂成三個，B地區反戰組織為兩派聯合對一派，C地區反戰組職則為四派相爭。」[17]

評論家中島誠訪問某位黨派的學生運動者為何要進行武裝內鬥時，他這麼回答：[18]

我們有一種等到明天就太遲了的確切感受。運動者……在一波波運動之間，會感受到強烈的孤立感。自己必須脫離家人、老師、同學，還有想當然地必須脫離大學當局，孤獨地戰鬥，如此感受到的瞬間，那些應該也體會著同樣孤獨的其他組織的人們，就變成了最令人憎惡的發洩對象。如果是在政策理論上的對立，可以只是說聲「聽你在放屁」就算了，但是在每天細微的戰術上，以及在人事霸權的問題上，卻會湧出異常大量的憎恨。武裝內鬥的必然性，只有身處運動內部的人才能理解。我們最有解放感、最能一掃孤立感的瞬間，就是手持角材站上街頭的時刻。

從孤立感中獲得解放，確認自我的「存在」確實是街頭鬥爭的魅力之一。然而一九六八年夏天，「應該也體會著同樣孤獨的其他組織的人們」變成了「最令人憎惡」的對象，與他們進行武裝內鬥衝突的時刻，成了最能感受到「解放感」的情況。

在某種意義上拯救了這種末期的黨派四分五裂狀態的，是全共鬥運動的崛起。無論是日大還是東大，在鬥爭初期都具有自發興起的民主化鬥爭的色彩。然而，全共鬥的學生們，對於新左翼黨派來說是招募新人最理想的場所。各個黨派都將運動者送進鬥爭中的各大學裡，企圖擴大自己的勢力。如果沒有全共鬥運動的崛起，那麼黨派或許有可能在這個時間點就已經斷絕了命脈吧。

一九六八年的「國際反戰日」

恢復勢力的各新左翼黨派，所展開的最大型的武力鬥爭，是十月二十一日的「國際反戰日」。訂在這個日期，是因為在一九六六年的這一天，總評主辦了四十三個單一產業工會的聯合行動，抗議一九六五年二月美軍開始轟炸北越。然而由於當局的處分，以及調漲工資的訴求上有所差異等原因，一九六七年參與罷工的單一產業工會降到僅有十五個，改由越平聯等市民團體舉行集會。[19]

在一九六八年，總評及社會黨、共產黨，還有越平聯等市民團體，也各自排定了集會的計畫。但根據當時的報導，各新左翼黨派從一九六八年的上半年就開始呼籲在這一天發起武力行動，中核派更是喊出「百萬學生武裝起來，手持角材和石頭起義。」[20]

然而，各新左翼黨派並未採取統一行動，十月二十一日各派朝著各自的目標展開行動。社學同呼籲衝入作為「日本的五角大廈」的防衛廳。[21]社青同解放派則選擇了國會。中核派與ＭＬ派高喊著阻止「美罐」，以將大眾捲入運動為目標前往新宿。革馬派也另行前往新宿。

各黨派的分散行動造成警方左支右絀，使新宿的警備變得薄弱。這也成為被視為六〇年代末最大規模的反叛——新宿事件的背景。

在二十一日之前，山崎博昭一週年忌日的十月八日，在新宿舉辦了遊行。[22]這一天，在日比谷野外音樂堂，由中核派、社學同、ＭＬ派、反戰青年委員會、三里塚芝山聯合反對同盟等召開了一場主辦方宣稱約有一萬人參加的集會。在明治公園，革馬派、社青同解放派、反戰青年委員會等約有五千人聚集，清水谷公園則以越平聯為中心，有約一千五百人集會。這一天，公務員共鬥會議也動員了十一個單一產業工會發起限時罷工。

在八日這天下午六點半左右，以「阻止美罐運送」為口號，革馬派、社青同解放派、一部分的越平聯等在新宿站的軌道上靜坐抗議，並在車站內展開遊行。下午九點半左右，中核派、社學同、ＭＬ

派等人為了在新宿站東口召開集會而集結起來遊行，新宿站周邊被來湊熱鬧的上班族、BGi（OL）、學生、自營商店老闆等人塞滿，中央線和山手線一度停駛。

機動隊雖然對站內以及東口廣場的學生及工人進行了管制，但看熱鬧的群眾見到一如往常般的無差別警棍亂打，也開始丟擲石塊。投石行為破壞了東口派出所，即使在各組織晚上十一點半撤退之後，群眾仍持續著零星的投石與對派出所的放火行為。

便衣警察混入遊行隊伍和群眾之中進行煽動，也助長了騷亂。根據當時的記事，「『便衣』們中，有的人喊出『丟吧丟吧』煽動投石行為，如果看到想拿起石頭的人，他們就會馬上兩、三人一起反手將他逮捕或是對其踢踹。甚至有人目擊，有些警察還會穿戴與反日共派全學聯相仿的頭盔與連帽外套混入遊行裡面，展開伺機逮捕的『釣魚搜查』。」

在這天的新宿，光是被救護車載送的傷者就有一百零二人，被逮捕的人數為一百五十人。木村官房長官在隔天九日表示，如果二十一日再發生同樣的情況，他們就「不得不用騷擾罪〔騷亂罪〕處理。」騷亂罪適用於集體暴力行為，而且可以在現場進行無差別逮捕。這項罪名僅在如戰前的一九〇五年日比谷縱火事件、一九一八年的米騷動，以及戰後一九五二年的「血腥五一」等特定的非常情況中被使用。

群眾的行動也超出了新左翼各黨派的預期。[23]共產同的三上治回想，「我仍然對與我一起行動的學生們的震驚和困惑印象深刻。我記得應該是在從那場鬥爭回來的路上，中大的學生問我，那些群眾是誰？那時我也無法好好回答。」

如第一章的記述，當時從地方來到東京的青壯年男性非常多，沒有娛樂活動的他們於是到了鬥爭現場看熱鬧，有時候為了抒發憤怒還會向警察丟石頭。各黨派或學生們並未理解到這個社會結構情況的變化。

十月二十日晚上九點，社學同二十六人從東京醫科大學分乘卡車前往防衛廳。疏於警備的防衛廳，正門只有兩名警衛，學生們揮舞著紅旗從正門闖入。他們佔領了通信隊的辦公室，破壞了房間的內部，掛起社學同的旗幟，在牆上塗鴉「社學同已經佔領了防衛廳」、「七〇年安保粉碎」等字樣。這是預期二十一日當天的警備應會變得森嚴而採取的奇襲作戰。[24]

當然，闖入的學生馬上就被逮捕了。但是領導了這次鬥爭的社學同的荒岱介表示，「我認為這是和越南人民的串連。」[25]或許存在於他們腦中的，是在南越解放戰線的新春攻勢中，佔領美國大使館的二十名「C 10」大隊隊員的決死突入行為。然而，從第一次羽田鬥爭以來，比起實際的政治效果，透過直接行動確認「存在」一事已然自我目的化，這也是事實。此外，這可能也受到了藉由採取比其他黨派更激進的行動，來誇耀自家黨派之作風的影響。

一九六八年十月二十日是週日，二十一日是週一。因此，如第十五章所述，在二十日舉行了越平聯非暴力的新宿遊行。二十一日，總評・中立勞聯等以沖繩返還、反對越戰、廢除安保為主張，舉行了約三萬人的集會和遊行。共產黨全學聯也舉行了大約一萬二千人的集會和遊行。新左翼各黨派則各自展開行動。[26]

社學同認為「十・二一鬥爭必須成為所謂的七〇年安保粉碎的實質突破口」，因此再次試圖衝入

i 譯註：和製英語「Business Girl」，指在公司裡擔任事務員的女性。

防衛廳。[27]約八百名戴著紅色頭盔的社學同成員，從據點學校中央大學出發，用卡車運送角材和圓木，「武裝」起來朝防衛廳前進。

由於前一天遭到突襲，防衛廳的警備明顯增強不少。下午五點過後，「敢死隊」攀爬上防衛廳正門，揮舞「中大日間部自治會」的旗幟。隨後，投石隊開始丟擲石塊，「工兵部隊」抱著圓木撞擊鐵製的正門。擔心遭受損害而停業的附近店家喃喃說道：「根本就像是爆彈三勇士。」

機動隊以催淚瓦斯和灑水應對，並同時從另一個方向夾擊學生。當天，學生無法破壞正門，只用圓木撞擊了正門，一百九十三人遭逮捕。隨後雖然在青山墓地等地持續了亂鬥，吉田茂前首相的墓遭到破壞，但最終學生在晚上十一點過後解散。之後，社學同在十一月嘗試展開「首相官邸占領鬥爭」，但由於這次大規模的逮捕使運動者人數不足，最後以失敗告終。[28]

十月二十一日在防衛廳附近被捕的人中，也有不少是女學生。據當時的報導，目黑署的公安課長曾這樣描述，[29]「她們沒讓人感覺是真正的鬥士，而更像是被組織教導『被警察抓到的話，只管保持沉默』，行使著緘默權，給人的感覺就是這樣。其中有很多是男性的『提包者』、『運輸石頭者』。在被機動隊追捕時，男性會丟下身上的頭盔和角材，逃入大眾裡頭。然而，也有因為拿著那些男性丟下的社學同頭盔而被逮捕的女性。」可以推測，新左翼黨派將在全共鬥運動等場合招募來的缺乏經驗的運動者投入到這場運動中。

學生運動者在可能被逮捕的情況下脫掉頭盔混入人群中的做法，在當時並不少見。儘管他們投入高呼「必死」的「鬥爭」，但仍希望避免被逮捕的風險。如果不是為了堅定的思想或想要達成的目標，而是為了想要確認自己的「存在」的欲求而參加了「鬥爭」的話，這樣的行為也是理所當然的。

而且，想要用比其他黨派還更酷炫的戰術引人注意，這個目的某種程度上已經達成了。當時的運動者中野正夫如此回憶二十一日舉著圓木、試圖闖入防衛廳未遂的行動：[30]

「一如預期，隔天的報紙和大眾媒體都大篇幅刊登了以圓木突擊的照片。如同農民起義一般，向防衛廳高呼『反戰！反基地！』以圓木進行武力入侵的身姿，透過圓木來展現鬥爭精神的戰術，是簡單易懂且富有視覺感的巧妙作法。如果想衝進和平白癡化的防衛廳，真正給予打擊，並在現實上以武力破壞中樞的話，那麼還有游擊戰和殲滅戰等很多的手段。但是，在那裡該採用的就是這種戰法。因為是共產同特有的『敢死的精神』和『革命家家酒』相結合的非理性與形式美的運動，所以就像歌舞伎一樣大肆張揚地吸引目光，在遭到逮捕後就宣告落幕。」雖然中野的回憶讓人感到有些加油添醋，但他確實指出了事實的一個層面。

另一方面，社青同解放派約有一千五百人試圖衝入國會。晚上八點左右，學生方高呼著「在國會內舉行集會」並向機動隊丟擲石塊，但遭灑水與催淚瓦斯阻止，並受到機動隊夾擊而被驅趕。只有約三十名學生翻越了警力較少的第二通用門的圍牆，進到國會的區域內，但全員立刻遭到了逮捕。[31]

「新宿騷亂」事件

然而，這天的焦點是新宿。警視總監在十九日發表「請配合不要接近危險的場所或避免危險的時段」，各大報紙也刊出了預期在新宿將會發生騷亂的報導。[32]

但這樣的報導反而引來好奇的群眾聚集。十月二十一日中午過後，人群開始聚集在新宿，以十到二十人為一組，開始進行包括「對越南戰爭的加害責任」、「美軍油罐車的危險性」等議題的討論。下午四點左右，新宿東口約有五萬名群眾聚集。各主要車站播放著「由於學生的不法行為，今晚國鐵將有可能無法運行，請盡可能早點回家」的廣播，大公司也接到了同樣的電話，但是群眾的數量卻還是持續增加。許多群眾認為「如果搭電車的話可能會遭到管制」，所以選擇開車或者步行至新宿聚集。[33]

聚集而來的群眾各有不同的特質。有如上述認真討論反越戰的人，也有三百多人在學生到達之前就開始了自發性的遊行。[34]然而，也有很多人只是來看熱鬧，也有人在可以俯視東口廣場的餐飲店裡喝著酒等待遊行開始。也有人對著警察「請回家」的麥克風廣播怒吼，「蠢貨，我可是從很遠的地方走過來的。既然付了錢就得去看看」、「條子和媒體一直在那邊說不要來新宿，這樣反而像是在拉客不是嗎？」[35]

以新宿為目的地，中核派、ＭＬ派與第四國際等等的遊行隊伍，約兩千人在御茶水站前召開了集會。這一天雖然在預定時程上並不會有美軍燃料油罐車通過，但還是發表了「讓新宿成為第二個羽田」、「讓新宿在人民的手上成為解放區」、「武力阻止美軍油罐車」等等煽動性的演說。下午五點過後，他們在御茶水站搭上了電車。中核派在代代木站齊呼「粉碎安保」、「阻止美罐」等口號後下車，沿著鐵路朝新宿奔馳。雖然機動隊出動驅散了學生，但學生朝著東口廣場前進，而看熱鬧的群眾也以拍手和「機動隊滾回去」的聲音迎接。[36]

在幾乎同個時間，ＭＬ派從西口陸橋下遊行前來。晚上九點左右，革馬派與結構改革派的自治會共鬥也到了。根據報導，這些遊行不僅僅只有新左翼黨派的成員，「在戴頭盔學生們的後面，接續著一長串沒戴帽子的學生們。」[37]

那些是「單手拿著雨傘的學生、拿著教科書或筆記本的學生、邊用手指推著快要滑落的眼鏡邊參加遊行的學生、踩著高跟鞋搭配裙子的女學生」等等的一般學生。因為全共鬥運動的高漲，出現了這樣的學生參加遊行的現象。接續在他們後面的，是反戰青年委員會、出版反戰、大眾媒體反戰等工人。[38]

各黨派在遊行後各自召開了集會。根據某篇報導指出，這些集會皆以「各位在此的——所有的——工人、學生、市民」作為開頭，「可能是麥克風狀態不好，聲音破破的聽不太清楚。唯一清楚迴響在周圍的大樓之間的，是不管哪個集會都一定會在結束時齊呼的口號：『越南戰爭，反對！安保條約，粉碎！美軍油罐車，堅決阻止！我們發誓！我們發誓！我們發誓！』」。該報導寫道，「以同一件事為目標的同樣的集會，為什麼不統一舉辦呢？讓人覺得不可思議。」[39]

「騷亂」，就在這之後開始了。晚上九點左右，學生進入新宿站的軌道內，機動隊以瓦斯彈應戰，列車全面停駛。不久後，學生破壞了陸橋兩側的電影看板，打開了侵入車站設施區域的入口。學生還用混有鐵芯的水泥棒信號燈，連續敲打站方在鐵捲門上加裝的鋼板。每一次「砰！砰！」的聲音響起時，興奮的群眾就會叫囂「打開它！打開它！」，最終，開啟了入口。[40]

不久後，學生和群眾從這些入口進入車站內部。群眾包括了「把書本夾在腋下的年輕人、背著手提包、打著領帶的上班族、新宿的小混混、瘋癲族、醉漢、職人、工人、司機」等各式各樣的人，但作為「年輕人的城鎮」的新宿，「大多數都是還沒超過二十五歲的年輕人」。其中也不乏「邊說著『好可怕啊』、『沒事吧？』等等邊走進來的年輕女性」。[41]還有重考生和高中生，一個新左翼黨派的運動者驚訝地說：「居然有這麼多高中生……。」[42]

雖然機動隊試著管制，但由於群眾和學生激烈的投石行為，他們在晚上九點四十分左右撤退到了南口出口。侵入車站內部的群眾，煽動著投石的學生，「搞下去吧、搞下去吧」、「沒在管什麼秩序啦。」[43]

之後就是完全的騷亂狀態。當時的報導這麼說：[44]「穿著涼鞋的男人、瘋癲族們接連破壞電車的玻璃窗。用角材打破儀表類的器材。敲碎電子顯示板」、「如洪水般湧進的群眾用石頭猛砸玻璃，穿著西裝繫領帶的年輕人拿著角材敲擊玻璃」、「學生在貨車上用左手拿著粉筆潦草地寫下『反對越南戰爭』」。「在中央口，警視廳的電視轉播車被拖出來推倒並遭到燒毀。大紅色的火焰燒亮了夜空，點火的是一名像是來湊熱鬧的男子。」

騷亂的主角，除了學生，更多的是群眾。根據當時的報導，「年輕人和喝醉酒的群體已經超越了學生，開心地在新宿站內四處奔跑」、「用石頭破壞電車玻璃的人、用角材敲打指示牌的人。每個人都開心地享受著『破壞』，那只能說是令人畏懼的能量」、「不管哪張臉上都充滿生命力而發亮著」。[45]

群眾中，很多人對國際反戰日等並不關心，只是單純地享受著破壞。根據報導，有說著「國鐵的票價說漲就漲，但電車卻也說停就停」而暴走的年輕上班族，也有向記者詢問「今天是什麼日子」的人。當時的記事形容，「他們之間共通的，是自己也無法意識到的欲求不滿，是蜷伏在心中角落的政治不信任，是希望在突發事件中把這些宣洩出來的情緒。」[46]

當然，不負責任的人也不少。根據報導，一個「穿著燈籠褲的男性，一邊一臉正經地碎嘴『我不是學生所以沒有危險〔不會被逮捕〕』」，一邊破壞車站設施。在車站內，也有人看到「似乎享受著丟石頭並發出歡聲的兩位廚師模樣的男子」，當警察來時，邊說著「巡警先生辛苦了」、「請加油」邊逃跑的景象。在車站內胡鬧的兩位上班族則有這樣的對話，「你覺得怎樣？快到末班車的時間了，是不是差不多該回家了」、「不，既然都變成這樣了就只能豁出去。看是要走路回家還是繼續鬧一整晚吧。」[47]

群眾的行動也都不一樣。有高喊「機動隊滾回去」聲援學生的人，也有喊著「全學聯滾回去」的人。[48]有在車站裡胡鬧的人，也有很多只是遠遠地看著的人。還有對騷動毫不關心，開心地在夜晚約會或吸食強力膠的年輕人。

在群眾中，也有認真抱有問題意識的人。那天晚上來到新宿的工會組織中，反戰青年委員會和大眾媒體反戰等組織的人只佔了一小部分，大部分的工會成員都只有在白天參加了由總評等主辦的統一集會和遊行。然而，根據大野明男的說法，工會成員中「有很多人是在參加了高層領導的統一行動後，得知學生展開了激烈的鬥爭，實在沒有回家的心情所以又趕到新宿而成群地出現。在廣場的各處，都能聽到工會成員在討論要不要秀出工會旗幟的聲音。」[49]

在這樣的工會成員中，也有一些人重視著反戰日的意義，試圖阻止破壞行為，並在新宿站周邊圍出了幾個討論的圈圈。可是，興奮的群眾和學生，多半無法接受制止的聲音。根據報導，當時在東口廣場的某位青年憤怒地說，「只是在破壞東西到底是想幹嘛？這是反戰嗎？是和平嗎？當我試著制止的時候，居然被說成戰爭協力者。」另外，一位新聞記者這麼描述：[50]

「你們〔學生〕今晚到底在做什麼？應該早就知道美軍的油罐車〔今晚〕不會經過，那麼為什麼還要待在鐵軌上，為什麼要在月台上破壞東西，我就算都這把年紀了，還是忍不住情緒激動地質問他們。然後，我的話他們根本聽不進去，這讓我感到非常悲傷。如果他們兩萬人能在車站坐得滿滿的，就算是一整個晚上也好，對反戰與和平進行討論的話，我也會很樂意參加的。」

乘著騷亂的勢頭，對通行車輛「盤檢」的群眾也登場了。當時的報導這麼記載：[51]

那時候，遍布了西口陸橋周邊的人潮，完全無視機械式地反覆交換著紅、綠、黃的紅綠燈，將車道塞得滿滿。每一輛想要鑽過陸橋的車，都在人牆中接受了無情的盤檢。特別是跑車、高級車，或是在助手席坐著女士的轎車，都遭到了充滿敵意的冷漠對待。

「怎樣啦？這種時候還想通過？不行啦」、「喂，你知道什麼是安保嗎？」、「燈號是綠的？你在說什麼？沒看到我們正在忙嗎？」

輕型貨車、三輪卡車、輕型轎車大抵上都能避開麻煩。

「讓公車通過，畢竟是由工人開車的」，頓時爆出歡快的笑聲。

不管怎麼說，這是庶民的城鎮——新宿。

《朝日Journal》的記者這麼記載：[52]「我問自己：『有多少〔群眾〕在這裡呢？』『對了，六〇年安保的國會前就是這樣。』然而，與那時候的國會前相比，我現在有明顯不同的實際感受。在這裡，意志的連結很稀薄。」

教育學者鈴木博雄如此形容，[53]「群集〔原文〕的實際狀態，與此前在佐世保、成田、王子等地的群集似乎有著相當大的差異……。群眾〔原文〕的絕大多數是學生以及與學生相近的年輕上班族、店員、年輕工人、瘋癲族等等。而且，他們多半並未跟朋友一起，而是單獨參加。換言之，年輕世代佔壓倒性的多數，這與大眾社會的情況相符，以『孤獨的群眾』的形式顯現出來。」

根據報導，某位侵入車站的學生這麼描述「年輕人的城鎮．新宿」的特徵：[54]

「對於年輕人來說，新宿給人一種做什麼都可以的解放感。即使對機動隊投石頭，也少有像在國會周邊那樣的恐怖感。如果被警隊追趕，只要轉進那條小巷就會有常去的咖啡店，有種只要逃到那裡，情況就一定有辦法解決的放心感。也許是一種有『庶民之城』作為後盾的安心感。總之可以確定的是抵抗感很少。我想市民也應該有這種感覺才是。」

據說當天新宿的咖啡店和酒吧裡，直到深夜都可以看到年輕的上班族或瘋癲族，開心地討論著他們參加破壞行為的「英勇事蹟」。

但學生的意識也並不一樣。有享受著破壞的學生，也有出聲制止的學生。當時的《朝日Journal》記載，「學生領導者『不要破壞電車』的聲音，對猖狂的破壞行為一點作用也沒有。」警車被放火燒掉，放火的正是群眾，學生「反而是在幫忙滅火。」[55]

當時《中央公論》的報導這麼寫著：[56]

> 當天，聚集在新宿的群眾人數，有人說五萬，甚至也有人說是十萬人。他們大部分是學生，以及以新宿作為通勤路上其中一站的下層上班族和工人。巨量暴增的「群眾」在學生們開始行動時，一齊喊「行動吧，行動吧」地聲援學生，並對機動隊丟石頭等等，赤裸展現出反權力、反機

動隊的姿態。

然而，這樣的群眾行動不能說和學生有共同的問題意識。

在阻止企業號入港鬥爭中，佐世保的市民和學生是以共同的問題意識連結在一起的。王子鬥爭時，警視廳所謂的「身分不明」的群眾積極地支援了學生。但是，新宿的「群眾」並不屬於上述兩者。可能也是因為大部分的人並不清楚「美罐鬥爭」是怎麼一回事。學生展開行動之前的群眾，是期待著「某件事」的旁觀者。然而，當學生的行動結束時，群眾已經扮演起主角了。

一位學生這麼說：「新宿的群眾的能量十分驚人。我高度評價他們的反權力行動。」然而，別的學生則說，「群眾的行動是突發事件。與我們的目的意識是不同的。群眾的支持並不能成為今後的展望。」

也有一些人說，騷亂狀態是被混進群眾裡頭的便衣警察所煽動，目的在於製造得以適用騷亂罪的藉口。晚上十一點四十五分左右，有人在車站月台的各處縱火，在國鐵工人與學生等人忙著滅火時，縱火三十分後的十二點十五分，騷亂罪被適用。關於這個縱火的犯人，有很多傳言說「『那難道不是便衣警察嗎』。」[57]

新左翼各黨派在晚上十一點過後召開了總結集會並撤退。適用騷亂罪時留在車站裡面的，不是群眾就是來不及逃跑的一般學生。機動隊無差別地逮捕在車站內的人，「只要有人稍微試圖想要逃跑，就會被趁機一次又一次地拳打腳踢。」[58]一篇報導如此傳達了適用騷亂罪後機動隊的暴行：[59]

「幾位來不及逃跑的學生被捉住了。機動隊員在一瞬間將這些學生拉進機動隊人牆裡面，對這些被反手銬住的學生拳打腳踢。不知道是不是未能平息怒氣，他們從兩側踢踹被拉進列隊隊員之間的學生。學生們從隊伍中出來時，幾乎無法站立。還看到一名被更糟糕對待的女學生。『有記者在看，不要亂來』，就算指揮官這麼制止，機動隊員還是說著『這傢伙丟的石頭讓我們的三個夥伴受傷了』、『我要打死她』，從左右兩邊打著耳光，踹著下腹部，把哭喊著『救救我』的女孩推進幾名隊員之中。」

被以騷亂罪逮捕的人數高達七百六十九人。由於黨派的運動者已經撤離，大部分被逮捕的人是「穿著拖鞋的人、快哭出來地向警察道歉的穿著白色罩衫的廚師、還一臉稚氣地堅稱『我只是個升學補習班學生』的年輕人」等等。當時的廣播報導稱，機動隊「甚至連蹲坐在地上，雙手合十地說『我什麼壞事都沒做』的老婦人都逮捕了。」之後，直到凌晨兩點左右，在新宿站東口雖然還有群眾、學生和機動隊的衝突，但騷亂狀態幾乎已告一段落。[60]

根據當時的報導，被某警察署逮捕的十四名女學生們「最害怕的事情是，如果被家人知道就糟了。被學校知道就糟了。」一位女學生在拘留所內哭稱「我絕對不會再參與學生運動了。」[61]

招致輿論背離的新宿事件

十月二十二日，中核派的秋山全學聯委員長聲明，「迫使公安當局適用騷亂罪是具有意義的。巨大的民眾力量加入了學生的新宿遊行，清楚顯示出警察的壓制有其極限。」中核派隨後發表了總結，宣稱「雖然只是短短一天，只在新宿站這樣限定的區域裡，我們也以人民的力量打破了國家權力的暴力裝置，高聲喊出了勝利，這是日本階級鬥爭史上罕見的劃時代勝利。」[62]

ＭＬ同盟宣稱，「我們將新宿變成了我們人民支配的『人民的廣場』、『人民的車站』」、「十・二一新宿鬥爭的勝利萬歲，讓我們為了粉碎安保、解放沖繩、粉碎騷亂罪前進吧！」[63]社青同解放派則自誇，「十・二一國際反戰鬥爭以首都東京為中心，貫徹了其字面意義上的，動搖日本的巨大鬥爭。」[64]

東大全共鬥的《共鬥會議新聞》也這麼說：[65]

「為何學生運動能有如此的力量？這是因為那些圍觀者、被稱為群眾的人們，他們的數量超過學生部隊的十倍以上，他們對現行社會體制的不滿正要跟著學生的運動爆發。」「他們的能量，展現出日本人的變革力量正在增強的事實。」「以日本人的能量為基礎，我們必須意識到我們就是改革社會的先驅者而鬥爭。」

然而，與新左翼各黨派和全共鬥的士氣高漲完全相反，在一般社會中幾乎看不到肯定的評價。

首先，自民黨發表聲明，「騷亂罪的適用是理所當然的，反而還適用得太晚了。」騷亂罪適用，是在晚上九點左右的騷亂開始後過了三個小時才實施的。關於延遲的原因，警察廳的警備局長說，「因為群眾的表情看起來很開朗，所以我們猶豫了是否要適用騷亂罪。」[66]文部省在二十二日，向全體國立大學校長發出了要求配合事件調查的次官通知。[67]

民社黨發表聲明，「學生的暴力行動與暴徒無異，現狀下適用騷亂罪是難以避免的。」社會黨和公明黨批評，適用騷亂罪是政府和自民黨的右傾化行為，共產黨則做出了「政府和自民黨試圖最大限度地利用托洛斯基主義者的暴行。我黨在譴責托洛斯基主義分子暴力的同時，也反對政府和自民黨加強壓迫體制」的評語。[68]

各大學的民青也表示否定。東大農學部民青派團體的傳單這麼主張：[69]

「二十一日晚上，在新宿，一部分學生和托洛斯基主義者違背了全人民的統一行動，背叛了越南人民的期待，再次與機動隊演了場鬧劇，恣意地放火、投石和暴行，造成一般市民巨大的損害。」「托洛斯基主義者在後幾天的記者會上說：『讓騷亂罪適用，成功揭露了政府的反動性。』我們不能對他們這種獨斷的機械式情勢分析一笑置之。」「當日，機動隊半放任暴力集團，故意讓他們逃往大學。我們認為，這是讓警隊介入全國和全都的大學鬥爭，權力主義地扼殺學生自治和正在發展的鬥爭的布局。」

二十二日各大報的晨間報刊也指責了學生與群眾。《朝日新聞》使用了「狂亂的角材學生」、「夜晚的新宿站宛若廢墟」、「不負責任的群眾」等標題，並寫道：「投石等只是序曲，破壞、縱火，以及各式各樣的暴力行為瘋狂肆虐」、「學生們眺望著鐵路上熊熊燃起的火焰，面容扭曲，不斷地像是發瘋似地笑著。」《每日新聞》用了「瘋狂的學生遊行橫衝直撞」、「學生佔領月台並縱火」等標題，《讀賣新聞》則寫了「為何容許了無法無天的遊行」、「對暴徒的狂亂感到沮喪」、「想一想對社會造成的困擾」等等。

各報幾乎沒有報導有學生試圖制止破壞行動，或者有學生和群眾進行了討論與有秩序地行動的情況。佐世保鬥爭時曾一度對運動表現出些許好意的各報論調，似乎又回到了第一次羽田事件後的態度。

刊載在報章雜誌上的專家和各種團體的評論，也大多是否定的。主婦聯副會長春野響子評論：「絕對不允許這一連串學生運動的做法」、「這已經不是運動而是暴力了」、「警察當局的反應讓人感覺過於寬鬆」。總評的岩井章事務局長也表示，儘管總評和新左翼黨派所謂反對越戰的「口號相同，但想法上卻存在很大的差異。像昨晚那樣的行動只會引起一般大眾的反感。」[70]

這裡暴露出既有工會對處在新左翼黨派勢力下的全學聯及反戰青年委員會的反感。國勞與日本教職員工會發表了對於全學聯的譴責聲明，岩井總評事務局長明言，「我們不會與三派共同鬥爭，反戰也要改組。」十一月十八日的總評評議會做出了「排除三派決定」。在二十一日的春鬥討論集會上，太田前總評議長發言認為，「社會黨對於托洛斯基主義者的態度曖昧」、「包含托洛斯基主義者的反戰行動在內，我們應該清楚斷絕往來。」[71]

即使是對共產黨與社會黨抱持批判，同情學生運動的左派知識分子，大抵上也都對新宿事件持批判立場。他們的批判主要有兩點。

第一，就算說是學生觸發了群眾，但也只是招來了圍觀者的破壞行為，而非喚起了工人的組織性行動。曾任工會機關報編輯委員的久坂文夫指出，「回顧新宿鬥爭，即使有那麼多的群眾擠滿了車站內部與周圍，但我無法忽視那裡存在的巨大空洞。那就是，即便鬥爭是在軌道上展開，但以該處為生產據點的國鐵工人部隊並未成為鬥爭的擔當者參與的深刻事實。」[72]

國鐵工人別說要成為「鬥爭的擔當者」，他們之中還有不少人在車站內遭煙霧席捲，甚至遭到毆打。此外，負責清理被毀壞的車站、月台和軌道的國鐵工人們的不滿與批判非常強烈。新宿事件的隔天，國鐵工會強硬地主張「應該排除學生集團。」[73]

左派知識分子的第二個批判是，二十一日當天並不會有美軍的油罐車通過，為什麼中核派等還要選擇新宿作為鬥爭地點呢？飯田桃說道，「對於大眾來說，學生運動提出的問題有時非常容易理解，有時則不然。這次的情況就是後者。也就是說，自從（一九六七年的）的美罐（美軍的油罐車）燃燒事件後已經過了很多天。如果在那件事之後馬上就發生『新宿戰爭』，大眾一定會一下子就跟上來。在這一點上，佐世保就是非常容易理解的。」[74]

十月二十一日的群眾中，很明顯有許多只是來騷動現場看熱鬧的圍觀者。在佐世保或王子，是從聚集而來的群眾中長出了自然發生的市民運動。但新宿事件的群眾卻只是從事了一時性的破壞行為，並未從中長出任何東西。

將學生運動視為左翼運動再生希望的評論家中島誠，對於新宿事件這麼寫道，「我一點也不感到雀躍。」「縱火和破壞東西一點意義也沒有，更讓我陷入了深深的悲傷中。」此外，中島還這麼批判中核派與ＭＬ派：[75]

「儘管當天美軍油罐車並不會發車，卻還是在車站月台與軌道上進行了激烈的示威行動，我對此感到強烈的質疑與反省。……如果是因為新宿站周圍比較容易聚集群眾，是適合醞釀出騷亂氛圍的場所而選擇該處的話，我斷然反對這個選擇。」人數多到淹沒了車站前的萬餘名國民能在那裡靜坐，澈底討論反戰日的意義，當有人用暴力攻擊靜坐討論的行為時，就堅決與之戰鬥。如果能建立這樣的構造，不知該有多好。」

就算在新宿引發騷亂並暫時稱之為「解放區」，在政治上也沒有任何意義，只會招來輿論的反感。小田實在批判將學生視為「暴徒」的報紙與政黨的同時，也這麼說：[76]

此外，我也想批判「佔領」車站的學生們的行動。最重要的是阻止油罐車，這是一場反越戰的行動，而不是車站的「佔領」，這點應該無需解釋才對。如果可以藉由「佔領」車站幾天或幾十天持續阻止油罐車的話，那或許就是場具有重大意義的行動。如果不能做到這樣，那麼我認為學生們就應該把目光放在遍布在車站之外的人們。比起因「佔領」感到興奮，不如好好組織在站前廣場上靜坐的巨大人群，不只是夥伴之間的對話，還要把單方面被警察與報紙稱為「沒有責任感的圍觀者」也拉進群眾裡頭對話，從那裡形成運動。如果能這麼做，那將會有多麼豐碩的成果啊。

小田在一九九五年的回憶錄中，如此描述寫下這篇文章時的心境：[77]「我寫這篇文章的時候，並非只是想到新宿站的『佔領』景象。當時在各處的大學中看到的鐘塔和校舍的『佔領』景象也浮現在我眼前。學生們對『佔領』確實相當興奮。在他們的視角中，並沒有大學外面無數活生生的市民的身影。」小田在一九六九年一月提出，東大全共鬥為何始終只侷限在校內的紛爭，而沒有訴諸於學校外面的市民。這件事已於第十一章說過。

在此補充說明，在這個時代因街頭的騷動引來群眾聚集的現象，並不僅限於學生運動。[78]一九六五年，通稱「原宿族」的騎乘機車的年輕人，在表參道一帶進行繞圈競賽，圍觀的人聚集而來，附近直到天亮都喧鬧至極。

一九六八年在廣島和平公園，一九六九年在和歌山市內，一九七〇年在名古屋電視塔周邊以及大阪萬博會場附近都出現同樣的情況。一九七二年六月十七日晚上，在富山市站前大通，超過百名的年輕人騎機車競賽，吸引了約三千名群眾。這些群眾對著前來管制的警察發起暴動，進行丟石頭與破壞商店街等行為。

如前述，當時都市地區流入了大量的年輕人口，得以消解他們的欲求與不滿的娛樂設施也尚未發達。對這樣的年輕人來說，湊熱鬧的對象不管是全學聯還是暴走族都好，對警察丟石頭也不是發自政治意識的舉動。鈴木博雄強烈批判了引發新宿事件的學生及群眾：[79]

對於這般學生的躁進行動，身為直接被害者的國鐵工會中也出現了嚴厲的批判。他們揚言，從今以後，全學聯若要在國鐵站內進行與新宿遊行相同的鬥爭時，為了保護工會成員的安全，將要求國鐵當局做出搭建街壘等措施，或將由國鐵工會自行採取自衛的相關行動。總評也發表了斷絕合作的言論，「只要還打算採取那樣的粗暴行動，我們就無法與反日共派全學聯共同進行安保鬥爭。」

這樣一來，好不容易在佐世保鬥爭中成功地與民眾接觸的全學聯，因為這次的新宿騷亂事件又再次成為反體制陣營中的孤兒。當自己作為革命運動的催化劑，促成工人階級形成革命的自覺，進而使工人隊伍加入鬥爭行列時，就是實現革命的時刻。如此主張的學生們，如今卻因為自己的暴走導致了背叛自己革命理論的結果。今後，他們甚至不再是革命的催化劑，即使他們強行這麼做，也只不過是對革命毫無影響的仙女棒罷了。

此外，當時的報紙和電視幾乎沒有提及事件背景的美軍油罐車。因此，對一般人來說，只對學生和群眾的破壞行為留下了印象。考慮到連在知悉事件背景的左派知識分子中也幾乎沒有肯定的意見，可以推測以新宿事件為契機，開始對學生運動抱持否定情感的人已成為多數派。

同時，造成學生運動評價下滑的武裝內鬥事件，也在一九六八年後半接續發生。

七月三日深夜，明大的民青與社學同之間發生武裝內鬥，造成了包含遭牽連的教職員在內共三十八名傷者。[80]如第十章所述，在隨後七月下旬的第十九屆全學聯大會上，民青做出決議，肯定以「正當防衛」為由的暴力，並組成了行動隊。行動隊於九月七日在東大醫院前出動，隨後立刻驅趕了法政大的中核派暴力部隊。

在法政大的武裝內鬥中率領了民青行動隊的宮崎學回憶道，「因為是在數千名一般學生注視下展開的暴力驅逐，進行起來實在很不容易。」[81]從一九六八年後半開始，武裝內鬥逐漸在白天公然進行。特別是受到大眾媒體注目的東大鬥爭中的武裝內鬥被廣泛報導。

直到一九六八年底，各黨派與學生運動反覆從事破壞行動與武裝內鬥的印象已廣為流傳。一九六八年十一月二十二日，在東大召開「東大、日大鬥爭勝利串連集會」時，已在第十一章提過，東大校區附近的攤販老闆曾說「這種學生，全都該殺。」接著十二月二十二日的《朝日Journal》上，刊載了以下這篇，住在北海道的六十一歲無業男性的投書：[82]

> 對於反日共派學生的行動，如佐世保企業號入港等等，雖然有許多的批判，但另一方面也受到了相當廣泛且深入的支持。然而，從「十．二一」新宿事件以來，特別是東大紛爭的全校封鎖，以及在由學校當局計劃的提案集會問題上，與日共派學生產生的武力衝突以後，原本認為他們的行動是突破陷入泥沼中的日本現況所必要的外科療法之一，因而給予肯定與支持的人，看來

似乎也全數離去了。

當然他們會說，「我們不屑理會資產階級體制內的輿論，被譴責正是我們的光榮。」然而……現在諸君可能將全體國民大眾也推向敵方的「著魔的行動」，甚至會使得連你們當前目標的「破壞」，不僅在國家體制，甚至是連在狹小的大學裡也變得不可能實現。在實現「破壞」之前，你們就會先遭到擊潰了吧。……「然而，只要把一切都賭在破壞上就好。我們絕對不會有自己收割那些成果的卑鄙行為」，就算你們這麼誇耀自己的清廉潔白，但那並不是「清廉」，而只不過是「不負責任」的藉口而已。

就這樣，以新宿事件與東大鬥爭為分界，因為佐世保鬥爭所匯集出的對於學生反叛的支持也開始下降。六〇年代末的年輕人們反叛行動的高漲，也是以東大、日大鬥爭及新宿事件為頂點。其後，全共鬥運動也好，街頭運動也好，都紛紛陷入了低潮期。

成為熱潮的全共鬥運動

從一九六九年一月到二月，在東大與日大的街壘被解除的過程中，雜誌等陸續策劃了東大、日大全共鬥的特輯報導。此外，從一九六八年十月底，日大全共鬥文理學部鬥爭委員會編著的《叛逆的街壘》自費出版開始，由東大、日大全共鬥及相關人士編著的商業出版物接連出版。

這些出版物幾乎都是在一九六九年一月到六月之間如熱潮般發行的。其中多數是傳單與小冊子集結成的鬥爭史，以及參加者的手記或原稿。具代表性的如下列：

日大文理學部鬥爭委員會編《增補　叛逆的街壘》（增補叛逆のバリケード，一九六九年一月，三一書房）

日大全共鬥編《賭在街壘上的青春》（バリケードに賭けた青春，一九六九年二月，北明書房）

秋田明大編《佔領大學的思想》（大学占拠の思想，一九六九年三月，三一書房）

日大全學共鬥會議・石田郁夫共編《日大全共鬥　挑釁強權的意志》（日大全共闘強権に確執をかもす志，一九六九年四月，しいら書房）

東大全學共鬥會議編《在堡壘上打造我們的世界》（砦の上にわれらの世界を，一九六九年四月，亞紀書房）

東大全共鬥編《無盡的進擊》（果てしなき進撃，一九六九年四月，三一書房）

園田隆也《東大醫學部　鬥爭的記錄和教育的未來像》（東大医学部闘争の記録と教育の未来像，一九六九年四月，德間書店）

東大全學助教共鬥會議編《東大全共鬥》（東大全共闘，一九六九年六月，三一書房）

山本義隆《知性的叛亂》（知性の叛乱，一九六九年六月，前衛社）

所美都子《我的愛與叛逆》（わが愛と叛逆，一九六九年六月，前衛社）

柏崎千枝子《太陽、嵐與自由——暴力羅莎鬥爭的手記》（太陽と嵐と自由を——ゲバルト・

ローザ闘争の手記，一九六九年六月，ノーベル書房）

這個時期以後，這類型出版物的發行逐漸趨緩。發行之所以集中在短期間內，其中一個原因是，在容易厭倦的人們還記得東大、日大鬥爭的時候出版，在商業上比較有利。此外，校內鬥爭陷入僵局的東大及日大全共鬥，也試圖藉由出版活動尋找新的出路，這亦被認為是原因之一。

這些書籍與雜誌特輯，特別是東大全共鬥派的刊物，將東大鬥爭視為突破了「戰後民主主義」和「校內改良鬥爭」框架的新型鬥爭。依據他們的主張，「戰後民主主義」現在已成為一種支配體制。在國家層次上，表現為形式性的議會制民主主義，而在大學內部，則表現為由「波茨坦自治會」所主導的形式民主主義，是具有鬥爭意志的少數者遭受不具鬥爭意志的多數人壓迫的體制。

將這種體制補充完整的，是墮落成體制內在野黨的社會黨和共產黨，以及雖然說著進步言論但實際上並不行動的「進步的文化人」等，對現存體制無害的「民主勢力」。特別是提倡「和平與民主主義」及「大學民主化」，與全共鬥敵對，將鬥爭侷限於「校內改良鬥爭」的民青，是最應該憎惡的敵人。

另外，大學在散布「大學自治」幻想的同時，實際上卻是在教授會的獨裁支配下，透過產學合作，製造適合資本主義社會的高、中級勞動者的教育工廠。再者，「學術中立性」和「學術自由」，實際上也不過是那些對資本主義體制有貢獻的學問，或者對現行體制無害的研究的「遮羞布」而已。

大學和民青，提出了讓學生可以參與大學決策的「現代化路線」和「大學民主化」等方案。然而，這僅僅只是將學生納入現行體制的體制內改良主義。因高速成長與協助越戰成為高度帝國主義國家的日本現行體制，與要求大學現代化的行為相互契合。

要打破這種狀態，需要的不是民青提倡的「大學民主化」或是設置協議會等「機構遊戲」和「獲取主義」，而是以全校封鎖進行的「帝國主義大學解體」。這同時也是藉由停止作為現行體制一環的大學機構，來對現行體制開戰的行動。

而學生和教師作為帝國主義大學的一員，必須意識到自己對人民來說是「加害者」，「自我否定」這樣的自己並參加鬥爭。全校封鎖，也是迫使並未意識到自己是「帝國主義大學」一員的一般學生與教師，做出是要參加鬥爭，還是要擁護現行體制的選邊站的行動。

全共鬥運動是一邊揭露大學以「大學自治」與「學術自由」等美名掩蓋的欺瞞性，一邊對正在不斷地被現行體制收編的自我進行否定的運動。在這個鬥爭中，暴力是必要的。那些指責暴力、佯裝中立和提倡「對話」的人是旁觀者。只要在教授與學生之間存在著支配—被支配關係的情況，對等的「對話」就難以成立，唯有直接朝著作為掌權者的大學當局說出全體學生意見的「大眾團交」才是出路。

全共鬥是具有鬥爭意志的人以個人意願參加的運動體，並不存在階層制度，而是由自由參加的討論決定鬥爭的方針。這與將黨的上級命令傳達到下級的共產黨組織型態完全相反。這將與「大眾團交」一起取代議會制民主主義和「波茨坦自治會」，同時也是直接民主主義的實踐。

在一九六〇年安保鬥爭期間，「進步的文化人」與「大學自治」等並未受到質疑，也還存在著對社會黨與共產黨的幻想。為了克服這種六〇年安保鬥爭的敗北，並為七〇年安保鬥爭而戰，就必須將這般全共鬥運動的提問納入考慮。

以上，大致上是在一九六九年上半年的出版物中，特別是東大全共鬥相關人士所主張的內容。所謂的「全共鬥運動的思想」，也可以說大抵與這樣的概要相符。

然而，這樣的思想並不是突然如變種般出現的。首先，認為資產階級與無產階級的鬥爭中不存在「中立」，聲稱「中立」的人不過只是旁觀著鬥爭，並試圖擁護自身的資產階級特權，這是共產黨從戰前就一直提倡的主張。必須否定大學生與知識分子自身的特權地位，這樣的思想也持續存在於共產主義運動之中。

而認為設置協議會等「民主化要求」，不過只是被收編進體制內的主張，也並非是由東大全共鬥首次提出的。在安田講堂攻防戰結束後，東大研究生增山明夫這麼說過，[83]「民主化要求是被收編進體制內，反而在推進鬥爭上是有害的，這種發想並非是全共鬥專有的，而是從很久以前開始共產黨就有的觀點。」

另外，「具有鬥爭意志的少數者」將開創新局勢的思想，與六〇年安保鬥爭時共產同的先驅性論大致上同一系統。大學是生產中、高級勞動者的教育工廠的論點，也是從一九六六年早大鬥爭時就由社青同解放派所提倡的。社會黨、共產黨與民青是「不鬥爭的現行體制補完物」，這是所有新左翼黨派共通的認識。

換言之，在東大全共鬥的主張中，也有部分接合了舊有共產主義運動的思想。考慮到東大全共鬥具有「黨派聯合」的性質，這也是可以想像的。

而將大學與國家形容成「幻想」的想法，讓人感覺到來自當時受到許多學生喜好的吉本隆明《共同幻想論》的影響。法政大學教授粟津則雄在一九六八年九月的研究中寫著，「過去的幾年裡，每次被邀請到各大學的大學祭演講，學生諸君的問題有大半要麼直接引用吉本隆明，要麼使用吉本隆明的用語構句。我每一次都感到驚訝和困惑。」[84]

東大鬥爭的宣傳品中也引用了吉本的詩，這在第十章已經提過。此外，也有「打破順應校內支配的現代合理化的『民主化』路線與協議會方法的幻想」等使用了吉本的用語的內容。[85]不過，正如第一章所述，當時學生對吉本的理解程度使人存疑，很多時候應該是將其作為詩意的口號使用。

如此，東大全共鬥的思想中，有很大比例受到了各種各樣的思想影響，但它有一個特徵，那就是不允許言行不一與「欺瞞」的嚴格主義式姿態。

如第十章所述，東大全共鬥的學生對一面發表進步言論，一面試圖平息鬥爭的教授們抱持著憎惡。如第一章所述，這個世代的人，在經濟高度成長之前的幼年期就被教導了「和平與民主主義」的理念。而在被捲入高速成長與生活保守主義的六〇年代，社會卻迫使他們接受升學考試戰爭。他們對於這兩者之間的斷裂感到強烈的違和感與憎惡。於是他們最為憤怒、最為憎惡的，就是被提倡的理念與現實行動之間的斷裂。在這個意義上，「進步的文化人」就成了最主要的批判對象。

時任桃山學院大學教授的真繼伸彥，在一九七一年寫了篇名為〈全共鬥運動所提出的問題〉的文章。文中，他認為全共鬥運動開始於一九六七年十月八日第一次羽田鬥爭的震撼，並如下描述：[86]

> 當時在各個學校中可以看到的是，從羽田回來的學生們被打到面目全非的臉孔。沒有參加〔鬥爭〕的學生們，知道那些臉孔朝他們提出了痛切的發問。
>
> 允許因越戰特需而生意興隆的我國死亡商人的利益代表到南越談生意，這是違背和平憲法的行為，對於反戰・和平主義者來說，更是無法忍受的屈辱。反戰・和平主義者當然應該以武力阻

止這樣的行為，但是，那些勇敢且良心地實踐應然行為的人們，卻遭到被死亡商人掌握的權力的爪牙魯莽地毆打與驅趕。

共產黨在同一天舉辦了赤旗祭，只派遣了幾個代表到羽田形式性地喊了口號，這是個象徵性的事件，尤其當我們回頭看之後該黨與自民黨發展暗中合作的經過。在全共鬥的眼中，共產黨的形式性抗議與自民黨聲稱要守護和平憲法一樣的虛偽。需要的是以實踐證明表現。……就像他們對於共產黨一樣，對於知識分子所要求的，也是言語表現（思想）和實踐之間的一致性。

……如果要總結全共鬥運動提出的問題，我認為其最大的特徵在於提問的存在論性。全共鬥運動首先暴露了我們存在的犯罪性。不管各個日本人的思想如何，只要作為日本人，全部都對越南戰爭有罪。有形或無形地享受著包含炸彈在內的對越南的出口利益，我們的存在，對於越南人來說等同於害蟲。

全共鬥運動是學生，特別是大學生的運動。他們探問學生這種存在的意義，並揭露其犯罪性。學生就算作為一種工人預備軍，但同時也是有閒階級，至少兩年到四年之間的閒暇，是透過剝削他者的勞動獲得的。這個他者是誰呢？這裡沒有餘力說明日本經濟的二重結構性等內容。具體來說，你只要回想中小學時期某個同學的臉就好。據稱現今在同世代人中進入大學的佔比，男性約四分之一，女性約六分之一。

如果是這樣，大學生便是透過奪取了同世代四名男女的空閒而獲得了自己的閒暇。……當自覺到大學生是這般加害者性的存在時能做什麼呢？或說，應該做什麼呢？……

答案當然不可能只是言語表現，而必須是朝向，對外是反越戰運動，對內則是實現平等社會的革命運動。

暴露存在的犯罪性，同時也揭露了其欺瞞性。……那些身在對外肯定戰爭，對內肯定剝削與被剝削人際關係的資本主義體制裡的平等．和平主義者，只要他們沒有任何行動，就只是在偽裝著他們自己的平等．和平主義。

如果從全共鬥的發端——羽田鬥爭來看該運動，可以說那是一場試圖將自己從自身存在的犯罪性及欺瞞性中解放出來的自我變革運動。該運動隨後發展成了伴隨自我意識變革的社會變革運動，但其意識變革的內容，首先是對自身存在的犯罪性與欺瞞性的澈底自覺。

這篇真繼的文章，有幾個應該要注意的地方。真繼所說的全共鬥運動的特徵，在一九六八年初以前的大學鬥爭與初期的日大鬥爭中並未出現。迫使大學教師「思想與實踐的一致性」、強調學生的「加害者性」與「犯罪性」、揭露「大學自治」與「學術中立性」的欺瞞，這些主張都是中期以後東大全共鬥的特徵，日大全共鬥在一九六八年十一月與東大全共鬥接觸之前，這些傾向相當稀薄。東大鬥爭那章也提過，這是由於東大和日大的以下幾個差異所導致。

第一，東大有比較多進步的教師，而日大的進步教師都遭到了驅逐。因此，指責那些說著進步言論但不參與運動的教師的「言行不一」的現象，並未在日大發生。

第二，東大生與研究生作為升學考試勝利者與未來菁英，意識到自我的「加害者性」並進行「自我否定」的呼籲較能產生共鳴。而日大作為底層大學，並未產生這樣的主張。

第三，東大和日大校方的理念不同。在東大，校長和教授們主張著「守護大學自治」或「大學是探究真理的學府」等。東大全共鬥方批評這是「欺瞞」。然而，在日大，這樣的理念根本就沒有被提出來，因此不存在應被批判的「欺瞞」。

說起來真繼的全共鬥運動觀雖然只是片面的，但並非沒有根據的看法。因為，全共鬥運動從一九六九年初開始波及到全國各大學，其中大部分都是以模仿東大鬥爭的形式進行。

形成這種情況的原因有幾個。例如，安田講堂攻防戰在電視上播出，東大鬥爭受關注的程度較高。東大全共鬥產出了較多如「自我否定」、「大學解體」等的口號，因此比較容易模仿等等，都是被提出的原因。

然而最大的原因，似乎在於以下背景。這個時期的許多大學生，接受了戰後教育理念的教導，卻活在經濟高度成長的現實中，他們對自身的「言行不一」抱持罪惡感，感到想要否定自己的動機，表現出包含模糊的認同危機在內的「現代的不幸」，並尋求可以發洩不滿的場所。這樣的學生的數量遠遠超過如日大那樣在舊時代的壓迫下面對了「近代的不幸」的學生。這是東大鬥爭甚至能在與東大研究生完全不同立場的學生中引起共鳴的原因。

如第十一章所述，時為《週刊朝日》年輕記者的川本三郎提及，當「自我否定」這個「關鍵詞」出現，並被問起「你是什麼人」時，「許多學生頓感『那正是我在想的東西啊』，而深受全共鬥運動的吸引。」從以下他在回憶錄中敘述的小插曲，可以看到這些事情的一部分樣貌：[87]

> 那是六九年的八月。那時全共鬥的運動已經在全國的大學，甚至是高中蔓延開來。我想去採訪其中一所我隨意挑選的，絕對稱不上知名大學的全共鬥的學生。……

……有五位學生願意接受訪問而聚在一起。大家都是第一次見到大眾媒體的人，所以相當緊張。他們是溫順的學生。五人都是從鄉下來的。……

面對我的問題，他們的回答很緩慢。感覺不太能找到想說的話：「雖說是全共鬥，但我們並沒有什麼大型的組織。只是因為想跟東大及日大的學生有所共感，所以才稱為全共鬥」、「說真的，我們並不知道自己想要達成的目標是什麼。只不過安田講堂事件讓我們受到極大的衝擊，因此大家聚集起來思考那個衝擊到底是什麼」。他們斷斷續續、一點一點地說著。也有學生真的很擔心地說，「如果在鄉下的老爸知道我在搞這種政治運動，一定會很生氣吧。」

訪問的內容實在是過於素樸，我有一種「這樣的東西不能當成報導」的心情，但同時我也覺得「就在無法成為週刊報導的內容中，才有學生們的真實樣貌吧。」回到公司後，我將採訪的情形告訴主編。他說，「這實在太普通了，不能成為報導。」

這裡呈現出，在「找不到話語」訴說自己抱持的「現代的不幸」的情況下，受到安田講堂攻防戰刺激而開始模仿東大鬥爭的學生的身影。雖說「想跟東大及日大的學生有所共感」，但如果是像日大那樣在明顯的壓迫體制下的學生，應該不會出現「找不到話語」的現象。

自我目的化的街壘封鎖

然而，多數的全共鬥運動並不像上述的學生那般素樸。安田講堂攻防戰後展開全共鬥運動的學生，比起尋找出訴說自身面對的「現代的不幸」的話語，他們選擇借用從東大鬥爭紀錄書籍等等中學來的左翼用語。

從一九六九年五月開始的東京女子大學鬥爭，清楚展示了這種情況。在這間學校，一九六八年春天也曾爆發要求撤回學費調漲的鬥爭，但在教授們的說服之下避免了罷課的發生。當時的學友會執行委員表示，「我們經驗確實不夠。因為，我們連怎麼確立罷課權都不知道。」[88]

一九六九年的東京女子大鬥爭，是以抗議自民黨提出的《大學管理暫行措施法》為名義進行的。這個法案的內容為，依據文部大臣的職權，若紛爭持續超過九個月，則可以關閉該大學，若過了一年也無法解決，則可以直接廢校。[89]該法案雖然在八月透過強行表決通過，但在許多大學都展開了罷課等抗議行動。五月三十日在東京女子大進行抗議罷課時的樣子，一位學生這麼記錄：[90]

我們很清楚，如果現在我們不站出來，那就將意味著自己的失敗。否定作為真空地帶的東京女子大，否定在裡頭嬌生慣養地過活的自己，正是這些否定驅使我們從半死不活的狀態中逃脫出來。

三十日晚上十一點過後，「罷課決議」在壓倒性的同意下通過。那瞬間「哇——」地爆發出一陣歡呼。在四年級的學生中也有人因此喜極而泣。「從現在起，新的事情將會開始發生」——許多學生在那個晚上因為太過興奮而無法入睡。

罷課的第一天早上，我們千餘人聚集在中庭的草地上，全身滿溢著開放感。同時，對長久以來都生活在東女這個安全地帶裡的自己進行質問的認真姿態，讓所有同學的臉龐顯得無與倫比的美麗。

「在這場鬥爭開始以前，我不太清楚繼續留在東女的意義，打算離開大學。但是，當昨天做出罷課的決議時，我打從心底認為『啊，還好我留在東女，從現在起真正的生活即將開始』而流出淚來。我打算澈底地投入這場鬥爭。」

以這位同學的發言為首，許多同學都表明了參與鬥爭的決心。

我們的鬥爭，將許多東大鬥爭中全共鬥所說的詞語化成了自己的東西。

「必須從根本上重新探問在日常秩序中的學生與研究者的社會角色（知識的『看門狗』），否定這般被社會規定為『國家的客體』的自我，並將這種『拒絕』的鬥爭組織化。透過對『做學問的我們』的重新探問，反過來揭示『學問』的存在基礎，必須拒絕與社會肯定性地緊密勾結的學問，並追求原本意義上的『學問』——拒絕現實的運動。我們的鬥爭方向，就在於構築擔負這種運動的『學問』的主體（運動體）。」

在這篇文章中，包含了三個要素。

第一個是，在和平與繁榮的高度成長下，面對「現代的不幸」而無法擁有活著的實感的學生們，找到了突破口而感到興奮的樣子。「從半死不活的狀態中逃脫出來」、「否定嬌生慣養地過活的自己」等語句展示了這點。

然而，第二點，「從半死不活的狀態中逃脫出來」並想要「否定嬌生慣養地過活的自己」的衝動，與反對《大學暫行措施法》罷課的決議之間連結的必然性並不明顯。可以說，反對《大學暫行措施法》

是大義名分，他們真正的心聲似乎是想透過直接行動來掌握活著的實感的欲求。

第三點，他們從東大全共鬥那裡借來了用以「說出」自己的衝動的話語。寫下上述文章的學生，自認為「將許多東大鬥爭中全共鬥所說的詞語化成了自己的東西」，討論著「自我否定」、「研究者的社會角色」、「對『做學問的我們』的重新探問」、「揭示『學問』的存在基礎」等論題。然而，這些是由未來將成為研究者的東大研究生與助教提出的論點，對大學部學生來說並非一定適用。而且，也看不出來這些要怎麼連結上反對《大學暫行措施法》。

寫出這段文字的學生大概也閱讀了在一九六九年上半年大量出版的東大鬥爭相關書籍，並使用了被書寫於其中的語彙吧。就這樣，東大鬥爭成為大學鬥爭的範型而廣為流通。

根據東京女子大的大一運動者的回憶，「與同學們一起，日日夜夜地製作討論集會資料、刻寫傳單的木刻版、印刷謄寫本、書寫站立看板等作業，以及參與討論集會、學習會，發傳單等等。雖說如此，並沒有『自主製作』的東西，全部都是按照上級生的指示製作的。」[91]當時的東京女子大有社青同解放派的運動者，因此也有一部分是透過了這些人引入了新左翼黨派和東大鬥爭的語彙。

儘管如此，東京女子大的鬥爭在名義上高舉著反對《大學暫行措施法》。但在一九六九年全共鬥運動中，在訴求與目的不明的情況下，部分學生還是發起了街壘佔領的事例很多。自東大鬥爭的中期開始，鬥爭的性質從為了實現訴求的鬥爭，轉變成為了表現行為與「奪回自我」的鬥爭，在進入一九六九年後的全共鬥運動中，這樣的傾向又更強烈。川本三郎這麼描述全共鬥運動的特徵：[92]

對於全共鬥的學生來說，實際上「大學改革」這樣的具體主題隨便怎樣都好。那種東西屬於所謂「how to」的範疇。相較之下，重要的是對於更為根本的自我生活方式進行全面性的質疑。比起「怎樣才能讓大學變得更好」這種現實層次的問題，「你是誰？」這種理念層次的問題才是重要的。可以說，比起政治語言，學生們更看重的是詩性語言。

川本接著描述，在全共鬥運動中「比起探究具體解決辦法的運動，持續質問『你是誰？』的這種自我懷疑才是重要的」，「因此這最終成為了沒有終點的永久懷疑運動，在現實層面，這是事先就被預期將會失敗的運動。」[93]

川本說的「全共鬥運動」的特徵雖然適用於東大鬥爭，但並不適用於日大鬥爭。日大鬥爭，以及之前的前全共鬥期的大學鬥爭，乃至初期的東大鬥爭，都有明確試圖藉由校內改革達成的目標。「你是誰？」這種「實存的」問題成為主軸，是中期以後東大鬥爭的特徵。

然而川本的描述也沒錯。因為，一九六九年擴散至全國的全共鬥運動，幾乎都以模仿東大鬥爭的形態進行，比起想要達到的目標，「你是誰？」這種「尋找自我」的動機是更為優先的順位。

例如一九六九年二月成立的早大反戰聯合，是由受到安田講堂攻防戰刺激的學生組成，他們提出了「串連東大、日大，在早稻田築起叛逆的街壘」的訴求。在其中，討論到了因經濟高度成長出現的對「這個奄奄一息的消費社會的憎惡」，並提倡拒絕取得學分畢業成為現行體制的一員，「要求與權力勾結並安居在日常性之中的教授與學生全體，提出『你是誰？』的質問」與「真摯的自我否定」。[94]他們展開粉碎畢業典禮的鬥爭，並街壘封鎖了第二學館與大學本部。[95]

這個訴求的特徵在於，只強調了「你是誰？」這個「真摯的自我否定」，而並未提及關於大學制度的改革、不當處分的撤回，甚至反越戰（就算這是以「反戰聯合」為名的團體提出的訴求）。比起這般「具體的主題」，他們將重點放在「對這個奄奄一息的消費社會的憎惡」與「尋找自我」上。

這個早大反戰聯合最終發展成了早大全共鬥，而反戰聯合的成員、後來成為評論家的津村喬，如此形容一九六九年的全共鬥運動：[96]「看著東大、日大的行動感到憧憬，不知不覺中就搞下去了。這反而是最典型的情況。當時，應該說是先封鎖了以後才開始尋找意義嗎？早稻田也是這樣。」「如果說全共鬥曾暫時性地具有了力量，那並非因為政治的主張，實際上，並沒有那樣的東西。」「坦白說，全共鬥都是政治白癡。」「對於被給予的話語的反感，想要擁有自己的話語，這種渴望到激烈的要求，是『全共鬥世代』所共通的。」

成蹊大全共鬥的一員，後來成為作家的龜和田武，在一九八四年的座談會中，對於筑紫哲也提出的「在對於大學的要求中，真的有你們切身的感受嗎？」的這個問題，做出了這樣的回答：[97]「並沒有。坦白說是完全沒有。除了像日本大學這樣特別施行著奧斯威辛體制的地方之外，其他地方都是不管是什麼議題都好，總之先找一個來充當鬥爭的課題」。「這場鬥爭姑且先有著像是要阻止美國帝國主義的世界秩序重構之類的定位，而因為我們都還是得在一般學生前這麼說，所以我們會像鸚鵡學舌一樣把這些話牢牢記在腦中，但其實幾乎不相信那些內容。為了越南人民也行，為了工人階級也好，說所有人都這樣或許有些過頭，但我們認為『那些隨便都沒差』。總之我們當下想做的只有鬥爭而已。」

學生們找不到可以述說自己正在面對的「現代的不幸」的話語。看著安田講堂攻防戰與其他新聞，感受到街壘封鎖充滿生命力的實感與對「自己的話語」的掌握。因此，雖然在表面上提出「為了越南人民」、「反對大學暫行措施法」等口號，但實際上「總之我們當下想做的只有鬥爭而已。」在一九六九年全共鬥運動中，這種心態應該或多或少都共通地存在著。

一橋大學的鬥爭也是起於突如其來的街壘封鎖。根據曾任一橋大學全校鬥爭委員會（一橋大全共鬥）代表的井上澄夫回憶，一九六九年五月，志願者組成「大學立法粉碎罷課執行委員會」，突然佔領了大學本館。但是，因為他們是在想好訴求之前就實行了佔領，所以當校方問「為什麼要進行街壘佔領」時，學生方回應說「你們把手放在胸前好好想一想。」[98]

一九六九年五月成立的弘前大學全共鬥，集結了幾個黨派的學生，以及在頭盔上寫著「喵羅美派」或「笨蛋伯派」[ii]的無黨派學生，以「反對大學暫行措施法」的遊行展開了行動。然而，其中一名全共鬥成員發言認為，「如果我們細究於一個個〔佔領的〕理由，那就什麼都做不成。因為是要讓我們學生自己管理大學、經營大學才佔領大學的，這根本不需要什麼理由。」九月，行動已發展成大學本部的街壘封鎖。[99]

另外，東大鬥爭的方法之所以能廣為流傳，也是因為很容易模仿。過去的學生罷課等，必須經過自治會、學生大會的重重決議，最後再擴大成全校罷課。然而東大全共鬥的方法是，只要具有「鬥爭意志」的少數戰鬥者自由集結，毅然進行佔領就可以。

這麼一來，只要某大學數十名志願者或黨派的運動者自稱「ＸＸ大學全共鬥」佔領大學本館，那麼就無須經過自治會決議等過程。如果因此被批評為無視多數學生意志的話，只需反駁說「狗屁波茨坦自治會」，或者「多數的不鬥爭者抹殺了少數鬥爭者的意志，這就是形式上的戰後民主主義」就好。這種反駁的範例，在東大全共鬥編纂的書籍中有很多。某種意義上來說，可以說就是這麼簡單就能輕易模仿的運動論。

模仿的其中一例，是一九六九年四月，以文學部法文科的人事問題為契機展開的立教大學鬥爭。自稱為「文學部共鬥會議」（文共鬥）的學生們提出了「六項訴求」，在五月以街壘封鎖了文學部研究室大樓。[100] 文共鬥在九月進一步發展成了全校的全共鬥。

他們的傳單和文書中的詞語，很多是從東大全共鬥那裡借來的。在其中，他們控訴「（教授）站在教育的位置上管理學生，卻全然不自覺其犯罪的加害者性」，批評「『大學自治』、『教授會自治』的幻想觀念」、拒絕將「校園民主化」視為「現代化路線」，並主張「父母、老師、戀人總體而言是帝國主義者。個別而言，他們是家庭帝國主義者、是產學合作的始作俑者」。在學生大會上，有人質疑「為什麼在沒有學生大會決議的情況下強行封鎖」，但共鬥方卻只回應這是荒謬的「形式民主主義」。

許多教師對被借用來的「帝國主義大學解體」或「反對產學合作路線」等口號感到違和。文學部的一位教師表示，無法理解教授文學這件事為什麼是「產學合作路線」。「他們批判我們施行服膺於現代資本主義的帝國主義教育，或是產學合作路線的教育等等，但單就文學來說，我不理解這之間的關聯是什麼。」

而在進行街壘封鎖的學生方，也讓人懷疑他們是否真的認為法國文學的課堂是「產學合作路線」。反而在一位女學生所說的，「無法擁有自己真的現在在這裡活著、存在著的『實感』」、「我們

ii 譯註：「喵羅美」（ニャロメ）與「笨蛋伯」（バカボン）都是赤塚不二夫筆下漫畫人物的名字。

的熱情需要空間、需要實現。『現在，就在這裡』，我們必須試著去做」這樣的話語中，才清楚呈現出他們進行街壘封鎖的真實動機。

由新左翼黨派單方面地進行街壘封鎖，以此在全共鬥擴張自身派系勢力的例子也不在少數。一九六九年一月十六日，在多摩美術大學的街壘封鎖過程中，掌控了自治會的社青同解放派突然封鎖了大學本館和圖書館。「當時的學生如果不認可街壘封鎖，就是校方（體制方）的一員，不偏向任何一方試圖保持非政治性的人，同樣也會被視為體制派。」[101]

由新左翼黨派掌握的自治會進行街壘封鎖等行為，與被認為打破了自治會框架的東大和日大的全共鬥運動完全不同。在東大鬥爭中提出的「你會怎麼做！」這種二選一的問題，也被轉換成支持還是不支持該黨派的表態。

此外，很多在一九六九年開始封鎖行動的學生，是嚮往著其他大學街壘封鎖時祭典般的氛圍。一名參與了多摩美大封鎖的無黨派女學生如此回想：[102]「我的同學是想要好好畢業然後找工作的女生，所以她生氣地打電話給我說，接下來就不能上課了真是很麻煩。聽她這麼說，我心想，啊，不用做作業了。不知為何相當興奮，感覺就像祭典。從這種封閉狀態中看去，街壘裡頭看起來更有意思。所以當街壘搭起來的時候，我覺得只要進去裡面，或許就會有什麼好事發生，我真的想都沒想就跑了進去。」

一九六九年六月，由桃山學院大學全共鬥發起的街壘封鎖，也是由新左翼黨派所主導。他們主張反對大學暫行措施法案，佔據了一部分校舍。然而，在五月二十一日的全學總誓師集會上，雖然在學生和教職員壓倒性的贊成下，通過了反對大學暫行措施法案的決議，但全共鬥提案的街壘封鎖與全校罷課卻遭到了否決，僅通過為期一週的有限期罷課。但全共鬥還是強行進行了街壘封鎖。

強行進行封鎖的，是將大學鬥爭視為吸收運動者場所的新左翼黨派。桃山學院大全共鬥是由多個黨派與若干無黨派學生所組成。桃山學院大教授真繼伸彥如此描述桃山學院大鬥爭：[103]「封鎖的真正領導者，是各個黨派的指揮部。運動被黨派合議所主導。無黨派的學生也逐漸無法避免地被黨派強大的領導力、組織力，乃至行動力支配。」

參與了聯合赤軍的植垣康博在回憶錄《士兵們的聯合赤軍》中記述了他也曾參與的弘前大學鬥爭。經歷過東大鬥爭的小阪修平對植垣的這個鬥爭過程這麼說：[104]

「讀《士兵們的聯合赤軍》就會發現，六九年之後全共鬥運動的展開與六八年的運動有很大的不同。植垣原本以俄國革命為想像中的範例，試圖在大學裡搞革命運動，他以『必須將大學變革成可以從事反戰、反安保鬥爭與沖繩鬥爭等政治鬥爭據點的大學』為理論，整合了之前存在的鬥爭組織，並成立了弘前大的全共鬥。這可以說是從全國性政治鬥爭，或者更直接地說，是從革命運動方發起的校園鬥爭。」

小阪認為，一九六八年的日大鬥爭與東大鬥爭是從校內問題自然發生的。然而，一九六九年的大學鬥爭，則是起因於新左翼黨派試圖使大學變成七〇年安保鬥爭的據點。由此可以看出，一九六五年慶大鬥爭時，對大學鬥爭還不屑一顧的新左翼黨派，開始重視大學鬥爭，認為大學鬥爭可以用來擴張本身勢力與確保據點。

另外，一九六九年的全共鬥運動中，跳過了一般學生自發地站出來、長時間討論參與鬥爭的過程，而演變成數十名黨派成員或無黨派運動者常常為了激進化鬥爭而獨自行動。一九六九年二月開始的京大鬥爭中，京大中核派的一位學生表示，從二月開始「鬥爭不管怎樣都必須在東大鬥爭取得的成果上前進。」[105]

另一方面，一九六九年三月，前來京大聲援的東大駒場共鬥的成員據傳這麼說，「黨派強行硬幹，直接切斷和未能跟上的人的關係。這種態度顯而易見。他們並未掌握住支持著街壘的大眾。」「大眾與先鋒之間的落差反而正在擴大，大眾對只有軍事方針的〔京大〕全共鬥幹部感到困惑。或許應該考慮藉由大眾討論來集結無黨派的激進分子才是。」《朝日Journal》針對京大鬥爭寫道，「應該說過於急躁還是必須急躁呢？總之，可以說試圖在短時間內繼承『東大』的運動所產生的矛盾，已經在此暴露了出來。」[106]

也有許多一般學生對於直接引用東大鬥爭對「學術中立性」的懷疑與「自我否定」的主張摸不著頭緒。根據一九六九年五月《朝日Journal》的記事，「東大鬥爭中，從長期對『真正的學問是什麼』的根源性提問中長出了自我否定的論點，進而連結上超越學校範圍的變革思想。但京大全共鬥從一開始省略這個作業的傾向就相當強烈。然而，在各學部的鬥爭委員會中，也根深柢固地存在著無法跟上這個抽象理念的黨派行動的氛圍。」[107]

後來身為武裝鬥爭主張者而為人所知的瀧田修，在一九六九年四月一篇以京大全共鬥名義發表的文章中這麼說：[108]「與東大鬥爭同時或相繼爆發的各大學全共鬥的鬥爭，因為是被東大所框定的鬥爭，所以在現實上被要求以東大所達到的境界（——由安田城所象徵的——）為基礎出發。因此，由於這個現實的要求，鬥爭的節奏不得不是極度一拳斃命與具飛躍性的。運動的內涵，從一開始就必須帶有抽象理念的性質。因此，對於安田城以後的各大學全共鬥的鬥爭來說，強力的黨派牽引力＝指導性是不可避免的。」

東大鬥爭與日大鬥爭，是從經濟鬥爭和大學民主化鬥爭開始的，「大學解體」及「自我否定」等口號，是在長期鬥爭的後期才出現的東西。當時早大的助教西川潤寫道，「堅持了一整年的東大、日大鬥爭的結論性口號被直接帶進來，教師和學生大眾就在搞不清楚問題所在的狀態下，在『大學解體』、『無限期罷課』等口號前徘徊。這樣的學校不是很多嗎？」[109]然而如前述，就算被稱為「東大・日大」，大部分也只是東大鬥爭表面性的模仿。

結構改革派的年長領導者安東仁兵衛，在一九七二年聯合赤軍事件後的對談中，如此總結安田講堂攻防戰以後的全共鬥運動：[110]

……在那之後全國的全共鬥鬥爭幾乎都開始追隨「安田鬥爭」。安田成為了鬥爭想要達到的目標。不，更嚴謹地說不是達到目標，而是從一開始就是「安田型」。也就是說，無論是立命館還是廣島、京都，都跳過群眾討論、提煉訴求和創造出群眾性組織的過程，而是一開始就封鎖城池，而且還要找有時鐘的地方、有時鐘的建築物，在那裡戴頭盔、拿棍棒死守城池，由此展開鬥爭。從最初就挑起了引入機動隊的終局。……在東大鬥爭中一定程度存在的艱難過程都被省略了。不是日大型而是東大型，更確切地說，是單純且短路的「安田型」成為了範本。

安東的這個說法中，也有稍微被簡化的層面。例如在京都大學鬥爭中，從一九六九年一月起圍繞著宿舍管理問題，學生部展開了封鎖，京大校方獲得民青等組織的協助，排除了這場封鎖後，反民青派的京大全共鬥成立，一直到二月二十六日起本部的鐘塔遭到佔領，鬥爭其實也經歷了一定的過程。[111]

話雖如此，一九六九年的大學鬥爭多數受到東大鬥爭的影響，都傾向跳過討論、直接進行封鎖。參加廣島大學全共鬥的學生如此回憶：[112]「鬥爭採取的團體交涉、街壘封鎖、無限期罷課等方法，並非直接訴求學生大眾，探問大學應有的存在方式等對於內容的追求，而是被激進的形式困住，原封不動地延續著之前的學生運動，已然失去了創造性。」

社學同的資深運動者荒岱介，這麼評論一九六九年的全共鬥運動：[113]「地方的大學也一樣搭建起街壘，這確實是年輕人對世間的叛逆，但也僅止於此。……雖然對拚了命展開鬥爭的年輕人的心情與想法抱持敬意，但那些行動確實也淪為一種既定形式的流行。」

一九七一年，前京大全共鬥的運動者，將京大全共鬥形容為「那不是全共鬥」，並這麼說道：[114]「簡單來說，只是繼承了運動的形式，完全沒有實質內容。這不只是京大，從全國來看有相當多這樣的情況。」另外，記者上野宏志在一九七二年的對談中評論，「真的像全共鬥的運動只有東大和日大而已，其他全部都只是新左翼黨派以全共鬥為名進行的行動。」[115]

上野的評價，可以說是無視了無黨派運動者的極端論述。早大反戰聯合的主體是無黨派的學生，根據植垣康博的回憶，弘前大全共鬥的核心運動者約有五十人，其中第四國際、社學同、中核派、革馬派、社青同解放派、ML同盟等各有數人，其餘全部都是無黨派。在鬥爭的初期階段，「全共鬥並沒有受到各黨派的操弄。」[116]然而如後文將提到的，到了鬥爭後期，弘前大也是由新左翼黨派掌握了全共鬥的主導權。

全共鬥運動的數量以一九六九年為高峰。這一年，國立大學七十五所中有六十八所，公立大學三十四所中有十八所，私立大學兩百七十所中有七十九所爆發了鬥爭。然而，幾乎沒有像是日大鬥爭及東大鬥爭那樣具有全校程度廣泛性的鬥爭。可以說，實際的情況是在各地大學都有部分學生模仿著由東大鬥爭確立的範型。

各地「全共鬥運動」的理想與現實

一九六九年，全共鬥運動——雖然在被冠以這個稱呼時，其已成為失去了創造性的流行——擴散至全國各地大學的背景因素是什麼呢？

第一，是面對「現代的不幸」與認同危機的學生們，想要抓住「生」之實感的欲求。然而，除此之外還有其他因素。

第二個原因，是因高度經濟成長而造成的社會變動。在多摩美大參與了街壘的無黨派女學生在回憶錄中寫道，進入多摩美大是因為「認為設計師很帥」，但由於美大與設計學校的大量設立，「設計師已經過剩了」。因此，「已經沒有像自己所描繪的那種光明未來了」，「沒有表現自我的突破口。難道自己就得在這種閉塞之中繼續活下去了嗎？非常想要有個出口。」[117]因此，她走進了街壘。就像東大醫學部學生與都市工學科生那樣，理應帶有獨立自營名譽的職業逐漸成為「微不足道的上班族」的情況，為這些學生帶來了閉塞感。

從因社會變動造成的閉塞感中逃離的解脫，與「尋找自我」相互連動。上述的女大生回憶：「自己是誰？要以什麼樣的方式活著才好？」「我是不是沒有自我認同？這一直是我心中一個很大的問題。」[118]

此外，第三個原因是，特別是在地方大學等處，大學的體制陳舊，不合於高速發展下現代化的社會狀況。在弘前大，甚至連民青掌握的自治會都不被承認，也發生了幹部貪汙事件被揭露，以及因學生的反對而中止懸掛「日之丸」旗等等問題。合作社與教職員工會也才剛成立不久，校長的權力強大，被稱為「不能提出異議的大學」，當全共鬥佔領校長室時，據說「發現了大量酒吧與歌舞夜總會的消費明細」。因為不滿於這種情況的學生與教職員不在少數，全共鬥主辦的全校集會來了約六百人。[119]

而第四個原因，是對升學考試競爭與量產型教育的不滿，以及大學作為「探究真理的學府」的想像遭到背叛的意識。例如參加了弘前大全共鬥的植垣康博，如此回憶自己從中學到大學入學的這段時間：[120]

中學生的時候，「我對從屬於升學考試體制的官僚式學校教育抱持著很大的不滿。」就算上了高中，也「全都是升學本位的授課，教師也不避諱地公然聲明學校是升學學校。這讓我大為失望，立刻就讓我覺得上課很不有趣。」「班級是以能力分班編列的。呈現出如同升學補習班一般的模樣。」「班上同學零零散散，裝作什麼都不知道，籠罩著無關心、無氣力、無感動的氣氛。」雖然植垣試著藉由張貼壁報批判升學考試體制，但很快就被校方撕下來了。

之後，雖然植垣進入了大學，「讓我失望的，是教養學部的課程。……大多數都是使用麥克風對著百名以上學生授課，其中還有幾百個學生的課堂，學生的自主性等等完全不被視作問題。」「更糟的是，因為全都是年復一年講述同樣內容的課程，只要跟學長姐借來必要的筆記抄寫就夠了。」

接著，植垣指出，「比起課程更令人失望的」，是「大學與其聲稱的作為學術研究的場所截然相反，如同高中淪為大學升學考試的升學補習班一樣，大學也和就業的準備學校沒什麼不同。」他曾抱持著「所謂的大學，理應超然於社會體制，因此是『自由且批判性的存在』的想像」，但卻「因為大學基於就業問題，屈服於學歷社會的現實，滿足著政府和資本家的要求而感到失望。」

以上的原因，與之前觀察到的大學鬥爭的背景幾乎沒什麼不同。硬要指出一九六九年的特徵的話，就是和植垣一樣曾經懷著大學是「探究真理的學府」這種「保守性」期待的學生，比以前更少了。

使過去的大學想像變得稀薄的原因之一是新左翼黨派。新左翼黨派的目的是革命，對過往的大學想像等等並不關心。一九六八年十二月，ML同盟的學生組織東大支部的東大全學解放戰線在傳單中主張，「『原本的大學是不問利益的學術場所』，先如此想定了『應然的』大學，然後在其對立面上批評現今的大學不夠格稱為大學，主張透過鬥爭把大學恢復成『真理的大學』。這樣的思想到底哪裡存在著革命性呢？」[121]

而東大鬥爭的混亂被報導出來，也使得大學的權威性下降。一九六九年四月京大全共鬥的傳單寫著，「過去的大學是『真理的學府＝理性的學府』。然而，如今幾乎已不存在全然地相信這件事的人了。」[122]

但還是有像植垣那樣，到了一九六九年還是抱持著過往對大學的想像的學生。根據曾為同志社大教師的鶴見俊輔的說法，在同志社大學發生全共鬥運動時，出現了「丟掉幻想的大學，將真正的學問抓在我們黃金的手上」這樣的立牌。從以前就對大學學院派抱持懷疑立場的鶴見認為，「這是個讓人無可奈何的幻想。他們真的認為在大學裡有『真正的學問』嗎？」[123]然而，總體來說，在一九六九年「探究真理的學府」的大學想像被打破的失望，作為大學鬥爭起因的重要性已經開始下降。

取而代之，一九六九年全共鬥運動的特徵是，該運動成了一種流行現象，有不少學生是為了跟上風潮而封鎖學校。這點，是一九六九年全共鬥運動在數量上擴大的第五個原因。

當時一名非政治性的學生，在二〇〇四年的著作中這麼說：[124]「那是一種流行，當時沒進行校園封鎖的大學很沒面子」。「但是，我認為實際上投身學生運動的學生只是少數」。「大部分的學生都是沉默的大眾。其中多數既不想被指責成小市民，也不想被女孩討厭，所以就裝出對運動的同情」。他接著描述了一九六九年全共鬥運動的擴散：[125]

> 由變成了大學生的團塊世代接手成為主角的學生運動，以令人難以置信的程度持續擴大。最初是為了反對學費調漲、課程計畫、校長選舉及校內設施管理等大學自治營運，以及大學個別的問題的運動。隨著團塊世代掌握了主導權，主題轉向了全國共同的問題，運動也擴展至全國。然而另一方面，新左翼黨派紛紛出現，運動也演變成無法收拾的擴散狀態。
>
> 一九七〇年的安保自動延長問題、七二年的沖繩施政權返還與非核三原則等等，全國共通的主題並不少。越南戰爭的擴大與中國文化大革命等等，海的彼端的騷動進一步煽動了團塊學生們的心。最後甚至喊出了否定資本主義、推動世界同時革命。因為大眾媒體的推波助瀾，學生中得意忘形地想扮演英雄的阿呆也越來越多。

確實，隨著全共鬥運動成為「流行」，主題已不再如一九六五年的慶大鬥爭或一九六八年的中大鬥爭那樣侷限於校內問題。這與學生無法完全在校內的民主化鬥爭中表達他們模糊的不滿，以及新左翼黨派引導全共鬥運動走向全國性主題與「打倒資本主義」也有關係。

此外，「因為大眾媒體的推波助瀾，學生中得意忘形地想扮演英雄的阿呆也越來越多」這點也是一定的事實。雖然用「阿呆」來形容有問題，從安田講堂逃出來以後的山本義隆，儘管被發布了逮捕令，還是接受雜誌的訪問，並出版書籍。東大全共鬥與日大全共鬥的幹部，一九六九年上半年也還在週刊或月刊上發言，更有人在被發布逮捕令的情況下出版了自己的《潛行記》。

一九六九年夏天，政治學者的藤田省三在與吉野源三郎的對談中這麼說：[126]「例如山本義隆出現在《Asahi・Graph》的照片頁上，不以為意地把自己悠悠躺在床上的照片展示在大家面前的感覺，正因如此，我無法理解他為什麼可以自認有資格談論反權力。」

而吉野這麼回答：[127]「我還想做他的朋友，所以讓我稍微替他解釋。……所謂的新聞業，雖然跟我也多少有點關係，是很難應付的東西。不諳世事的年輕人很容易就會被搞到。」「我雖然不相信山本君變得得意洋洋、沾沾自喜而做出了這樣的事情，但還是認為這樣很危險。我認識的他，是對該不該就這樣繼續過著研究者生活而煩惱的山本義隆。如果這樣的人因為大學騷動一躍成名，受到與電視明星一樣的待遇而得意忘形的話，對我來說也太難以接受了。」

在大眾媒體大肆報導東大鬥爭的一九六八年十二月，精神科醫師灘・稻田曾這麼說：[128]「全共鬥學生某個意義上難道不是已經被過度明星化了嗎？法國學生運動的領導者龔本第（Daniel Cohn-Bendit）說完「我不是碧姬芭杜（Brigitte Bardot）」以後就退下來了。現在難道不是需要這樣的消失方式嗎？」

雖說到了一九六九年已經成為了缺乏創造性的流行現象，在街壘中還是可以感受到某種充實感。在東京女子大，學生們戴著頭盔，組成了全學鬥委員會，在六月二十九日晚上佔領了校長室、理事長室所在的一號館，徹夜築起街壘。一位學生這麼寫到自己的感動：「在街壘裡看到的黎明，比過去所有的黎明都要美麗。因為充滿著『正在鬥爭』的實感。」[129]

根據這位學生，「剛開始的時候，很多同學被這樣的解放感吸引，整天都待在街壘中。」[130]其他學生如此回憶這樣的高昂時期：[131]

……罷課的每一天，都是從「大學」解放。哲學科系的我們人數不多，〔在街壘中夜宿〕從宇宙談到子宮，聊了很多東西。我們依照學科開設討論會，興致盎然地製作立牌，縫製旗幟，並且帶著它們走出學校。……我們被「美學家」邀去看地下劇場，和「詩人」一起去「新宿地下廣場」，歌唱著〔反戰民謠〕。我們穿著飄飄的洋裝去參加越平聯的遊行，在雨過天晴後打開五顏六色的傘在草地上集會，成為男人們完美的拍攝對象。

大家都依照自己的想法行動、生活，與表現。

從東大鬥爭輸入的口號，也在各個大學被重新解讀。東京女子大是宣揚基督教的學校，因此被定位為「東女意識形態＝基督教主義」，「大小姐」的養成被形容成「東女國族主義」，提倡打破這種教育理念的「自我否定」。[132]

東京女子大的立牌上，也有挪用了東大的「當上高級技術人員成為資本的齒輪真的好嗎？」的口號，改成「成為高級妓女真的好嗎？」一名學生評論，這是「對那些沉迷於與東大或一橋學生的聯誼中，希望有機會獲得妻子寶座的同輩的比喻。」[133]

當時，對大四畢業的女生開出的職缺很少，女性進入大學這件事，多半被定位成一種「高級新娘的修業」。東京女子大就位於其頂點，畢業生被當成與東大畢業生等菁英結婚的東西，因此使用了「高級妓女」這個詞。

以「自我否定」為首的，在東大鬥爭中誕生的詞語，被各地的學生們加上了各自的解釋來使用。當時東京都立大學的一位學生這樣回憶：[134]「至今我還搞不太清楚的詞，就是當時所說的『自我否定』。追根究柢，這可能就像是重新審視從事了帝國主義侵略行為的日本人的——嗯，以現在的話來說——自我認同吧。不僅止於此，還要再次重新審視決定了自己的生活的性質、成長過程生活的性質、日常生活的性質與生活方式的價值觀，摧毀它們，然後再創造出新的東西來。當時或許在思考的是這樣的想法吧。」

這種「自我否定」的解釋，與東大研究生原本提出的——重新探問從研究者走向菁英的道路，並勇於放棄那樣的特權——有微妙的錯位。然而，在感受到因經濟高度成長而產生的大眾消費社會之誘惑的同時，也對被其吸引的自己感到反感，抱著這種矛盾的年輕人並不罕見。此外，雖然接受了民主教育，卻因為在升學考試競爭中背叛了這個理念而懷有罪惡感的學生也不少。對於在因高速成長而變化的社會中感到困惑的學生來說，「自我否定」這樣的詞語，是最適合表現這種矛盾的詞語，因而以偏離原始意義的方式被挪用。從上面的引用可以看出這一點。[135]

如果沒有被這樣多元解釋的話，或許在如東大那般的特權菁英大學以外的大學生全共鬥運動中，「自我否定」這個詞就不會流行起來。可以說，像川本所說的，對「自我否定」感覺到「那正是我在想的東西啊」的人應該不少，但實際上的情況應該更像是，每個人依照「自己所想的」各自給予了「自我否定」一詞不同的含義。

在東大全共鬥學生與研究生中，也有人對於「自我否定」的各自表述表示違和，說好聽點是「多元」，說難聽就是被恣意解釋而廣泛流通。一九六九年十一月，一位東大生在自治委員會選舉的訴求中寫下，「自我否定的邏輯，在經過新聞業的擴大渲染後，其意義被扭曲得慘不忍睹。事到如今，除非選擇其他的表達方式，否則已無法顯露出其真正意涵。」[136]

關於點燃各地全共鬥運動的安田講堂攻防戰也是一樣。知曉攻防戰內情的「防衛隊長」今井澄，在一九七〇年三月出獄後的手記上這麼寫：[137]「身為參與鬥爭的一分子，『一月東大決戰』似乎有著超乎我想像的『巨大影響力』，而且竟然彷彿還是一場非常華麗的鬥爭。我接下來所說的或許是一種不負責任的說法吧，但隔了一年後重回社會，從很多人口中聽到這樣的敘述，我不得不感到驚訝。那場鬥爭如果被片面化成『勇猛果敢』或『自我犧牲』、『自我否定』的話，實在會讓人相當困擾。」

儘管有這樣的想法，東大鬥爭的風格與話語還是被模仿了。然而，各地的全共鬥學生儘管在表面上模仿，但也並未得到那些沒有刊載在書籍刊物上的具體鬥爭方法等資訊。

例如，多摩美大的女學生在街壘內設計了女性專用寢室。但在男性運動者中卻出現「你有聽過男女分室的街壘嗎？」的抗議聲。對此，女性反駁道，「不管世界上的街壘是什麼樣的，在這個街壘裡，我們會依照我們的想法來決定事情，就這麼簡單，懂了嗎？」[138]

如第一章所述，像日大那樣在街壘內男女分開睡的例子，在一九六八年並不罕見。然而，這種日常的實作要訣並未被寫進日大鬥爭與東大鬥爭的相關書籍中。在這個多摩美大的來回應對中，顯示出學生們就算模仿東大鬥爭等搭建起了街壘，但對具體的運作方法卻幾乎一無所知。

在多摩美大，也如例行公事般舉行了自主講座。然而，卻未如他們理想中的那樣順利進行。一位女大生這麼回憶：139

> 雖然說是標榜「主動參與」的自主講座，但突然發現，一直發言的只有固定那兩、三名男生，女生則只有我一個。其他人都只是默默地聽著。當時還只是個不識人性的屁孩的我，有一天受怒氣驅使而衝上講台，「提出了問題」：「對於只有一小撮人在講話，其他人都只是聽著的『自主』講座，沒有人覺得奇怪嗎？當初批判只能被動地聽課的人都到哪裡去了？更奇怪的是，為什麼只有那些沉默的人在負責泡茶呢？誰來回答一下！」雖然我這麼說，但當然沒有人會回答我這樣的問題。

如果對橫濱國大鬥爭以後各地自主講座的實際情況有所了解的話，這樣的事情應該是想當然耳的。然而，他們知道的卻只有被美化後的自主講座的理念。

在遭到封鎖的京大教養學部也嘗試了「反大學」。就像在第九章提過的，「反大學」在日大鬥爭末期被提出，是口號先行但內容並不明確的東西。

京大教養學部鬥爭委員會試圖引入並實踐這個「反大學」的口號。然而，有當時京大的運動者說，「這作為理念或許很好，但實質上不就是自主講座嗎？」此外，也沒有吸引會固定來聽講的學生。[140]如果不只知道被美化的口號，還對過去自主講座的實際情況有所了解的話，這是可以預見的結果。

在各地的全共鬥運動中，大眾團交也是以固定的形式進行。很多時候，變成了由數百名學生和負責推行議事的全共鬥學生，對教師進行長時間批鬥的情況。

在京大鬥爭中，一九六九年一月的「校長團交」，從二十五日下午兩點開始，到兩天後的下午三點半，共計約五十小時，差不多有一千六百名全共鬥派的學生與當時的京大校長奧田東對峙。學生與議長團以叫罵的方式指責校長，根據報導，校長「耳邊的手持對講機上，有人喊叫著『奧田，在你說好之前我們會一直這樣做下去』或者辱罵『啞巴、聾子』，有時候則在司儀的帶領下，學生對著他齊呼口號。校長從這個漫長的過程中熬了過來。」[141]

在大眾團交中，學生常常對教師展現出傲慢的態度，甚至口出穢言，破口大罵。當時為京大研究生的竹內洋這麼寫道：[142]「『你這傢伙——』『是笨蛋嗎？』『你們是漫畫人物嗎？』『我們聽夠了教授會的意見了。你的意見是什麼？』學生邊將香菸的煙吐在大學教授臉上，邊用『o-me-e』（オメエ）或是『a-n-ta』（アンタ）[iii]等稱呼說話，是團體交涉中很常見的情況。」竹內在一九九九年這麼描述了自己曾參加的一場在京大的團體交涉的情況：[143]

> 曾有一次，我也身為研究生出席了這樣的團體交涉。學生們對著大學部的年輕助教授提出只為了質問的質問，終於，一名學生對著這位助教授找碴：「這傢伙滿腦子都只想著當上京大的教

授而已吧。」此前，面對著質問都還認真回應的這位溫和的助教授，也在這個時刻變了臉色：「怎麼這麼說話」，他表露出情緒與憤怒：「我也還年輕，對事業還有著野心。」對於教師之類的人沒有任何期待的我，那時也開始同情起這位年輕的助教授。從此以後就不再涉足團體交涉。

當時為中大全共鬥學生的天野惠一，這麼描述學生在大眾團交中對著教授破口大罵的心理：[144]「經歷戰後教育的學生們，深深體會到那種教育只不過是歧視——分級篩選的教育。在大學的大眾團交座位上，學生總是不斷對教授們大聲怒吼『馬鹿野郎』。學生憎惡從小學起就一直以教育的名義管理他們的教師，並把這股憎惡一股腦地砸在大學教授身上。」

如第一章所述，全共鬥運動世代對於一面被教導著民主教育的理念，一面被捲入升學考試戰爭的矛盾感到不滿。然而，就算是被學生的「這股憎惡一股腦地砸」著，大學教授們恐怕也無從回應。原本大眾團交是勢力較弱的學生方對抗大學當局的手段，或者避免黨派幹部等進行高層交涉的方法而被引入的。然而在這個時期，不少大眾團交早已形式化且喪失了原本的意義，常常演變成對教授們進行「為了質問的質問」的集體批鬥大會。

熱中於「尋找自我」的學生們，在大眾團交現場，很多時候會要求教授們以自己的話語來表達意見，因此常常與教授們的邏輯產生錯位。在以立命館大學鬥爭為原型的前全共鬥參與者的紀實性小說中，教授說「我想保留個人的意見。我們將會由文學部長負起責任」，對此，學生反問道，「『你』這

iii 譯註：「オメエ」（o-me-e）和「アンタ」（a-n-ta）都是日語中相對粗俗，不帶尊重意味的第二人稱代名詞。

個人在哪裡？不是別的，是這世上只有一個的『你』這個人。」[145]但正如在東大鬥爭中看到的，就算被如此質問，具有立場的教授無法做出帶有責任的回答。

在一九六九年已然成為了形式化流行的大眾團交，也往往欠缺緊張感。立教大學的一位學生說，「在文共鬥的那些人中出現了好幾對〔男女〕情侶」，並這麼記錄了某場團體交涉的風景：[146]

……某次徹夜的團體交涉——那時候講堂裡只剩下不到一百名的學生，我注意到有幾對情侶不知何時已悄悄地消失在外頭的黑暗中。過了大約兩小時，他們若無其事地肩並肩一起回來。女學生疲憊地坐在椅子上直接睡去。男學生在聽了一陣子交涉的爭辯後，開始喊著「放屁！」、「你在說什麼！」深夜的講堂——約半數的學生都疲憊地酣睡著。偶爾因為響起的怒吼醒來的學生，像在說夢話一樣，無意識地說著完全沒有脈絡的話。明明講台上的教授團從早上開始就一直坐在硬邦邦的椅子上，明明他們完全沒睡一直努力地撐著，這到底是在幹嘛。我感到非常憤怒。議長團似乎也看不下去了，喊著「請醒來！」，但一點效果也沒有。這就是他們說的「真實」嗎！

如前述，東京女子大的學生批判沉迷於和其他大學的學生聯誼的同學為「高級妓女」。然而，一位學生這麼記錄了當時東京女子大運動者的樣子：[147]「在鬥爭中，並未明確地出現女性自立的問題。反而是與那些照理說被當成笨蛋的聯誼宅女一起討論著，青醫聯的誰很帥、某某大學全共鬥委員長的女人是誰之類的話題。」

他們與東大鬥爭等等一樣，找不到用以表現自己面對的「現代的不幸」的話語。在立教大學鬥爭中舉行的學生集會上，一名學生對親近的教師這麼說：[148]「老師！我覺得我有很多想說的話，很多必須說出來的東西，但卻找不到適當的話語……」。

早大反戰聯合也是，在一九六九年二月的集會上，發放了以「我想用我自己的話語來說」為題的傳單，在那上面這麼說著：[149]「我們從個人出發，從日常出發，當我們身為獨一無二的自己，將自身的存在投入鬥爭時，唯有從這裡出發不可。在這裡，既沒有任何黨派的邏輯也沒有組織的邏輯。我們從以自我內部的『話語』訴說之處出發。」

然而，這個早大反戰聯合也沒有創造「自己的話語」的力量。根據一九六九年六月的報導，他們其中的一個人這麼說：[150]「不是說話的運動，而是行動的運動。即使是現在，每當說話的時候就感覺有些地方像是蒙混過去了一樣。這是最令人尷尬的。話語是否真的具有溝通的作用呢？這實在讓人懷疑。」

拒絕所有既存的話語，在無法擬定論點與訴求的情況下，只能先從事佔領的行動。這樣的事情有意義嗎？對於記者這樣的提問，他們回答：

「我們內心有一種，如果不這麼做的話，其他一點辦法也沒有的感覺，於是就做了。……有沒有效，這種事情我們不知道。有效性這個詞是禁語。」他們相信的，是由自己內在無法成為話語的衝動驅使的直接行動。那是否具有政治性意義，這樣的問題也是「禁語」。

這樣的早大反戰聯合，模仿「無黨派激進派」（non-sect radical）的諧音，諷刺地稱自己為「荒謬笨蛋激進派」（nonsense dojical）[iv]。反戰聯合的成員在發表於當時的雜誌《現代之眼》上的〈荒謬笨蛋激進派宣言〉中，使用了以下的語句：[151]「『鬥爭的展望？』沒有這樣的東西。『革命？』『爛東西！』我拒絕。拒絕一切空虛的話語、拒絕馬克思、拒絕理性、拒絕道德，也拒絕我們自己。我放棄一切的『責任』。拒絕一切被賦予的『自由』。」「『我沒有任何應該要說的話。』是的，連我都不能說清楚我那黏黏稠稠的憤怒。」

就這樣，他們找不到可以表達自己「憤怒」及「展望」的話語，也拒絕大學當局或黨派、大眾媒體的既存語彙。這樣的他們能做的，只有一味地高喊「不」的毫無目標的直接行動。根據一九七一年的雜誌報導，一位無黨派的女大生，雖然跟著流行參加了全共鬥運動，但是「在那場運動中，我們並未意識到自己提出的問題是什麼。」[152]

六九年全共鬥運動的結局

街壘中的烏托邦，並未如學生們的理想那樣出現。模仿著東大鬥爭末期的思想，省略掉校內討論的累積，部分學生過快地展開封鎖，這導致了運動的孤立化。

對於早大反戰聯合的街壘封鎖，當時的報導記錄了早大職員的談話：[153]「即使進行了本部封鎖或學館封鎖，也是一點目標也沒有，只是用做就對了的感覺在行動。因此，一般學生感到傻眼而不再理會他們。再來是，這些人不管怎麼說都不會出現在班上，因此一般學生也沒有機會知道什麼行動方針。這樣運動根本不可能擴大。」

也有發起鬥爭的當事者們，雖然模仿了從東大等處輸入的口號，但卻根本不理解其內容的案例。一位時為東京女子大二年級生，因受到山崎博昭死亡的刺激，而當上全學鬥爭委員。她回憶道，反對《大學暫行措施法》的行動雖然演變成全校罷課並展開了街壘封鎖，但「到最後，我腦中還是搞不太懂為什麼要全校罷課。」理所當然地，「一過了暑假，校內產生了對罷課長期化的不安，大家的步調也變得不一致」，鬥爭委員會也逐漸陷入孤立。[154]

在此之後，學生對街壘生活的長期化感到倦怠，留宿過夜人數也急遽減少。這些也是沒寫在他們應該讀過的東大鬥爭相關書籍中的事，但卻是過去許多街壘鬥爭都經歷過的情況。就這樣，只剩下空殼且孤立的街壘，最終陸陸續續地遭到解除。

在東京女子大，暑假結束後，鬥爭的情勢也隨之沉寂。九月召開了中止罷課的全校集會、十月二十二日教職員解除了街壘、佔領的學生遭到排除。當日的解除街壘，是校方利用加入黨派的學生在十月二十一日國際反戰日離開街壘、走上街頭時所採取的措施。當時的新左翼黨派，將從十月二十一日的國際反戰日到十一月十六日阻止佐藤首相訪美的期間稱為「秋季決戰」，東京女子大的新左翼黨派成員也受到了動員。

隨後，為了準備十一月的阻止佐藤訪美鬥爭，東女全鬥委組織了獨立的遊行隊伍，然而成員遭到大量拘捕，後續也沒有人能重建與維持街壘。這也是一九六九年各地大學全共鬥所必經的「固定模式」。「那一年年底，大學就像什麼都沒發生過一樣，回到了五月以前的狀態。」[155]

iv 譯註：dojical為將「radical」前半置換為「ドジる」（愚蠢、笨拙、搞砸之意）的新創詞。

曾為早大反戰聯合核心成員的津村喬，在一九七〇年時寫道，雖然受到東大、日大鬥爭的刺激而佔領了學館和本部，但沒過多久街壘內就被無聊籠罩，變成了「一邊發著『在這裡這麼活著好空虛』之類的牢騷，一邊在街壘內看電視」的狀態。一九六九年九月三日引入了機動隊，剩下的學生遭到排除，早大的全共鬥運動結束。津村形容，「這場鬥爭無疑宛如兒戲。」[156]

立教大學也是在一開始的興奮感消退後，街壘內的人數逐漸減少而空洞化。一九六九年十二月恢復了上課，一九七〇年一月三日，遭到封鎖的文學部六號館被教職員解除封鎖。當時還在街壘內的，只有加入黨派者為主的十六人。[157]

一橋大學也一樣。根據井上澄夫的回憶，佔領最初的興奮期一過，封鎖的大學本館只剩下具有黨派身分的七、八名學生。而且雖然黨派的運動者們對革命理論或黨派鬥爭相當熱中，但「如果要問對於一橋這間大學的問題有什麼想法的話，卻是什麼都沒有。」然後，「漸漸地街壘中的人越來越少，只剩下流浪貓與兩、三個留守的人，最後，到了秋天，當準備考試的情況越來越不妙的時候，在開了幾次學生大會，稍微僵持了一陣子後，通過了解除罷課的決議，在民青的暗地操作下，由體育會的人以武力解除了封鎖」，鬥爭就以這樣的形式結束了。[158]

女子大學的情況是，有些案例是一開始在街壘裡留宿過夜的人數就很少。御茶水女子大的一位學生運動者回憶，「儘管運動以仿效其他大學佔領學生部長室的英勇方式開始，女學生幾乎沒有人在大學內留宿，只有包含我在內的幾個地方出身的人堅守著，實在很辛苦。」[159]運動的沉寂，再加上因為放暑假而回家的影響，街壘裡的人變得越來越少。

在弘前大，全共鬥表態阻止《大學暫行措施法》，並透過罷免民青派的自治會來確立罷課權，九月六日佔領了大學本部。得知本部被佔領的無黨派學生陸續聚集支持全共鬥，弘前大全共鬥的人數一度增加到數百人。九月中旬，傳出校方將引入機動隊的消息，靜坐抗議的學生擠滿了校園。[160]

然而，運動的熱潮就只到這裡。校方反過來順著全共鬥「粉碎考試」的訴求，將考試改成報告。這麼一來在大學裡就不再能聚集學生，街壘中的人數也減少。植垣康博回憶，「沒有比因為人數減少而要將多出來的武鬥棒當成柴來燒，還要令人沮喪的事了。」[161]

即使在鬥爭初期有許多無黨派學生參加的全共鬥，一旦狀態陷入停滯，無黨派學生也紛紛從街壘中離去，只剩下基於組織的束縛而留下的新左翼黨派學生。這麼一來，全共鬥內新左翼黨派的主導權也就必然增強。「進攻的時候非常強大，防守時則弱點百出」，各個地方都有這種全共鬥的特徵。

根據植垣的回憶，在運動陷入停滯時，弘前大全共鬥內部討論了是否要自行解除本部封鎖。堅持封鎖的幾乎都是新左翼黨派的運動者，而且還「不是站在弘大鬥爭發展的立場上反對自主解除，而是為了方便各黨派提出的秋季決戰的動員而主張持續鬥爭，是在這樣的立場上反對自主解除封鎖。」[162]在一九六八年十二月左右的東大鬥爭中見到的新左翼黨派的應對方式，也在這裡發生。

無黨派的學生也反對新左翼黨派運動者們的態度，他們之中多數人離開了街壘。就這樣，只剩不到二十人的大學本部，在九月二十七日迎來了近千人的機動隊。全共鬥方毫無抵抗地逃跑，弘大鬥爭就此結束。[163]

如同在第九章看到的，當運動進入衰退期時，學生要抗拒可以提供明確目標的新左翼黨派的誘惑，繼續以無黨派身分行動是很困難的。一位當時的大學教授在幾年後的紀實性小說中這麼寫：[164]「對全共鬥派的學生來說，很難不被激進派的各新左翼黨派吸收而留下來堅持自己的立場。最後，（全共鬥」分成加入黨派的人及離開戰線的人，而顯得日益單薄。」就這樣，新左翼黨派的擴張與無黨派的弱化同時進行。

如前述，真繼伸彥在一九七〇年時曾提到，「封鎖的真正領導者，是各個黨派的指揮部。」根據真繼的說法，即使全共鬥和教授會進行了協商，校方提出了改革方案，並與學生達成協議，但卻因為新左翼黨派的命令而毀約的事例很多。

根據真繼的說法，「無庸置疑地，新左翼黨派各自都以國家革命為志向。大學對他們來說是革命的堡壘。只要〔黨派的〕指揮部主張對國家權力進行澈底抗戰，並向各大學發出堅決貫徹封鎖的指令，〔全共鬥內的〕黨派的成員就必須無視各大學的特殊情況以體現黨派的意志。對話最大的障礙就在這裡。」[165]在弘大鬥爭的例子中也可以看到這樣的情況，但在第七章提過的一九六八年初的中大鬥爭裡，即使新左翼黨派提出了這樣的方針，一般的學生還是制止了他們。然而，在一九六九年以後那些孤立於一般學生的大學封鎖中，這是難以實現的。

新左翼黨派的學生一旦不服從中央的指令，就會遭到開除。根據名古屋的前運動者回憶，「〔名大的〕中核派因為拒絕了上級的指令，街壘裡名古屋大學中核派的基層組織全體遭到中央開除。」[166]這種將不服從中央命令的人直接開除的作法，與新左翼黨派所批判的共產黨沒什麼不同。

真繼所在的桃山學院大學的鬥爭，也是由新左翼黨派主導的全共鬥展開街壘封鎖↓無黨派學生一時性地集結與情緒高漲↓運動的沉寂與結束，這種與弘前大一樣的模式結束。一九六九年六月全共鬥展開了街壘封鎖後，在暑假前有一段時間獲得了共鳴，出入街壘的人數膨脹到約四百人。然而在暑假結束時，已經驟減至約四十名左右。就算在街壘中開設自主講座，也沒辦法吸引參加者。全共鬥失去維持街壘的能力，九月二十日，街壘被自行撤除。[167]

京都大學的全共鬥由中核派、社學同、反帝學評、民學同左派等黨派，以及越平聯與若干無黨派學生組成，並佔領了本部的鐘塔。但是在新左翼黨派主導下過度急促展開的京大全共鬥，沒有創造出由下而上的熱潮，從而未能實現全校罷課。在一九六九年三月的這個時間點上，經濟學部、理學部、法學部、農學部等鬥爭委員會是在沒有加盟全共鬥的情況下各自展開著行動，其後教養學部雖然展開了街壘罷課，但法學部的課程卻幾乎照常舉行。[168]

京大鬥爭的結局，比想像中的還要來得簡單。一九六九年九月二十二日，雖然機動隊進入並解除了鐘塔的封鎖，但當時在塔裡固守城池的學生有八人，以中核派的四人為首，各黨派約有一到二人，這些人卻是被當成以遭逮捕為前提所交出來的「棄子」。[169]

八人看起來雖然是很少的人數，但新左翼黨派已計劃在十月二十一日展開大規模的街頭鬥爭，不可能將太多人當成「棄子」交出去。一位京大的黨派領導者說，「這是為了準備十月鬥爭所能付出的最大人數了。」[170]

如果是這樣的人數，照理說就算不使用機動隊也可以排除才對。然而，根據當時京大校長奧田的證詞，機動隊的引入，其實是來自新左翼黨派主導的京大全共鬥的請託。

依照奧田的說法，如果只有八人的抵抗，只需拜託京大的民青就能簡單排除。可是全共鬥方表示，「如果交由民青的行動隊排除的話，我們絕對不會乖乖就範。但是，如果是警察的話那就是無可奈何的事了。」因為全共鬥提出了這樣的要求，於是校方引入了機動隊。[171]當然，仿效安田講堂攻防戰，在鐘塔上高舉大大寫著各黨派名稱的旗幟與橫幅布條，表示自己的黨派勇敢地與國家權力鬥爭，從事這種宣傳行為已無需贅述。

部分學生自稱全共鬥，缺乏一般學生的支持而獨立行動的事態中，還有結束得比京大還更令人意外地簡單的例子。一九六九年十月十九日，和光大學的研究室及事務室的建築物遭到部分學生以街壘封鎖，但在隔天，還沒等到警察的介入，就被到校上課的約五百名學生解除了街壘。[172]

在桃山學院大學，全共鬥並不滿足於只佔領了部分校舍，於是高喊著「大學解體」又佔領了本部事務室，但是因為無法維持，僅僅半天就解散了。真繼伸彥在一九七二年的論文中，將這個佔領行為形容為「相當於惡作劇」，並指出在一面指責教授們的言行不一時，一面「提出極度存在主義式、極度倫理性問題的全共鬥自身，真的有資格提出這樣的問題嗎？」[173]

真繼還介紹了「紛爭二期校」這樣的用語。在當時的國立大學，依照入學時期的不同分為一期校與二期校，「紛爭二期校」就是諷刺地模仿了這個說法，用來指涉那些較晚展開全共鬥運動的大學。真繼這麼說：[174]

> ……紛爭二期校的教師們，從一期校那裡學來了處理的方法。簡單說，就是不管全共鬥封鎖了哪裡都不要引入警察機動隊，而是放著他們不管。這麼一來，學生們就會無法維持住解放區，要麼私下催促教師快點叫來機動隊，要麼在幾天後就會自行瓦解。
>
> 紛爭二期校的這種處理方式，似乎多半都成功了。

日大全共鬥，之所以在一九六八年九月一度恢復了勢力，也是因為學生對引入機動隊所產生的反彈。在東大鬥爭中，鬥爭的全校化也是導因於校方引入機動隊來應對安田講堂的佔領。如果思考這些教訓，可以想見，即使學生進行了街壘封鎖，只要不引入機動隊放著他們不管，街壘的人數就會減少，最後自然崩壞。

實際上，上述各大學的街壘被解除時，都只剩下數人到二十人不等的學生留在裡面。此外，前述的東京女子大、早大、立教大、一橋大、弘前大、桃山學院大、京大及和光大當中，引入機動隊的只有早大、弘前大和京大，其餘都是由教職員解除或自主解除的，而京大的機動隊引入則是來自全共鬥的請求。

此外，因為街壘佔領導致資料和私人物品等丟失的情況，在各地的大學都有發生。

例如明大的全共鬥運動，學生在一九六九年四月抗議警察的強制搜查，繼而五月反對大學暫行措施法案，從而展開了街壘封鎖。[175]在那裡，他們宣告要與「日常性」對決、「自我否定」，以及「繼承並超越東大、日大鬥爭性質之鬥爭」，並主張由「教授會自治或學術研究自由」支撐著的「大學本身的加害者性暴露了出來」，學生是「被加工成」「順應著資本要求的技術勞動者和順從於權力的被去勢的機器人」。

如此，明大全共鬥的主張並未超出引用東大全共鬥語彙的範圍。最終，雖然在十月九日引入了機動隊，但資料與其他文件卻都已經遺失了。文學部的助教授在封鎖解除後這麼寫道：[176]

到底是誰把研究室破壞成這個樣子？我在九日早上，與文學部的教師一起進入了研究所，如此極端的慘況讓我感到深刻的衝擊。無論是我們的學生也好，還是如傳言所說的其他大學的學生也好，就這樣破壞了研究室，甚至帶走教授私人物品，這些行為都是不可原諒的。這不是為了真正地改革大學，而只不過是單純物理上的「解體」罷了。

全共鬥運動品質的下降，也讓對運動有所期待的人感到失望。中核派的前幹部運動者，一九六七年十月因對三派全學聯感到失望而離開中核派的小野田襄二，發行了《去到遠方》的自主雜誌，期待從全共鬥運動中產生出新的運動。然而，小野田在一九七八年這麼寫道：[177]

「我一直關注著全共鬥運動。但全共鬥運動（日大全共鬥除外）內部的實際情況，卻遠比三派全學聯還要糟糕。」「我知道在幾間大學的街壘內，充斥著空虛的無聊煩悶。」「全共鬥運動墮落成大學的風潮。」「全共鬥運動除了與機動隊的衝突、機動隊與右翼亂入大學校內，以及團體交涉的情況中，突如其來的緊張與興奮這樣的吵鬧之外，還有什麼別的嗎？」

而且，大部分的學生們雖然高喊了「帝國主義大學」解體、斥責了教授們，但自己還是畢了業找了工作。在立教大鬥爭風波中的座談會上，一位文學部三年級學生說，「終究還是要就業吧。」[178]

一九六九年四月，《朝日Journal》找來幾位在參加一九六八年全共鬥運動後進入企業就業的學生，舉辦了一場座談會。主持人中岡哲郎曾參與過五〇年代的學生運動，他期待能從這些前學生那裡，得到如何把在學生運動中獲得的思想活用於勞動現場的回答。

然而，參加學生的回應是：[179]「我們在學生運動中所獲得的思想高度，無法在具體的生活中被原理性地展開。」「如果要問該如何在企業的邏輯中貫徹（自己的）主體性的話，我認為那是幾乎不可能的。」「知道這是不對的，但卻不知道該怎麼做，這也會出現在全共鬥中。」「我甚至也想過成為浮浪無產階級（Lumpenproletariat），但是，作為浮浪無產階級從事家庭教師工作，卻也是利用了現在的升學考試制度」。

原本東大鬥爭中期以後的全共鬥運動，就是學生重新檢視自身存在的表現行為，而非與勞工運動連結的政治運動。一名參加了運動的學生這麼說，「關於如何將〔全共鬥運動主張的〕『內在大學的解體』帶進企業的問題……答案就是要破壞知識階層，然而，這也會變成是知識階層在胡說八道吧。」[180]

擔任主持人的中岡，在與中島誠的對話中這麼說：[181]「主持那場座談會……讓我感覺到期待似乎只是幻想。他們認為出社會後能澈底一搏的想法只是幻想，所以在大學中澈底一搏。大學被當成是特殊的場所、避難所來使用。他們給了我這樣的印象——他們並沒有想要在社會中建立像在大學時同樣原理之上的運動的態度。」「到最後，他們都會被企業吸收吧」，中岡做出了這樣的結論。

與其對談的中島，也這麼形容全共鬥運動的學生們：「在人生中只有四年的時間，我將之命名為『時間性的解放區』，學生們有種不管怎樣都希望將這個『時間性的解放區』固定在空間性的解放區中的欲求。我認為這種欲求的結果就成為了街壘。也就是說，在他們身上能看到進入大學之前與離開大學之後的一生的絕望感。他們對其不抱有任何幻想。因此，只有在大學才能激進地鬥爭，他們反過來欲求這種幻想。在這個意義上，他們有著意外精明之處。」

此外，當畢業或升級有危險的時候，一般學生也往往會在學生大會上解除罷課。例如在福井大學，雖然從十月二十日起進入了學校無限期罷課，但十一月十日的工學部學生大會卻是這樣的情況：「以即將畢業的大四生為主，擔心留級的學生不管怎樣都要解除罷課。民青一如往常，利用這些學生掌握了大會的主導權，轉眼之間就做出了解除罷課的決定。」在福島大學，全共鬥雖然以街壘封鎖了理科大樓，但也在同一時間被民青的行動隊解除。[182]

另一方面，由於這個世代對於升學考試競爭抱有反感，以及東大的入學考試因為鬥爭而遭到中止的刺激等因素，各地都喊出「粉碎入學考試」與「大學解體」的口號。明治大學史學地理學科共鬥會議於一九七〇年二月二十七日發給考生的傳單中這麼寫道：[183]

「大學絕不應該淪為資產階級的羔羊，我們必須對於掩蓋著資本主義制度的矛盾，對於生產出〔原文〕對權力而言最值得信賴的信徒的現代理性主義，以各種方式進行告發才是。」「各位，你們要追究入學考試的責任！每天為了入學考試耗盡心力的你們是被害者。然而，如果不對逼迫你們淪為被害者的東西進行鬥爭，你們對於人民來說就會變成加害者。在這幾天的入學考試中，請自主地對一直被片面地飼養至今的事實做出改變吧！」

但是，學生們雖然嘴上批判著升學考試的競爭，但實際上卻在心中內化了大學之間的排名。從六〇年安保鬥爭以來，東大的運動者就扮演著領導性的角色，這點到了六〇年代末期也沒有改變。有一位運動者在二〇〇二年這麼回憶，「就算在全共鬥〔運動〕內部，我們常被特別是私立大學的人直接批評，『你們不管怎麼說都是國立大學的學生，最終還是會變成上層的菁英吧。所以你們才能裝腔作勢地擔任著領導者，而我們一直都只是士兵』。」[184]

這種意識也反映在男女交往上。東京女子大被世間認為是「交往對象幾乎僅限於東大生」的大學。根據當時的報導，一位東京女子大的運動者在一九六八年曾這麼說過：[185]「和我們一起搞運動的三派的私立大學學生之類的人，不可能成為我們的結婚對象。」

根據前中大全共鬥的天野惠一所述，「機動隊員應該大部分都是在這個學歷社會中，基於家庭或經濟因素而無法成為大學生的人們吧。（即便如此）在這個時代，當機動隊被派入大學時，還是會有運動者喊出像是『給我去參加考試』這種無聊的口號。」天野雖曾說過，對於自身接受的「歧視性篩選教育」的憤怒，是「支撐大學鬥爭的能量」，但學生們也已經將「歧視性篩選教育」的價值觀內化了。[186]

一九六九年一月的安田講堂攻防戰中，充當支援部隊的來自各地的大學生遭到了逮捕。當時的警察廳長官在一九六九年的對談中，這麼描述了審訊他們的情況：[187]「在一月十八日遭逮捕的學生中，約有八十名少年（未滿二十歲）。……表面上，他們主張著解體大學，否定內在的大學意識。但這些被逮捕的少年們，似乎全都在擔心著自己會不會就此失去大學生的身分。然而，如果調查官假裝不知道，或者真的沒聽過他們就讀的大學時，他們還會不滿地回應，為什麼會不知道我就讀的大學？這不是那麼糟糕的學校吧。」

為了越平聯的活動與大學講師的工作，往返於大阪與東京之間的小田實，這麼回憶並描述當時的情況：[188]

> 很疲累——比起這麼說，當時有兩件我一直無法接受的事情。第一個是，在這架（小田搭乘的）飛機上的「當日往返」出差族中，有好幾位看起來就是直到前些日子都還是運動者的人，他們在這裡其實也無所謂，但讓我感到痛苦且無法接受的是，他們已經完完全全地變成了「日本企業尖兵」的模樣。

另一個是，在當時我〔擔任講師〕的大學，學生運動者們也正在進行「粉碎入學考試鬥爭」。我這麼跟他們說：「你們如果同時也展開粉碎就業輔導部鬥爭的話，我會認同那個鬥爭。」但他們目瞪口呆，看起來沒聽懂我在說什麼。對著後來的學生們說著不要進入這種「帝國主義大學」，沒有入學的必要，但自己卻進入了「帝國主義企業」——這樣的事情，與其說是邏輯上很奇怪，倒不如說是倫理上的墮落。

另外，小田實還這麼說：在他任教的大學，「與當時其他的大學一樣，到處都是立牌、布幕、塗鴉，上面寫的都是『帝國主義大學解體！』『打倒日帝！』『造反有理！』或是『粉碎產學合作路線』……戴著各種顏色頭盔的運動者、革命的戰士，一個個拿著棍棒在校園裡奔跑。」但是，校園外面卻完全是歌頌著經濟高度成長的平靜的世界，「就好像存在著兩個世界一樣。兩個世界完全沒有關係，對彼此而言都是另一個世界，雙方並不會試著相互介入。」小田曾質疑東大全共鬥，為何不向校外的市民提出訴求，而始終只在校園內搞鬥爭，這已於第十一章說過。

秋田明大也在一九六九年五月的獄中筆記中寫道：「絕對要避免盲目地逃避現實。將粉碎入學考試當成首要訴求，這不僅在理論上很奇怪，在現實中也是無法實現的。」[189]另外，《展望》雜誌的時事評論也提到，[190]「如果他們覺得產學合作很莫名其妙，那去摧毀就業部不就好了嗎？但在學生運動中卻沒有這樣的口號。」

時任一橋大全學鬥代表的井上澄夫這麼說：[191]「在年齡上，我們的抗爭不同於東大研究生和助教們的全學鬥運動，那種已經超過三十歲的人們的抗爭，我們的抗爭果然還更像是一種流行。」此外，

在東北地方的農村主辦同人誌的作家武野武治，在一九七二年這麼記錄了地方農民們對全共鬥運動的反應：[192]

「『這些乳臭未乾的屁孩們揮舞著棍棒，如果這樣就能打倒政府，那我們就不用這麼辛苦了。第一，說到學生和機動隊的衝突，以我們來看，這不過是被父母寵壞的（由父母提供了大學學費的）長子和沒能得到寵愛的次男與三男之間的互毆。……希望這種任性撒嬌的行為能夠適可而止。』我曾聽過一位工廠工人被要求在學生集會上發表意見時說，『我不信任現在的你們。只要你們能堅持任何一個學生時期的言行，直到你們成為官僚或公司員工以後依然沒有改變的話，到時候我就會相信你們。』這種想法對於農民來說也是共通的。」

總的而言，一九六九年的全共鬥運動，無論參加學生的主觀心態有多認真，都無法否認運動在某個層面上，已墮落成年輕學生們在就業前尋歡作樂的流行祭典。

「全國全共鬥」的成立

一九六九年九月，「全國全共鬥」成立。根據一九六九年九月出版的《全國全共鬥》，一九六九年七月二十四日，全都全共鬥代表會議有四十六間學校，三十日的全國全共鬥代表會議則有八十九間學校的全共鬥代表參加。會議決定將在九月五日於早大及東大舉辦全國全共鬥成立大會。[193]然而，因為早大的街壘在九月三日遭到解除，東大也處於無法召開集會的狀態，因此，九月五日，由全國各地而來的一百七十八名全共鬥代表聚集在日比谷野外音樂堂，成立了「全國全共鬥」，並選出議長山本義隆、副議長秋田明大。[194]

但是，當時擔任京大助教的飛鳥井雅道對此選舉結果這麼評論：[195]「高喊著東大解體的人們，為何會將東大的人推舉上議長的位置呢？實在是不可思議。」前述的《全國全共鬥》，也是由東大全共鬥與東大的全鬥聯運動者們為中心編纂的。

山本義隆和秋田明大這兩位無黨派運動者被推舉為議長和副議長，說起來只不過是掛名而已。這個組織的實體，其實上是扣除了革馬派之外的中核派等八個黨派的學生組織，為了動員各大學的學生參與十月二十一日的國際反戰日與十一月的阻止佐藤首相訪美鬥爭等「秋季決戰」組成的臨時性同盟。

就算在這個組織裡，各新左翼黨派間的對立一樣激烈。根據當時的報導，全國全共鬥的準備是由共產同與ＭＬ同盟為中心開始的，中核派在直到看見自己有機會掌握全國全共鬥的主導權以前，並沒有參加的意願。[196]九月五日的成立大會上，各黨派的代表也在演說中批判其他黨派，自家人的拍手與他派的叫囂聲掩蓋了會場。

黨派之間的對立，多半源於微不足道的原因。例如，因為中核派將《大學暫行措施法》稱為「大學治安立法」，而社青同解放派將其稱為「大學特別立法」，所以當社青同解放派的代表在演說中提到「大學特別立法」時，中核派就齊聲叫囂說「聽你放屁，那叫做治安立法」。到最後，在這次大會上首次現身在公眾面前的共產同赤軍派，甚至和共產同的其他派系發生了鬥毆事件。[197]

西川潤記錄了這天大會的樣子：[198]

然而，接連上台的演說者為什麼大多是黨派的代表呢？議長團的成員是東大、中大、日大、早大、法大、廣島大出身的人。但演說卻是由八個黨派開始。……接著雖然是京大、明大、早大、神戶外大、教育大、神戶大、秋田大、法大等學校的演說，但其大部分都頭戴誇示著黨派的頭盔。會場前方，各黨派參差不齊地放射狀排列成八列，日大全共鬥也已經在這樣的方式下，以日大中核、日大社學同分開坐著。

……在各黨派代表的演說中，叫囂聲猛烈地交織著，尤其在社青同與中核、社青同與FRONT、ML與FRONT等之間，憤怒的情緒持續高漲，紙團交織地飛來飛去，有時候甚至還有牛奶瓶被丟出來，變成了一觸即發的狀態。

全國全共鬥的組織結構也是黨派的暫時同盟。雖然議長和副議長分別是山本義隆和秋田明大，但掌控實際業務的書記局員八人，則是分別由八個黨派各派出了一人組成。而且，秋田在三月就被逮捕還關在獄中，被通緝中的山本則因為試圖出席該日的大會而遭到逮捕。集會的入口處約有五千名機動隊員組成了約一百米長的通道，入場者被要求拿下頭盔和手拭巾，一個個比對臉部照片。[199]

而且根據報導，山本的逮捕還是黨派幹部們做出的決定。據雜誌刊載的某黨派幹部的談話，在黨派代表會議上，「『絕對不能〔讓山本〕被逮捕』，以及『就算被逮捕也是沒辦法的事，到時候我們就可以挑起大眾的憤怒炒熱大會』，這兩種意見相互對立，不太能做出決定。最後決議通過了後者。」[200]雖然這份報導的可信度不明，但黨派對大會的主導程度確實高到足以傳出這種說法。

當時的《朝日Journal》這麼描述：[201]「全國全共鬥雖然以無黨派的象徵性人物山本義隆作為議長，

但實質上，八個黨派的黨派共鬥色彩相當濃厚。這可以說是在一．一八、一九〈安田講堂攻防戰〉以後，全共鬥運動不得不成為黨派共鬥運動所產生的必然結果。」

而大會上提出的，也盡是黨派的政治目標。各新左翼黨派代表全都鼓吹著「阻止佐藤訪美十一月決戰」、「安保粉碎鬥爭勝利」等口號。幾乎完全沒有觸及大學鬥爭的議題。早大全共鬥的無黨派學生這麼說：[202]「如果放棄教育鬥爭，只純粹做政治鬥爭，那麼不就會離大眾越來越遠嗎？我們不可以追隨缺乏校園鬥爭的政治鬥爭至上主義。」

當時的《朝日Journal》這麼描述：「從東大的一月決戰以來，就傾向直接以體制變革為目標，一味地朝向街頭政治鬥爭的短路式發展，反過來迴避了校內的課題，難以否定有這種傾向。結果，〈重視政治鬥爭的〉政治黨派與〈重視大學問題的〉無黨派激進派之間甚至產生了對立。」根據這篇記事，在新左翼黨派運動者之間，傾向將「『研究是什麼』、『教育是什麼』、『大學是什麼』這樣穩健的主題」，視為無法與革命連結的「改良主義」並加以蔑視。[203]

重視「鐵的紀律」的新左翼黨派與喜好自由風氣的無黨派，在氣質上也互不相容。一位記者如此記錄了一九六九年十月十日集會的模樣：[204]

> ……無黨派的人們也在稚氣未脫的臉龐上，嚴肅地戴著頭盔。然而，他們的頭盔上卻躍動著一些既存黨派的頭盔上看不到的迷幻圖案和隨意的文字。這是他們極其多彩的「自我主張」。
>
> 例如——「感性派」、「流離派」、「叛」、「ＮＯＮ」、「狂亂怒濤」、「ＫＩ」（キ）、「喵羅美派」ᵛ、「野次馬」、「反戰集團」、「〇〇高中越屍協會」、「ＸＸ高中全共鬥」、「△△高中越

平聯」、「KG」、「民殺派」等。⋯⋯

正如頭盔上的文字所展示的，他們有著強烈的安那其主義式的想法。他們是特立獨行的狼。因此，他們並不是太喜歡黨派。在這天，他們也開了一場獨立於黨派的集會，「喵羅美」和「野次馬」們各自說出自己的想法，之後，他們便先行朝著舉行統一集會的明治公園出發了。

一名反戰高協（中核派的高中生組織）的領導者一面目送著他們離開，一面忿忿不平地說，「那些傢伙，都是些每當鬥爭到了緊要關頭就搖擺不定的人。只要不加入組織，就不可能有永久持續的鬥爭。」

就這樣，在一九六九年秋天的「十・二一鬥爭」與「十一月阻止佐藤訪美鬥爭」中，全國全共鬥的遊行隊伍被派上了街頭，但如後述的那樣，只導致了大量的人被逮捕和鎮壓。在那之後，新左翼黨派也失去維持全國全共鬥的熱忱，如之後的第十四章將談到的，全國全共鬥在一九七一年因武裝內鬥而消失。

也有不少人因為全國全共鬥的成立，而感覺到全共鬥運動已然喪失了可能性。越平聯事務局長吉川勇一在二〇〇九年時說道，「所謂的全國全共鬥，原本應該是全國各大學的全共鬥集結起來，一起民主主義式地運作的組織才對。但實際上形成的，卻完全是基於黨派利害關係組成的臨時性同盟。從那時候起，黨派開始掌控了各地的全共鬥，我就覺得這個運動已經結束了」。[205]

v 譯註：日文「野次馬」指看熱鬧圍觀的人。

此外，當時為越平聯核心運動者的栗原幸夫也在一九九〇年這麼說：[206]「對於許多人來說，一九七二年二月的聯合赤軍事件可能象徵著六〇年代的最後終結，但我從更早以前的一九六九年全國全共鬥的成立左右開始，就認為六〇年代的可能性已經消失了。也就是說，具有自立而嶄新形式的運動體，再次陷入了陳腐的黨派政治的束縛，這就是全國全共鬥的成立，這也是黨派之間武裝內鬥的開始，觀念式武鬥主義的情感性流行的開始。」

如前述，全國全共鬥成立大會是赤軍派公然現身的日子，赤軍派在武裝內鬥中澈底打垮了共產同的其他派系。如第十四章所述，從一九六九年後半開始，武裝內鬥與武裝鬥爭論開始興起。在這個意義上，可以說這樣的見解是有道理的：以全國全共鬥的成立為分界，由無黨派激進派為象徵的「六〇年代的可能性」終結，進入了新左翼黨派的黨派政治、「觀念式武鬥主義」和「武裝內鬥」的時代。

全國全共鬥的成立，也在另一個意義上，完全扼殺了全共鬥運動。在東京女子大，東女全鬥委的運動者在黨派的命令下參加了十一月的阻止佐藤訪美鬥爭而遭到大量逮捕，街壘因此崩壞一事，已在之前提過。這也是一九六九年全共鬥運動終結的其中一種「固定模式」。

被動員的學生很清楚如果被動員參加「秋季決戰」的話，遭到逮捕的可能性很大。與真繼伸彥關係要好的桃山學院大的一位學生，在一九六九年九月這麼說：[207]「老師，到了下個月學校就會變得比較輕鬆了，因為我們大家都會被逮捕。」正如他所言，他們之中的大多數在黨派的指令下被動員到東京參加了「十・二一鬥爭」，很多人遭到了逮捕。

就這樣，全共鬥運動在一九六九年底前就已幾乎沉寂下來。留下來的，是在大眾團交中被譴責的教師們，以及體驗了鬥爭的激昂與終結的學生們心中的傷害。立教大學文學部的一名學生在一九七〇年寫道，「在鬥爭的過程中，我自己重重摔了一跤（並不是挫折之類那種帥氣的東西），許多人也都感受到了挫折感吧。就算被稱為是屁孩們大呼小叫的作亂，或許也是無可奈何的。」[208]

殘留下來的影響，是思想上的典範轉移。在全共鬥運動中，「戰後民主主義」、「和平與民主主義」、「現代理性主義」等詞語，完全變成了負面的象徵。這一點，將在第十四章詳述。

慘敗收場的「沖繩日」

在這裡稍微回顧一下一九六九年新左翼黨派的街頭鬥爭。繼一九六八年十月的新宿事件、一九六九年一月的神田拉丁區鬥爭之後，新左翼黨派傾力準備的大規模街頭鬥爭，是一九六九年四月二十八日的沖繩日。

一九五二年四月二十八日，是《舊金山和約》生效的日期。[209]根據此條約，沖繩、奄美大島、小笠原列島等地從日本政府的施政權下脫離，改列為美軍統治之下。此後，奄美大島於一九五三年、小笠原列島於一九六八年被返還回日本的施政權下。然而，沖繩的返還卻遲遲未果。

最主要的原因是沖繩的軍事價值。沖繩位於日本、中國和東南亞中間，如果在沖繩本島設立空軍基地，從朝鮮半島、北京、到越南，都將被納入可以轟炸的範圍。在一九五〇年代，美軍接管了沖繩本島總面積的十四%與耕地面積的四十一%。無論是在韓戰還是越戰，美軍的轟炸機都是從沖繩出擊的。

由於美軍的統治和為了建造基地的土地接收過於蠻橫，沖繩開始期待至少能適用於日本國憲法所保障的人權，因此發生了復歸運動。四月二十八日被稱為「沖繩日」，是從一九六三年開始的。每年的這一天，在隔開沖繩與日本本土的北緯二十七度線的海上，沖繩和日本本土的革新團體會舉行海上示威活動。

然而，新左翼黨派一開始並不關心沖繩。一九六六年四月二十八日，都學聯在早大舉辦了集會，但主題是阻止大學設置基準和阻止教員許可法修惡等。直到一九六七年的四月二十八日開始，三派全學聯和革馬派才召開「沖繩日」集會。[210]

雖然這麼說，但即使到了一九六八年，對沖繩的關注也並不那麼強烈。就算是在東大鬥爭和日大鬥爭的傳單上，也幾乎沒有提到沖繩的內容。然而進入一九六九年後，沖繩迅速受到了關注，沖繩相關的書籍也從一九六九年開始大量出版。其背後的原因包含：日美政府的沖繩返還協議正進入最後階段，即使沖繩返還後，美軍基地還是會原封不動地留下來的事態逐漸明朗化，對此沖繩方面的運動開始高漲，以及在七〇年安保的前一年，沖繩的重要性再次受到認識等因素。

新左翼各黨派一致將一九六九年四月二十八日定位為「今年上半年最大的鬥爭」。[211]中核派的機關報《前進》以中核派日大支部的名義，呼籲在四月二十八日於首相官邸立起日大全共鬥的紅旗。[212]此外，各派也提出「佔領官邸」、「解放霞關大樓」等主張。[213]

警察知道這些都是誇大的言論。根據當時的報導，有一位警察幹部這麼說：[214]「我們能從長期的經驗中體認到，學生們怎麼樣的表現方式代表了多大程度的嚴重性，因此我們能夠冷靜地做出判斷。然而，部分執政黨的人士沒辦法將學生的威嚇字句當作資訊好好整理，而是直接照字面接收了這些發言而感到慌張，但這並不是需要大驚小怪的事。」

然而，因為政府和自民黨「直接照字面」地接收了黨派的發言，為了保衛首相官邸和霞關的官廳街，大幅編列了增強機動隊裝備的預算。在四月二十五日之前，裝有防石面罩的頭盔、內含鐵板的防護衣，以及內含鋼絲的防護手套等「A裝備」已分發給了機動隊員。瓦斯槍的數量也由安田講堂攻防戰時的二百五十支增加到四百八十支，並準備了比過去更高性能的高壓水車與能擊發催淚彈的特型警備車等等。[215]

針對群眾也制定了對策。根據當時的報導，警方「在兩個月前開始，就親切且仔細地對可能成為『主戰場』的車站周邊商店街，指導了如何在『暴徒』的攻擊中保護自己。新宿事件時，因市民與遊行隊伍合流而導致局面難以收拾。為了不要重蹈覆轍，警方發出了如果當天的遊行隊伍靠近的話，請勿讓店員跑到外面的指示。」[216]

新左翼黨派方面，除了中核派約一千四百人之外，東大全共鬥約一千二百人，日大全共鬥約三百人等，根據警視廳的調查，各派總計動員了約八千四百人。在校內失去立足之地的東大、日大全共鬥，只能以街頭鬥爭作為其鬥爭方針。東大全共鬥的一名學生表示，「雖然心還留在大學，但身體坐立難安，只好走上街頭。」[217]各黨派不僅動員學生，也動員了在其影響下的反戰青年委員會的青年勞工。

前東大全共鬥的小阪修平這麼回想：[218]「四·二八的沖繩鬥爭，雖然搞得像是在街頭的反政府鬥爭終於開始高漲起來的樣子，但從我們的角度看來，卻只不過是……全共鬥運動〔被黨派〕消解成一般政治鬥爭的宣傳性示威遊行。我也無可奈何地參加了遊行，丟擲了石塊。……但很明顯，這只是一場撤退戰。」

然而，各黨派雖然高舉著占領霞關的共同目標，但並未聯手起來與機動隊對抗，而只是在強大的機動隊面前各自遭到擊破。但在偶然之間，由於機動隊傾力於防衛霞關，一部分的遊行隊伍湧入了新橋及銀座，與近萬名群眾一同將銀座的街頭變成了約五小時的「解放區」，並放火燒了派出所。但是，這些最終也遭到機動隊驅趕，這一天被逮捕的人數達到了戰後最高的九百三十八人。東大、日大的全共鬥各自有約一百人被逮捕，遭受了巨大打擊。

週刊雜誌這麼報導了當天的情況：[219]學生們「一個接一個被驅散，去年十．二一〔新宿事件〕展現出來的力量不知去了哪裡。他們的『鬥爭姿態』也顯得軟弱。只要機動隊稍微前進，他們就馬上丟下旗幟與角材撤退了。」「反過來，機動隊顯得強勢。他們一面發出『噢、噢』的聲音，一面積極地向群眾發射催淚彈。大概是因為有了十．二一時群眾合作的教訓，連對人行道上的人們都用『滾回去』的怒吼來加以驅趕。」「於是，原先判斷的霞關解放區和首相官邸的占領都『告吹』。新橋的騷亂，也未出現同時多個騷亂頻發的情況。」

檢察廳的「消息通」這麼回應了週刊雜誌的採訪：「這次的情況很明顯是警方較為強大，學生方從一開始就呈現出敗北的跡象。」許多被捕者在事前都被黨派高層教導行使緘默權，但根據這個「消息通」的說法，「這次的特徵是女孩子（也就是女學生和高中生）與大學新生很多。」「有些人因為參加了遊行而被逮捕，一進入拘留室就放聲大哭了起來。這種情況別說是緘默權了，他們只要一被訊問就會批哩啪拉地講個不停，馬上就被釋放了。」「這次逮捕的人們，可以說整體上『比較沒有意識』。」實際情況據說是這個樣子。[220]

事實上，這次四．二八鬥爭的被捕者的確有很多女學生。根據警方的公布，被捕者中的女性有一百三十九人，超過了十四％，與新宿事件的約八％相比，有了急劇的增加。[221]

被捕者中女性和新生很多的原因雖然不明，但是可以推測，在安田講堂攻防戰等行動中大量遭到逮捕的黨派，動員了女學生、新生和高中生等人參加了鬥爭。雖然真偽未明，但根據當時的警視總監秦野章的說法，有一個黨派為了保留資深運動者，「只將女學生和新生推向前線。」[222]

此外，在「激盪的七個月」及安田講堂攻防戰的刺激下產生了非固定的參加者，似乎也是其中一個原因。根據報導，也有女學生明明就不是黨派的成員，但因為「為了確認自己身而為人，參加了七〇年安保粉碎」這種找尋認同的動機，就戴上中核派或社學同的頭盔參加了遊行隊伍。[223]

在非固定參加鬥爭的女學生中，也有因催淚瓦斯攻擊而一面哭泣，一面想著「不應該是這樣的」，卻對情況無能為力，在混亂狀態中「跟隨朋友們四處逃竄」時遭到逮捕的人。報導指出，這名女學生在經歷過拘留所生活以後，表示「再也不打算參加遊行了」。[224]

這天的街頭鬥爭受到了報紙和電視的報導，總體上來說，社會大眾的反應嚴厲。一般人無法理解，為什麼訴求沖繩返還問題的示威遊行需要佔領霞關或首相官邸，更不用說為什麼非得將銀座的街頭變成「解放區」，並放火燒派出所。大眾媒體上刊載了諸如以下的文章：「他們把沖繩的事情拋在腦後，只是反覆地從事暴力行為」、「即使在銀座正中心都交織飛舞著催淚瓦斯和汽油彈，即便樓高九層的建築物頂樓也飄散著催淚瓦斯，但還是有『假扮騷亂遊戲』的感覺。」[225]

曾作為特派員派赴沖繩的記者筑紫哲也，感覺這是場在「被眷顧的狀況」下的鬥爭。據筑紫所言，沖繩的反基地運動既沒有武鬥棒也沒有汽油彈。因為沖繩居民的對手是全副武裝的美軍，如果從事暴力行為很有可能會被射殺。在了解沖繩狀況的筑紫眼中，這種使用了武鬥棒或汽油彈的暴力鬥爭，只能是從未設想可能遭受警察射殺的，在「被眷顧的狀況」下的「富裕國家裡發生的事情」。[226]

社共兩黨都並未對這次的街頭鬥爭做出評價。兩黨在四月二十八日於東京建立了共鬥體制，在代代木公園舉行了一場主辦方宣稱有近一萬人參加的集會。對於新左翼黨派的街頭鬥爭，共產黨的統一戰線部長金子滿廣斷言，「他們沒有扎實的積累。破壞之後的未來展望是零。」社會黨的江田三郎也僅僅評論，「變成像是四．二八那樣的街頭鬥爭，對我來說已經無法理解了。在羽田、企業號、三里塚的時候，至少還有相應的目標。但現在怎麼看都已經不再是如此了。他們難道不是已經失去了踏實地好好處理問題的力量而變得自暴自棄了嗎？」[227]

當時是經濟高度成長的黃金時期，甚至被稱為「昭和元祿」。一位《週刊朝日》的記者在採訪新左翼黨派的學生們時，思考著「在這個昭和元祿的時代裡，他們追求的『激烈鬥爭』和創造出混亂的『邏輯』到底是從何而來的？」他向學生們問了這個問題。他們的反應是這樣的：[228]

社學同的其中一人，一副你怎麼連這種事情都不明白似地長篇大論道：

「現在正是對價值觀提出質疑的時刻。如果還是站在My Home主義的立場上，以個人的利益優先為基礎的話，日本的資本家就無法在國際性的競爭中勝出。他們正因此而感到焦慮。自民黨以自主防衛論，試圖再次煽起民族主義的高漲，但這也失敗了。立足於既存市民主義上的社共兩黨也受到了重大動搖，哪一邊都無法提出國民統合的方法。在這樣的情況之中，我們製造混亂、動搖既存的價值觀，並提出新的團結方法。那就是所謂無產階級專政的價值觀。」

……他們這個世代的人，將包括社共兩黨在內的議會制民主主義認定為既存秩序。他們認為，戰後曾稍有貫徹的「和平與民主主義」思想，已被體制方逐漸瓦解而變得空洞。他們自己明言，將對「和平與民主主義」提出挑戰。並且認為，在混亂中破壞所有既存的事物，將會創造出新的價值觀。他們的行動，就是為了達成這個目的的「突出的鬥爭」。

如果硬要翻譯這位學生的心聲，或許可以這麼說。在因高度經濟成長而造成的社會劇變中，既存價值觀正在動搖、「站在My Home主義立場上的個人利益優先」正在蔓延，也看不見「國民統合的方法」。他們在這種狀態中感受到閉塞感。所以，立志「動搖既存的價值觀，並提出新的團結方法」。這樣的心情，可以理解為他們對感覺到的「現代的不幸」的反彈。然而，他們提出的替代方案卻只有「無產階級專政」，這顯示出他們表現力的貧乏。

特別指出這點的是中島誠。他對於一九六九年四月二十八日的沖繩日鬥爭這麼說：[229]「在反代代木系學生運動的街頭政治行動中，已經形成了一種固定的模式。」「這在另一方面也對應著，社共統一的示威遊行無法脫離以整齊、大規模形式進行的模式化問題。」「我認為，學生運動，無論是黨派還是無黨派，也都已經到了應該擺脫運動的模式化、慣例化的時候了。」

這種意見並非首次出現。在新宿事件發生後不久的一九六八年十一月，《週刊Playboy》的記事中這麼描述：[230]「並不是想要對真摯的鬥爭潑冷水。但是，全學聯的各位，頭盔、武鬥棒與丟石頭這種方式，已經差不多開始顯得了無新意了吧？」秋田明大也在獄中筆記裡寫下，「我們有著要是沒有了頭盔、角材就不能鬥爭的想法，這是絕對必須克服的。」[231]

頭盔與武鬥棒這種風格，在第一次羽田抗爭中突破了機動隊的防線，在佐世保和王子則以前所未見的直接行動獲得了關注。然而，在一九六九年，和大學的街壘封鎖淪為一種模式一樣，武鬥棒與頭盔也變成了一種因循守舊的慣例。機動隊早已做好了萬全的應對準備，這樣的行動對社會的衝擊力也在下降。

即便在大學或街頭建立了暫時性的「解放區」，但也顯而易見沒有長遠的規劃展望。警視總監秦野章在四月二十八日的鎮壓後指出，「現在的學生運動，雖然與去年相比，今年在數量上很難說有減少，但從內容性質上卻有著很大的變化」，並作出了以下判斷：[232]

「運動處於縮小再生產的階段。」「並沒有在破壞之後重新建設的計畫。因此，他們的行動沒有目的。」「他們的行動已在客觀上像是漫畫、近似於遊戲。」「運動者們不可思議地過於執著於黨派，規模小，自我本位。如果是為了革命，理應拋開派別之間的多少會有的分歧才是，但在現實上連這種相互配合都並未發生。」「這是人類試圖登陸月球的時代。當宇宙時代來臨時，新的哲學家和思想將會出現才是。在那樣的時代中，過往的革命理論沒有道理得以繼續適用。」「從歷史的巨流來看，現在的學生暴力事件就像是浮在水流中的泡泡。因為它是泡泡，所以注定有一天會消失。」

然而新左翼各黨派堅決不接受失敗，而是將四．二八鬥爭定位為一定程度的勝利。一位中核派幹部在週刊雜誌上如此表示：「這次鬥爭最大的成果，第一是反戰青年委員會進行了武裝，站出來對抗了國家權力。第二，我們這些新的左翼各派在採取共同行動上大致獲得了成功。四．二八鬥爭將會進一步發展出五、六月新的鬥爭的爆發。」[233]其他黨派的看法也幾乎相同。

各黨派的機關報上，刊載了在「四．二八鬥爭」中自家黨派的部隊表現活躍的文章。這些就彷彿舊日本軍的「大本營發表」一樣。這種傾向，在之後的街頭鬥爭的連續敗北中，將變得更為顯著。

街頭鬥爭的接續敗退

一九六九年六月十五日的樺美智子追悼紀念日上，以越平聯為中心的六月行動委員會集結了約七萬人，舉行了非暴力集會和遊行。在四・二八鬥爭中消耗殆盡的幾個新左翼黨派也在這一天參加了非暴力遊行。

然而，機動隊對非暴力遊行也進行了管制。自從新宿事件以後，將群眾和遊行隊伍隔開成為了絕對的方針，機動隊驅趕了沿路看熱鬧的觀眾。當時的《朝日Journal》報導，「以交通管制為藉口，『請不要原地停留』這句話在任何情況下都可以聽到，頻率多到幾乎可以寫進字典裡。這就是機動隊對市民打招呼的方式。」[234]

十月十日，這一現象變得更為顯著（山崎博昭死亡的十月八日在這一年是平日，因此在十月十日舉行了集會和遊行）。越平聯擔任了中介角色，新左翼各黨派和市民團體集結在明治公園，參加團體的數量達到了歷史新高的四百零一個，主辦方公布共計有十萬人（警方說法為兩萬二千人）參與了非暴力的遊行。[235]

然而，新左翼各黨派對全共鬥的控制，已經是誰都能清楚看出來的事了。根據越平聯的機關報，「全國全共鬥在十月十日時，以中核派霸權所掌控的全共鬥軍團及各派軍團的形式站到了大眾的面前」，「應該負責鬥爭的各大學全共鬥變成了各黨派全共鬥，除了大學立法鬥爭這個唯一的核心鬥爭以外，各學校所有的街壘封鎖、罷課，都配合著各派的政治時程進行。」[236]參加這個集會的中大全共鬥，甚至是以社學同的中大全共鬥、ML同盟的中大全共鬥、無黨派的中大全共鬥個別參加的方式出現。[237]

這天，警察毫不寬容。首先，在明治公園的入口設有機動隊員的檢查哨，想要入場的人全部都必須接受手提物品的檢查。當時的報導如此描述：[238]

「一名穿著運動鞋的年輕女子突然被兩名警員抓住手腕。『你們想幹嘛？』『讓我看一下妳包包裡的東西。』『是溜冰鞋，為什麼我一定得要讓你看？』兩名警員抓著出言反駁的女子的手腕，強行拉開了她包包的拉鍊。裡面果然只有溜冰鞋。警員連一句道歉也沒有，邊說著『這次換那一個，那一個』邊跑向了其他學生」。「在霞關，有一對帶著約三歲男孩的夫婦遭到了攔查。警察針對爸爸拿著的布袋來回爭論著『給我看看』、『我不給你看』。『如果不讓我看就不能進去裡面。』『有這種規定嗎？這是誰的公園？』」

這種行李檢查，是沒有令狀不得進行的非法行為。一名上班族試圖拍攝事發情況，結果被一名機動隊員怒吼著「你這傢伙在做什麼！」並衝向他用警棍毆打。同時，便衣刑警們則毫無遺漏地拍下了參加者的顏面照片。[239]在這天結束後不久，日本律師聯合會發表了抗議文，其中這麼描述：[240]

「十月十日在明治公園、日比谷公園等地進行的盤查中，對於每一位通行的人，武裝的機動隊員排成兩列，形成了一個通道，威嚇行人從該處通行。他們封鎖了集會入口作為攜帶物品檢查所，強行檢查攜帶物品，並以武力阻止不接受檢查的人通行。他們扯下行人的眼鏡、把手伸進婦女的小型手提包中，對於要求說明盤查理由的人，警察稱他們『傲慢』，並將他們拉出行列，或是動手推擠他們的身體，甚至拉著他們的手帶回派出所檢查。警察並未明示身分及姓名，不管是誰的態度都高壓且極為蠻橫。如果有人抵抗，就會被當成妨礙公務執行的現行犯逮捕。這些事實已得到確認。」

日本律師聯合會認為，「以上的事實明顯違反了警職法第二條第一、二項」，並提出抗議。然而，警方的強硬態度在此後卻不斷升級。接著，在明治公園，為了防止學生們拆下鋪路石拿來當成投擲用的石塊，以臨時工事鋪上了瀝青，並在上面再撒上了一層土。另外，為了將附近的居民與集會參加者隔離，警方據說事前在公園附近的住宅區發放了如下內容的傳單：[241]

「十月十日，在代代木、明治公園，數萬名暴力學生、反戰青年委員會將舉行集會和遊行，預計將發生投石、汽油彈等混亂情況，請拜託配合。處理掉石頭、空瓶、木棒等物品。請勿在路邊停車。請勿接近混亂現場，關好防雨遮板。」

此外，警方也在這個期間之前，解除了過去學生們用來召開事前集會、組成隊伍朝著中央集會出發之據點的大學街壘，並做了事前搜索，使得學生們無法集會。法政大、明大、東大文學部等校都成為了此一行動的目標，當天學生們別無選擇，只能各自前往明治公園集結。

一位某新左翼黨派的領導人在接受雜誌採訪時回答，「可能已經不再會有於大學校園內召開誓師集會，然後組織隊伍前往目的地的形式了。」另外，當時的報導這麼描述：「一位學生說：『我是看報紙知道今天的集會的。』他已經被〔所謂大學這個〕鬥爭舞台封鎖在外，長期鬥爭使他感到消耗而在租屋處無所事事，想要在這次的集會中找到這種不知如何是好的焦躁感的出口，所以跑了過來。」[242]

既存的革新政黨和工會，對於身為新左翼黨派死者的山崎博昭的追悼紀念集會態度冷淡。包括總評在內的既存工會，對反戰青年委員會等工人下達了「不准參加」十月十日集會的指令，據說「採取了利用下層幹部對參加者施壓的態度。」另外，全電通等也發布了「參加者將被排除在犧牲者救援對象之外」的方針。[243]

遊行的路線也被警方施加管制。在事前的申報中，遊行申請經過國會、首相官邸、美國大使館等地，最後在東京站八重洲口解散。然而，東京都公安委員會只批准了在朝國會方向的路口右轉，然後在日比谷公園解散的路線。[244]

下午四點半，遊行以非暴力方式出發。然而才剛從會場出來，就被守候在青山通上的機動隊將遊行隊伍擠壓至道路左側。「高速公路下的寬廣十字路口，硬化鋁合金的盾牌密密麻麻地並排著，幾乎連一隻螞蟻出入的空隙都沒有，在那背後的是厚厚的機動隊人牆，再後面是高壓水車，形成了極其森嚴的布陣。」[245]

就算在參加團體中，機動隊也特別針對了全國全共鬥的隊伍施加了嚴格的管制。根據當時的報導，遊行隊伍的寬度被限制在五人以內，機動隊把赤手空拳的全國全共鬥隊伍「壓到護欄邊、驅趕到人行道上，或者進行長時間壓制，讓便衣刑警確認他們的面孔。甚至還屢次拿著大盾牌到處推擠。警察指揮車的喇叭只不斷地重複著『如果對警察進行暴力行為，將以妨礙公務執行的罪名逮捕。』遊行隊伍一邊流著血，一邊一次又一次地重新組成被摧毀的陣形。」[246]

這一天，雖然只是非暴力的合法遊行，還是有七十九人遭到逮捕。[247]雖說是沒有暴力行為的遊行，但卻已不再是市民可以輕鬆參加的氛圍了。在遊行出發前的集會上，越平聯的事務局長吉川勇一甚至在演說中說道，「就算萬一被抓了，因為救援活動已經忙不過來了，最初的四天三夜（拘留期間），我想律師應該無法去看你，請做好這樣的準備。」聽到這個，原本以為是場沒有暴力行為的遊行，所以輕鬆前來參加的「身穿迷你裙、手提包包的女孩們面面相覷。」[248]

由於管制的加強，就算這次十月十日的集會和遊行是非暴力遊行，因而聚集了與六月十五日幾乎一樣甚至更多的人數，參加者還是留下了不滿。當時越平聯的一位成員記載，「大部分的人應該都帶著某種不舒坦的感覺回家。並沒有解放感。」[249]

然後在十月二十一日的國際反戰日，新左翼各黨派開展了全面的街頭鬥爭。全國全共鬥在十四日宣布「十·二一日的鬥爭中，將以新宿、東京、御茶水的國鐵三站為據點，展開首都制壓鬥爭。」各黨派也喊出各式聲明，「堅決進行對武裝中央權力、政府中樞的壓制」（共產同）、「在新宿（或東京、御茶水）總集結，朝首相官邸進擊」（中核派）、「全面奮起進行據點政治罷工與政府中樞壓制鬥爭」（FRONT）。[250]

在此期間之前，無黨派的勢力弱化，新左翼黨派掌握了全共鬥運動的主導權。當時真繼伸彥認為，一九六八年的日大鬥爭與東大鬥爭的特徵，在於無黨派凌駕在新左翼黨派之上。他以這樣的看法，進一步指出，[251]「日大、東大鬥爭的敗北以後，隨著〔一般學生的〕參加者的驟減，兩者〔新左翼黨派與無黨派〕的地位再度逆轉，黨派又一次掌握了主導權。〔昭和〕四十四年十月二十一日的國際反戰日前後，無黨派甚至弱化到無法組織獨立的遊行，如果不戴上代表著各黨派的五顏六色的頭盔，甚至連遊行都無法參加。」

然而十月二十一日的街頭鬥爭，卻以比四月二十八日還慘的完全敗北收場。警方以前一年十月二十一日分別在國會、防衛廳和新宿遭受分散攻擊而疲於奔命的經驗為教訓，採取了新的戰略編制。也就是，在都內各地區配置部隊進行區域性防禦，並機動性投入警視總監直屬的預備隊的雙層式警備編制。機動隊也大幅擴大，以全國動員七萬五千人，東京警視廳管轄下動員二萬五千人的動員態勢準備迎戰。[252]

對於群眾，警察也準備了萬全的管制對策。他們向社會大眾徹底宣傳了十月二十一日激進派將會到來一事，當天東京都內的汽車交通量下降到平時的三分之一、下午兩點左右上班族也被要求提前下班回家、電車幾乎都是空車狀態。新宿站被厚達五釐米的鐵板遮覆，東京站的電車資訊看板也全數被卸除。

曾為越平聯運動者的山口文憲如此描寫當天新宿站的樣子：[253]「新宿站國鐵月台上，從一號線到十號線，別說是電車了，連個人影都沒有。車站遭到完全封鎖，出入口與地下道的鐵捲門都被降下。我繞了遠路去看東口，在那裡，就像去年民眾做的那樣，今年壓倒性多數的機動隊，以一整片的青藍色佔滿了廣場。」

警視廳還從美國引入了「CR（Community Relations的簡稱）理論」。這種理論要求在各地建立與警察合作的自警團體。[254]擔心在遊行示威時商店遭受破壞的商店會和町內會，都配合了這個作法。

十月二十一日下午一點的御茶水站，已經幾乎看不到一般乘客的身影，滿滿都是機動隊員，並播送著警方廣播：「來自XX警察署長的警示。在神田出現了學生包圍一般行人的情況。因為很危險，請橋上的人盡快移動。」在新宿歌舞伎町的商店街，也播放著這樣的廣播：「來自歌舞伎町商店會的公告。新橋商店街現在正在遭受縱火。看起來汽油彈會集中攻擊仍在營業的商店。因此，請在下午四點關店保護自己吧。」[255]雖然這些都是造謠的假消息，卻足以產生將群眾從遊行隊伍引開的效果。

此外，警察還再度澈底執行了一次曾在十月十日進行的據點校摧毀行動。在被稱為「清空作戰」的戰術下，機動隊在十月二十日一大早，進入了立教大、東京農工大、國際基督教大等地，二十一日一早，則進駐了法政大、東大、青山高中等地。

當時的報導如此描述了這種狀態下無黨派學生的情況：「全共鬥的全國性組織，本應由無黨派為中心組成的，但實際上變成了黨派的『隱身斗篷』，無黨派失去了可容身之處。」「在大學，機動隊的引入成為日常，運動只剩下街頭這個戰場。」「為了表達『反戰』、『反安保』的主張而走上戒備森嚴的街頭，卻不知道該去哪裡的高中生、年輕勞動者的身影格外醒目。」[256]

這些學生們，只能加入新左翼各黨派的隊伍。但各黨派依然是分散著在進行鬥爭，從而遭到機動隊逐一擊潰。全國全共鬥雖然高喊出以新宿、御茶水、東京等地作為據點的行動，但只不過是將各黨派的行動以最大公約數方式整合而已，各黨派還是各行其是。當時的報導評論，「作為黨派聯合的全國全共鬥，在十．十時已經失去實體，到了十．二一，甚至連名字已模糊難辨。」[257]

多數的新左翼黨派也因為管制而處於無法組織遊行隊伍的狀態。據報導，「光是試圖衝擊警備缺口的游擊戰就讓各黨派疲於奔命了。就算是這些發散式的游擊戰，也都遭到壓倒性警力阻擋與驅散。」[258]立花隆也在採訪中敘述，「十．二一國際反戰日，如預期般發展成了都市游擊戰。以十人為單位的學生突然出現並投擲了汽油彈，但實際上，丟下頭盔和武鬥棒蒸發在群眾中這種形式的行動佔了絕大部分。」[259]

雖然也有些新左翼黨派成功組成了遊行隊伍，但像是一面高喊著「神田解放區」，一面朝向御茶水行進的一支共產同的隊伍，在還沒抵達目的地之前的神田站附近，就被機動隊打散了。主張東京集結的ＦＲＯＮＴ與無產階級學生同盟，雖然試圖從築地前往官廳街，但卻被機動隊趕進築地的魚市場，許多人直接就地遭到逮捕，或被與警方合作的魚市場的「年輕人們」擊倒。革勞協（社青同解放派在一九六九年九月更名）的學生組織反帝學評，雖然派了幾名「敢死隊」到日本生產性本部、日經聯、ＮＨＫ等地，但最終只造成了暫時性的混亂。

為了重現一九六八年十月二十一日的情況，中核派和ＭＬ同盟以新宿為主要據點展開了行動。但是，進入新宿站內的中核派約三百人，一瞬間就全部遭到機動隊逮捕。中核派剩下的其他人未能靠近新宿，而是佔據了高田馬場站周邊。這些人再加上ＭＬ同盟和革馬派等，以明治通為中心，在戶塚、西大久保附近與機動隊發生衝突。[260]然而，並沒有發展成像去年的新宿事件那樣，將許多群眾捲入其中的騷亂。

新左翼各黨派都從地方大學動員了運動者，但對東京地理不熟悉的他們卻在都內來回奔波。於一九六九年六月加盟赤軍派，並在十月二十一日從弘前大學來到東京的植垣康博，由於赤軍派無法組織遊行，所以參加了第四國際的遊行，他這麼回憶：[261]

……電車在武藏小金井站停了下來。從那裡，我們沿著鐵路朝著新宿走了一段時間，但開始下起雨來，變得很難行走。……

因為我們持續跑了相當長的一段時間，所以搖搖晃晃地感到筋疲力盡，還加上被雨淋得全身濕透。當天色開始變暗時，我們與中核派的大部隊匯合，從而知道已經接近新宿了。從那裡開始，我們一面反覆與機動隊展開激烈的攻防一面前進，因為猛烈的催淚瓦斯，眼淚從來沒停過。我們在路上推倒車輛，製造街壘，不斷與機動隊發生衝突。身上的汽油彈等很快就用完了。雖然我們一點一點地前進了，但也因此有越來越多的人遭到逮捕，人數越來越少。第四國際的部隊也受到機動隊的突擊，一下子變得零零散散，這時，我發現弘大的藤村被抓了。……

完全不熟悉東京地理的我，根本不知道自己在哪裡，大家都朝哪裡去，攻擊目標是什麼。只能加入一個個接連出現的遊行部隊前進。接過汽油彈一起突擊，一起投擲石塊。當遭到機動隊突擊而無法再撐下去的時候，我把頭盔和其他東西全都丟出去，逃進了人行道上滿滿的「圍觀者」之中……

就算是這樣，還是沒有什麼能比各個黨派的鬥爭部隊零散地各自行動的情況還要糟糕了。這樣下去，不管再增加多少人，都不可能會有足夠的力量壓倒機動隊。

最後，植垣也遭到逮捕並被送往拘留所。根據他的回憶，「十‧二一鬥爭的被捕者幾乎都是學生。大半數的學生是地方大學的學生，比較遠的除了弘前大學的我以外，還有北海道大學與山口大學的學生。……我發現他們也像我一樣，在大學鬥爭進行一半就被動員過來。不只這樣，他們也因為不熟悉東京的地理，像我一樣到處亂走而在最後被逮捕」。262

第四章中，時為新宿高中學生的坂本龍一在參與遊行時的打扮費了心思，「背上小背包後，沒來由就給人一種從鄉下出來尋死般意志堅定的感覺（笑）」、「總感覺很帥啊」，他描述的就是像植垣這樣的學生。但對於被從地方動員而來，在黨派的命令下與機動隊發生衝突的學生來說，被像坂本這樣，對事情一無所知的都心高中生認為「很帥」，可能只是徒增困擾而已。

雖然被機動隊厚實的警備壓制著，但在新宿等地還是形成了暫時性的「解放區」。然而，被捕的人數超過了四月二十八日，高達一千二百二十人，這對於新左翼黨派來說是一次很大的打擊。

在這種情況下勇敢鬥爭的，據說是反戰青年委員會的遊行隊伍。相比許多是輕鬆地來參加鬥爭，一旦情況危急就逃跑的學生，要是被逮捕就有可能遭到解雇的反戰青年委員會的工人們，參與鬥爭的覺悟截然不同。

立花隆這麼書寫反戰青年委員會的戰鬥狀態：[263]當機動隊衝進遊行隊伍時，「學生的部隊往往會混亂地潰逃，然而，杉並反戰的部隊，即使有半數人逃跑了，另外一半還是會站穩腳步，揮舞著武鬥棒迎戰機動隊。」「在高田馬場附近，最勇敢地戰鬥的是反戰青年委員會的成員。當他們趕到快要被機動隊壓制的學生們的戰場時，他們會站立在前方揮舞著武鬥棒，有時甚至成功地扭轉了局勢。」但是，面對全副武裝的機動隊，遊行隊伍毫無勝算。立花如此記錄了他們遭到盾牌與警棍毆打、被銬上手銬、被拍下當成證據的照片並遭帶走的樣子：[264]

> 被捕者被從軌道線路中拖到旁邊的道路上。等在那邊的便衣刑警，一個個地拍下了每一個人的照片。在黑暗中，臉上沾染了血與泥濘的年輕男子，在一瞬的閃光燈下浮現又消失。有的人一面肩膀起伏地大力呼吸，一面朝這邊緊緊地瞪著。有的人低著頭吸著鼻子，不知是不是在哭。……有個人，當便衣刑警扯下他頭盔時，還猛然給了他一記耳光。在他抬起憤怒的面孔的瞬間，閃光燈閃了起來。看到他的臉時我吃了一驚。那是一名女性。

不只是反戰青年委員會，學生的部隊中也混有女性。這也是根據立花的描述，當天在戶塚方面，男性的遊行隊員拋下頭盔並混進人群中逃跑後，一位負責收存頭盔的年約十六、七歲的反戰青年委員會的中學畢業女性從業員，因為阻止試圖奪取頭盔的機動隊而遭到逮捕。[265]

總體來說，這一天的街頭鬥爭也是全面敗北。《朝日Journal》如此評述了當天的鬥爭：[266]「這一天，大量使用的汽油彈是在去年十月二十一日未曾見過的。已經被逼入絕境，除了這麼做沒有別的辦法了。這種認為只有自己才懂的悲壯感在各黨派之間都能感覺到。但是，使用汽油彈與機動隊產生衝突，或是在新宿、戶塚建立暫時的『解放區』，這些都帶有一種似乎只是以行為自身為目的的虛無感。」

而且，這樣的行動未能引起一般市民的共感。如前所述，四月二十八日社會黨書記長江田三郎所說的「在羽田、企業號、三里塚的時候，至少還有相應的目標。但現在怎麼看都已經不再是如此了。他們難道不是已經失去了踏實地好好處理問題的力量而變得自暴自棄了嗎？」這樣的觀點，或許是一般大眾反應的最大公約數。

相反地，因為自己的住家或商店遭到破壞，車輛被翻倒當成臨時街壘而感到反感，於是參加了協助警察的「自警團」的市民增加了。當時還是年輕社會學者的見田宗介這麼寫道：[267]

> 六九年十．二一國際反戰日的隔天，在尖峰時刻的國電上，我前面的幾個看似和善的上班族彼此閒聊道：
>
> ——那種示威遊行造成的損害，保險好像不會賠。
>
> ——這麼說來，我們這邊也不管做什麼都可以吧。即使殺了他們也沒關係……那是他們自作自受。

他在說出「即使殺了他們也沒關係」之後屏住了呼吸，然後在爽朗地補上了「那是他們自作自受」後，他們的對話平淡地繼續。

另一方面，社會黨與共產黨勢力下工會之間彼此反目的情結依然深刻，最後好不容易在一日限定的共鬥合作下，於代代木公園舉行了約六萬人的集會與遊行。除了這個社共遊行以外，只有越平聯主辦的非暴力遊行獲得了警察的許可。這個社共遊行，因為機動隊正忙著因應對於黨派的警備，所以安穩地結束了。然而，社會黨提出了「十．二一只是『一日共鬥』，沒有持續性共鬥的現實可能」這樣的看法。[268]

在壓倒性警備編制的前面，自覺缺乏從正面直接對抗力量的新左翼黨派，開始「頻繁使用『游擊隊』這個詞彙」。但當時的報導如此評論，[269]「幾乎找不到對游擊隊來說不可或缺的『民眾之海』，從任何意義上來說，它都不可能產生政治性的衝擊（或效果）。」

就這樣，一九六九年十月二十一日以警方的完全勝利告終。既使是這樣，中核派等團體仍以「就算在如此澈底的警備態勢中，還是證明了隨時都能發揮在一定的時間內癱瘓大東京機能的『威力』」為由，召開了記者會表示，「從軍事的觀點來看，這是一次相當大的成功」。[270]新左翼各黨派因為已經計畫於十一月全力展開阻止佐藤榮作首相訪美的鬥爭，為了不讓下層組織成員的士氣下降，無論如何都必須發表樂觀的聲明。

「武鬥棒與頭盔」時代的終結

十一月佐藤首相訪美預定的議題為，一九六〇年修改的安保條約是否要在經過十年後自動延長，以及關於沖繩返還的條件。訴求阻止安保的各黨派，將這次阻止佐藤首相訪美的行動，定位為「七〇年安保」的實質性決戰。

例如，中核派在七月的全國大會上決定，「為了十一月阻止首相訪美鬥爭，必須排除萬難做好鬥爭的準備並完成戰鬥配置。」該派的機關報《前進》寫道，「十一月是決戰……必須明白地分出勝負」，並呼籲以十萬武裝軍團及百萬民眾的力量「將八千機動隊打個粉碎」。[271] ML同盟的機關報《赤光》也以「如果我們自身不體現戰爭本身無情的本質，那麼我們就永遠無法取得勝利」，主張與機動隊的澈底鬥爭。[272] 其他的黨派也在九月五日全國全共鬥成立時的演說上，一致高喊著「十一月決戰」。

然而，警察做好了比十月二十一日還要森嚴的警備態勢。十月二十八日，警視副總監下達了在有使用爆裂物的情況下，可以毫不猶豫地使用手槍的指示。[273] 同時也透過各地町內會傳閱告示，警告一般市民「激進派」將有可能使用汽油彈或炸彈的宣傳活動，並敦促成立自警團。

此外，警方也對各黨派從地方動員到東京的運動者進行了澈底的檢查。例如，十一月十四日從京都站出發的反戰團體的兩輛巴士，在名神京都東交流道，所有人被要求下車並排成一列縱隊，進行了身體檢查和車內搜索。接著，隔天中午在東名高速道路的東京側入口，所有人也都接受了身體檢查，並被拍攝了顏面照片。[274]

十一月十六日，為了阻止佐藤訪美，試圖前往羽田機場的新左翼各黨派，在蒲田站前等地受到了機動隊的澈底管制。面對在中央司令部底下自由調度的約二萬五千名警察，各黨派和各大學全共鬥的動員數為一萬人左右，他們一如往常被各個擊破。[275]稍微具體一點的描述如下。

首先，從十一月十六日下午三點半左右，新左翼各黨派的部隊開始前往京濱東北線的蒲田站。然而，在四點二十分左右到達蒲田的中核派約四百人，在壓倒性強勢的機動隊面前，不到二十分鐘就被擊潰。反帝學評因為在東京站遭受管制，失去了大部分的部隊，剩下的人於六點半到達蒲田，但很快就被打敗。ML同盟約五百人才剛在品川站前集結就遭到了管制，其餘的人雖然步行朝著蒲田前進，但在八點過後於蒲田站附近被驅散。由於赤軍派分派而分裂的共產同，不管哪一派都無法組織出完整的部隊。[276]

結果，中核派的約四百人成了抵達蒲田最大的部隊，其餘各派陸續以一百到兩百人的規模到達蒲田後便遭到擊敗。他們也完全沒有獲得來自群眾的支援。《朝日Journal》如此記錄著當天蒲田站前的模樣：[277]

> 在新宿騷亂中自然形成的大型「共鬥」群眾——警備方所說的「有意識的群眾」，在蒲田站前並沒有出現。在鬥爭高峰的十六日下午四時到七時左右，東口、西口的廣場上聚集了數千名群眾。其中也有許多在這一天為了避免嚴格的檢查而沒有戴上頭盔，聚集來到蒲田的學生和反戰勞工，每當有戴頭盔的集團出現時，他們都會報以掌聲，當中後來加進隊伍裡的人也不少。
>
> 但是，在新宿鬥爭中讓機動隊倍感棘手的大型群眾「共鬥」行為，在此刻幾乎沒有出現，因此機動隊也得以輕易地區分出鬥爭者與非鬥爭者。事態慘烈到讓決意旁觀的群眾不小心脫口說出

「這簡直就像是宮內廳御獵場」的嘆息，每當〔黨派的〕戰鬥部隊朝著廣場出擊時，就會立即被深藍色的制服集團迅速壓制，轉眼間他們的人數不斷減少。這種情況一次又一次地重複上演。

當學生與反戰工人好不容易從機動隊那厚實的牆中逃脫出來後，等待著他們的，卻是由當地町內會以身強體壯的年輕人為中心組織而成的「自警團」的牆。

以蒲田站為中心的蒲田、羽田、荻中三個地區五十個町的町內會徹底組織了「自警團」。《東京都防衛協會會報》於一九六九年十一月二十五日號上如此描寫了頭戴黃帽、繫有臂章的自警團的「活躍」行為：[278]

頭戴頭盔、臂上綁著町內會的臂章，也有人穿戴著捕手的面罩與護具全副武裝的人。手上拿著球棒的整支町內棒球隊。也有以劍道護具防身，手持不是竹刀而是木刀的劍士。「沒看過的人，一個也不讓他們進入町內」，他們在屋頂和街角設立監視站，拿著無線電和町會事務所保持聯絡。

距離國電蒲田站北側約一百公尺的飲食街，魚販頭上繫著鉢卷，穿著長靴，手握木刀，展現出森嚴的警戒姿態。

幾名白色頭盔的激進派跑了進來。隨後，五、六道汽油彈的火柱燃起。「這個傢伙」——手持木刀的青年衝了上去。白色頭盔的男子最終也只能用手緊抱著頭。

接著，數十名反帝學評、反戰青年等一群人湧入商店街時，自警團的人巧妙地將他們引導進了狹小的巷子中，再向機動隊通報後將其一網打盡。「不管怎麼說，他們妨礙了我們做生意」，自警團的成員向暴力集團投以激烈的話語。

這種居民們的情緒，或許與「自己的國家由自己來守護」的氣概相通吧。

機動隊與自警團的合作，也對群眾產生了效果。《朝日Journal》如此報導了蒲田站前的模樣：[279]

從步道中的群眾中傳出「國家暴力團滾回去」、「暴力機器人」等等憤怒的叫囂時，機動隊沒有坐視不理，而是臉色大變回應「是誰」、「給我出來」。

數名像學生的人各自逃跑。機動隊員追趕他們。當人們以為他們將以些微的距離成功逃脫時，從昏暗的小巷中突然跳出來擋住去路的幾名自警團成員，用絆腿和撞擊襲擊了那些看似學生的人。

三個人最後被抓住，並被交給趕到的機動隊員。「辛苦了」、「不，你們也辛苦了」、「今天已經是第三次了吧」——在充滿慰勞的相互往來問候中，甚至散發出某種「連帶意識」。

這種警備態勢使新左翼各黨派一籌莫展。能夠到達蒲田的人就算是不錯了。由於各地的盤查，「抱著被逮捕的覺悟從全國各地前來東京的工人，有大半都無法到達蒲田。即使有幾組終於到達，他們也在途中遭遇電車停止而被迫步行，並多次遭到機動隊驅趕。再者，面對戒備森嚴的自警團，許多人都丟棄了頭盔來『自衛』。當他們到達時，已經是暴力行動結束之後的九點多了。」[280]

相當於全共鬥殘黨的多數無黨派學生，只能要麼參加越平聯在日比谷野外音樂堂舉行的抗議集會，要麼獨立前往蒲田。幾乎所有大學的全共鬥都已遭到摧毀，根據報導，「大部分來到蒲田的無黨派就算回到學校也已經沒有事情可以做了」。然而「沒有『武器』的他們除了在旁斥責機動隊以外，其他一點辦法也沒有」，甚至只是如前述那樣在一旁叫囂便遭到逮捕的例子也不少。[281]

一位以山崎博昭之死為契機參加反戰運動的青年，這麼描述當天的感想：[282]「我想多數在蒲田鬥爭的〔青年〕工人與學生，一定以身體痛徹地感受到了所謂『蒲田是工人的城鎮，工人一定會與我們並肩而戰，前往蒲田與工人們一起阻止佐藤訪美吧！』這種〔黨派〕用以煽動的操弄伎倆才是。我認為，這種『操弄伎倆』宣告了六〇年代新左翼運動的終結。」

新左翼各黨派在「秋季決戰」中受到了重大打擊。一九六九年秋天的街頭鬥爭被捕者超過四千人、被起訴者超過六百人，這是歷來最高的數字。約半數的被告，是在職場組織反戰青年委員會，或單獨加入地區反戰等組織的青年工人，其中九成是中核派。他們被從職場中趕出來，中核派因此幾乎完全失去了勞動現場的立足點。[283]除了重視組織建設而避免街頭鬥爭的革馬派之外，其他各黨派的情況都大同小異。

不只是上述的青年感覺到以頭盔和武鬥棒為象徵的街頭鬥爭在一九六九年十一月結束了，越平聯的運動者山口文憲，在目睹了這一天蒲田站附近的模樣後，在越平聯的機關報上這麼寫著：[284]「這場的勝負已經很清楚了。」「我看著約一百五十名雙手分別緊握著一瓶汽油彈的反戰青年委員會部隊，最早從蒲田站內走到站前廣場上登場時的景象，這是從一九六七年的羽田以來，持續不斷的激動循環即將告一段落的預感痛切地成真的時刻，對於見證這個場景的自己，我感到難以接受。」「就我方與敵方的力量關係而言，雖說這一天早晚終將來臨是不言自明的事情，但我還是有種它的來臨形式未免也太過簡單的感覺。」

山口在同篇文章中寫道：[285]

……學生的街頭武力鬥爭，從結論上可以說已經完全陷入了困局。武鬥棒變成了鐵管，最近汽油彈變成了一般性的武器，甚至還出現了小型的炸彈。這些情況，意味著這個階段鬥爭中的戰術已經到達了終點。……接下來剩下軍事性戰術階段，象徵性地說就是「偶然的死亡變成必然的死亡」的鬥爭，也就是真正意義上的武裝鬥爭。

截至今日，對手與我方都在不要變成互相殺害的極限上，有共識地展開「武裝鬥爭」，雖然根本上存在著矛盾，但站在群眾性的基礎上，若要引發哪怕只是一點點超越現下形式的鬥爭也好，即使算盡了一切所有可能的情況，那都沒有任何實現的可能。再考慮到敵我兩方在力量上的明顯不均衡，繼續當前這種以街頭鬥爭為中心的戰術似乎也沒有什麼「展望」。因此，現下的問題就只能是，接下來應該在什麼方向上打開突破口。

如今，武鬥棒與汽油彈的街頭鬥爭已經完全達到了極限。就算是得到警察許可的合法非暴力遊行，也遭到了機動隊的澈底管制。十一月十五日，為了聲援日大鬥爭的日大家長會與律師團、市民團體等約一千五百人舉行了非暴力的遊行，但根據參加者的描述，「當天，在機動隊用大聲到離譜的麥克風音量重複地說著『走，向前走，前進，快點前進』的催促下，我們只能含著眼淚行進。」[286]

在十一月的阻止佐藤訪美鬥爭中，岡山大學生糟谷孝幸在十三日大阪的示威遊行中喪生。死因是頭部遭受撞擊。警方宣稱是被其同伴丟擲的汽油彈擊中所致，而律師方則主張是遭到了警察以警棍毆打致死。[287]然而，他的死並沒有引起如樺美智子，甚至如山崎博昭的死亡那樣的反響。在示威中的死亡，早已變成了司空見慣的事。

而且新左翼黨派之間的武裝內鬥也變得越來越激烈。一九六九年十一月，在日比谷野外音樂堂，針對東大審判的集會中，革馬派和其他黨派之間約有兩千五百人以竹竿與投石展開了亂鬥。十二月糟谷孝幸的「人民葬」中，同樣是革馬派和其他各派約一千五百人發生亂鬥，造成五十人受傷。十二月，中核派在全學聯大會上，將革馬派定義為「武裝反革命集團」與「第二民青」，另外由於革馬派在三里塚的野戰醫院內引發了武裝內鬥事件，所以也遭到三里塚反對同盟斷絕往來。[288]

這種武裝內鬥的相互回擊，對於與市民團體合作也帶來了不良影響。曾任越平聯事務局長的吉川勇一，這麼記述各黨派與市民團體聯合召開糟谷孝幸葬儀集會準備會議時的景象：[289]「因為前一天革馬派與其他各派之間誇張的武裝內鬥，所以反映出了險惡的氛圍，這讓市民團體的參加者感到相當厭煩。」

警察將示威抗議與群眾分離的策略成功，如今群眾支援抗議的相關新聞也已經消失。在十一月阻止佐藤訪美鬥爭結束不久後的一篇雜誌報導上這麼描述：[290]「在這次『激進派』學生與工人相關的報導中，其特點是，關於（可能是）來到他們行動現場圍觀的『群眾』的報導，幾乎消失了蹤影。即使是有這樣的記事，使用的也不是『群眾』，而是僅使用『市民』、『一般市民』或者『居民』這樣的文字，並只被否定性地用在如〈臉色蒼白的市民〉（《每日新聞》）、〈憤怒而聲音顫抖的居民〉（《讀賣新聞》）的標題中。」

最終，十一月的阻止佐藤訪美「決戰」，只在使新左翼一方遭受了重大打擊之下結束了。光是十一月十六日，在東京的被捕人數就有一千六百八十九人，全國則有一千八百五十七人。就算在鬥爭結束後的十七日，東京也有兩百五十二人、全國有二百八十八人遭到逮捕。[291]而且，「秋季決戰」的打擊，導致各地全共鬥的運動者大量遭到逮捕，對正在衰退中的全共鬥運動造成了最後的一擊。島根大學的一位學生，在十二月的雜誌投稿中如此描述：[292]

以二月四日縣警鑑識車侵入校內為開端的島根大學鬥爭，發動了島根大學有史以來首次的全校罷課，並進一步發展成街壘封鎖。但五月二十四日，遭到民青、右翼和職員解除了封鎖，所有提出的問題都在模糊之中被掩埋了起來，最終在八月四日，鑑識車入侵的整整六個月後，全校的課程重新開始。

在那之後，全共鬥被高喊著十一月決戰的黨派完全私有化，試圖藉由保釋重返鬥爭的無黨派被稱為「校園主義者」而遭到排擠。接著，十・二一到來。黨派也帶領著眾多無黨派前往東京。然而，他們什麼都還沒做，就全都被送進了拘留所。……對於這些對校內問題置之不理，還犧牲大量無黨派的黨派分子，輿論最近頓時變得越來越嚴厲。

現在校內的氛圍「超級疲軟」。大多數人都認為明年將什麼也不會發生，甚至認為就連學生大會也無法成功召開。

「十一月決戰」後，十二月新左翼各黨派進行了「總結」集會。然而其中大多數依然都只在讚揚

自己黨派的奮力戰鬥。《朝日Journal》的記事這麼形容了這個時期各派「總結」集會的情況：[293]

那麼，究竟什麼是「總結」呢？從觀察了品川公會堂（ML派．中核派）、荒川公會堂（共產同）等幾次總結政治集會的經驗來說，它將自己的行動合理化和美化，並以此合理化和美化為跳板，向與會者提示出未來的展望。

……話語只要一被說出口，就會發揮出其約束自己後續行動的魔力。他們稱之為主體的總結。

當只是持續客觀地、現象地談論自家派系的過去和未來時，從會場上就會傳來「你要怎麼總結我們提出的鬥爭呢？要主體地進行總結，再主體一點！」的叫罵聲音。當然，主體地並不是指主觀的意思。然而，當客觀地旁聽所謂的主體的總結時，不管怎麼聽，它聽起來都似乎只是主觀的。

「主體地」這個詞語，是具有六〇年代末質疑自身存在，探尋自我認同要素的詞語。但是，隨著情況逐漸變得封閉，「主體」地「總結」變成了不接受客觀意見，只是陳述著自己的主觀看法。

經過這樣的集會後，各派發表的機關報上可以看到很多像是這樣的內容，「再次確認十一月決戰的勝利關鍵，並朝下一個決戰前進」（中核派）、「十一月決戰的大勝利」（ML同盟）、「打破戒嚴制度，赤盔軍團朝蒲田進擊！」（共產同）。[294]他們宣稱「勝利」的理由，是他們成功使遊行隊伍進到蒲田站周邊與正面迎擊了機動隊。

另一方面，一直以來對街頭鬥爭抱持否定態度的革馬派，如此總結了對其他黨派的「十一月決戰」：「在一一・一六－一七的鬥爭中，他們只是再次確認了那些僅由焦躁感支撐著的小資產階級個體是如何的無力和絕望。」然而那些積極投入「十一月決戰」的黨派認為，只有「主體地投身『決戰』的人才能主體地進行『總結』」，不接受被他們認為一點意義也沒有的「旁觀者」意見。[295]

在日益嚴峻的情況中，新左翼黨派成員以外的運動參加者也逐漸減少。一九六九年十二月十九日，全國全共鬥的第二次大會在日比谷野外音樂堂舉行，但參加者的數量連第一次大會的一半都不到。而且根據報導，「雖然中央的『指定席』依然與第一次一樣，由各黨派不同的頭盔擠滿，但這次圍繞著他們的那些『外野席』的無黨派學生幾乎沒有現身。」[296]

隔年，一九七〇年四月二十八日的沖繩日，還沒從「十一月決戰」的打擊中重新站起來的各個黨派，非暴力地參加了由越平聯為中心的六月行動委員會所主辦的集會和遊行。但與一九六九年十月十日的集會相比，市民團體和各大學全共鬥的參加數量明顯減少。[297]此外，機動隊越來越嚴厲的管制，使得遊行的氛圍變得更為消沉。一位當時是立教大學全共鬥成員的學生，如此形容了那天的情況：[298]

> 去了紀伊國屋，隨手買了幾本書。雖然〔外出的〕目的是想參加四・二八的遊行，但沒有前往明治公園的勇氣。從電車上可以看到機動隊的車輛並排，機動隊與自警團也排排站在那裡。我不知不覺地被這樣的景象所震懾。我從新宿走到有樂町，再朝著日比谷走去。……只要稍微看起來有點可疑的話，就會遭到盤查。
>
> ……遊行的行進路線完全受到警察管制，沿途都有機動隊都列隊整齊地站在一旁。他們看起

來全都是很強壯的年輕人，體格看起來和兩個示威者加起來一樣壯碩。……就在剛看到霞關大樓時，最前頭的遊行隊伍就抵達了。我一面對於未能加入其隊伍中感到焦急，一面接近遊行隊伍。兩邊完全遭到機動隊夾住而無法進行之字形遊行。只能在單邊道路上大約三列地行走。……市民之中也有發聲為遊行隊伍加油的人，但也只是少數。……隨著遊行隊伍接近〔目的地的〕日比谷公園附近，機動隊的數量急遽增加，變成根本無法抵抗的情況。在入口附近遭到了機動隊猛烈地踢踹。

大學鬥爭也在一九七〇年完全沉寂了。上述的立教大學生，在一九七〇年五月一日的筆記中這麼寫道：[299]「去年狂亂的鬥爭連一點餘波也不剩。八重櫻綻開的校園中，新生來回穿梭尋找著社團，應援團也在高喊著。……就算黨派進行著情況的總結也沒有人在聽。他們都希望早點忘卻去年的惡夢。」

就這樣，全共鬥運動完全地沉寂，在以武鬥棒與頭盔展開的街頭鬥爭到達了極限瓶頸的閉鎖狀態中，逐漸凝聚了期待的是——武裝鬥爭。一九六九年初夏，主張創設軍隊的赤軍派成立，如前述在九月的全國全共鬥成立大會上首次公然現身。

當然，如先前引用的室謙二那樣，闡述著現實的觀察，認為正式的武裝鬥爭不可能獲得大眾支持的人並不少。但是根據當時的報導，在一九六九年十月十日的集會上，無黨派就已經「對赤軍派顯露出強烈的同感」。這是由「對既存黨派的失望，以及對他們或許能做出些什麼的期待所混合而成。」[300]抱持試圖透過武裝鬥爭打破現況的，並不只有赤軍派。中核派機關報《前進》在「十一月決戰」

後這麼主張：[301]「在建築工人面前，炸藥之類的東西到處滾來滾去，這絕對不只是比喻。……我們必須建立正式的軍事鬥爭（以目前尚帶有強烈臨時性質的軍團為基礎）建設，對重型武器使用槍砲、手榴彈，並在才剛展開的正式街道戰的軍事經驗上積累、訓練出數倍的力量。」

就這樣，在全共鬥運動退潮，大半學生變得疲軟無力的情況下，一部分的激進勢力開始鼓吹武裝鬥爭。然而，武裝鬥爭路線，與期待相違，將這一時代年輕人們的反叛導向了毀滅。

1968

第IV部

第十四章　一九七〇年的典範轉移

本章將概述從一九六〇年代末到七〇年代初發生的典範轉移，以及一九七〇年起至一九七二年聯合赤軍事件發生前這段時間，武裝鬥爭論的興起與武裝內鬥的激化。[1]

談論「一九六八」時，一般認為在這段時期發生了一種典範轉移。在日本，這段時期基本上發生了三種轉變：（一）從肯定到批判「戰後民主主義」；（二）從肯定到批判「現代理性主義」；（三）從「被害者意識」轉變為「加害者意識」。也有人認為伴隨著（三）的轉變，朝向對在日朝鮮人與被歧視部落、女性解放運動等少數群體的關注，以及對亞洲戰爭責任問題的觀點開始萌芽。

然而，實際的情況並非如此單純。以下，將描述這些典範轉移的過程。這也反映了全共鬥運動中嚴格主義的加劇，並在一九七二年二月聯合赤軍事件的衝擊下，成為反叛瓦解的背景。

「戰後民主主義」一詞

很難確定「戰後民主主義」批判起源於何時，但應該作為前提思考的是，「戰後民主主義」一詞是何時出現的？

就我所知，「戰後民主主義」一詞首次在論壇上出現是在一九五八年。該年的《中央公論》九月號上，政治學者松下圭一論述了「戰後民主主義的問題點」與「危機」。[2]雖然要舉證在此之前並未使用過「戰後民主主義」這個詞彙有困難，但在筆者所見的範圍內，這是最初的事例。

那麼，為什麼在此之前並沒有「戰後民主主義」這個詞呢？最大的原因，一般認為是因為敗戰後的思想與運動非常多樣，所以沒有一個統一的通稱。

從敗戰後到一九五〇年代前半，無論是政黨還是言論都非常多元，其配置也與一九五五年以後不同。共產黨是唯一對一九四六年日本國憲法的成立表示反對的政黨。這是因為該憲法承認了天皇制和資本主義。社會黨左派也在審議過程中指出了生活保障規定的不足，雖然最終還是贊成了該憲法，但是議員森戶辰男等人在一九四七年時主張，在「適當的時候」應該加以修正。[3]

社會黨與共產黨轉而擁護憲法，是在一九五三到五四年之間。[4]隨著一九五二年《舊金山和約》的生效與佔領的終結，像是鳩山一郎與岸信介這樣遭到公職追放的戰前右派政治家重返政治舞台，自由黨以岸為會長設置了憲法調查會。

一九五四年公布的自由黨憲法調查會修正綱要案中，不僅認可修改憲法第九條完成再軍備化，並將天皇定義為元首。此外，還廢止都道府縣知事的公選制，改為與戰前相同的中央政府任命制，而參議院也與戰前一樣並非透過選舉，而是以政府推薦的議員組成。檢討修正的項目，還包括了第二十一條（集會、結社、言論的自由）、第二十四條（男女平等）、第二十八條（工人的團結權、團體交涉權）、第三十八條（緘默權）、第六十六條（內閣文官規定）等。接著在一九五五年十一月，自由黨與民主黨合併，成立了主張「制定自主憲法」的巨大保守執政黨——自由民主黨。

即便贊成修改憲法第九條，但不接受自由黨的憲法修正案，並因為自民黨的成立而對修憲抱有危機感的人不在少數。一九五四年一月，以社會黨的左右兩派為中心，在總評之外還有工會等，共一百二十個團體集結組成了憲法擁護國民聯合。共產黨也在一九五五年的六全協上放棄武裝鬥爭路線後，明確打出擁護憲法的立場。

原本共產黨與社會黨都對日本國憲法感到不滿。然而革新勢力在敗戰後隨即失去了原有的氣勢，在一九五四年左右被迫轉為守勢。當然，對於帶有顯著回歸戰前意圖的自由黨修憲草案，即將有可能實現的危機感，是護憲運動興起最大的原因。然而一般也認為，在社會黨與共產黨中，也存在著想利用這個機會恢復其勢力的動機。

提出護憲的社會黨左右兩派迅速地擴張了議會的席次，在一九五五年也達成了左右兩派的統一，並於一九五八年的大選中獲得了共一百六十六席。其後，社會黨與共產黨就不再公開對日本國憲法提出批判。「五五年體制」型態的保守·革新的架構就此確立。

如此，在「五五年體制」之前的敗戰後十年左右，不論是保守還是革新勢力都呈現出相當的多樣性。在思想上也是，在馬克思主義者中既有共產黨系的馬克思主義者，也有勞農派的馬克思主義者，以及像羽仁五郎這樣的獨立派馬克思主義者。其他還有如丸山真男這樣非馬克思主義的進步論者、像是安倍能成那樣的反共老自由主義者、鶴見俊輔那種從美國哲學的引介起家，重視大眾文化與民眾思想的人。敗戰後的十年左右，並沒有一個可以統稱這些多樣的思想與運動的詞彙。

如前述，「戰後民主主義」這個詞彙首次被使用，是在一九五八年松下圭一的文章中。這背後有兩個原因。

一是一九五八年這個時間點。在這個時期，敗戰後多樣的狀態已經結束，政治上也形成了五五年體制。一九五六年，經濟白皮書中刊出了「已經不再是戰後了」這句話。「戰後民主主義」這個詞彙，可以說是在敗戰後十年左右的多樣狀態終結後，無視該時期的多樣性而被命名出來的一種統稱。

另一個是松下圭一的年齡。松下在敗戰時十五歲，他在發表上述文章時，是一名二十七歲的年輕論者。敗戰後的多樣狀態結束的一九五〇年代後半，正值高度經濟成長拉開序幕之時，同時，也是敗戰時還是青少年的世代作為新血初登論壇的時期。順道一提，在一九五五年，敗戰時二十歲的吉本隆明、敗戰時十二歲的江藤淳分別以〈前世代的詩人們〉和《夏目漱石》初登場，與松下的論壇初登場幾乎同一時期。

這些論者們，比敗戰時三十一歲的丸山真男、三十五歲的竹內好等，活躍於敗戰後十年間的知識分子都還要年輕。如果考慮到他們在敗戰時的年紀，他們對敗戰後十年間的思想與運動的多樣性並沒有太多認識是可以理解的。然而也正因如此，他們才有可能使用「戰後民主主義」這種統一性的稱呼。

丸山等知曉敗戰後多樣性的那一世代的知識分子，無法抹去自己的思想與運動被以這種單一性的統稱所概括論述的違和感。一九六四年，丸山寫道，「在最近的討論中讓我感到在意的是，有一種不論是出於有意識的扭曲還是無知，以粗糙的階段性區分或『動向』，將戰後歷史過程的複雜曲折或個別的人多樣的軌跡混為一談的『戰後思想』論」正在流行。[5]

然而，松下並非「戰後民主主義」批判論者。他只是將戰後達成的一系列民主改革總稱為「戰後民主主義」而已，不管是在一九五八年的論文，還是在六〇年代以降的論文中，他都表達出期待守護並深化「戰後民主主義」成果的立場。

但同時，松下在這篇論文中也寫道：[6]「戰後民主主義，並非從內部發動的革命，而是以敗戰與佔領實現的『從外部引發的革命』。這個戰後民主主義的條件本身，對日本的民主主義來說是不幸的。」

松下在這篇論文中，以他的方式研究了戰後的勞工運動與其他歷史，承認這些運動為了根植民主主義而努力。然而，即使是他，也將「戰後民主主義」定位為基本上是由佔領軍輸入的東西。更不用說那些否定戰後改革成果並呼籲制定「自主憲法」的保守派，往往將「戰後民主主義」定位成僅僅是佔領軍強加的東西。

丸山在一九六四年寫道，「不知不覺中，關於戰後，欠缺充分思量就產生的形象漸次沉澱，形成了新的『戰後神話』」、「這種神話（例如將戰後民主主義以『佔領民主主義』之名概括，並視其為『虛妄』的言論），隨著並未直接經歷過戰爭與戰後精神氛圍的世代的擴大，被出乎意料地、不加批判地接受的可能性也開始出現。」[7]恐怕對於丸山來說，松下即使學習了戰後的工運歷史並撰寫了論文，但其研究仍然還是「並未直接經歷過戰爭與戰後精神氛圍的世代」的論文，因此才可以輕易地將「戰後民主主義」定位為「從外部引發的革命」。

同樣的現象，在東大鬥爭中誕生出的「波茨坦自治會」這種稱呼中也可以看到。這個稱呼來自諷刺地模仿「波茨坦少尉」這個說法。在敗戰時，由於陸海軍人的階級被一律調升，因此一度流行將這種因為敗戰而被授予的晉升蔑稱為「波茨坦少尉」。

大概因為一九六八年當時的年輕人們從父母或地方的長輩那邊聽來了敗戰後的故事，時常耳聞「波茨坦少尉」一詞。因此，在認為大學自治會和「戰後民主主義」一樣都只不過是佔領軍給予的東西的想法下，誕生了「波茨坦自治會」這種稱呼。然而對於第一章曾引用的大河原禮三那樣，生長在戰敗不久後的時代，為了製作學生會憲章而花了整整三天討論的人來說，這樣的稱呼或許怎麼看都只是「未曾直接經歷過戰後精神氛圍的世代」的詞彙吧。

「戰後民主主義」一詞，是在上述的背景，也就是在對於戰後約十年左右時代的忘卻中誕生的詞彙。在此之上，又再加入了馬克思主義陣營中一直以來存在的「民主主義」批判。

馬克思主義者與共產同的「民主主義」批判

批判議會制民主主義，並認為只有直接民主制才是真正的民主主義，這樣的思想由來已久。盧梭（Jean-Jacques Rousseau）在一七六二年的著作《社會契約論》中，批判英國的議會制民主主義，認為「英國人民認為自己是自由的，但這是天大的誤解。他們只在進行議會成員選舉的期間內是自由的，一旦選舉結束後，他們就會立刻變成奴隸，如同不存在一樣。」[8]

列寧在一九一七年的著作，全共鬥運動期間學生經常閱讀的《國家與革命》中，明確主張「廢除議會制度」。[9]議會制民主主義中，擁有資本的資產階級必然在選舉中具有優勢。因此，「資產階級社會中，看錢說話的腐敗議會制度」不過只是「家畜小屋」罷了。列寧做出如此宣言：「每隔數年決定一次，哪個統治階級的成員將在議會中壓迫人民、踐踏人民——不只在議會主義的立憲君主制中，就算在最為民主的共和制中，這也是資產階級議會制度的本質所在。」

日本共產黨作為遵從馬克思列寧主義的政黨，也一樣對議會制民主主義抱持批判。然而日本共產黨的情況稍微有點複雜。在國際共產主義運動組織的共產國際於一九三二年給予日本共產黨的指引——通稱「三二年綱領」——中，認為日本殘留著所謂天皇的絕對君主制。因此，首先應該發起等同於法國革命的資產階級民主主義革命，而後再進行社會主義革命。這個「兩階段革命論」成為了日本共產黨的官方路線。

因此在第二次世界大戰戰敗後，日本共產黨的獄中非轉向幹部們，也將解放了自己的美軍定義為「解放軍」，認為就算在美軍的佔領下還是有可能完成民主主義革命，於是姑且先肯定了「資產階級民主主義」，並以在議會中形成多數派展開和平革命為目標。這個路線獲得了一定的成功，他們在一九四九年的大選中獲得了三十五個席位。然而在一九五〇年，和平革命路線遭到來自共產國際的批判，因此轉而發展武裝鬥爭，在一九五五年的六全協上又放棄了武裝鬥爭路線，再度回到議會路線，不滿這種穩健路線的學生黨員組成了共產同，這些已在第三章中記述過。

然而，即使在和平革命路線時期的日本共產黨，也並非毫無批判地肯定議會制民主主義。日本共產黨在一九四九年六月，為了對抗三月公布的日本政府的憲法草案（基於ＧＨＱ草案的版本），提出了「站在資產階級民主主義革命開端之當前日本」的「最低限」權利綱領的獨立憲法草案。

其第九條記載，「人民具有民主主義的一切言論、出版、集會、結社自由，並認可勞動爭議及示威行動的完全自由。為了保障此權利，應為民主主義政黨和大眾團體提供印刷所、用紙、公共建築物、通信手段與其他行使此權利的必要物資。」[10] 換言之，該草案呼籲，雖然當前認可「資產階級民主主義」，但應給予在資本上處於劣勢的無產政黨與團體物質上的援助。

如前所述，一九四六年夏天，日本國憲法成立的時候，共產黨表示了反對。接著，他們認為若只在名義上保障言論、政治活動的自由，而未在物質上作出保證的話，「對窮人來說一點意義也沒有」，因此主張加入上述的修正，但最後並沒有成功。[11]

像這樣對於民主主義，特別是議會制民主主義的批判，在馬克思主義者之間可說是常識。對六全協之後的穩健路線感到不滿的共產同來說，更是如此。六〇年的安保鬥爭，基於對五月十九日強行表決的反感一口氣爆發，《朝日新聞》社論以「現在是決定我們的議會民主主義生死的分水嶺」，主張岸下台。[12]中國文學研究者竹內好也提出「民主還是獨裁」的口號，引起了廣泛的共鳴。

但如第三章所述，共產同的幹部在五月十九日強行表決時，就認為大勢已定。對於夢想著革命的他們而言，守護「民主主義」，更何況是守護「議會制民主主義」的口號，只不過是不乾不脆地要求守護空洞的「資產階級民主主義」罷了。

這也是在第三章敘述過的，當時共產同機關報的總編輯大瀨振回憶道，在共產同內部，「他們的思想根本不尊重民主主義的價值」。另外，共產同系都學聯副委員長西部邁表示，共產同內部「對於多數決制度的蔑視非比尋常」，並進一步如此描述：[13]

> 他們好不容易才相信的是，在戰後思潮中，也就是被前述的各種魔語〔和平與民主主義等〕操弄的言語空間中充斥著虛偽與欺瞞。這種感覺有著確切的經驗支撐。要問為什麼的話，這是因為共產同主要是在這種言語空間中成長的人們所構成的組織。這也就意味著，他們能覺察到在自身內部也大量存在著虛偽與欺瞞。
>
> 對於戰前世代來說，各種魔語或許是終於得來的恩賜，但對於戰後世代而言，卻是值得懷

疑、甚至應該被打破的空話。共產同在揭露戰後思潮的虛妄的這種否定性中燃起了激情，但他們也預感到這種否定性終將反過來指向自己。共產同對於暴力的傾向，很顯然根植於對戰後思潮，也對在其中成長起來的自己的否定情感之上。藉由暴力的激進行動所暴露出來的是，雖然標榜著反體制，但戰後思潮的真實機制卻也同時持續寄生在體制之上。

西部將「戰後思潮的真實機制」定位為「隱蔽著權力之所在的唯有戰後民主主義」。確實，共產同衝入國會等「暴力的」直接行動，揭露出社會黨與共產黨比起阻止安保條約修訂，更在乎平和地結束運動以便擴張自己的勢力。

以「民主主義」之名批判共產同的「暴力」的言論，也加劇了共產同對「民主主義」的敵意。社會黨議員加藤靜枝（音譯，加藤シヅエ）譴責了六月十五日造成樺美智子死亡的國會突入行動，她說「日本的民主主義因為這樣的暴行而暴露在毀壞的危機之下，令人深感羞恥。」「我們要為了保護日本免於遭受共產主義侵害，建立正確的民主主義而全面戰鬥。」[14]社會黨譴責了加藤，但她所認為的「民主主義」明顯是指使議會安穩地運作。

如前述，自從知道護憲將有助於增加選票以後，社會黨與共產黨便轉而穩健地主張守護戰後憲法與戰後改革的成果。年輕且激進的共產同，感到革新政黨「欺瞞」，並直覺認為「隱蔽著權力之所在的唯有戰後民主主義」，這樣的反應並非毫無根據。

雖然這麼說，西部的回想是在一九八五到一九八六年之間發表的，當時西部身為批判「戰後民主主義」的保守論者而為人所知。我們無法否認其發表言論時的思想位置以及全共鬥運動的見聞經驗，對他的共產同觀有可能產生影響。但在共產同中央，存在著對「民主主義」的蔑視似乎是一定的事實。

然而，必須謹慎思考西部描述自己是在「戰後思潮」中長大的這個說法。他回憶他在北海道的鄉下長大，「高二時，家裡突然有了一套世界文學全集〔經濟高度成長期的中下層家庭中經常發生的現象〕，在此之前，除了教科書之外，我沒有在家裡看到過有任何可以稱作書的東西的記憶。」[15]

這樣的西部，不太可能是在熟讀丸山真男與其他戰後知識分子的思想下成長的。他所自稱的在「戰後思潮」中長大，是指在學校教育中被教導「和平與民主主義」的理念。這種看法應該比較適切才是。如同之後將會談到的，全共鬥運動世代對「戰後民主主義」的批判可以說也是這樣的東西。

馬克思主義者的「現代主義」、「市民主義」批判

另外，我想指出，從戰前開始，「現代」與「市民」就已經是馬克思主義者的批判對象了。

馬克思的思想以黑格爾的哲學為基礎，根據黑格爾的觀點，歷史是從中世紀的封建制辯證地發展成為現代市民社會。在這裡所言的「現代市民社會」中，個人從家或村落等封建共同體中解放出來，獲得「自由」而成為「市民」。這些「市民」創造出了厭惡國家干涉的自由主義思想。

然而，這些「市民」們基於「欲求的體系」，為追求私人利益而相互競爭。黑格爾認為，這種競爭到了最後，「市民」們將會認為設置關於競爭的法律以及緩和鬥爭的共同性有其必要，從而朝向可以提供這些的國家發展，揚棄現代市民社會。

馬克思主義繼承了黑格爾的歷史發展階段論。然而相對於黑格爾將歷史發展視為「精神（Geist）」的展開過程，馬克思主義以經濟的生產模式作為下層結構，主張其為國家與支配的意識形態等上層結構帶來變化。

依據馬克思主義，中世紀的封建制度有其相對應的上層結構，例如幕藩體制型的國家和封建道德的意識形態等。而現代市民社會，是工人以販賣自身勞動力獲得「自由」的資本主義社會。為了保護資本主義社會贏家的資產階級的利益，產生了以保護私有財產和維持治安為目的的國家，以及厭惡國家介入「市民」自由經濟活動的「自由主義」意識形態。然而這種現代市民社會，最終將會透過革命而遭揚棄，轉變成共產主義社會。

因此對於日本的馬克思主義者來說也一樣，「現代市民社會」與「資本主義社會」是同義詞，「現代」與「市民」都被當成否定性的語彙使用。在戰前與戰中，轉向的馬克思主義者們為了讚美日美戰爭與統制經濟，經常批判「現代」。

例如在雜誌《文學界》的一九四二年九月號與十月號上，組織了一個名為「近代的超克」（近代の超克）[i]的特輯，刊載了多篇投稿與座談會紀錄，轉向的馬克思主義者龜井勝一郎與林房雄、黑格爾哲學家鈴木成高與西谷啟治、文學家小林秀雄、三好達治、中村光夫等知識分子都列名其中。[16]隔

i 譯註：日文的「近代」相當於中文的「現代」，「近代的超克」的中文意譯應為「現代的超克」。然而「近代的超克」作為特指該特輯前身一九四二年的同名研討會與其後續出版品等關鍵歷史文本的名稱廣為人知，因此視為專有名詞直接沿用詞中的「近代」二字。

年的一九四三年，這個特輯被獨立成單行本出版，「大東亞戰爭」就是「近代的超克」的戰鬥——這種說法成為了戰中知識分子們的流行用語。

高坂正顯和高山岩男等，依循黑格爾哲學的京都學派哲學家們，在一九四一年至一九四二年間舉行了一系列座談會，這在一九四三年以《世界史的立場與日本》為名出版成單行本。根據這個座談會的觀點，「現代歐洲最大的弊端」是「以打從一開始就被視為完整的人格與民族等等做為前提出發的「個體主義的想法」。從這樣的思想中，產生了重視個人自由的市民社會與自由主義思想，以及提倡民族自決的國際聯盟。然而，這些僅僅招致了市民社會中資本家的勝利，以及在國際社會中盎格魯撒克遜諸國的殖民統治。因此，日本應該藉由「大東亞戰爭」對「現代」發起挑戰，在國內建設超越現代個人的統制經濟，在國際上建設超越現代國家的大東亞共榮圈。[17]

戰後思想，從反省這種輕率的「現代」批判開始。丸山真男在一九三六年二十二歲時，跟著當時的流行寫下了批判「現代」的論文。然而在那之後，他注意到前馬克思主義知識分子使用「現代」批判來讚美戰爭，在一九四六年一月發表了以下這篇短文——〈現代的思維〉（近代的思惟）：[18]

……現代的精神變得極度惡名昭彰，彷彿那就是當代諸惡窮極的根源一樣的言詞……似乎只有對其的「超克」才是問題一樣的言詞，是這幾年的時代氛圍，即使在我尊敬的學者、文學家、評論家之間也成為主流。當我將這種時代氛圍與從道格拉斯・麥克阿瑟元帥手中接下了現代文明ABC入門的當代日本相互比較時，交織著悲慘與滑稽的感慨湧上心頭而讓我不知所措。我們這些知識分子不具備漱石所謂「內發性」文化，遭到了認為時間上較晚登場的事物總是比之前出現的更加進步的這種俗流歷史主義的幻想附身，在法西斯的「世界史的」意義面前低下了頭。現在，又在面對著理應早就被超克了的民主主義理念的「世界史的」勝利時迷了路。不久後，哲學家們可能又會開始吵鬧地嚷嚷著「歷史的必然」吧。然而，這一類的「歷史哲學」在過去並沒有使歷史前進的先例。

丸山在這篇文章中宣言，「在我國，現代的思維別說『超克』，甚至從來就未真正的獲得過。」[19]其背景是，一九四四年，三十歲的他從東京帝大法學部助教授被徵召為二等兵入伍，他遭到了老兵的私刑，深切痛感日本軍與日本社會距離「現代」還相當遙遠。

在剛戰敗時，不僅是丸山，從對戰爭中「近代的超克」論的反省出發，出現了重新評價「現代」的舉動。主張在日本確立「現代的人類類型」的大塚久雄，創立雜誌《近代文學》（近代文学）的荒正人與平野謙等等就是這樣的例子。平野在一九五三年的座談會上提到，將創刊雜誌命名為「《近代文學》時的心情，荒先生當時最為明確，因為『那是一種從現代的確立重新出發的想法。』」[20]

然而，如同我在前作《「民主」與「愛國」》中所述，日本共產黨將這樣的人們批判為「現代主義者」。一九四七年，共產黨系的馬克思主義歷史學者們出版了《大塚史學批判》，一九四八年八月在共產黨的機關報《前衛》上策劃了「現代主義批判」（近代主義批判）特輯。

同時，「市民」這個詞也在共產黨系的馬克思主義者之間被當成「資產階級」的同義詞使用，例如將批判的對象形容為「不是『人民』（無產階級）而是『市民』（資產階級）。」[21]在六〇年代後半使「市民運動」一詞普遍化的越平聯代表小田實回想，「『市民』對於『左翼』的『革命勢力』來說，總像是如『小資產階級』或『小市民』這樣的『歧視性』用語。」[22]

然而，日本共產黨從五〇年代後半開始也不太提及對「民主主義」與「現代」的批判。因為在一九五五年的六全協上放棄了武裝鬥爭路線，並試圖以護憲的立場在議會上擴張黨的勢力，對這樣的路線來說，批判「民主主義」與「現代」並非明智之舉。

而像是取代了共產黨似地，新左翼黨派與六〇年代末反叛的年輕人們，開始批判「民主主義」、「戰後民主主義」，以及「現代」與「現代理性主義」。新左翼黨派與全共鬥等等，在批判越平聯等團體時，也將「市民主義」當成批判用語使用。

然而，這些是從戰前馬克思主義者對「民主主義」與「現代」的批判中延伸出來的。他們對此是否有所自知並不清楚。恐怕他們在主觀上認為，自身論調的根源是六〇年安保鬥爭過後的「民主主義」批判。

六〇年安保後的《民主主義的神話》

六〇年安保鬥爭「敗北」後的一九六〇年十月，《民主主義的神話——安保鬥爭的思想總結》一書出版。這本書在六〇年代被學生廣泛地閱讀，而共同作者谷川雁、吉本隆明、埴谷雄高、梅本克己、黑田寬一等人，成為了六〇年代末思想界的明星。

這本書每位作者的立場都有些微妙的差異。批判共產同在政治上不成熟的梅本、稱讚自己率領的革共同並批判共產同的黑田、支持共產同的吉本、主張形成獨立的無定形運動體的谷川。但各個論者之間共通的是，正如書名《民主主義的神話》所示，他們公開指出，高舉「和平與民主主義」的共產黨、社會黨與進步知識分子，將安保鬥爭侷限在「守護民主主義」的穩健方向中，並以「民主主義」之名拋棄了戰鬥性的全學聯主流派，只不過是不願意戰鬥的存在。

例如，谷川宣告地指出，在六〇年安保中「既存的反體制陣營總體上已經不再反體制。現在，社會黨淪為連社會民主主義這個充滿破綻的意識形態之名都稱不上的譁眾取寵的純粹議會主義黨。共產黨則變成了不顧形象地扼殺先鋒能量的扼殺者。」[23]吉本將共產黨形容為「在戰後十五年間，隱瞞著戰爭時期的墮落與轉向，以便讓自己看似前後連貫地，彷彿戰中在鬥爭，戰後也持續鬥爭著的，由戰前派所領導的擬制先鋒們」，並批判其「終於在十幾萬工人、學生、市民面前，體無完膚地顯露出自己無法戰鬥、沒有自行制定戰鬥方向的能力。」[24]

接著遭到批判的是「民主主義」、「現代」、「市民」，以及讚揚這些的進步知識分子。

吉本批判丸山真男將六〇年安保鬥爭視為市民的政治參與，認為丸山所謂的「市民民主主義」是「資產階級民主」，並斷定「丸山真男的見解展現出進步的啟蒙主義、擬制民主主義的典型思考方式，巧妙地象徵了當前從日共頂點流溢出的普遍性潮流。」[25]埴谷雄高認為，進步知識分子所謂「擁護憲法、擁護民主主義、國會正常化的口號」是「保持現存秩序」，「某部分的知識階層，藉由擁護民主主義的口號，持續上升成為我國『井然有序』的資本主義的最新代言人。」[26]森本和夫主張，進步知識分子提出的是「民主主義意識形態」，是「我國戰後的主導性意識形態」，「對否定現存體制」來說，「克服民主主義本身就是問題」。[27]

如前述，丸山曾被共產黨批判成「現代主義者」。吉本形容丸山「巧妙地象徵了當前從日共頂點流溢出的普遍性潮流」，從丸山的角度來看這恐怕是一種誤解。然而對沒有相關預備知識的年輕人們來說，吉本等人的這種主張卻是可以被接納的。

在一系列「民主主義」批判中，最為澈底的是黑田寬一。黑田是革共同的理論領導者，並在日後成為革馬派的最高領導者。

黑田在給《民主主義的神話》的文章中這麼主張：[28]以社共為首的國民會議使「運動整體沾染上小資產階級和平主義的色彩，並遭到議會民主主義的線繩所糾纏」，由以「丸山政治學派」為首的「『民主主義』派＝現代主義者」所「散播的『民主主義原理的扎根』或『市民主義的成立』等意識形態，只不過是安保鬥爭中既有公認指揮部喪失『權威』的一種反動現象而已」，並且成為了「墮落的史達林主義者黨（共產黨）的補充物」。安保鬥爭的真實樣貌，是「體現小資產階級願望的『民主主義』的意識形態的波動，吞噬了整個反政府運動。」

黑田認為，需要重新回想列寧所說的「當資產階級民主主義遭到撼動的時候，也正是無產階級民主主義＝社會主義應當被實現的瞬間」，並且揭露出「所謂『民主主義』派思想上的反革命性」、「自稱進步知識分子的反革命性」、「丸山真男的反革命性」，超越不過只是「小資產階級激進主義」的「自稱新左翼」的共產同，建立「真正可以戰鬥的組織、貫徹並實現無產階級民主主義的組織」。無須多言，這個主張意味著要擴大革共同的勢力。

總體上，《民主主義的神話》各論者提倡的「民主主義」、「現代主義」、「市民主義」批判，與因六全協穩健化以前的共產黨的主張沒有太大的不同。黑田的主張等等，基本上是古典馬克思主義批判「民主主義」與「現代」的典型。

恐怕對於以丸山真男為首，那些知道戰前與敗戰過後共產黨系馬克思主義者「民主主義批判」與「現代批判」的年長者們來說，這本《民主主義的神話》看起來了無新意。與松下圭一一樣，這本書的執筆者們，如敗戰時二十歲左右的吉本與谷川，都是比丸山等人晚了一個世代的人們。

不過，對當時二十歲左右的年輕學生而言，《民主主義的神話》是相當新鮮的東西。對他們來說，這本書打破了穩健化的共產黨與進步知識分子的權威，並摧毀了從小學起就被教導的「民主主義的神話」。

於是，這本書在六〇年代的學生中，作為如何總結六〇年安保鬥爭的入門書而被廣泛閱讀。這些讀者並不全都是新左翼黨派的運動者。據一九六六年四月入學東大的小阪修平所言，「入學不久後，一位比我大一歲的同學告訴我『我雖然討厭社會主義，但我喜歡埴谷雄高和吉本隆明』。」[29] 閱讀這本書的年輕人們，開始蔑視共產黨、社會黨與以丸山真男為首的進步知識分子，並批判性地看待「民主主義」與「現代」等等。如第四章所述，一九六六年進入當時為社學同大本營的中大就讀的天野惠一，目睹即將在自治會選舉中輸給民青的社學同亂入會場，並以暴力驅趕了民青。當時，他聽到有人大喊「給我過來對六〇年安保進行總結」。可以認為，這些社學同的運動者要麼讀過《民主主義的神話》，要麼受到了那些讀過該書的前輩運動者的影響，對共產黨和民青的「擬制」留下印象。

如後述，六〇年代末流行的「戰後民主主義」與「現代」批判，多半並未超出這本《民主主義的神話》的論調，也就是並未超出自戰前以來，共產黨所提倡以古典馬克思主義批判「民主主義」與「現代」的論點。例如，之後將提到的主張武裝鬥爭路線而受到注目的瀧田修，在雜誌《構造》一九七〇年九月號上，投稿了一篇名為〈正是不成事才了不起〉的演講。其中瀧田批判民主主義並主張武裝鬥爭。他對民主主義的批判如下：30

「所謂民主主義，就是以自由與平等為名義『動員參加大眾的秩序』。」「資產階級藉由設置以議會與市場為兩大極點的各種民主主義機構，藉由其擅長的民主主義原理動員大眾，從而完全封殺了『大眾使用自己的雙手行動，用自己的頭腦、心臟與肉體表現自我，發現內在於自我的階級，並使自己形成階級的迴路。』」「也就是說，對我們來說，民主主義之類完全是無力的觀念，與我們毫無關係。那不是對話，而是憑藉著『力量』大小來說話。」「要把除了只是那些傢伙的獨裁手段以外什麼都不是的資產階級民主主義給拖出來，『竭盡全力』將其打倒，獲得我們自己的時間與空間，獲得我們自己的世界，壓迫敵人，我們，為了我們自己，以我們自身的力量，決定我們的一切，並將之強加在敵人身上。」「可能〔有人〕會說這是法西斯主義吧。然而，這種要小聰明的反駁算不上反駁。那只不過是比敗犬站得老遠的吠叫還要低劣的愚蠢說法罷了。」「這是小資產階級小吹毛求疵者的胡說八道。」

瀧田將以議會為代表的「民主主義」與「對話」視作「資產階級意識形態」，提倡透過「力量」達成的無產階級獨裁。然而，雖然上述的「民主主義」批判加入了當時年輕人們想要獲得「我們自己的世界」的願望，但論述的展開很明顯還是在古典馬克思列寧主義批判「民主主義」的範疇之內。

就這樣，在六〇年安保鬥爭之後，對於「民主主義」與「現代」的批判，在年輕學生運動者之間擴散開來。但是「戰後民主主義」的批判，實際上並不只由他們啟動。不管是從一九五〇年代開始，以鶴見俊輔為中心，以非馬克思主義的立場持續進行獨立行動的《思想的科學》研究會，還是一九六五年，在鶴見等人的提案下發起的越平聯運動，從六〇年代中期開始就已經一點點地累積出了對於「戰後民主主義」的再檢討。

越平聯周圍的「戰後民主主義」的再檢討

《思想的科學》的成員中，對「戰後民主主義」的空洞化，以及年輕人對此抱有的不滿特別敏感的，是一九三八年出生的年輕社會學者見田宗介。見田是共產黨系哲學家甘粕石介的兒子，還是小學生時就讀懂了《資本論》，一直到中學時代都還熱中於馬克思主義。但在之後感覺到馬克思主義的侷限性，於是成為了《思想的科學》的成員。他在六〇年代一面嘗試建立符合經濟高度成長現實的獨立的當代社會理論，一面進行探索年輕人與庶民意識的社會調查。

就如第一章的敘述，見田在一九六六年發表了〈日本的高中生如何看待紅衛兵〉的論文。[31]與當時沉浸在「一國社會主義」中墮落成壓迫國家的蘇聯不同，許多人視中國文化大革命為試圖再生社會主義的行動而給予肯定的評價。抱持這樣觀點的人們，將高舉著對毛澤東的支持、批鬥墮落中國共產黨地方幹部的年輕紅衛兵視為使革命再生的存在。

但見田有他獨立的問題意識。他在這篇論文中這麼寫道：

> ……〔應該關注的是〕紅衛兵的核心部隊，是由一九四九年革命政權樹立時誕生的世代組成的。他們可以說是將新中國的體制視為「自然狀態」接受的純粹的後革命派，是不具有革命戰爭

體驗的世代。如果就這樣直接把革命的未來交給他們這些不知「初心」的世代，也許革命終將會形式化、空洞化、並腐敗墮落……領導者們無疑抱有這樣的擔憂。

紅衛兵的「再革命」，無疑擔任著給予這種年輕世代再次體驗革命的機會，並為其精神注入「活力」的角色。

現在回過頭來看戰後變革二十年後的當下日本，正以何種方式塑造出肩負下一個時代的世代呢？擔負民主主義理念的主體又是如何塑造著自己呢？

見田當時二十八歲，可以說位於介在熟知戰爭的年長世代與戰後出生世代的中間。他從這樣的立場出發，為了探索戰後改革的民主主義理念是如何被不了解戰爭與敗戰初期的高中生們（在兩年後的一九六八年擔負起全共鬥運動的世代）所繼承，因此對高中生的紅衛兵觀點產生興趣。

如第一章所述，見田訪談了升學學校、定時制高中、女子高中等各種各樣的高中生，他從只關心升學考試的升學學校學生以外的其他學生那裡聽到了以下的回應：「我認為日本才需要紅衛兵。」「他們具有現在的日本高中生沒有的東西。」

見田訪談的高中生，幾乎都對包含日本政府支援越戰在內的國內與國際情勢抱持不滿。「我認為日本才需要紅衛兵」這種說法，反映了他們的不滿。

然而，當見田問他們能怎麼改革日本社會時，得到的回答是：「有什麼可以做的呢」、「大家都放棄了」、「就算想了，這也不是該怎麼做就好的問題」、「不管我們怎麼說，我們是沒有投票權的」。雖然也有在班會上提議討論社會問題的人，但在遵從「民主主義規則」的班會上的「對話」，因為被升學考試追著跑的多數派學生的漠不關心而無法引起響應，「每當試著對話以求理解時，反而會感覺到距離越來越遠。」

見田聽取這些高中生的心聲，並寫下他們「找不到有效介入社會的方式」後，如此表述：「讓這些以全身心感受著社會生活中矛盾的青年們，找不到任何一個行動方式能有效排除這些阻礙的民主社會，到底是什麼樣的民主社會呢？」

接著，見田介紹完在班會上提議問題卻失敗的例子後，這麼寫道：

> 透過對話解決問題，以多數決做決定，以投票參與政治等「民主主義的規則」，可以說是戰後二十年「民主教育」的成果，澈底地根植在他們身上。這些民主主義的形式，在之前所述的現實情況中，常常成為用以維持當前秩序的慰藉性話語，甚至有時候還造成限制，並促使人放棄主體性地參與社會生活的矛盾結果。
>
> 「民主主義的規則」這種觀念，比起作為用來改革的槓桿，似乎更具有將改革的潛力安全地導入現存秩序中的裝置的面向。這當然不是說尊重「民主主義的規則」有什麼問題，而是我還是覺得，若要賦予這種形式生命力的話，似乎還少了些什麼。

從小學時代開始閱讀《資本論》的見田，應該對馬克思主義的「資產階級民主主義」批判相當熟悉。然而，即使是對於感受到馬克思主義侷限性的他來說，戰後教育那種「透過對話解決問題，以多數決做決定，以投票參與政治」的「民主主義的規則」，也都已經機能不全了。

另一方面，「戰後民主主義」一詞，於六〇年代開始在那些對其進行批判的保守派之中，逐漸固著下來。一九六五年，鶴見的盟友山田宗睦出版了批判保守派知識分子的著作《危險的思想家——否定戰後民主主義的人們》。[32]

同為一九六五年的十一月，在《日韓基本條約》遭強行表決時，石田雄、日高六郎、福田歡一、藤田省三等丸山真男門下的進步知識分子們[ii]，在《世界》雜誌上舉行了以「戰後民主主義的危機與知識分子的責任」為題的座談會。[33]在此時期，「戰後民主主義」一詞已經在批判與肯定雙方中固著下來。

一九六六年八月時，一九六五年四月成立的越平聯邀請了兩名美國的和平運動家，舉辦了「給越南和平！日美市民會議」。如第一章所述，越平聯的代表小田，就是在這個日美市民會議的會場上提出了「被害者＝加害者」論。在越南戰爭中，「面對美國，日本站在被害者的立場。但面對越南時，日本則是站在加害者的立場。」日本雖然是無法違背美國命令的被害者，但也因為這樣成為了越南的加害者。

這也如第一章所說過的，小田提出這種主張，有他的政治判斷。在此之前日本的和平運動，以日本對戰爭被害經驗的記憶作為原動力。然而，在一九六六年，絕大多數高中生和大學生已逐漸成為不了解戰爭的世代。副業是升學補習班講師的小田，有很多與年輕人講話的機會，他發現在這些談話中，根植於過去戰爭被害者意識的和平運動有其侷限性，因此提出日本作為加害者立場的主張，試圖創造出能打動不了解戰爭的年輕人的話語。

在這場國際會議中，提出了「日美反戰市民條約」，支持者以個人名義連署，同意推動否定戰爭教育與抵制美國製品等，單一個人就能做到的反戰活動。然而，也有參與者認為這種基於「市民」自由意志的運動過於溫和。例如評論家淺田光輝，這麼表述了他對於日美市民會議的總結：[34]

越平聯很喜歡「市民」這個詞。……這種站在個人的原理上，以此推導出反對壓迫個人的權利、強行發動戰爭的國家權力的論點。

戰後民主主義與和平的原理，可以說基本上是個體防衛的邏輯。民主主義的構想源於擁護私生活，和平運動的構想源於每個人的被害者意識。這是被動的民主主義，是防衛性的和平運動。尤其在本質上是一種保守主義，在其中完全不包含積極的變革思想，也沒有其萌芽的可能性。尤其必須留意的是，這種保守的民主主義，正在成為支撐著當今運動停滯之基底的大眾社會的意識形態。來自大眾社會，以守護受到規範之微小幸福而自足的生活保守主義、守護隱私權的民主主義意識，難道這些不正是當代權力用以教化國民的意識形態嗎？

在戰後二十年的運動中，這種和平與民主主義，在從私生活出發的邏輯構造這點上，顯示出與統治者戰後思想奇妙的共存與重合。我認為這是戰後的運動，不管是擁護民主主義的運動還是和平運動，都陸續空洞化、形式化的最大原因。從私生活出發的戰後民主主義，應該有必要先被

ii 譯註：「丸山真男門下」為作者原文。但事實上只有石田雄、藤田省三是丸山的學生，福田歡一與丸山都是南原勉的學生，福田為丸山的後輩。這三人或許還可以稱為同門。但日高六郎只是丸山在東京大學的同僚（不同學部），其思想脈絡、內容與方向和丸山並不相同。作者在此使用「丸山真男門下」應該只是方便統稱出席該座談會的學者，但這些人實際上並非為「丸山真男門下」。

徹底粉碎與丟棄。被動的民主主義，必須要轉變成積極取勝的民主主義、戰鬥的民主主義。

在此，淺田主張，因為擔心「市民」被捲入戰爭而從「被害者意識」展開的反戰運動，是缺乏社會變革觀點的「從私生活出發的戰後民主主義」，應該要「先被澈底粉碎與丟棄」。小田雖然在這個會議上主張立基於被害者意識的反戰運動的侷限，但即便如此，對淺田來說，「戰後民主主義」怎麼看都只不過是守護「私生活」的秩序與安定的邏輯罷了。這種「戰後民主主義」觀，很快就在評論家與年輕人之間流行起來，他們批判在經濟高度成長下「My Home主義」持續深化的社會情況。

淺田在第一次羽田鬥爭剛結束後，也為三派全學聯辯護：[35]「日本的知識階層很不擅長處理『暴力』這個詞……這是私生活至上的戰後民主主義的影響，是將新憲法絕對化的戀物癖。」「新左翼全學聯的各組織，是以批判並克服沉溺在私生活民主主義中的既存各組織為目標出發的。」

然而，對於日本國憲法與戰後改革的防衛，是根植在私生活優先的保守意識上的看法，並不是六〇年代出現的東西。一九五六年，丸山真男就已經指出[36]，「『新憲法』現今在相當廣泛的國民中逐漸轉化成一種保守感覺」、「擁護憲法的旗幟」已經「在日常生活感覺與其受益感上扎下了根」。

一九五六年是經濟高度成長的開端，是「已經不再是戰後了」這樣的語句登場，社會黨與共產黨捨棄激進路線開始「護憲」運動，使社會黨獲得支持而在議會中的勢力迅速成長的時期。丸山此時已經看出來，大眾對於社會黨與「護憲」運動的支持，就像是以自衛隊與第九條的共存所象徵的那樣，是根基於一面享受著憲法對人權的保障，一面守護私生活的安定的「保守感覺」之上的東西。

丸山在一九五三年這麼說道：[37]保守執政黨就算想將自己的路線強加在國民身上，如今一定程度的「民主主義」觀念也已經確立下來，像是天皇制那種「舊有象徵」並不具有吸引力。因此他們「還是必須打出『民主主義』這個象徵，並選擇將這個象徵限定在特定意義範圍內。」

他認為，「民主主義」原本包含了對多樣性的容許以及對少數意見的尊重。但是，保守的執政黨似乎對其「限定了意義」，認為在議會中順利地採行多數決就是「民主主義」。這麼一來，對這件事提出異議的人就會被「以『民主主義』之名當成民主主義的敵人排除」、「認為排除異端即是民主主義的自由」、「在大眾中，自由被限定成非政治性的自由——非常狹隘地享受私生活的自由」這些現象就有可能發生。可以說丸山在一九五三年，就已預測到「民主主義」的「My Home主義」化，以及在六〇年安保鬥爭中，將出現把全學聯主流派視為「民主主義之敵」的論調。

話題再回到越平聯的日美市民會議。這場會議觸發了越平聯內部關於「戰後民主主義」的討論。小田提出的「被害者＝加害者」論，雖然也是「戰後民主主義」中沒有的觀點，但兩名來日的美國和平運動者批判「自由民主主義」是體制的意識形態，這也對日本的知識分子帶來了衝擊。

兩名美國的和平運動家拉夫・費瑟斯通（Ralph Featherstone）與霍華德・津恩（Howard Zinn），在八月的日美市民會議之前，從六月開始就應越平聯的邀約展開了縱貫日本的巡迴演講。在這些演講中，他們也論及對於「自由民主主義」的批評。這是因為，在美國「自由民主主義」是政府宣揚的官方思想，冷戰與越戰也都是為了將「自由民主主義」推廣到世界各地的戰鬥，因此越南反戰運動不可能在不批判公認為美國國家思想的「自由民主主義」下推進。

關注這一點的，是參加越平聯的前共產黨員。成立越平聯的鶴見俊輔、小田實與高畠通敏等人雖然都不是馬克思主義者，但在以「來者不拒」為原則的越平聯中，也有遭到共產黨除名或自行脫黨的前共產黨員參加。對他們而言，在議會制民主主義成為自民黨官方思想的日本的現況中，費瑟斯通和津恩的「自由民主主義」批判是很有共感的論點。

越平聯前共產黨員之一的武藤一羊，在日美市民會議之後，以「關於戰後民主主義的走向」為副標，撰寫了一篇名為〈『越平聯』運動的思想〉的論文。[38]文中，武藤將「我們面臨的客觀性課題」整理為：「（一）能否阻止戰後民主主義朝『和平與民主主義』原理沉降，並在新的維度上將其再生的課題；（二）主要是能否創造出年輕世代激進的否定現狀思想和行動，並將其與（一）在內部結合的課題。」並且，對於從津恩和費瑟斯通提倡的「對『自由主義的民主主義』的根本性批判」而來的「思想上的衝擊」，武藤這麼描述：

那是激進的主張。過去在日本，不僅是和平運動，反體制運動的主流全部都沒有超出「自由主義的民主主義」的框架。所謂「和平與民主主義」這個過去的鬥爭原理，是保護戰後民主主義免於遭受侵害的運動。對於美國新左翼來說，美國民主主義的神話已經不存在了。……其中「自由主義的民主主義」的價值體系，在本質上就是冷戰的價值體系。新左翼在不挑戰其整體的情況下，不可能真正讓自己參與到越南戰爭之中。

津恩的演講就這麼為日本的現實進程立下了一個標竿。如果現存於美國的整個制度，換言之用津恩的話來說——「自由民主主義」被完全否定，卻不能被別種新的像是直接民主主義的東西（他們稍微籠統地稱之為社會主義）取而代之的話，以及，在本質上日本的情況也相應如此的話，那麼日本現行的整個制度——整個政治、社會制度——也必須被全面地否定才行。現在的民主主義遭到踐踏並不是問題，其存在才是。

越平聯因此具有兩個向量。戰後民主主義＝戰後和平主義的向量，以及全面否定其欺瞞性的向量。如果從參加者的組成來說，主婦團體與老式和平運動家，所謂市民團體等是其中一方的核心，激進的學生、非共產黨左派的一部分等則是另一方的核心。

越平聯是否就有兩個心臟呢？其中一方是否會取代另一方呢？如果是這樣的話，我認為越平聯在面對由越南及日本的情勢所帶來的試煉上是不合格的。兩者在相互轉移中連結彼此，過去的原理與未來的原理透過現在的行動彼此媒合……越平聯的思想如果要成為有效的東西，那麼它必須是這種多層的思想。

這種「多層的思想」的事例，武藤舉出了在越平聯代表小田實著作《開拓戰後的思想》書腰上的一段文字。這段文字是，「對於否定戰後民主主義的風潮，強力而果敢地予以反擊的年輕純粹戰後世代的代表選手小田實。」然而，小田實同時也提倡抱持加害者自覺的反戰運動，試圖超越日本「戰後民主主義」極限，並批評高舉「自由民主主義」旗幟的美國的越南戰爭。武藤這麼說：「小田是民主主義（日本的戰後民主主義及美國的民主主義）的否定者還是『旗手』？我想將他理解為兩者都是。」

接著武藤批判地論及寫下《危險的思想家──否定戰後民主主義的人們》的山田宗睦，並在這篇論文中這麼說：

某次最近的校內討論會上，山田宗睦用他特有的架構總結了戰後至今的思想狀況。根據山田的說法，戰後民主主義是由「戰後理性」所支配的時代，戰後理性是清晰且明確的。現在它正被蒙昧主義＝非理性主義所威脅。……據《危險的思想家》筆者的說法，現在我們正在面臨的課題，是對抗體制方的非理性，堅守戰後理性。

然而如果是這樣的話，事情應該會進行地更順利才對吧。我承認這種架構有一部分是成立的。特別是從國家一方而來的復古強權的反動以極端的形式出現時，非理性對上理性這種對立變得有效。然而，溺死戰後「和平民主主義」這個戰鬥原理的，我認為在本質上並不是非理性主義的浪潮。

……日本的越戰特需若以最為廣義的方式計算的話，每年高達二十億美元。這些全都是商業買賣，全都是理性的，並沒有任何可以責難的地方。假設一名學生從大學畢業後，加入了〔出口摩托車到南越〕的H社。他就在與一切的非理性主義或「反動思想」無緣的情況下，加入了越南戰爭中的美軍那一方。他在私生活上或許是「My Home主義者」。……但在這件事情上也沒有任何非理性的地方。……

不，越南戰爭本身就是合乎理性的。前福特公司總裁羅伯·麥納馬拉（Robert McNamara），提著計算機和成本計算系統進了五角大廈，三年內，將軍方的暗鬥〔非理性的派系鬥爭〕等非理性的因素一掃而空。……

主要是這種理性主義，閹割了戰後民主主義這一反體制原理。它將戰後民主主義的弱點作為縱向線，將戰後的個人重新染成「My Home」型的個人，接著創造出理性的國族主義（現實主義）的理論，最終形構出一條通往五角大廈的長長的帶子。在日本，這種理性主義先於政治的統合力，作為在市民社會中主要以企業理性主義為根源的統合力——體制方的統合力而成長。我們在與「戰犯岸」鬥爭的時候，「經濟高度成長」正在毫不停歇地編織著這條帶子。

如前述，從五〇年代起，丸山真男就開始主張形式的「民主主義」變質成支配的邏輯與〈My Home主義的可能性了。武藤在這裡的創新，是將當前體制的根本定位於「現代理性主義」，並主張與其展開對抗。這是來自與五〇年代不同的社會狀況——對經濟高度成長與越南的科學戰爭——的批判。

武藤在這篇論文中提問，「如果用理性與不理性的剪刀不能剪斷這條帶子的話，我們要怎麼剪斷它呢？」關於這個問題的線索，越平聯也是從費瑟斯通和津恩那裡學來的。他們是自六〇年代初期的公民權運動就開始參與的運動者，提倡著以非暴力直接行動喚醒埋首於日常生活中的一般市民的必要性。

費瑟斯通和津恩提倡非暴力直接行動的重要性，而非主張組織工會等團體的反戰運動。背後的原因仍然來自當時美國的情況。自一九五〇年代起發展成富裕社會的美國，一般市民沉浸在My Home主義裡，除了少數群體的工會外，大部分的工會或者支持越戰，或者沉浸在對政治的冷感中。

在這種情況下，美國的反戰運動者可以採取的手段，唯有以非暴力直接行動喚醒市民與工人。即便如此，當時越南反戰運動在美國只是孤立的少數人的運動。在美國的越南反戰運動開始高漲，如第一章所述，是在一九六八年一月的新春攻勢以後。根據鶴見良行的說法，在一九六六年日美市民會議時，美國的和平運動者們「常常在公開的場合上說出『我們是來向日本的運動尋求幫助的』等類似的發言。」[39]

鶴見良行對於美國運動者強烈的直接行動傾向，作出以下評價：[40]「這說明了日本與美國和平運動所處情況的差異。在美國，組織內的工人大部分都已完全沉浸在大眾社會之中而變得保守化，和平運動怎麼說都是少數人的運動，在這樣的運動中，比起知識的普及，唯有以行動帶來刺激才能使運動前進。身在其中，恐怕只能提出新的行動計畫，才能再次振奮被孤立與疏離化的年輕人們。」

這些問題也喚起了日本知識分子的共感。在日本，總評將學徒出陣的紀念日定為「國際反戰日」，並在這天進行反越戰活動，情況比美國好一些。但在經濟高度成長中，政治上的冷感蔓延，工會與在野黨逐漸體制化的危機感，也不是與日本的知識分子毫不相關的事。在經濟高度成長下面對「現代的不幸」，「被孤立與疏離化的年輕人們」尋求新的行動型態，這也是在固定舉行的遊行中接觸年輕人們的鶴見良行等人能理解的事。越平聯，如第十五章中描述的，一九六六年六月在美國大使館前展開靜坐，實踐非暴力的直接行動。

受到費瑟斯通和津恩提出的直接行動啟發，武藤對於前述的問題，即體制的理性主義將工人捲入「My Home主義」之中，該以何種方式與之對抗的問題，他這麼說：[41]「唯有透過行動與實踐切斷它了吧。」「體制的理性主義的阿基里斯腱就在這裡。如果我們將反體制行動這個元素輸入進其精密的計算機中的話，計算機本身就會遭到破壞。」在武藤看來，「如果說越平聯有思想的話，那就是行動的思想。」

武藤說，「為了民主主義的原理，與作為國家原理的民主主義鬥爭。」日美政府與執政黨如果高舉著作為「國家原理」的「自由民主主義」或「議會制民主主義」而來，那就以直接行動與之鬥爭。「應該也可以說，這是為了使民主主義脫胎換骨，為了新的民主主義的鬥爭。它以新的道路將兩個課題接續起來——繼承戰後民主主義全部的遺產與超越戰後民主主義。」這就是他的結論。

就此，在一九六七年十月的第一次羽田鬥爭之前，越平聯周邊就已經展開了對於「戰後民主主義」的重新檢討。然而，其討論雖然指出了「戰後民主主義」的侷限，但並非全盤否定「戰後民主主義」，而是主張發展性地繼承它。然而，在隨後的全共鬥運動與年輕人們的反叛中，「戰後民主主義」遭到了全面否定。

新左翼與全共鬥的「戰後民主主義」批判

全共鬥運動批判「戰後民主主義」是眾所皆知的。但關於學生們與新左翼黨派是從什麼時候開始批判「戰後民主主義」，卻不太明確。

對於以議會為代表的「資產階級民主主義」的批判，從很早以前開始就存在於馬克思列寧主義中，新左翼黨派也對「資產階級民主主義」抱持批判的立場。然而，在我所知的範圍內，在一九六八年以前新左翼黨派的文章裡，並未出現批判性地使用「戰後民主主義」的例子。

例如，刊登在共產同機關報《戰旗》一九六八年八月五日號上的〈讓反帝鬥爭變成無產階級革命〉一文中，出現了帝國主義的「國內攻擊的集中環節在於戰後民主主義體制的重新整編」這麼一段句子。這裡所說的內容是，自民黨正在謀求導入小選區制以及讓海外派兵成為可能的安保再修訂，簡單來說，就是指過去在「戰後民主主義」範圍內守護下來的民主主義與和平主義，正在面臨危機。[42]這裡的「戰後民主主義」並不特別具有否定性的意義。

如在第九、第十章中敘述過的，日大全共鬥在一九六八年五月以「大學民主化」為訴求展開活動，東大全共鬥也一直到一九六八年九月上旬左右都有提倡「民主化」的例子。東大全共鬥開始嫌忌「民主化」這個詞彙，是在開始與民青全面對決的一九六八年秋天之後，日大全共鬥受此波及，是在一九六八年十一月二十二日的東大、日大鬥爭勝利串連集會以後。一九六八年八月這個時間點上，共產同還未否定性地使用「戰後民主主義」，這與上述東大、日大全共鬥的變化一致。

不過，在回憶錄之類的資料中，可以看到似乎從更早之前就開始否定性地使用「戰後民主主義」的例子。前東大全共鬥的小阪修平在二〇〇六年的回憶錄中，提到一九六九年五月邀請作家三島由紀夫到東大演講時的註記這麼寫道：[43]「當時剛出版了一本名為《危險的思想家》（山田宗睦）的新書，與主張大東亞戰爭肯定論的林房雄等人一起，三島也被批判性地提及。然而，我們取笑這本從戰後民主主義立場出發，稱肯定戰爭的思想很危險的這本書。因為危險，或者有毒的思想，被認為是激進的。這是當時學生的共通感覺。」

如前述，山田這本以「否定戰後民主主義的人們」為副標的《危險的思想家》出版於一九六五年。如果從這本書的出版開始，小阪等人就「取笑這本從戰後民主主義立場出發，稱肯定戰爭的思想很危險的這本書」的話，那麼「戰後民主主義」這個詞彙，在一九六五年就已經變成了否定的對象。可是，上述小阪的文章，因為是在一九六九年邀請三島到東大時的註記，所以「取笑」「戰後民主主義」的，可能不是一九六五年的小阪，而是一九六九年的小阪。

或者也可以這麼說：有可能從一九六〇年《民主主義的神話》出版以來，批判或者揶揄地看待「民主主義」或「進步的文化人」的傾向，就已經逐漸在學生之間擴散開來，但還未有使用「戰後民主主義」這個詞彙表現這件事的習慣。

順帶一提，這場三島由紀夫的演講和那之後與學生的討論會，在隔月的一九六九年六月以《討論：三島由紀夫VS東大全共鬥》為題出版。[44]可是，一九六九年五月的當時，東大全共鬥實際上已經是毀壞的狀態。主辦這個企劃的，是一個帶有諷刺性名稱的小團體，其正式名稱為「東大全學共鬥會議駒場共鬥焚祭委員會」。根據小阪的回憶，這是離開大學投入戲劇的小阪，以及主持劇團的芥正彥（現在也是劇作家）等人為了這個企劃臨時組成的團體。

如第十章描述的，東大全共鬥因為具有只要說「我是全共鬥」就得以自稱的特質，這種團體就算以「東大全共鬥」為名，也不會有人有意見。但是在小阪的回憶中，這個團體當初的名稱是「東大焚祭委員會」，「如果我們自稱東大全共鬥，我想恐怕會有更多人說『才不是』。」[45]預料到如果將這種團體企劃的演講與討論會記錄，以《討論：三島由紀夫VS東大全共鬥》為標題出版的話一定會大賣的出版社，其命名策略實在相當了不起。然而書中的內容，彼此之間講述的內容完全對不上話，只是些抽象論的爭論而已。

回到「戰後民主主義」批判的起源。在我所知的範圍內，就算在東大全共鬥等鬥爭的傳單或座談會上，都意外地看不到對「戰後民主主義」的批判。然而，對「民主化」、「民主主義」的批判，先不提校內體制完全不民主的日大，在教授們表面上都主張「民主主義」的東大全共鬥裡很早就出現了。

在一九六八年七月與八月的東大全共鬥的研究生座談會上，有人指出教授們「自認為在同業公會中，自己遵從著民主的規則，民主地行事」、或者醫學部處分是在「被稱為所謂民主程序的難以置信的形式化程序」，民青則主張「進行所謂『民主化運動』是何等地荒謬」。[46]可以說東大全共鬥在秋天與民青展開全面對決以前，主要以教授為對手的這種聲音確實出現過。

這些東大全共鬥的「民主主義」批判，進一步走向了批判戰後日本民主主義本身。東大全共鬥派的團體在一九六八年九月發布的小冊子上，這麼評論敗戰後的民主化：[47]「我們該怎麼看待成為戰後教育出發點的教育『民主化』？基本上『民主化』擁護著日本資本主義，是為了貫徹資產階級支配體制的系統。」「『教育〔近年來〕淪為教育工廠，我們必須在對這種教育的拒絕之中形成社會的團結』等等，以為使用這些粗糙的分析就能說明清楚，我們應該要謹慎看待這種想法。」「教育從施行了民主教育的時代開始，就已經是製造出支撐日本資本主義的勞動力商品的過程，在這個意義上，資本主義中的教育全部都是產學合作。」

然而，否定性地使用「戰後民主主義」的例子，在整個一九六八年的東大、日大鬥爭相關的傳單與座談會上都沒有出現。與其類似的，就我所知有以下兩例。

第一個，是一九六八年十一月為了刊載在《世界》雜誌上而舉行的秋田明大及羽仁五郎的對談。在此秋田提到，看著在王子鬥爭中「市民」向機動隊丟擲石塊的場景，他認為「符合現在框架的鬥爭方法，在戰後所謂民主主義的形式下是不可能出現的。」這也成為了日大全共鬥成立的契機。[48]

另一個是，在一九六八年十二月舉行的東大全共鬥、日大全共鬥幹部座談會上，日大全共鬥書記長田村正敏的發言。在此，田村嘲諷東大的加藤代理校長的「對話」路線，指出「這是我們從小就被教導的否定暴力、和平．民主主義路線對吧。這種路線，除了灌輸資產階級思想以外什麼都不是。」[49]

田村的發言，是在十一月二十二日東大、日大鬥爭勝利串連集會，在日大全共鬥與東大全共鬥和新左翼黨派接觸之後提出的，可說是古典馬克思主義的「民主主義」批判。相對地，秋田的發言，是在批判進入體制的社共兩黨等組織，他看到無法整編進既存革新勢力「框架」裡的「市民」能量的可能性。在日大，如果要是合法活動，就只能進行學校體制內組織的學生會活動，可以說他在此找到了展開新的活動方法的線索。然而，兩者都並未使用「戰後民主主義」這個詞彙。

在新聞報導上，對東大全共鬥等表示同情的左派，就我所知，在一九六八年時也並未對「戰後民主主義」進行批判。舉一個相近的例子，一九六八年十一月二十二日東大、日大鬥爭勝利串連集會的實地採訪報導中，用的是「已終結的波茨坦民主主義」這種說法。另外，推測應該是在一九六九年一月寫成的安田講堂攻防戰後的評論上，評論家酒井角三郎寫道，東大全共鬥揭露了「戰後進步主義的決定性擬制化」。然而，不管是何者，都並未使用「戰後民主主義」一詞。[50]

相對於此，在一九六八年的時間點上，和大學鬥爭一起進行了「戰後民主主義」批判的，是本來就對「戰後民主主義」持批判立場的保守論者。在《文藝春秋》一九六八年八月號上，科學史學家筑波常治這麼表示：[51]「戰後的民主主義其中一項特色，是將對政治抱持關心，吹捧成好像至高無上的美德一樣。」「當代的學生們，是從他們懂事以來，就被這樣的『民主主義』訓練長大的世代。」「當代的學生運動，只不過是日本戰後花了二十年培養出來的一種結果而已。如果要想出根本上的解決方法，要思考的不是各大學的情況，而是戰後民主主義本身。」

與保守派不一樣，東大、日大全共鬥的幹部與左派論者，意外地很晚才開始將「戰後民主主義」一語用於指稱批判對象。據我所知，這是從安田講堂攻防戰前後開始的。[52]

例如，刊載於雜誌《展望》一九六九年四月號上（座談會似乎是在二月舉行），一場邀請了經歷過安田講堂攻防戰的東大全共鬥幹部的座談會上，有以下的發言：[53]「〔東大鬥爭〕不得不涉及戰後的民主主義體制，具體來說是所謂的議會制。」「東大解體，我認為具體上來說就是教授會專制秩序的解體，它是對於被戰後民主主義所保障的『學術研究自由』的告發，也是關乎大學理念與研究者主體性的思想性問題。」

受到這種發言的影響，同席的編輯與高中教師回應，「看電視〔上的安田講堂攻防戰〕強烈感受到的是，現在，整個戰後民主主義正遭受質疑。」「東大解體這個口號，對戰後民主主義創造的價值觀，以及體現這個價值觀的秩序拋出了巨大的提問。」編輯部為這段對話加上了「對戰後民主主義的批判」的小標題，「戰後民主主義」批判被定位成了主要的議題。

接著，東大全共鬥議長山本義隆，也在註記著「執筆於六九年二月十日」的文章〈現在，我這麼想〉裡頭寫下，「憑藉戰後民主主義（被）獲得市民的權利的日本大眾，被大眾內部的相互規範束縛著手腳」，另外在有「執筆於三月十日」註記的〈活下來的知性〉中寫道，「在六〇年的安保鬥爭中，『戰後民主主義』暴露出了它的極限。」[54]在山本的文章中，「戰後民主主義」被當成指涉批判對象的用語來使用，在我所知的範圍內，這是最早出現的例子。

左派的刊物中也是，中島誠在刊登於一九六九年三月號（被認為應該是在一月底寫成的）《現代之眼》上的文章中寫道，「在現今大學鬥爭本質的底蘊中，有著一種從戰後民主主義的框架之中終究想像不到的不可預測性。」[55]另外，吉本隆明在《文藝》一九六九年三月號上寫道，學生們在「戰後民主主義」中長大，「學生們的行動，如果是像丸山所說的那樣，是連納粹和軍國主義都沒幹過的『暴行』的話，丸山所評價的戰後民主主義，應該比納粹和軍國主義還要更惡劣才對。」而在《情況》一九六九年三月號上刊載的演講中，吉本說：「我認為，戰後民主主義，可以說在現在的校園紛爭中，已經決定性地結束了。」後者的演講，註記是在一九六九年一月十七日在中大自主講座中舉行的。[56]

從以上看來，就現存的傳單與雜誌來說，安田講堂攻防戰前後的一九六九年初，除了上述越平聯周邊之外，應該可以被視為是「戰後民主主義」開始被新左翼系論者批判性地使用的時期。

這種批判性地使用「戰後民主主義」的用法，很快就在學生們之間擴散開來。原本這個世代就是「戰後民主主義的孩子」，他們感覺到如果不突破自我內部所謂「和平與民主主義」、「否定暴力」的這些價值觀，就無法邁向革命。他們嘗試以「戰後所謂民主主義的這種形式」、「波茨坦民主主義」、「戰後進步主義」等不中用的語彙描述這個應該被突破的對象，這個摸索的階段，是一九六八年末到一九六九年初的情況。

因此，一旦出現了可以一語道盡這個模糊的不滿對象的語彙時，事情就像乾柴烈火一樣一發不可收拾。其傳播程度，就像東大研究生創造的「自我否定」一詞，以及東大鬥爭末期型態的安田講堂攻防戰的籠城戰術（編註：即固守城池）一樣，作為表現當時學生們模糊的不滿的媒介，很快就在全國擴散開來。

特別是吉本對丸山的批判廣泛地被學生閱讀，對傳播「戰後民主主義」批判做出了貢獻。一位學生在一九六九年如此寫下讀完吉本文章後的衝擊：[57]「戰後的和平與民主主義中潛藏著無可救藥的空洞與荒廢。我成長的這二十三年，可能要比天皇制軍國主義、比納粹統治下都還來得糟糕，東大鬥爭讓我有了這種讓人不寒而慄的反省。」

對於「現代」與「現代理性主義」的批判，也幾乎與此同時並行展開。在東大鬥爭中，加藤執行部對於七項訴求的同意被批判為「現代化路線」、加藤執行部被批判為「現代派」等等，這些已在第十一章中說過。比「戰後民主主義」稍微早一些，在刊登在《情況》一九六九年二月號的東大、日大全共鬥幹部的座談會（一九六八年十二月十九日舉行）上，山本義隆主張「現代理性主義也好、民主主義也好」「在現實上是當前體制的意識形態基礎」，「所謂的現代市民社會就是這種東西。」[58]

山本的這個「現代」、「民主主義」、「現代市民社會」批判，是馬克思主義「現代」批判的延伸。然而，將批判對象稱為「現代理性主義」的習慣，在過去並未出現過。

之所以加上「理性」一詞，或許一部分也是為了反擊與山本敵對的東大教官提倡「理性」一事。然而同時，對於摩天大樓林立、環境汙染問題開始出現的經濟高度成長的反感，以及對武藤一羊說的，在越南的「電腦」戰爭的批判意識，應該也都成為了加上「理性」一詞的原因。

例如，《朝日Journal》一九六九年三月二十三日的頭版短文是這麼寫的：[59]「越南戰爭在文明史上的意義，或許在於拒絕強加而來的歐美式現代化與進步這一點上。……這就是為什麼美軍的電腦戰爭無法獲得勝利。」「例如經濟高度成長與環境汙染的關係就是這樣。……理性是什麼？人類又是什麼？這些質問正在被提出來。」這篇短文雖然與馬克思主義沒有關係，但能很清楚地感受到對於「現代理性主義」的反彈。

小阪修平在二〇〇六年的回憶錄中這麼說：[60]「感性的變化，與社會價值觀的變化是連續的。例如那幾年間其中一項明顯的價值觀變化，是對於現代科學技術的信賴感變得薄弱，現代批判在不知不覺中成為了常識。」

小阪在一九六六年四月進入東大就讀，當他在圖書館第一次唸到被視為環境問題經典的瑞秋·卡森（Rachel Carson）的《寂靜的春天》時，也只是想著「咦——也有這種問題意識啊。」然而，在一九六八年，厚生省認定水俣病的原因是窒素公司排放的有機水銀，一九六九年石牟禮道子的《苦海淨土》成為暢銷書，環境汙染以及對科學萬能主義的懷疑成了常識。第一級產業的急速衰退，以及對於逐漸失去的古老日本風景的懷舊鄉愁，也都夾雜在其中。

就這樣，直到一九六九年初之前，對於「現代」與「理性」的感性反彈，在與馬克思主義無關的人們之中也已經廣泛地滲透了。那其中也結合了馬克思主義對「現代」的批判。

安田講堂攻防戰後的新聞報導上，出現了東大全共鬥的戰鬥是「為了超越現代」的這種言論。[61]不久後，在全共鬥派的年輕人之間，重新評價了戰中的「近代的超克」座談會，這對有戰爭經驗的年長知識分子來說是相當離奇的現象。而「戰後民主主義」，連在強調人類理性的意義上，都被批判為使「現代理性主義」滲透進日本社會裡的元凶。

從接受了戰後的民主教育，理應為「戰後民主主義的孩子」的世代中，興起了對「戰後民主主義」的批判，這令不少大人感到震驚。因為，其中也有些人對當時持續高漲的學生運動，曾經抱有能夠繼承「戰後民主主義」的期待。

例如，《思想的科學》一員的評論家大野力（大野明男的哥哥），就是盼望學生運動能繼承「戰後民主主義」的其中一人。如第六章所述，大野訪問了一九六六年的早大街壘，從學生那裡聽到這樣的聲音，「教育制度還沒那麼反動，在還充滿活力的時代，少年時代教師們教導的就是以和平與民主主義為原則的思想，或許與這也有關係吧。」之後，他寫下「學生運動的高漲，證明了戰後理念尚未完全蒸發、變質」。

另一方面，他的弟弟大野明男，雖然是在五〇年代擔任過東大教養學部自治會委員長的人物。但在一九六八年五月出版的《全學聯──其行動與邏輯》中，評價「全學聯為『戰後民主主義的尖兵』」，該書以此作結：[62]

我衷心希望學生運動能恢復其深厚的統一，將如今四分五裂的全學聯等團體吸收進去，化為加以超越的浪潮，大規模地前進。然而，我更期待這些先鋒們與圍繞著他們的所有市民、工人與農民之間真正的「對話」復活，以多樣的共同行動組成更廣泛的合作。這是因為，如先前提及的，我們的戰後民主主義的根本命脈就在那裡。

然而，從大野力一九六六年訪問早大的時候起，學生們對年長者與「戰後民主主義」的批判就已經萌芽了。[63]學生們也透露出這樣的不滿，「我認為戰爭體驗對日本人來說是徒勞的。從結果上來說，從那些經驗裡什麼也得不到。」聽到這些的大野表示，運動者們的能量「似乎根植於他們對戰後和平與民主主義的鬥爭的強烈不滿。可以說不滿的強度使他們做出了『什麼也得不到』的斷定。」如第六章提過的，他這麼主張：[64]

「學生運動的高漲，證明了戰後理念尚未完全蒸發、變質。但隨著社會上這些理念不斷蒸發和變質，他們也變得越來越激進，越來越脫離常軌。換言之，學生運動的激進態度，一方面也反映出社會一般大眾的理念變得稀薄，觀念變得衰退。」

在某種意義下，大野力的擔憂是正確的。隨著既存革新勢力的保守化，學生運動也日益激進。最終，他們開始批判「戰後民主主義」。

對於大野兄弟等人來說，從期待「戰後民主主義」繼承人的學生運動中，興起「戰後民主主義」批判的這件事是相當衝擊的。大野與見田宗介所屬的《思想的科學》研究會，在一九六九年七月辦了一場以「關於『戰後民主主義』」為題的研討會，討論如何應對來自年輕世代的「戰後民主主義」批判。

研討會一開始，負責基調報告的大野明男說道，「今天『告發』『戰後民主主義』，或者宣告其『死亡』的，是以反代代木系的學生組織——全共鬥派的學生運動為中心的『年輕世代』。」並將其「戰後民主主義批判」整理成以下五點。[65]

第一，對於「戰後民主主義」是應被稱為「戰後革命」的民主化過程的看法，年輕世代主張「日本的戰後民主主義僅在作為雅爾達體制＝美蘇支配體制一環的情況下存在」。

第二，對於將戰後二十餘年的過程視為「民主主義在日本民眾中扎根過程」的看法，年輕世代認為「所謂的戰後民主主義，本質上是資產階級支配的過程」。

第三，對於「現在的和平與繁榮是戰後民主主義的成果」這種看法，年輕世代認為「戰後民主主義產生的，最終只是異化人性的社會現實而已，不是嗎？」

第四，不同於將「戰後民主主義」視為目前尚未實現的、應當追求的理想的看法，年輕世代將其視作如同以自民黨支配的議會制民主主義為象徵的「戰後民主主義的謊言」，認為「戰後民主主義」是指稱日本社會現況的概念。

第五，對於將「戰後民主主義」中的和平憲法理念視為應該向全世界推廣的理想的意見，年輕世代認為，在要求世界革命的當代社會中，和平憲法「只存在於美蘇和平共存＝共同支配的框架之中」。

上述第一、第二、第五點在過去的馬克思主義陣營中就已經存在了，邏輯上並非什麼新的觀點，所以年長者也可以理解。然而，第三、第四點根基於在經濟高度成長期中長大的年輕世代的實感上，對於年長者來說是比較難認可的。

參加研討會的年長者們相繼提出了意見，「所謂的民主主義是戰後才首次體驗到的東西，並不特別有什麼『戰後民主主義』」、「我認為〔透過教育〕相信新憲法的〔年輕〕世代，與戰前、戰中的世代之間有著很大的差異」。對於知曉戰前的言論打壓，與戰後、剛戰敗時的飢餓與貧困的他們而言，年輕世代對三島由紀夫有所共鳴，呼喊著「和平讓人窒息」等行為，怎麼看都只是不知疾苦的世代的驕縱。

論壇上，也有很多如「戰後日本的問題雖然很多，但就算這樣，與戰前比起來有很多地方已經有所改善。在現在的學校教育或家庭中，是否充分進行了這種戰前與戰後的比較呢？」的意見。[66]然而，一九三九年出生的西部邁認為，戰後的民主主義「對戰前世代來說可能是一個終於得來的恩惠，但對於戰後世代來說，看起來卻像是應該被懷疑，甚至應該被打破的空話。」[67]這個落差，不是可以輕易彌補的。

另外，在年長者中，也有不少人認為當代的年輕人對戰敗初期的民主主義光輝時期一無所知。《思想的科學》研究上，向會員施行了問卷調查，黑子恒夫在其中一項的回答中寫道：[68]

戰後出生的人們，稱戰後民主主義為狗屁，並試圖摧毀它的時候，我又再次思考了這種變質的戰後民主主義，並感覺到未能正確地培養這些年輕人的部分責任。

〔戰敗不久後，〕當我讀到將國會議事堂如幻影一樣印刷在黃色朦朧封面上的《新憲法》教科書〔更準確的說是一本名為《關於新憲法》的教科書〕時，這是在戰敗後的混亂的異國他鄉，首次接觸到的戰後日本的文章的憲法條文……。在其中，「和平」活生生地存在於實際體驗裡。民主主義，是以充滿活力的、沒有隔閡的自由討論，在達成共識之前澈底地相互對話的東西。少數意見獲得尊重。個人的意識得到重視。拙劣的多數決，是不得已的次佳決策方式。

然而，現在「和平」變成了「維持現狀」以及「秩序」。權力期望維持的體制秩序就是和平，而質疑與聲討，就成了與和平對立的「暴力」。……政府濫用著多數決，恣意地解讀法律，合法地向人民施加暴力。……

戰後民主主義的光輝，在於能夠進行溝通，或至少，有試著努力做到這件事。年輕人取代了在戰敗中受挫的老人，自由地發言與行動，努力試著形成溝通。

但是，那樣的光輝已經消失了。年老的世代恢復了奇妙的自信，並且拒絕了溝通。所有的事情都依賴選舉、議會、多數決……，他們放棄了對話。這無疑為戰後出生的年輕人帶來了絕望。

當然，質疑一切事物是好的，但我並不同意連對於溝通的成立都抱持懷疑甚至否定。……〔年輕人們〕因為溝通被拒絕，所以轉向〔所謂暴力的〕單方面的表現活動。無論是誰，都無法不表達自己的想法。然而，透過言語溝通的有效性，是以言論的自由為前提的，但所謂大眾媒體的言論機關，單方面地與消息來源的政府權力方保有密切的關係，大眾的言論遭到封鎖，如此一來，人們就不得不超越其框架。在此，新的表現型態也就想當然地誕生出來。其象徵是所謂全校街壘封鎖這種意志表達方式。……然而，在其根底的，認為其他人什麼都不懂，拒絕以言論溝通的立場，我無論如何都無法認同。

就像在第一章介紹的，在剛戰敗後不久，「為什麼我們要學國語」這個問題曾引發整整三小時的討論，決定學生會憲章也討論了整整四天。知曉那個時代的黑子，雖然可以理解年輕人對言語溝通感到失望，因而產生出暴力行為或街壘的表現手段，但無法同意他們在根底認為「〔大人、教授等其他人〕什麼都不懂」，因而「拒絕以言論溝通的立場」。

黑子在這篇文章中也這麼說：「對於戰後出生與成長的人們而言，那個充滿光輝的戰後民主主義的開端只是虛像。因此，他們質疑甚至否定戰後民主主義也並非毫無道理。」然而，「戰後民主主義是在混亂之中存在的，是在眾人感嘆價值觀念並無定向的時候存在的。我認為那是最具人性、最理想的選擇，至今我還是這麼認為。因此，我想要好好珍惜戰後民主主義，那並非試圖守護綁手綁腳的秩序。」

在戰後的廢墟與飢餓之中，舊有的秩序與價值觀崩壞，於是黑子說「戰後民主主義是在混亂之中存在的」。然而，他的話語對於將「戰後民主主義」視為「綁手綁腳的秩序」的年輕人來說似乎無法理解。

在《思想的科學》研究會的研討會上，也討論了「戰後民主主義」是應該追求的目標，抑或者日本社會的現實這個議題。年長世代多數認為是前者。作為「進步文化人」的代表而遭到批判的丸山真

男，在一九六九年的筆記上這麼寫：[69]

「即使如此，當提到『戰後民主主義』的時候，說的是戰後憲法（以及相當於憲法的保障自由權的諸法條）體系？還是現實的政治體制（遠離議會制民主主義現實的保守永久政權下的『議會政治』）？又或者指的是包含社會主義運動與勞工運動在內，以民主主義為名的運動的現實（也就是革新政黨的現實）？抑或是最後，世界上首次公然由否定勢力所消滅的民主的理念呢？我希望至少這些能辨明清楚。」

《思想的科學》研究會的研討會中最為年輕的參加者，對學生有共感的見田宗介也在這一點上抱持同樣看法。見田在這場研討會上主張，因為理念是為了改變現狀而提出的，所以背離事實也是理所當然。「我反對像全共鬥學生那樣認為理念本身就是欺瞞的看法，理念本身只能作為必然的欺瞞而發揮作用。」[70]

但是，各地的全共鬥學生們，對於年長者們認為學生們對戰爭與戰敗後的時代一無所知的意見，多數表示反感。中大全共鬥的無黨派運動者天野惠一，在一九八〇年針對當時的「戰後民主主義批判」這麼表示：[71]

「『戰後』被全面地否定。『戰後』指的是『戰後民主主義支配體制』，任何從實際存在的『戰後』中找出價值的思想，只因為這個原因就遭受了批判。這個『戰後』批判絕非不了解戰爭的世代的錯誤主張。這個批判，是由親身生活在戰後的體制—制度下的人們誠實的實際感受所支撐著。學生們成長在無條件地被賦予了價值的戰後教育的過程中，以自身的經歷親身了解到，這樣的教育不過只是歧視—篩選的制度而已。」

天野在這篇文章中無意間透露出，所謂他們「親身生活」的「戰後」，其實是指在學校這個場所，身為學生「親身生活」的意思。恐怕他們並不了解在學校之外，戰後思想與政治經歷的複雜路徑的具體脈絡。他們所知的「戰後」，應該是以這種程度的東西為中心的：在學校教育的場所中，有很多提倡著「和平與民主主義」理念，卻也同時強迫他們參與升學考試戰爭的言行不一的「欺瞞」教師。

如前述，「戰後民主主義」的侷限性，從一九六六年前後起，在越平聯周遭就已經開始被討論了。但那是出於如何在當代重新再生「戰後民主主義」的問題意識。然而，年輕世代的「戰後民主主義」批判，是對「戰後民主主義」的全面否定與嘲笑。因此，在全共鬥與新左翼周圍，形成了排斥「戰後民主主義」，甚至「民主主義」的風潮。曾參與當時運動的渡邊一衛，在一九九九年這麼回憶：72

「否定戰後民主主義」的主張也在當時被廣泛討論。然而，究竟只是否定「戰後」民主主義，而非否定「民主主義」本身？還是「民主主義」本身被當成某種否定性的東西呢？很多時候，這個主張在並未說明清楚的情況下就被直接提出來。最終，「民主主義」本身似乎就是一種惡的感覺日益增強。

與三里塚鬥爭結盟的「廢港要求宣言之會」的會長前田俊彥，在某次小型集會上以「雖然我原本就不太喜歡民主主義……」為開頭後，又繼續說，但是民主的〔會議〕運作還是很重要。我當時心想，「明明不說這種前言也沒關係，前田先生果然還是被流行的思想牽著走。」就像這樣，當時一般來說「民主主義」一詞是被當成否定性的語彙。

直到最近，在選舉時有人發放裝了錢的信封的這種事，還是在全國的農村都可以看到的現象。……不加思索地照單全收「戰後的社會是民主主義的社會」，這種文部省、教科書或大眾媒體、綜合雜誌上的大知識分子們的話語，認定存在著一個已經完成的「戰後民主主義」，以為問題只在於要表達肯定還是否定，我認為這種全共鬥學生們的思考方法，怎麼看都像是學校優等生的思考方式。

「民主主義」一詞「一般來說」被否定性地使用是過於誇張了，這種用法只是在新左翼黨派與全共鬥周遭、新左翼論壇上的「一般」而已。如渡邊指出的，他們的「戰後民主主義批判」雖然可以說是「優等生」的東西，但也可以說是原本身為「戰後民主主義之子」的他們，向在經濟高度成長中變質的社會與大學等「大人們」丟出來的，竭盡全力的反抗。

渡邊同時也針對當時流行的「現代」批判這麼說：[73]「『現代的否定』也在當時被廣泛討論。然而其情況比起理性主義、科學、民主主義（這些在當時都是被否定性地使用的語彙）的情況還糟，那些主張在被否定的東西與不被否定的東西之間分界未明的情況下，就被直接提了出來。」「『現代』是什麼？哪個部分該被保留？哪個部分又該被否定？在這些都完全不明確的情況下，只是用一種好像有點懂的感覺在討論。」「在我們這些人看來，馬克思的思想就是現代的產物。如果要否定現代，那應該也必須否定馬克思的思想才是。在並未辨明這一點的情況下，直接給予戰前日本的北一輝思想、戰爭中『近代的超克』座談會等等高度評價的風潮正被逐漸形塑出來。」

接著渡邊這麼說：[74]「日本具有社會地位的政治家、官僚、體制內學者等等，並未以這才具有邏輯、這才是理性的方式，邏輯性地拆解非邏輯與非理性，而是直接承認那樣的主張，條件反射式地反駁與否定。我認為這才是『現代理性主義的否定』。然而，可以說這最終只不過顯示出他們自身邏輯分析能力的薄弱。」「用模糊不清，好像有點懂的感覺說話，強烈顯示出全共鬥思想的情緒主義與非邏輯的傾向。」

有些具有戰爭體驗的年長者，對於三派全學聯或全共鬥學生的行動有感性上的違和感。曾是皇國少年的記者筑紫哲也，在幾年後這麼說：[75]

「我在戰爭中接受的軍國教育，基本上就是老師打學生。對此的反感和厭惡是肉體生理上的反應，因此，我無法想見從自己內部浮出想要做這種事的積極情感〔的世代〕會出現。然後，全共鬥世代的那些人說打人很有快感，認為大家一起拿著武鬥棒，戴著相同的頭盔行進感覺很帥。我聽到這件事的時候實在相當震驚。〔在都是軍裝的社會長大的〕我從來沒想過愛好制服的世代會再次出現。」

未曾想過戴頭盔蒙面的「制服愛好者」會出現，筑紫的感想清楚顯示出戰爭體驗世代對於戰後嬰兒潮世代的違和感。但是，困擾於認同危機與「現代的不幸」的年輕人們，反過來傾向於理想化地談論賦予他們堅實認同的制服與戰爭。

作為戰中派知識分子的技術史家中岡哲郎，在擔任定時制高中教師的時期，邀請與自己同世代的戰爭體驗者們，在學生們面前講述悲慘的戰爭體驗。中岡這麼記述了那時候學生們的反應：[76]

那時，有位之前始終保持沉默的女學生開口說，「老師，我覺得你們的時代很讓人羡慕。」一瞬間整個會場安靜了下來，她繼續說道：「我每天都不知道自己為了什麼而活著。……相較之下，戰爭的時代，日本的人們，不管是貧窮的人還是什麼人，大家齊心為了實現同一個目標而活著。我認為那樣的時代很美。」

會場上前來參加的學生們，一個個點著頭，表達對這段話語的共感。我為之愕然。

如前著《「民主」與「愛國」》第一章所述，「戰爭的時代，日本的人們，不管是貧窮的人還是什麼人，大家齊心為了實現同一個目標而活著」等等只是幻想，戰爭中的實際情況，是門路關係、職務特權與利益橫行的道德崩壞的時代。但是對於沒有體驗過戰爭的年輕人而言，在經濟高度成長下「自己是為了什麼而活著」的「現代的不幸」，遠比戰爭的悲慘來得重要，反而抱持著在戰爭的時代中「現代的不幸」已得到解決的幻想。

中岡看到學生們的反應後表示，「了解到我們與他們之間關於戰爭的思想有著多大的差異，對我來說是一個啟示。」恐怕做夢也沒想到「制服愛好者」的世代會再度出現的筑紫哲也，也無法理解透過戴著依黨派差異漆著不同顏色的頭盔、拿著武鬥棒與機動隊對峙而確認了自己的自我認同的年輕世代的感覺。

就這樣，年輕人與年長者之間，在關於「戰爭」與「戰後民主主義」上產生了世代間的斷裂。一九六九年五月，發生了一起象徵性的事件——「海神像」的破壞事件。

被破壞的「海神像」

一九六九年五月二十日，設立在立命館大學的「海神像」，被立命館大全共鬥拉倒，用繩索套著脖子四處拖行。從二月二十六日以來，約兩百名受到安田講堂攻防戰刺激的學生們佔領了校內的恆心館，對校方的勸告不為所動。因此，五月二十日，校方要求京都府警驅離。機動隊與便衣警察約四百人開始驅離行動時，一部分的學生破壞了銅像。

由日本戰歿學徒手記編輯委員會編纂的，包含特攻隊員在內的戰歿學徒遺稿集《聽海神的聲音》，於一九四九年十月由東大合作社出版部刊行。這本書，至一九五〇年十二月為止共賣出了約三十萬本，其後也持續位居暢銷書排行的前段。一九五〇年六月，同名電影上映，吸引了約一千萬名觀眾。戰歿學徒的遺稿作為懷抱著和平與反戰心願的文本，書與電影都獲得了大眾的歡迎。[77]

由於反應熱烈，一九五〇年四月，日本戰歿學生紀念會成立，俗稱「海神會」。海神會計畫在一九五〇年十二月八日的日美開戰日之前，設立一座追悼戰歿學徒的銅像，於是委託了沒有戰爭協力經歷的雕刻家本鄉新擔當製作。

當初，這個「海神像」預定要設立在東大的綜合圖書館旁邊，也已獲得了校長南原繁的同意。然而，本鄉的「海神像」是稍嫌前衛的男性裸體像，在海神會內部也引發了正反兩派不同的意見，東大評議會最終駁回了校內設立的提案。根據當時海神會幹部的說法，那時候被東大的事務負責人叫去告知，「東大裡也有女學生就讀。這個〔裸體像〕在教育上對於女學生並不恰當。」[78]

相關人士召開了向東大當局抗議的集會，並以東大自治會中央委員會為中心組成了海神像設立委員會，但最終「海神像」被暫時擱置在本鄉的工作室裡一段時間，一九五三年十二月才在京都的立命館大學被設立起來。

立命館大學，雖然戰前是極具軍國主義色彩的大學，但戰後卻成了最為民主化的大學之一，也設有將學生的意見反映進大學管理的協議會制度。這個協議會制度也被通稱為「立命館方式」，如第十章所述，當時為東大民青同盟員的大窪一志為了研擬設置協議會而參訪的大學，其中一所就是立命館。而立命館的校長末川博，是曾悼念被送往戰場而戰死的學徒們的和平主義者，他用了自己的錢將「海神像」從東京運送到了京都。[79]

在戰爭記憶還相當鮮明的當時，京都的大學生們熱烈歡迎了「海神像」。銅像在約五百名學生的守護下，和以京大生為首的京都府學聯的遊行隊會合，在近四千名市民的簇擁下被運往立命館。揭幕式上聚集了約三千名全國的大學生與高中生，末川校長說：「海神像是諸君們所有學生的東西。我們不能遺忘戰歿學徒的悲傷、悔恨與憤怒。」[80]

海神會還發行了機關報《海神的聲音》，在接受戰後民主教育的年輕世代中也有許多讀者。在「海神像」被建立起來的五〇年代前半，高中生的讀者明顯增加。當時是韓戰與倒退的時代，從被解除追放的保守政治家那裡也出現了恢復徵兵制的聲音，海神會以二十五萬人為目標，進行了反對徵兵的連署運動。閱讀了機關報的高中生讀者們積極參加了這個連署。[81]

在高中生與大學生中，作為和平運動的一環而閱讀《聽海神的聲音》的社團也在全國廣泛擴散。五〇年代前半，根據時任海神會事務局組織部長的吉川勇一（後來成為越平聯事務局長）的回憶，「我們在全國近兩百所的高中裡成立了支部，並持續擴大著規模。反對徵兵的連署運動就是強而有力的手段。」[82]

此外，有不少教師曾是學徒兵世代的一員，他們也向學生推廣了《聽海神的聲音》。一九三九年生的紀實作家保阪正康，在一九九九年這麼記述了自己對中學、高中時代（一九五二至五七年）的回

憶：[83]

「我身為這個世代的其中一人，非常清楚中學、高中時期的教師們是如何抱著熱情讚揚這本書，並將《聽海神的聲音》與《原爆之子》當成輔助讀本使用的情況。我現在也還記得，中學時期的教師，在向我們推薦這本書的時候，當唸起書裡其中一節時，他瞬間聲淚俱下。」「我認為，戰後民主主義的人性教育，可以說不就正存在於《聽海神的聲音》之中嗎？」

海神會自創立以來，每年都召開大會，隨著時間推進，參加的高中生與大學生人數開始多於學徒兵世代。一九五五年七月召開的第六屆全國大會的討論與大會宣言上，出現了像是這樣的聲音：「讓海神會成為學生共通的廣場」、「明亮的和平世界並不在遙遠的彼方，而是正在我們年輕人朝向明日的行動中萌生。」[84]

然而，由於財務困難，海神會在一九五八年八月的第九屆大會上決定解散。因為當初從前學徒兵們那裡募集到的基金和攝製電影的企劃費等資金已見底，並且也未能達成會員數三千人與機關報訂閱人數九千人的目標。[85]至此的海神會，通稱為「第一次海神會」。

也有人認為第一次海神會解散的其中一項原因，在於共產黨的影響力過於強大。蒐集遺稿的前學徒兵們並沒有政治信仰，其行動紀念戰歿同學的性質相當強烈。但是海神會發起人會的代表是共產黨議員、作家中野重治，理事長與理事中也包含柳田謙十郎與平野義太郎等共產黨系的知識分子。「海神像」製作者本鄉新也隸屬於共產黨系的文化團體，而在東大拒絕「海神像」的抗議集會上，宮本顯治的妻子宮本百合子也發表了演說。[86]

此外，海神會的事務局營運雖然由學生義工負責，但其中很多是當時和平運動中心的共產黨的學生黨員。吉川勇一也回憶道，他在東大主導罷課而遭到退學後，在共產黨的指令下負責了海神會的任務。[87]他們編輯的海神會機關報，在一九五一年強烈主張全面講和，選舉時的號外也有隱晦地建議投票給共產黨的傾向。[88]

使海神會內部陷入混亂的，是第三章提到的一九五〇年共產黨的分裂鬥爭。與其他共產黨系文化團體一樣，海神會也被捲進了所感派與國際派的對立之中。根據一九五二年到五五年間的事務局長的回憶，海神會所苦惱的「另一個隱藏的困難，是共產黨方針的謬誤與不負責任的煩人干涉。這在長谷川（筆名中村）事務局長被審問與除名時達到最高峰，黨試圖動員會員加入武裝革命與汽油彈鬥爭，為了反對這件事讓人費盡了心力。」[89]

可是，海神會的前學生黨員們指出，因為學生運動是國際派，所以東大的共產黨基層組織在一九五三年曾一度遭到解散，又因為海神會並未受到共產黨重視，所以第一次海神會解散的主因並非共產黨的干涉。[90]雖然真相不明，但第一次海神會因為共產黨的介入而陷入混亂這件事是事實。

然而，有許多知識分子與前學徒兵認為，擁有許多讀者且留下了戰爭悲劇記憶的《聽海神的聲音》隨著海神會的解散而絕版實在太可惜。因此，一九五九年六月，海神會發布了再建宣言並重新成立。

根據為了重組傾注心力的評論家小田切秀雄回憶，因為自己當時是共產黨員，所以這次為了找共產黨員以外的人擔任會長而去拜託了作家阿部知二。然而阿部卻以「我討厭再被共產黨利用」而試圖拒絕。小田切用「如果發生這樣的事情，我就算拚了命也會站出來阻止。如果做不到的話，我就和你一起辭職」說服了阿部。[91]重新成立的「海神會」，通稱「第二次海神會」。

前學徒兵的批判家安田武，也為了讓下一代能繼承學徒兵的體驗，獨立開設了《聽海神的聲音》讀書會。安田的團體與第二次海神會合併，並以安田為核心蒐集更多遺稿並發行了《聽海神的聲音》第二集。安田成為第二次海神會的常任理事。原來的《聽海神的聲音》由光文社再版，在戰爭記憶還鮮活的六〇年代得到了讀者支持。一九五九年到一九六九年間，再版的《聽海神的聲音》賣出了大約二十萬本。[92]

另外，在六〇安保鬥爭中，當時的學生是出生於戰前到戰中，還存留著戰爭記憶的世代，因此《聽海神的聲音》獲得了學生們的好評。根據當時為京都的大學生的保阪正康說，「我的周圍有很多朋友志在革命，當他們說出『賭上性命堅決鬥爭』之類的口號時，也有人會說『如果想像戰歿學徒的心情，革命的痛苦根本不算什麼』。」[93]

在第三章也提過，六〇年安保鬥爭是戰爭體驗世代參與的最後的鬥爭。以一九三七年出生的樺美智子為首的學生們，也是屬於戰爭體驗世代的末尾。

出生於一九三八年，當時參加革共同的小野田襄二在回憶錄中這麼描述：[94]「不管是本多先生、陶山先生還是白井先生（他們都是當時革共同的成員），或者共產同的島成郎，都是在小學時期親身經歷過戰前天皇制與軍國主義的世代。」「六〇年安保鬥爭的參加者，光是東京就高達數十萬人，其中九成是親身感受過戰前天皇制與軍國主義的人們。」「六〇年安保鬥爭，宣告了正是因為體驗過戰前天皇制與軍國主義才得以成立的，『和平與民主主義的旗幟』這一運動基礎的終結。」對於這些學生來說，《聽海神的聲音》是能產生共鳴的書。

然而，即使進入了年輕世代不了解戰爭的時代，《聽海神的聲音》還是在六〇年代持續熱銷。第二次海神會的常任理事，之後成為越平聯核心人物的古山洋三，他在一九七〇年這麼說：《聽海神的聲音》在六〇年代平均一年賣出兩萬本，「六〇年安保，以及六五年『北爆』〔美軍向北越進行的轟炸〕開始後越戰升溫，在日本的反戰運動也迎來新的高峰期，這時的銷量也呈現飛躍性的成長，一九六九年，在即將迎來七〇年安保的情況下又再次出現成長的趨勢。」也就是說，「當戰爭與和平的問題嚴峻地擺在我們面前時，無疑出現了很多新的讀者。」[95]

年長世代認為，從六〇年安保到越南反戰運動的高漲中，年輕人們重新評價了《聽海神的聲音》。對他們來說，立命館大共鬥的「海神像」破壞事件是一次巨大的震撼。

大眾媒體齊聲指責了這個行動。《朝日新聞》以「和平與民主主義的象徵『海神像』很可憎！？」的標題報導了這個事件，並寫道「立命館大學是戰後最早由末川校長為核心，施行了被稱為『立命館方式』的民主式大學管理的學校，然而全共鬥派的學生批判其為虛有其表的民主主義，並高喊著將其解體。」[96]

而該報的社論如此批判立命館大全共鬥：[97]「他們的心情只能說是無法理解的。最近，在早大的學校創始人的雕像，以及北大的克拉克博士的雕像，都被噴漆塗汙毀損。這些行為還可以被當成想要反抗所有權威的年輕人特有的心態，因此不至於無法理解。然而，『海神像』到底哪裡有什麼權威？冒瀆戰歿學生這個行為，到底與越南反戰等主張有什麼關聯？」

許多知識分子們也批判了立命館大全共鬥。特別是對第一次海神會有影響力的共產黨系的知識分子，因為他們本來就對全共鬥運動本身有所批判，因此批判的語調相當強烈。銅像的作者本鄉新在報紙上評論，「那是我傾注心力打造的，期盼反戰與和平的銅像，破壞它的青年們沒有資格從事和平運動。」[98]共產黨的機關報《赤旗》，刊載了第一次海神會的理事長柳田謙十郎關於「『全共鬥』的學生們到底是出於什麼目的破壞這座銅像的呢？」的評論，以及戰歿學徒遺族「一邊閱讀著『海神像』遭到了暴力學生破壞的報紙記事，一邊哭泣」的聲音。[99]

立命館大學在銅像遭破壞的三天後，便宣布了將重建銅像的方針。那時也公開發表了「海神像是反戰．和平的象徵，破壞它就是踐踏反對戰爭以及對於和平的心願」的評論。最後，「海神像」在一九七一年七月重建，隨後被移至中央圖書館的防彈玻璃櫃裡頭。[100]

保阪正康在一九九九年指出，「全共鬥派的學生站在質疑『和平與民主主義』欺瞞性的立場上，對於『戰後民主主義式的東西』的批判甚至否定，以露骨的形式展現出來。『海神像』的破壞中也有這樣子的意義。」[101]然而，戰爭體驗世代與戰後世代之間的鴻溝，並不是一九六九年突然出現的。

一九三八年生的保阪正康，和寫下戰後民主主義「對於戰前世代來說是終於得來的恩賜，但對於戰後世代而言，卻是值得懷疑、甚至應該被打破的空話」的西部邁差不多同一世代。而保阪一面回想起中學教師讀著《聽海神的聲音》的其中一節而哭泣的樣子，一面這麼寫道：[102]「我對這種教師的眼淚，反而感覺到不信任。」

他們雖說出生於戰前戰中，但對戰爭的記憶並不強烈。這樣的他們，無法完全理解學徒兵世代的心情，從而感到違和與「不信任」。前述一九三八年生的小野田襄二，在二〇〇三年的回憶錄中提到，「六〇年安保鬥爭，宣告了正是因為體驗過戰前天皇制與軍國主義才得以成立的，『和平與民主主義的旗幟』這一運動基礎的終結。」另一方面，他也在以他為核心的，從六〇年代末開始發刊的雜誌《去到遠方》上所刊載的文章中這麼說：[103]

「對於〈戰敗時〉小學一年級的我，戰敗在任何意義上都無法成為我的精神形成的核心。我想我是首批完全感受不到戰敗作為精神上的事件，也就是在任何意義上都沒有體驗過戰爭的世代。當我懂事時，就已經身處戰後了。」

說起來參加了六〇年安保鬥爭的學生們，不但是戰爭體驗世代的末尾，同時也是首批戰後出生的世代，對於《聽海神的聲音》的情感也具有雙重性。

而對於戰後出生的嬰兒潮世代就更不用說了。早在一九五六年，嬰兒潮世代還是小學生的時候，日高六郎就如此記錄下了從教師那邊聽來的話：[104]「大家都在談論和平教育，但現在的孩子們已經不知道什麼是戰爭了。戰後出生的小孩都已經四、五年級了。」「有時候我在教室裡講述我自己過去〈的戰爭體驗〉的那些痛苦、悲傷與憤怒時，許多學生的眼中浮現的不是同樣的感動，而是對珍奇事物的好奇心，或者只是單純的笑意。」

接著，小野田在二〇〇三年的回憶錄中，比較了六〇年安保鬥爭，與以嬰兒潮世代為核心的一九六七年之後的三派全學聯，他這麼說：[105]

「〈六〇年〉安保全學聯的鬥爭，是少數的運動者（包含共產同）鞭策著相信『和平與民主主義的旗幟』的穩健派學生而實現的鬥爭。而三派全學聯的鬥爭，則是在一腳踢開那令人厭倦的『和平與民主主義的旗幟』上成立的運動。因此，比起群眾運動（自治會運動），這更像是想搞事的人就去搞的運動，其自身更接近於運動者運動。他們在高中時代以前，從沒想過什麼革命還是學生運動之類的事情，雖說入學時就加入了社團，卻也只是剛好接觸到那些在學校裡引發騷動的略嫌骯髒的團體，從而被那充滿人性臭味的魅力虜獲，是以這種方式形成的運動。」

「比起群眾運動（自治會運動），這更像是想搞事的人就去搞的運動」的這種特性，可以說在全共鬥運動中也是共通的。對於這樣的世代，由《聽海神的聲音》象徵的「和平與民主主義」的訊息顯得「令人厭倦」。

就算在第二次海神會內部，在一九六九年以前，就已經出現了年輕人與年長者之間的對立。從因為共產黨的介入而感到困擾的第一次海神會的經驗出發，第二次海神會中許多由前學徒兵為首的戰爭體驗世代認為，海神會不應該從事政治活動，而是應該努力傳承戰爭體驗，其中也有一些大型企業的幹部。理事長的阿部知二，也在接任理事長的那一刻起，就認為海神會不應該涉足政治運動。[106]

然而，大學生等年輕的海神會成員受到第一次羽田鬥爭刺激，對年長者的這種姿態感到不滿。根據安田武的說法，這種傾向在一九六八年七月，海神會為紀念學徒出陣二十五週年舉辦夏季合宿，約四十名左右的學生與鶴見俊輔、日高六郎等講師留宿進行討論時，清楚地表露出來。

安田寫道，藉由合宿進行澈底討論的企劃出自於以下的動機：[107]「我們談論民主主義、討論和對話，但卻從來沒有一個時代像現在這樣，丟失了真正意義上的溝通。」「尤其是年輕人，他們有很強烈的不滿。透過一整天一起吃飯睡覺的合宿討論，應該能藉由討論共同關切的主題，某種程度消解年輕人們的不滿。」這是想使年輕世代繼承戰爭體驗的安田，試著將年輕人們潛在的不滿與自己的意圖接合在一起的提案，正如安田的期待，討論相當激烈。

然而，第二天晚上在鶴見俊輔的提案下進行了名為「Lead-in」的企劃。這是大家各自帶來自己喜歡的書，並朗讀其中一個段落的企劃。據安田所言，學生們「朗讀的文章多種多樣，但其中大部分都是以某種方式尖銳批判『權力』之不公正的文章。」此外，鶴見的演講引發了許多學生的共鳴，安田在此事上也看到同樣的傾向。

根據安田的摘要，鶴見的話大致如下：國家，如同美國建國時存在著奴隸制一樣，在其形成時就帶有「原犯罪」。而日本國民也因為所屬於國家而參與了這個「原犯罪」，如果對此狀態視而不見的話，就成了「原犯罪」的共犯。因此，為了不要參與這個犯罪，以「Counter-crime」（反犯罪）進行抗議是理所當然的，那些不同情「反犯罪」的非法示威遊行的合法主義者，就已經參與了權力的「原犯罪」。

以鶴見為發起人的越平聯，曾在國會與美國大使館前，進行過靜坐抗議這種非暴力直接行動的「非法」行動。因此，不難推測這段話根據的是鶴見的實際體驗。

以上是安田的摘要，但鶴見在投稿於《朝日Journal》一九六八年八月十八日號上的演講〈戰爭與日本人〉中也提出幾乎相同的主張，看來安田的摘要應該不是被曲解後的內容。而學生們也對鶴見的這番話表示出強烈的共感。

然而，鶴見是個非暴力直接行動主義者。但他對於「反犯罪」的肯定，以及對於批判它的「合法主義者」的批判，也可以解釋成對於暴力鬥爭的肯定，以及對於指責它的大眾媒體與知識分子的批判。以此邏輯，將活動限定在傳承戰爭體驗上，不參與越南反戰運動的海神會的年長者們，也是應該被批判的對象。

安田觀察對這席話有所共鳴的學生們後指出，「沒有生活經驗為根據的」學生會被這種激烈思想吸引是可以理解的，但指出了其中的危險性，「他們某種意義上的純真無邪，以『政治的話語』籠罩了這段發言，從其發想的根源上來說，是過度的政治主義。」

果然，從一九六八年到一九六九年間，脫離海神會的學生會員增加了。根據保阪正康所言，「我詢問了這時候退會的學生會員的想法，結果，很多人說他們不滿海神會並沒有為了行動的論點，或者說其只不過是一個繼承戰歿學徒遺志的團體罷了。」他們將海神會幹部的知識分子批判為「在戰後民主主義的空間中佔有一定地位的知性壓迫者」，在大眾媒體上甚至還將此揶揄成海神會的「武裝內鬥」。[108]

然而，年長世代的幹部，在「海神會並不是從事政治行動的團體」這點上堅決不讓步。最為強力主張此事的，是屬於學徒兵世代的理事——東大教授平井啟之。海神會一度出現「分裂」、「解體」、「凍結活動一年」三種方案，直到一九七〇年春天，事件才以激進的學生們離開海神會的形式告終。[109]

如第十一章所述，平井曾將自己的研究室提供給東大全共鬥使用，因此他相當了解當時年輕人運動的特性與侷限。另外，平井也是在東大鬥爭風暴中的一九六八年十一月召開的全學教師集會上，在幾乎所有的教師都因為東大全共鬥派學生們的闖入而離場的情況下，以「在戴著頭盔的學生面前一屁股盤腿坐下」的姿態澈底地進行了討論的人物。[110]平井在對東大全共鬥表示出一定共感的同時，也對全共鬥的學生們欣賞讚美天皇制的三島由紀夫一事抱持批判。

東大全共鬥批判「進步的」東大教授們，在學生提出挑戰要求討論的時候選擇了逃避。然而，平井在一九八九年時這麼說：[111]「在全共鬥的歷史中存在著錯誤。我主動（向全共鬥派的學生）拿著手持麥克風說，殊死一戰也沒關係，我們來場討論會吧，但學生聽到以後卻顯得很困擾。那時候，他們在我面前的建築物裡與三島由紀夫不知道在做什麼。我覺得這樣不行。」「這邊都說了要無條件無限制地展開討論，但全共鬥的學生卻裝作一副什麼都不知道。我沒想到他們會裝作什麼都不知道。」

這些誠實的年長世代知識分子們痛切地思考著，為什麼自己的體驗與理念無法讓年輕人繼承下去，甚至導致了「海神像」的破壞事件。

例如鶴見俊輔在「海神像」被破壞後的座談會上說，自己「並不是支持破壞的那一方」。然而，就算在年長世代之中，戰爭體驗實際上也已經風化了，「雖然早就已經被消化並排出體外了，但還是裝作抱有戰爭體驗一樣地對待戰後的人們，這種情況非常多。」他們「在自己身體之外，以一種形式製作了那樣的海神像，藉此作為某種代償而感到滿足。這樣的外在形式被年輕學生們打碎了的感覺，我自己也有。」[112]

如第二章所述，戰敗後過了約莫二十年，隨著生活變得富裕，戰爭體驗世代也遺忘了戰爭的痛苦，開始有懷念起戰爭的傾向。各地成立了戰友會，將自己的「年少往事」當成青春時光談論，也是從這個時候出現。

第二次海神會常任理事田中仁彥也在一九六九年六月這麼寫道：[113]「『海神像』不是神像也不是佛像，而應該是『民主主義與和平』的象徵才是。能否使它不僅僅只是一塊青銅，全都取決於我們自己。」然而，由於忘卻了戰爭體驗，使得「和平與民主主義這個詞」空洞化，「在五月二十日的更早以前，我們就已經使『海神像』偶像化並將其殺害了，不是嗎？」

另外，在年長世代的知識分子中之所以產生這種論調，也有以下的背景。根據鶴見俊輔所言，因為《赤旗》批判破壞銅像的立命館大全共鬥為「暴力學生」的緣故，「在論壇上有人指出，批判破壞銅像的全共鬥就是偏向共產黨的立場。」因此，並未說出像是在批判全共鬥的話語。[114]

可是，一九五〇年代在「海神會」中擔任過全職工作的越平聯事務局長吉川勇一，幾年後這麼描述「海神像」的破壞事件：[115]「越平聯的年長者們，雖然也在某種程度上可以理解並共感年輕人們的心情，但這在某種意義上帶有保留，我想，大家都認為採取那樣的戰術是不行的。」

進一步提出了更為嚴厲意見的是安田武。他說，「與熱中於追女生的學生們比起來，敢出手破壞銅像的學生至少還有在思考戰爭、和平、反戰之類的。」接著，他也承認「親歷過戰爭的人們似乎已經完完全全忘記了戰爭的痛苦」，同時說道，戰後民主教育遭到了扭曲，因為「『新教育』的三大要點——自主性、理性、積極性，完全沒有充分發展。」「大致上來說，之所以會變成這樣，是因為升學考試體制完全剝奪了孩子們的自主學習管理與規劃能力。」而且，安田總結說，「包含『海神』像的破壞在內，大學紛爭的最根本問題是……戰後教育的初心在各個方面上都已崩壞。」[116]

接著，安田在這時期的文章中這麼表示：[117]年輕人們認為，年長者的戰爭經驗談全都是早就已經眾所皆知的事情。這些年輕人「賣弄著小聰明批判道，老是執著在戰爭體驗上沒有意義，那只是戰中派的怨念罷了，是非『生產性的』。」可是，「他們真的知道嗎？」「『知道』自己『不知道』，與『不知道』自己『不知道』，這兩種情況即使同樣無知，卻有著很大的不同。前者連結上謙虛的美德，而後者只會產生出傲慢。最近的青年多數都屬於後者。」

另外，安田也針對銅像的破壞這麼說：[118]「在策劃破壞『銅像』的他們的內心裡，是否有確認過對自己的『生涯』到底有著何種程度的決心與誓言呢？換言之，不是要問破壞『銅像』的行為作為鬥爭過程中的事件（不論是偶發還是有計劃的）具有何種意義，而是在質疑，在行為者的內心，這個行為從此以後將成為多麼沉重的問題留在心底？他們是否有所覺悟？是否是在願意承擔責任的決心下從事這個行動的？」「破壞『銅像』的共鬥派學生諸君，應該用他們的『生涯』來證明這個行為的正當性。」「對於戴著頭盔的學生，比起在『暴力』層面上的指責，我對於他們的行動實在過於偏向對現狀的『直接』憤怒一事感到擔心。……他們的憤怒會持續嗎？他們的不滿會持續嗎？我對此感到擔心。」

然而，學生方面對於安田提出的問題的反應，完全文不對題。一九七〇年二月的《朝日Journal》上，刊載了參與破壞銅像的學生的主張。[119]

根據他們的說法，日本共產黨從戰敗不久後，開始採取兩階段革命論，「戰後民主主義」從一開始就是與革命無緣的「擬制『和平與民主主義』路線緩慢的腐敗過程」。所以，「戰後」不過只是擬制的期間。因此，「『海神像』的破壞，是我們朝著空白的戰後、或者領導者、知識分子們放出的反叛的狼煙。」「藉由製作出『海神像』這種玩具來美化與消費戰後空間的人們！貪圖睡懶覺的人們！不要只因為玩具被弄壞了就慌慌張張的……『像』只不過是一件青銅的作品罷了。只是，它被塗抹上了超出一件作品所能擔負的東西而變得不潔。我們對此感到不快，無法忍受這種不潔，於是破壞了它。」

接著，立命館大學講師，支持全共鬥的「造反教官」師岡佑行，在刊載於《情況》一九六九年七月號上的演講中這麼主張：[120]立命館大學，被認為是擁有協議會的民主的大學，是擁有「海神像」的重視和平的大學。然而，實際上，協議會不過只是大學校方收編學生的裝置，大學遭到共產黨系的教授們支配，「反革命部隊」的民青掌握著自治會。而且，立命館大學對於當權者宣稱在第一次羽田鬥爭中，碾殺了山崎博昭的是立命館大學學生這個捏造的假消息並未提出抗議。

因此，依照師岡的說法，重視「和平與民主主義」的立命館大學，只不過是高舉「虛偽的和平」的「欺瞞的學府」。「全共鬥的學生們，藉由無情地粉碎這座銅像，清楚地揭露了虛偽的反戰與和平。」「『海神像』被從底座上拉下來，拖拽到大地上破壞的事實，是立命館大學的現實，而對於日本的大學現況來說，是最為相稱的事件。」高舉「和平與民主主義」的立命館，隨後引入機動隊排除了封鎖，證明了「戰後民主主義這種東西」只不過是「追認權力行為」的欺瞞。這個演講，與學生們的拍手喝采及「沒有異議」的反應，一同被刊登出來。

就像這樣，討論完全錯位，事態在師岡那樣的主張獲得了學生們的滿堂喝采中繼續發展。然而，如同安田擔心的，破壞銅像的學生，是否如師岡描述的那樣，是在深刻思考下採取行動的呢？仍然還有些疑問未解。

實際上，天野惠一在後來見到了參與破壞銅像的女學生並詢問她時，女學生這麼說：[121]「在反抗大學管理的過程中，雖然發生了破壞銅像的事情，但直到大眾媒體開始吵這件事之前，我幾乎不知道是怎麼一回事。那座銅像一下子就壞掉了。我到現在還是不太懂。當時沒想那麼多就這麼做了。」

天野雖然對師岡的演講表示「當時一讀完立刻在某種程度上有了共鳴」，但同時也聽到這個女學生的說法，認為「我想事情大概就是這樣吧」。天野接著說，「對於多數的全共鬥派學生來說，思想上的意義也應該是後來才加上去的吧。擁有如此『高度』目的意識的人應該很少。」[122]

而在第二次海神會中，遭受到年輕學生會員批判的年長會員如此回憶：[123]「在全共鬥派的學生中，的確有一些腦袋很好，像是秀才一樣的人。但是對我這個曾經的特攻隊員來說，一邊聽著他們的話，我就一邊覺得，就是這些傢伙，他們如果活在那個時代裡，肯定會最先寫出像是『八紘一宇』等那個時代的標準用語吧。」不管是什麼時代，都有激進地操演著那個時代的「標準用語」，並對此感到興奮與自我陶醉的人存在。這個會員眼中的激進學生就是這個樣子。

如果天野遇見的那位女學生所說的，就是破壞銅像的學生們的實際情況，那麼想要誠懇地回應他們破壞銅像的行為以及「戰後民主主義」批判的知識分子，或者聲援他們的「造反教官」，可以說都白費了心力。如同安田所擔心的，他們當中多數人的「憤怒」都未能「持續」，幾乎沒有人願意用其「生涯」來承擔自身行動的責任，並持續主張行動的正當性。

以破壞「海神像」為象徵的年輕人們的「戰後民主主義」批判，與其說是邏輯性的，倒不如說是感性的。在戰敗的廢墟與失序的社會情勢中建立出來的戰後理念，以及在年所得甚至不到一百美元的發展中國家時代的日本形成的戰後思想，在因高度經濟成長而晉升先進國家的日本，對於面對的是「現代的不幸」而非「近代的不幸」的年輕人們而言，在感性上已不再合適，這可以說是想當然耳的事情。

當他們試圖藉由話語，來表達這種感性上的違和感，而使用馬克思主義的用語等等，可以說不過是連他們自己也不相信的一種挪用罷了。試圖對其進行邏輯性回應的年長知識分子們的言論，可說只會以獨角戲告終。

就這樣，「戰後民主主義」被當成批判與冷笑的對象，六〇年代末思想的典範轉移持續進行。其中，還有一個要素也加了進來。那就是，認為「戰後民主主義」忽視了亞洲、在日韓國・朝鮮人、沖繩與被歧視部落等群體的批判。

對於亞洲與少數群體的關注

認為在所謂「戰後民主主義」之中，「在日」或沖繩的問題遭到了忽視的指控，並非毫無根據。例如，作為戰後知識分子和平運動的源流而為人所知的，丸山真男也參加的和平問題談和會（一九四八年成立），因為主張全面講和而受到注目，會長安倍能成在《世界》雜誌的講和問題特輯號上，寫下了「希望美國的駐軍與軍事基地能設置在琉球與其他四個島以外的地方。」[124]

相對之下，戰敗後曾有一段時間，最為熱心關注在日朝鮮人問題的是日本共產黨。在一九四五年十月獲釋的共產黨獄中非轉向幹部之中，也有朝鮮人的金天海。金後來成為了共產黨的中央委員。在一九四六年二月再版的機關報《前衛》第一號中，有篇由在日朝鮮人黨員所寫的，題為〈在日本的朝鮮人問題〉的論文，而在一九四六年六月，為了與政府的日本國憲法抗衡所提出的共產黨版憲法案中，禁止在參政權為首的各項權利上，存在「人種、民族、性別、身分」的歧視。[125]

然而，曾在《前衛》復刊第一號上寫了上述文章的朝鮮人黨員，在一九四七年五月的《前衛》上這麼寫道：[126]「究竟誰會為了朝鮮民族的利益進行鬥爭並擁護它呢？不用說，那就是日本的人民，正確地說是日本的無產階級，以及其政黨的我黨（日本共產黨），除此之外別無其他可能。」可是，在當時成立的朝鮮人聯盟等在日朝鮮人組織中，也具有朝鮮人的老大掌握著利益與權力的面向。如果日本整體不發生革命，那在日朝鮮人的待遇問題也無法獲得根本解決。因此，對於日本共產黨的朝鮮人黨員來說，「站在朝鮮人的立場上看待日本的革命運動」是「一種民族主義的偏向，與共產主義互不相容」。

這篇論文指出「與此相反的情況也適用於日本人同志」，主張如果日本黨員採取「朝鮮人的事與日本人的問題已經是兩個不同的問題」的態度，那也是一種「民族主義的偏向」。另外，這篇文章中也寫道，在日朝鮮人的「民族特殊性」也是無可動搖的事實，追求其利益的運動可以在共產黨以外的組織「大力推行」。然而，一旦成為了日本共產黨黨員，優先考慮朝鮮人的立場就是「民族主義的偏向」，這一點必然導致朝鮮人黨員必須聽從日本共產黨命令的結論。

在隨後的日本共產黨武裝鬥爭時期中，在日朝鮮人成了相當有力的一環。然而韓戰休戰後，在國際共產主義運動的方針下，各國黨員改為交由各國共產黨管轄。一九五五年一月，在日朝鮮人黨員與在日朝鮮人運動被要求應脫離日本共產黨，改依循朝鮮社會主義勞動黨的指導行事。這與六全協的放棄武裝鬥爭幾乎發生在同一時期。

這個處置隨後招來了日本共產黨只是想利用在日朝鮮人黨員，利用完後就拋下他們不管的批判。雖然在那之後日本共產黨對在日問題還是有一定的關心，但無法否定的是，與之前相比，關注程度確實有所下降。

就這樣看來，從一九五五年前後開始，共產黨與非共產黨系的進步知識分子等，對於以在日或沖繩為代表的少數群體較為缺乏關注是事實。然而，新左翼黨派與全共鬥也不能說是從一開始就熱切關心這些問題。

例如，一位東京大學助教授在一九六七年十二月的評論中表示，「『一般來說，朝鮮問題比較少出現在學生的傳單中』，並評論道「如果不充分思考日本的將來與中國、朝鮮的關係，以及在『明治百年』期間內的日中、日朝關係，就算再怎麼樣憑著感覺高喊『反對侵略越南！』，其終將只能成為徒勞的鬥爭。」[127]

另外，現在在國立國會圖書館裡，收藏著一共有二十三卷的《東大鬥爭資料集》，其中蒐集了從一九六八年到一九六九年初，約五千件在東大鬥爭中發放的傳單與小冊子。但在我所知的範圍內，有提到在日問題的，僅僅只有一張一九六九年九月的傳單，在自主講座企劃案所列舉的其中一項上，提到了「在日朝鮮人問題」。[128]而且也只是當成將來「研究會可能的主題」，與「明治自由民權通史」、「義大利當代史」、「德國革命史」等題目並列，被以小小的文字寫下來而已。

一九六五年的反對《日韓基本條約》鬥爭是由各黨派進行的。然而，主要的著眼點放在，防止正在逐漸復活的日本壟斷資本與日本帝國主義，與反共國家韓國組成同盟朝向亞洲擴張。根據《日韓基本條約》，韓國的朴正熙政權以放棄賠償請求權作為交換，從日本政府那裡獲得了三億美元的無償援助，延續了自身政權。然而，在日韓國．朝鮮人卻只有獲得在他們轉換成韓國籍後將被給予特別永住權的待遇而已，朴曾說「在日的六十萬同胞要為本國的三千萬人犧牲」。[129]對此，各黨派對於在日問題幾乎毫不關心。

當時為民青運動者的宮崎學這麼回憶：「日本的反對運動方對於在日的關注相當少。儘管在口號上高呼著『與在日朝鮮人的串連』，但完全沒有這方面的活動。」京都出身的宮崎有很多在日友人，他在與其中一人通電話時問道，「在京都，日韓鬥爭也造成了大騷動嗎？」那名友人回應道，「是啊，造成了騷動。雖然是這樣，但那終究是那些高等人無謂的騷動。我們將因此被自己的國家二度拋棄。這一點，他們根本不懂。」[130]

在新左翼黨派中，也有著幾乎完全不了解在日與韓國情況的傾向。例如，當時由革馬派掌握的全學聯書記局，在一九六四年四月發出的通知中，認為反對日韓會談的「韓國學生遊行」被侷限在「韓國民族主義」裡，因此從無產階級國際主義的觀點出發，主張韓國學生運動有必要「批判韓國民族主義」。[131]

曾為共產同運動者的三上治回憶，在當時日本的黨派中，「完全看不到對於支撐著韓國學生們投入阻止日韓會談鬥爭的民族情感的理解」、「相對於一味地作為被害者思考戰爭，雖然也確實產生了像是『我們難道不是加害者嗎？』這種反省的聲音。但這樣的聲音一點也沒有被進一步思考。」[132]對於在日的問題，應該也是相同的情況。

而在東大全共鬥的傳單裡，幾乎沒有提及在日、沖繩與殖民地支配的問題。此外，如前述，在破壞「海神像」的學生於一九七〇年二月投稿在《朝日Journal》上的文章中，雖然強調了「戰後」和平主義的欺瞞性，但並未批判包含學徒兵在內的日本軍侵略了亞洲的這件事。也就是說，從一九六八年到一九七〇年初，日本的殖民地問題與在日問題，並沒有成為主要的議題。

沖繩返還因為直接與安保有關，獲得的關注度比在日問題要高。然而，在一九六八年這個時間點上，不能說新左翼黨派與各大學全共鬥對於沖繩問題有很高的關注。

本土的沖繩出身學生的非日共派鬥爭中，最為人所知的是從一九六八年一月開始的「與那原君鬥爭」。[133]當時的沖繩處在美軍的軍政統治下，如果要去日本「本土」「留學」，需要美軍民政府發行的渡航證明書（被通稱為「護照」），以及在活動限制等條件下許可「留學」的契約。

然而，一位名為「與那原」的學生在參加了羽田鬥爭及佐世保鬥爭後，其契約遭到了解除。於是，一九六八年一月在廣島大學組成了「守護與那原君會」，集結了各大學沖繩問題研究會的學生與沖繩出身的學生。一九六八年七月，沖繩學生鬥爭委員會準備會（沖鬥委）成立。一九六八年八月，抗議渡航限制的沖繩出身的學生們也進行了燒毀「護照」的抗議行動。

但根據一九七三年出版的一本關於沖繩問題的書籍，當時「『本土』學生對於沖繩問題的認識極為淺薄，而『沖鬥委』也還在摸索階段」。而且，當時的新左翼黨派站在無產階級國際主義的立場否定民族主義，從這個立場延伸，有「將中國、越南、朝鮮的解放勢力，視為民族主義並強烈批判」的傾向，沖繩的學生運動也受到了影響。[134]

在新左翼黨派的鬥爭中也一樣。一九六九年四月二十八日「沖繩日」之前，並未進行過以沖繩問題為主題的大規模鬥爭。從出版情況來看，沖繩相關的書籍也是在一九六九年以後才如狂潮一般相繼出版。

一九六八年以前，對於在日問題等投以關注的，與關於「戰後民主主義」的討論一樣，不是新左翼黨派或全共鬥，而是越平聯周圍的知識分子們。

一九六五年八月，韓國陸軍兵長金東希拒絕前往越南，希望到日本接受政治庇護而逃到了對馬。[135]但是，日本警察將他視為偷渡入境者逮捕，以違反出入國管理令為由使其服刑一年後，一九六七年二月將他送往了長崎縣的大村收容所，作為強制遣返回韓國之前的臨時措施。如果遭到強制遣返的話，他將被當成逃兵求處極刑。

一九六七年十一月，越平聯將四名從美軍航空母艦無畏號上逃脫的海軍士兵送往瑞典，一時之間受到了極大的關注。然而，金東希事件卻是在那之前發生的。越平聯從一九六七年三月開始關注這個問題，發放了反對將金東希送回韓國與要求將他從大村收容所釋放出來的傳單，並向法務大臣提出了由文化人共同連署的，希望允許政治庇護的請願書。最後，金東希在一九六八年一月被送往北韓。

大村收容所，是暫時收容包含在日韓國・朝鮮人在內的在日外國人，直到將他們驅逐出國之前的場所，於在日社群中被視為恐怖的場所。鶴見俊輔寫道，「我發現我連大村在哪裡都不知道，讓我知道大村的是金東希。」「越想越覺得，大村收容所是違反日本國家理想的場所。」越平聯訴求撤廢大村收容所，一九六九年三月，雖然只有鶴見與小田實等五十九人到了大村收容所展開遊行，但還是與警備部長見了面並提出抗議。[136]

一九六八年一月，發生了在日朝鮮人金嬉老持來福槍「籠城」的事件。日高六郎等人參與了救援活動。而一九六八年七月，鶴見俊輔在海神會上，舉行了前述主張「國家的原犯罪」的演講，同年八月公開了名為「戰爭與日本」的演講錄。

鶴見的這篇演講，開場說道，「進一步思考在日朝鮮人的問題，可以讓我們非常清楚地了解日本國民的狀態，不是嗎？」接著，他主張如同美國的黑人奴隸化一樣，日本對於「日中戰爭裡的屠殺」與「關東大地震後對朝鮮人的屠殺」具有「原犯罪」。「所到之處都有將這種國家的原犯罪呈現在國民面前的存在」，對日本來說，那就是「中國人、朝鮮人、台灣人」。存留在《聽海神的聲音》中戰歿學徒兵的遺書，缺少了這種對於「國家的原犯罪」的觀點，以及對例如選擇逃走等「反犯罪」的考察。旁觀「國家的原犯罪」，是缺少了對於自己作為日本國民參與其中的這種「自他的犯罪性的自覺」，欠缺「追究國民犯罪性」的「戰爭體驗的重構，無法成為促使和平的力量。」[137]

也因為在一九六五年越平聯發跡後不久，就成立了沖繩越平聯，所以越平聯比新左翼黨派還要早投入沖繩問題。一九六八年五月，從本土來的越平聯成員在美軍嘉手納基地大門前進行非暴力的靜坐抗議，當時與越平聯關係親近的高石友也與中川五郎演唱了反戰民歌。[138]一九六八年八月，二十七名再次從本土前往沖繩嘉手納基地前靜坐的越平聯成員遭到美軍逮捕，並強制遣返回本土。[139]

鶴見的演講，與第一章提到的，在一九六六年的日美市民會議上，小田實指出日本的和平運動有必要從「被害者意識」轉換成「加害者自覺」的主張有所重疊。然而，一九六六年小田的演講是要指出，日本應該對自己藉由特需等方式參與了越戰一事有所自覺，而鶴見則是提出了「中國人、朝鮮人、台灣人」等少數群體問題，以及殖民地支配與侵略歷史。

但是，如同越平聯在「戰後民主主義」上的討論，雖然說著從「被害者意識」到「加害者意識」的轉換，但那也不是件簡單的事情。

如第一章提過的，小田的意圖是指出根植於被害者意識的和平運動，在不了解戰爭的世代興起後已顯露出其侷限，因此試圖藉由主張日本站在加害者立場的觀點，使不了解戰爭的年輕人們得以繼承和平運動。小田主張的，是作為加害者與作為被害者的一體性。這也如同在第一章提過的，小田在一九六六年的日美市民會議上表示，雖然在日本從屬於美國的這個意義上是「被害者」，「但同時面對越南時，日本則是站在加害者的立場。」小田在這場會議上強調，一般的市民也「由於國家的命令」成為了士兵，開槍射擊敵人而「站在加害者的立場」，但同時「自己也是國家的被害者」。[140]換言之，他提出的是，人正是因為作為被害者而成為了加害者，這是一體兩面的狀態。

也就是說，越平聯周圍對於少數群體與亞洲的關注，以及「加害者意識」的提議，與他們關於「戰後民主主義」的討論一樣，並非全盤否定過去根植於「被害者意識」的和平運動，而是關於如何發展性地將其繼承下來的問題。然而，在一九六九年初對「戰後民主主義」的批判興起的同時，認為

「戰後民主主義」是無視少數群體的「被害者意識」的產物的這種批判也開始出現。這種論調，全面否定了「戰後民主主義」。

這樣的主張，也出現在一九六九年八月十五日的第五回「八．一五紀念國民集會」上。這場集會與政黨或政治團體無關，是在「無聲之聲會」、「日本戰歿學生紀念會（海神會）」、「婦人民主俱樂部」、「日本山妙法寺」、「國民文化會議」、「越平聯」、「家永訴訟支援會」等市民團體的共同主辦下舉行。這年的專題討論，為了回應在年輕人中快速興起的「戰後民主主義」批判，因此題目被定為「我與戰後民主主義」。

但這並不是「戰後民主主義」第一次成為這個會議討論的焦點。在一九六五年的第一回集會上，身為其中一位與會發言人的丸山真男就曾提過，「在戰前，人們無法討論例如大日本帝國憲法或天皇的虛妄，但至少在戰後，人們可以公然主張戰後民主主義是虛妄的，或者和平憲法毫無價值，這難道不是顯示出戰後民主主義相對於大日本帝國所具有的道德優越性嗎？」而在日韓會談鬥爭隔年的一九六六年召開的第二回集會上，會場上的在日朝鮮人青年提出了「如果略過沖繩問題與美軍基地的問題、日本與中國、日本與朝鮮之間關係的問題不談，就無法對越南反戰展開討論」的發言。[141] 但正式直接將重新檢討「戰後民主主義」定為主題，這次會議的確是第一次，

在這個討論的與會發言人中，除了一直以來的參加者大江健三郎等人以外，還有隸屬部落解放同盟的作家土方鐵、沖繩問題的研究者新崎盛暉、在九州組織致力於獨立的創作活動的森崎和江、日大全共鬥的館野利治等意識到了新的潮流的成員們。因此在討論中，對「戰後民主主義」的批判如漩渦般展開。

從討論的一開始，新崎就主張沖繩一直在戰後和平憲法的框架之外。土方也主張被歧視部落被置於戰後民主化的範圍之外。森崎則發言指出「在戰後民主主義中，嚴重缺少對於女性問題的關注」。長崎反戰青年委員會的鈴木達夫，以自己參與的大村收容所解體鬥爭為例，認為在「戰後民主主義」中並未考慮在日問題，並說「所謂的戰後憲法，其實是另一方的，也就是統治階級的支配以最為巧妙的形式展現出來的東西」。他的發言獲得了來自會場上年輕人們的滿堂喝采。[142]在這樣的情況中，日大全共鬥的館野做出以下發言：[143]

包含我在內，所有生活在戰後日本的人們，都有必要回過頭再次檢視戰後民主主義。例如，戰後日本的確是和平、有秩序、繁榮的，在物質上也很富足。然而在這一切背後我們的所作所為，亦即日本人在國內的和平、在我們自身家庭的和平狀態中所做的，是將沖繩的一百萬人賣給了美軍政府，以及將我們應該擔負的戰後的一切責任，全部都交給了在日朝鮮人、中國人，還有像是部落的人們——那些被虐待的人們承擔不是嗎？

在這樣的狀態中，如果日本戰後的和平與民主主義這種東西確實成立的話，那麼我們難道沒有必要去破壞這個以最為卑劣的形式維持下來的戰後民主主義本身嗎？這是我在思考的事情。

但是與東大全共鬥一樣，在日大全共鬥中，就目前可以確認的傳單類資料來看，在一九六九年初以前並沒有談論到在日或沖繩等問題的東西。沖繩或在日的問題以極具存在感的方式進入新左翼黨派與全共鬥的視野裡，我想可以說是在一九六九年四月二十八日的沖繩日，以及後述的一九六九年三月的反對「出入國管理法」運動以後。

而如果檢視館野的主張，可以發現幾個特徵。第一，他視「戰後」為「物質上富足」且「有秩序」的時代，無視了經濟高度成長以前的貧困時代——那同時是「戰後民主主義」輝煌的時代。第二，他的論調與「日本『虛偽的和平與繁榮』建立在越南特需與越南人的犧牲上」，這種一九六八年以前的新左翼的論調幾乎有相同的構造，可以說只是把「越南人」換成了「沖繩」、「在日」與「部落」，把「虛偽的和平與繁榮」換成了「戰後民主主義」而已。

不同於新崎與土方這種出生在沖繩，或長期關注這個問題的人，在一九六九年突然開始對沖繩與在日產生關心的年輕人，並不了解其實際情形。根據之後在做出「沖繩返還決議」的國會上燃放鞭炮抗議的，沖繩出身的沖繩青年同盟的運動者仲里効在二〇〇三年的對談，當他在六〇年代末進入東京的大學就讀時，被本土的學生問到「你能說英語不是嗎？」[144]在當時的本土，不少人以為在美軍統治下的沖繩，英語是官方語言。

如前述，關於沖繩的解說書從一九六九年開始相繼出版。雖說如此，由於有著美軍的渡航限制，因此要實際前往當地相當困難。在上述的對談中也這麼提到：[145]「當時本土的運動者，幾乎不太了解沖繩的情況。聽一位全共鬥的前運動者說，到了一九六九年左右，他們雖然針對沖繩發表了很多言論，但實際上對當地的事態幾乎完全不了解。」也可以說，對於二十歲左右忙於運動的年輕人，要期待他們精通沖繩的事情是不切實際的。

但是，這場一九六九年的「八．一五紀念國民集會」上，擠滿了厭惡民青與共產黨，並對「戰後民主主義」批判感到興奮的年輕人。館野等人只要開始批判「戰後民主主義」，會場就會響起「大江健三郎，出來回答！」的叫囂聲。資深勞工運動家野崎健美向會場提問，既然大家這麼輕易地批判著和平憲法，那「你們知道憲法有幾條嗎？」時，遭到了「形式主義者！」的叫囂聲回擊。當野崎發言指出，惡作劇般的暴力鬥爭可能成為政府強化治安的藉口時，出現了「這種說法與《赤旗》一樣！」的叫囂聲，野崎不得不以「我與《赤旗》不一樣，也不是共產黨員」來自我澄清。[146]

然而，具有良心的年長知識分子們，確實不得不承認「戰後民主主義」缺少了對少數群體的觀點。一九六九年九月，一群大阪的高中教師志願者，公開發表了一篇文章，文中陳述了對於「現代的、理性的」「戰後民主主義」教育忽略了「朝鮮人問題」和「沖繩．部落」一事的反省。[147]

就這樣，年輕人們的「戰後民主主義」批判，某種意義下成為了有力的武器。然而，真正對於少數群體問題的關注，實際上尚未來臨。其如後述所言，直到一九七〇年七月才到來。

從「荒謬笨蛋激進派」到入管法鬥爭

一九六九年三月，「出入國管理法」提交國會，企圖使一九四七年被提出的出入國管理令這個「最後的詔敕」成為正式法條。在出入國管理法案中，納入了對於在日外國人從事政治活動的限制，因此在日韓國．朝鮮人與在日華僑發起了反對運動。此法雖然在一九六九年、一九七一年、一九七二年、一九七三年都曾提交國會，但因受到強烈反對而未能通過，最終刪除對政治活動的限制，於一九八二年立法。

同樣於一九六九年，對外國人學校設限的外國人學校法案也被提交國會。這些都是對於在日外國人來說深刻的問題，因此他們發起了強烈的反對運動。

例如，大韓民國居留民團，一九六九年六月二日在東京舉行了約五千人的遊行，十六日在大阪則舉辦了約一萬兩千人的遊行。一九六九年三月，在日中國人．台灣人等華僑青年的團體「華青鬥」成立，並於七月一日起加入將於第十五章後述的，由越平聯主辦的新宿西口民謠游擊集會現場的絕食行動。學習中文、朝鮮語的日本學生們，也以日中學院的學生為中心，組成了「語學共鬥」，並與串連起在日朝鮮人的「偶蹄之會」[iii]等團體一起，和「粉碎入管體制東京實行委員會」（東京入管鬥）共同加入了反對運動的行列。六月八日，在大村收容所約有八百名學生舉行了遊行。[148]

一九六九年七月二日，機動隊為了驅離進行絕食的華青鬥青年們，推開了阻擋的越平聯年輕人們，將華僑青年們拖出來並施以私刑，造成兩人重傷。當時，據稱機動隊員以「你在違逆天皇陛下的機動隊嗎！」「如果再這麼做的話就強制遣返」等言詞加以威脅。然而絕食行動還是持續進行，這樣的暴行在十二日與十九日也再度發生。[149]這些事件成為日本的新左翼黨派與全共鬥派學生關注在日外國人問題的契機，也開始組織起入管法反對運動。

然而，新左翼黨派對於入管法反對運動稱不上熱切。他們主要的關心，是一年後即將到來的安保修訂、是預定於一九六九年十一月舉行的阻止佐藤訪美鬥爭，以及以此為槓桿的日本革命。相對於此，改善外國人處境等等，則被視為與革命一點關聯也沒有的問題。因此，根據參與入管法反對鬥爭

iii 譯註：「チョッパリの会」。「チョッパリ」（쪽발이，Choppari，肘巴里）原為朝鮮語的偶蹄之意，是用以蔑稱日本人歧視性用語，形容其因穿下駄，腳趾分成兩邊，就像豬、牛等偶蹄動物的腳蹄。

的學生的說法，新左翼各黨派將入管法反對鬥爭視為「三流的改良鬥爭」。[150]

而新左翼黨派的運動者們，往往傾向採用馬克思主義公式化的下層結構決定論。根據馬克思主義公式化的解釋，形構社會的是經濟的生產模式，人類的意識或歧視、環境汙染問題等等不過只是被下層結構規定的上層結構。因此，與革命相比，歧視或環境汙染問題等，只不過是遠遠不如革命重要的渺小問題。

當致力於環境汙染問題的東大助教宇井純，與革馬派幹部討論環境汙染問題時，該名幹部完全沒有展現出對於環境汙染問題的關心，並說「一旦取得國家權力，那些問題全部都會解決」。[151]他們認為環境汙染等等只不過是資本主義所顯現的其中一種矛盾，在維持資本主義體制的情況下進行改良，不但無法從根本上解決問題，反而可能延長資本主義體制的壽命。相對於此，他們認為只要自己發起革命打倒資本主義，並改變下層結構的話，環境汙染問題等等就會自動解決。

根據參與入管法反對鬥爭、早大的無黨派運動者津村喬所言，一九六九年七月召開了總誓師集會，設置了各大學的運動聯絡機構的事務局。然而，就算在該場合上，ML同盟的一位幹部說「歧視問題之類的很荒謬，笨蛋激進派也都太過分了」，中核派的一位幹部也只是表示「那也沒關係吧。也是需要從人道角度參加的人」。[152]

在新左翼黨派中，還有另一個對入管法鬥爭關切熱度不高的原因。當時的韓國是處於反共軍事獨裁政權的支配之下，在日本的左翼中，不承認「韓國」而稱之為「南朝鮮」是很普遍的情況。因此，入管法鬥爭主要團體之一的大韓民國居留民團與新左翼黨派格格不入。另外，朝鮮總聯因為內部因素，雖然發起了一定的抗議活動，但並未真正投入入管法反對鬥爭。不只是這樣，指導著總聯的朝鮮勞動黨還是日本共產黨的友黨。所以，敵視日本共產黨的新左翼黨派，也並未採取從總聯方的立場支援入管法反對鬥爭的姿態。[153]

此外，還有新左翼黨派之間的政治考量。以廣泛投入各種問題並展開華麗誇張的行動而為人所知的中核派，將入管法定位為日本帝國主義的治安立法，在一九六九年八月十日衝進大村收容所，中核派機關報《前進》更以「中核旗飄揚」作為大標題。另一方面，社青同解放派在七月二十四日突然申請加盟入管法反對鬥爭實行委員會，但之後一次也沒有出席會議。津村推測，解放派的目的，是為了與聚集在入管法反對鬥爭委員會上的其他黨派建立關係，以便潛入隔天二十五日的全都全共鬥（全國全共鬥的前身，當時剛剛成立）。[154]

此外，當時的無黨派運動者也更重視同時期提交國會的大學立法。因此，根據津村的說法，雖然七月二十五日在明治公園舉行了反對入管法的「第三次全國統一行動」，但因從當天下午開始，將在同一場地召開全都全共鬥的反對大學立法集會，反對入管法集會的「參加者大多沒有聽過什麼入管法，幾乎都是為了『反對大學立法』的目的而來」。集會上新左翼黨派的煽動演說中，「從粉碎大學法邁向十一月決戰！」這種主旨的內容也佔多數。[155]

再者，全共鬥運動探問自身「主體性」與「存在」的內在性因素很強烈。因為這個原因，在無黨派運動者中，也存在著主動選擇不關注在日等問題的人。

例如，在一九六九年中旬，一位全共鬥派的學生寫道，自己在面對「自我否定」的問題，「在擔負鬥爭的人正要面對（這些問題）的時候，一下吵朝鮮人問題，一下又吵越南問題，這無疑愚蠢至極。這種情況下，東大鬥爭尖銳地開拓出的思想土壤將會遭到封閉。」[156]東大全共鬥的傳單中之所以沒有出現在日問題與其他議題，或許這種傾向也是其中一個原因。

結果，這個一九六九年的入管法，在自民黨也選擇優先通過大學立法的情況下遭到廢案。然而，很明顯地這個法案將會被再度提出，華青鬥與語學共鬥等組織的緊張感並未鬆懈。

在這種情況中，在入管法及在日外國人問題上得到注目的，是早大反戰聯合的津村喬。在津村出版於一九七〇年二月的著作《我們內在的歧視》——「內在的ＸＸ」這種詞語，如「內在的東大」、「內在的越南」等，是當時常常被使用的「尋找自我」用語——中，津村如此描述了投入這個問題的經過。

如在第十三章記述的，早大反戰聯合於一九六九年二月受到東大安田講堂攻防戰的刺激而成立。早大反戰聯合雖然佔領了第二學館及本館，成了早大全共鬥的前身，但佔領並無明確的理由或訴求，而是行動先行的行為。

當時的早大是革馬派的據點學校，由大學校方代為徵收自治會費，但作為交換，當學生中出現不順應革馬派意向的運動時，革馬派就會予以打壓。因此，依據津村的描述，唯有打破大學當局與革馬派的「二重支配」，全共鬥運動才有可能展開。於是，早大全共鬥由津村等無黨派運動者，以及革馬派、民青以外的新左翼黨派學生們組成。

然而他們雖然佔領了大學本館，但不像日大那樣有著切實的校內問題，在沒有任何訴求的情況下所佔領的街壘裡頭，隨著日子一天天過去，開始籠罩在閒到發慌的狀態中。根據津村的回憶，在這樣的街壘裡面，大家試圖正當化佔領行動，於是「從各種各樣立場出發的『理』被以話語進行了組織」。[157]

但是，不管在話語上使用當時流行的哪一種「理」，都無法表現他們模糊的不滿，「空虛」並未消失。津村這麼回憶：[158]「無論如何先建立十一月（阻止佐藤訪美鬥爭）的據點？不，其實只是想看到革馬派流血而已？教育的終結？自我否定？大學公社？——鬥爭表面上似乎有趣地擴展開來，但其中的『理』看起來卻是相當空虛的東西。就像是無聲地快速退去的潮水，將我們手中握著的沙從指縫中奪走一樣。」最終，「一面嚷嚷著空虛，一面在街壘中看電視」的空虛狀態開始蔓延。

毫無任何訴求或論點就展開了街壘佔領的他們，諷刺地指稱著自己。他們模仿無黨派激進派的諧音，自稱為「荒謬笨蛋激進派」，高舉「無思想、無展望、無節操的三無主義」，仿效當時流行的黑道電影《網走番外地》，將處於自主管理狀態下的第二學館稱為「早稻田番外地」，在本部前用喇叭播送由高倉健演唱的歌曲《網走番外地》。[159]

在他們製作的傳單中，戲謔的成分也不少。報導了五月十九日革馬派與早大反戰聯合之間武裝內鬥事件的傳單上，有「我們辦到了，反戰聯合！」「可惜！讓吸血鬼小山、科學怪人高島逃走了，硬漢齊藤吐血苦悶到昏倒！」等小標題，加上了模仿摔角報導的文字，「五月十九日晚上九點，大隈講堂的銅鑼響徹在戶塚一帶」、「逃向角落的革馬，追上去的反戰，革馬危險，衝啊反戰」、「革馬不要哭，還有明天」。[160]

然而，這種自我嘲諷並未能消除他們的「空虛」。一九六九年四月二十日，時為華青鬥運動者的台灣籍二十二歲華僑青年李智成，在留下「抱著滿腔的憤怒向佐藤反動政府的『出入國管理法案』、『外國人學校法案』提出抗議」的簡短遺書後服毒自殺。[161]津村喬於一九七〇年如此回憶聽到這個消息時的第一印象：[162]

這真的相當羞愧，但我實在不懂。我想的是，人會因為這種事情而死嗎？如果要為了抗議法案而死的話，那不是應該要在反對該法案的鬥爭中，或者就算那個法條真的被制定了，也要在破壞它的行動中死去比較好嗎？

這恐怕作為一般的論述是成立的吧。然而，即使我們試圖用話語來推測，李智成還是死了。這麼一來，促使他走向死亡的，顯然是無法化為話語的東西。

如在第十三章所述，早大反戰聯合的成員們，一面說著「每當說話的時候就感覺有些地方像是蒙混過去了一樣」、「話語是否真的具有溝通的作用呢？這實在讓人懷疑」，一面拒絕以話語提出訴求或論點。在第十章曾經描述過，在東大鬥爭中有人表達了「找不到話語」的苦惱，而對於憑藉「話語」來尋找「理」的這件事，津村已經感到了厭倦。此時，傳來了死者留下了僅使用最低限「話語」寫成的遺書的消息。津村如此描述在街壘中聽到這個消息時的印象：[163]

即使我們癡迷於為了殺掉革馬派而死也不足惜的仇恨之中，我們還是在這裡活著，一面嚷嚷著空虛，一面在街壘中看電視，在會議室隔壁搭建出的烹飪區牆上寫著「一切的起因都不明朗」，但李智成卻死了。

有什麼東西緩慢地轉動了。數分鐘前，滿腦子只有關於早稻田的事情的自己就像是另一個人一樣。……

……我們的鬥爭，從某方面來說，是對政治主義者（黨派）總是忽視的自發性，以及伴隨自發性而來的情感和遊戲的復權。……這並不是壞事。但是，我們的話語，除了在努力試圖變得諷刺的時刻外總是背叛我們，並將我們推向資產階級式滿足的那一方。我們真的「超越」了「和平與民主主義」嗎？在社會的、現實性的最淺薄的表層上，我們難道不是正在不得已地使用「少數者集團」、「內在價值」、「『私』的復權」、「感性的解放」或「噴發的自我表現」等理念，使用話語作為補充代位，由此以為自己已經超越了什麼嗎？

但李智成死了。為什麼？僅四十字的遺書，就比針對「戰後民主主義的超克」寫下的無數冊「全共鬥文本」還要雄辯地對我們的戰後提出了總結，不是嗎？任何一個生活在話語的世界、話語的民主主義的世界的人都未能拯救他。

如在第十章描述的，一九六八年末社會學者見田宗介寫下了〈追尋失去的話語〉這篇論文。[164] 文中，見田針對以東大全共鬥為代表的當代年輕人這麼寫道：「他們只能活在現代文明的詞語空隙之間。當他們試圖用話語表達自我時，瞬間感到『錯了，不是這樣』。」

他們嚴正拒絕落入「大人們」正在使用的「和平」、「民主主義」、「民主化要求」或「不了解戰爭的年輕人任性的革命遊戲」等陳腐既存話語的網中，拒絕被回應「你想說的我都已經知道了」。然而，自己也未能找到表達自己所追求事物的適切話語。就算拼接起馬克思主義的用語，使用「大學公社」、「自我否定」等用語也無法填補這個空缺。

就連津村這種敏感的感性青年，也無法創造出自身的話語。如果是平凡的學生，或許能滿足於新左翼黨派的革命用語，但津村做不到這件事。

津村等人自稱「荒謬笨蛋激進派」、「無思想、無展望、無節操的三無主義」，也是對於既存言語網絡的拒絕。這與東大全共鬥只有在提出「不」的時候才充滿生氣的情況相似。然而，就算獲得了從既存網絡（「體制」）中逃脫的快感，還是無法找到表現自己所追求事物的話語。

不得已之下，年輕人試著使用武鬥棒與頭盔、街壘等「話語」以外的方式或行動來「表現」。津村在全共鬥運動衰退後的八〇年代，開始書寫自然飲食與太極拳的書籍，這或許既是他們這一代人對於經濟高度成長以前的農村社會的懷舊，同時也是從對於「話語」的不信任轉往對於「肉體」的執著的結果。眾所皆知，從六〇年代末到七〇年代初，是「肉體」一詞不時被使用在藝術、文學批判等等的時代，也是不倚賴言語表現的暗黑舞踏及地下戲劇受到年輕人歡迎的時代。

然而，當津村對街壘的無聊感到厭倦，對「話語」抱持不信任感的時候，一名外國青年的自殺對他造成了衝擊。當他自稱「荒謬笨蛋激進派」時，遇見了一個賭上生命行動的人，這使他感到震驚。以此為契機，津村認為自己無法以「話語」填補的地方就在這裡，因而開始投入以入管法反對鬥爭為代表的在日外國人問題與第三世界革命論。這就如同第一次羽田鬥爭中山崎博昭的死，點燃了許多懷有潛在的不滿與不安，卻過著無聊大學生活的年輕人的心一樣。

作為「民族『原罪』」的歧視與戰爭責任

然而，津村之所以因李智成的死受到衝擊，是因為他過去的經歷。

實際上，津村曾經在一九六八年六月集合了早大的十四個團體，提出「七・七（盧溝橋『事件』）

三十一週年早大宣言」（以下稱「七・七早大宣言」）。這十四個團體中，有「亞洲經濟史研究會有志」、「中國文學研究會有志」等從事亞洲研究的學生們，也有早大文學部與教育學部的越平聯志願者等加入，但核心是「早大海神會」與「日中友好協會（正統）」的早大教職員與學生的支部。[165]關於這兩個團體，有必要做一些說明。

首先，「日中友好協會（正統）」是在一九六七年二月「善鄰會館事件」中，由日中友好協會分裂形成的。日本共產黨從戰敗後到六〇年代中期，都與中國共產黨保持友黨關係，或更確切地說，處於有一半接受著中國共產黨指導的立場。但在一九六六年，中國開始文化大革命之後，日本共產黨就與中國共產黨斷絕了關係，採取「自主獨立」的路線。日中友好協會，分裂成追隨日本共產黨批判中國共產黨的一方，與支持中國共產黨的一方，後者自稱為「日中友好協會（正統）」。

日中友好協會設置於在日中國學生居住的善鄰學生會館的一樓。然而，住在二樓以上的中國學生，許多人受到文化大革命的刺激，也試圖當「紅衛兵」採取文化大革命路線。一九六七年二月底到三月之間，發生了「善鄰會館事件」。日本共產黨派出動員部隊，把支持中國共產黨的學生從善鄰學生會館裡趕了出去，過程中發生衝突，造成了人員重傷。[166]

津村在當時的文章中熱烈支持文化大革命，他如此描述善鄰會館事件：[167]「這起事件映照出了什麼是戰後民主主義」。「這清楚展現出，與要求在『和平』中經濟成長的經濟自由主義一樣，（日本共產黨提倡的）守護和平與民主主義，現在只不過是日韓（條約）以來日帝新的侵略與壓迫方向的補完物而已。」津村與這個「日中友好協會（正統）」的早大支部成員共同寫下了「七・七早大宣言」。[168]

另一個是早大海神會，他們是自五〇年代以來出現在全國各地高中與大學裡的《聽海神的聲音》

讀書社團。然而，如前述，在一九六八年左右，各地大學的「海神會」成員也對只是想要繼承戰爭經驗悲劇的海神會年長者們感到不滿，處於支持鶴見俊輔所提出之主張的氛圍中。意即，重視映照出「國家的原犯罪」的「中國人、朝鮮人、台灣人」的存在，認為有必要「追究自身協助了日本國家戰爭的犯罪性」、「追究國民的犯罪性」。

如前述，在海神會的夏季合宿上，鶴見上述主旨的演講在學生間獲得好評，這是在一九六八年的夏天，比津村等人提出「七・七宣言」的六月要晚。因此，不能斷言早大海神會受到了鶴見的影響，但從結果來說，「七・七早大宣言」的內容比鶴見的演講更為激進。

「七・七早大宣言」強調自盧溝橋事件之後的侵略中國歷史，批判日本與日本國民無視「歷史『原罪』」。該篇文章的內容如下：[169]

> 敗戰後，日本的統治階級還來不及洗淨沾滿鮮血的雙手，就在美國帝國主義一定的「保護」底下，繼續推行著反中國、反人民的侵略政策。日本與中國（尚未恢復邦交）至今在法律上仍處於戰爭狀態。這個斷絕的二十三年也是「和平與民主主義」的二十三年。戰後革新勢力安穩地居於被上層賦予的「和平與民主主義」的溫暖之中，到了只會呼籲要「守護」它的地步，推卸了過去未能在國內阻止侵略中國的責任，容許了這個斷裂、這種侵略政策的執行與日本帝國主義的復活，並「參與」其中。……作為戰後革新的「先鋒」，自恃能積極建立日中友好的日本共產黨，在一九六七年二月，以「守護民主運動」的名義襲擊了善鄰學生會館的中國學生，造成了多人受傷，形同對這個問題提出了全面性的總結。這不單單只是關於日本共產黨體質的問題，也是關於

日本戰後革新運動裡，過往的日中友好運動的體質的問題，更是容許了這些發生的我們的問題，不是嗎？我們不能只是停留在一部分文化人的「戰爭體驗論」上，不好好檢視「我們自己內部的希特勒」，放棄了從內部支持著日本帝國主義的日本人民的責任，一味地將戰爭責任擴散成被害者意識。

過去容許了權力犯下「盧溝橋事件」，被所謂國家＝天皇制的民族共同體的幻想迷惑，把槍口對向中國弟兄們的我們的祖父、父親們，以及那一代的人。我們生長在背負著他們終究未能解決的「意義」的「戰後」，在沖繩核武裝化、日帝參與侵略越南的現實之中，我們到底還能厚顏無恥地扮演被害者到什麼程度？還能繼續高喊著機會主義的、極度幼稚的「國際串連」、「支援」與「友好」嗎？

津村在一九七〇年的著作中，如此描述這篇激昂宣言中的主張。第一，過去的戰爭責任論「只訴諸軍國主義政府的責任，缺乏正是日本人民容許了此行為的觀點。」第二，「就算是完全不了解戰爭的我們也有戰爭責任，也有民族的責任。」「在韓戰、越戰，以及在透過對亞洲各國輸出資本而肥大的日本資本主義中安逸地生活著的我們，還是對中國人民、亞洲人民負有政治性的責任。」第三，「戰後民主主義是『由上而下的民主主義』，是只有表面的、歧視性的民主主義。」[170]

第三點的「戰後民主主義」批判，由於如前述，使用「戰後民主主義」一詞的批判是從一九六九年初開始的，因此可以視為津村在一九七〇年的著作中進行總結時才加上去的。但就算這麼說，在上述的宣言裡也可以看到批判「被上層賦予的」、「『和平與民主主義』的二十三年」的內容，因此在旨趣上還是具有這個要素。

「我們的祖父、父親們」，亦即追究「民眾的戰爭責任」的論調，實際上在六〇年代就已經慢慢出現。在一九六一年的《思想的科學》上，出現了關於岩波新書《戰歿農民士兵的信》的論爭，其中，野添憲治如此寫道：[171]

「幾乎所有農民士兵的歸還者至今仍在讚美戰爭，對於在戰地所犯下的種種殘忍的虐殺行為感到自豪。他們抓著沒有戰爭經驗的年輕人說，如果不從軍就不能成為真正的男人。」鶴見之所以做出前述的演講，或許是因為知道在自己主辦的雜誌上的這場論爭。

年輕人們在看著這種大肆宣揚戰爭體驗的「大人們」的姿態下長大。越平聯的運動者山口文憲，在回憶錄中這麼描述：[172]

……一位乾叔父出身海軍機關學校，另一名叔父則在中國戰線從軍多年，每年一、兩次的親戚訪問，成了聽取他們故事的貴重機會。

對小孩說的話，雖說都有些誇大與不精準，但確實曾赴中國戰線的叔父，或許也曾經一劍刺死過突然從溝渠土堤裡跳出來的支那兵吧（我的香港朋友陳君與張君，對不起）。

因為有這樣的消息來源，「八路軍」和「便衣隊」這些詞彙，我從小就有所耳聞。……團塊世代（的男孩子），大家多少都在記憶中留有「親耳聽到的戰場故事」。

但是，身為復員兵的小孩意味著什麼呢？並不是想要裝成中國人或亞洲人的朋友，但如果直截了當地說，他們簡單來說就是「殺人犯」的小孩。

而當年輕人們被「大人」批判的時候，最簡單的反駁方法就是，回罵他們是侵略亞洲的「殺人犯」。早在一九六七年，深受年輕人喜愛的永島慎二的漫畫《瘋癲》（フーテン）中就有這樣的場景，一名公司社長嘲笑喜好迷幻藥派對的年輕人，遭年輕人駁斥：[173]

「我現在在這裡明白地說，你是殺人犯。」

「什，什麼？」

「看吧，你自己已經忘記這件事了！」

「我說的是，包含你在內的日本四十歲以上的人，大家都是殺人犯……。也就是說，在太平洋戰爭的風暴中，直接或間接地殺死了許多人。」

「我們這一代的人，自己的手還沒有沾染上人類的鮮血！」

「在我們這些人面前，你有什麼好笑的！」

社長肅然的反駁，「確實我們讓許多人……失去了尊貴的生命……。也正因為這樣，你們現在才能悠閒地坐在這裡不是嗎？你們應該不會忘記了，自己是生活在我們這一代人許多夥伴的屍體上的吧？如果忘了的話，那豈不可笑嗎？」這番對話，似乎預示了拉倒「海神像」的學生們與安田武之間的爭論，這個社長的反駁，或許在年輕人看來仍然未能擺脫「被害者意識」。

不過，這也是年輕人心中情結的反射。在一九六九年十月的報紙上，這麼報導了年長者與年輕人之間的對話：「『嘴上說著反戰，說著和平，但你們根本不了解戰爭不是嗎？你們懂戰爭的殘酷與和平的珍貴嗎？』在家裡，連爸爸媽媽都這麼說。雖然還是會反駁『你說什麼！』，但不知為何氣勢總被壓了下來。」當記者在年輕人的集會上問道「（你們）沒有戰爭體驗，這樣還有資格從事反戰運動嗎？」時，不僅「沒有立刻回應清楚明確的『當然』」，還異口同聲地說「確實是這樣，我就是想談這個」。[174]

對於這樣的他們來說，能夠以「民眾的戰爭責任」來反駁年長者是很有魅力的事。而津村等人在「七．七早大宣言」中也認為，戰後出生的自己這一代人，只要活在因為韓戰與越戰而繁榮的日本，就具有戰爭責任。這與上述「我們這一代的人，自己的手還沒有沾染上人類的鮮血！」的論述方法雖然不同，但都連接著這樣的邏輯：如果自己也有戰爭責任的話，就有從事反戰運動的資格。

可是，「七．七早大宣言」出現的太早了。同時期發生的東大、日大鬥爭也好，新左翼黨派也好，都尚未將戰爭責任與少數群體的歧視當成問題。根據津村的說法，這個宣言「雖然提出了戰爭責任與歧視意識的問題，但幾乎沒有獲得任何回應」。[175]

如前述，當時的新左翼黨派對歧視問題十分冷淡。奉行毛澤東思想的ＭＬ同盟，雖然以善鄰會館事件為契機，於一九六九年三月組成了日中青學共鬥會議，但ＭＬ同盟幹部說的「歧視問題之類的很荒謬，笨蛋激進派也都太過分了」才是他們實際的想法。支援華青鬥絕食鬥爭的是語學共鬥與偶蹄之會，以及中野及新宿的越平聯等團體。新左翼黨派雖然參加了一些關鍵的集會等行動，但根據當時為運動者的評論家絓秀實所言，對於新左翼黨派來說，「入管鬥爭只被定位成挑選黨派重要人員的宣傳性運動」。[176]

就算檢視當時運動周邊的傳單或機關報，其中提及戰爭責任問題的也不多。京都越平聯機關報在一九六九年八月號上，有一篇由年輕運動者所寫的文章：「在第二次世界大戰時，我們的父親，在朝鮮、在中國、在印度支那所做的行為，現在我們絕不能把它忘得一乾二淨。因為如果這麼做的話，在心裡造成的創傷就實在太深了。」這種在當時還屬於特例。[177]

而津村自身也受到安田講堂攻防戰的刺激，成立了早大反戰聯合，佔領了大學。津村在提出「七・七早大宣言」之後，從一九六八年秋天到一九六九年春天寫下了許多如「在全國創造無數個日大！」「串連東大、日大鬥爭，在早稻田建立叛逆的街壘！」的傳單，但這些傳單中都沒有提及戰爭責任問題或歧視問題。[178]

然而，津村等人佔領的街壘裡頭，一直到一九六九年四月以前都被無聊與空虛所支配。當李智成死亡的消息傳來時，在津村內心中，戰爭責任問題與歧視問題又再次快速地浮現出來。津村在聽到李智成死亡的消息後，「從此之後我就不再『熱中』於早大鬥爭了。」[179]他後來便開始專注於反對入管法、歧視問題與戰爭責任問題。

根據津村後來的著作，日本沉浸在「由和平與繁榮的幻想構成的窒息式支配秩序」中，其繁榮奠基於從過去到現在對於亞洲人民的剝削與歧視之上。支撐著「和平與繁榮」的「所謂的和平憲法，可以說是沾滿鮮血的和平與歧視體系的戰後民主主義的象徵。」[180]

而「李智成的死，是對於我們日本人的告發」，作為「日本人」的自己背負著「民族的『原罪』」與「民族的責任」。只要是「日本人」，「無論是否意識到，無論那個人直接做了什麼，只要生活在帝國主義內部，就必須負起殺害被壓迫國人民的責任」，「只要享受著其醜惡的『繁榮』與『和平』，只要由姑且算是以『民主主義』選出的政府還在進行侵略，就無法逃離這個『原罪』。」[181]

津村接著說，「如果提到民族的責任或者『原罪』，首先幾乎所有的馬克思主義者都會馬上憤怒地認為那種東西是人道主義吧。」然而，「在這個反問中，只能感受到道德主義式的牢騷的人——實際上，我從新左翼各派那裡接收到這樣的反應——已經被現代主義侵蝕入骨了。」依照津村的說法，「問題在於深深觸及到日本民族的情感，或說觸及到形成了日本現代的伏流的某種黏稠狀物體的東西」，「現代主義」的馬克思主義並不能處理這個問題。[182]

依津村所言，「李智成的死，是對於我們的革命運動與全共鬥運動的告發」，「日本資產階級七〇年代總路線的關鍵在於入管問題。」不僅如此，「此刻，唯有入管鬥爭能夠推動我們的『現代』的實際解體……超越日本國家壟斷資本的水準。」[183]

由此，津村將戰爭責任問題與歧視問題定位為超越「戰後民主主義」與「現代」的東西，是突破了缺乏少數群體視角的「戰後民主主義」盲點的東西。然而，在其中牽涉了幾個情況因素與問題。

首先，津村寫下一系列文章的一九六九年四月到七月初這段時間，是全共鬥運動空虛化與衰退、新左翼黨派的街頭鬥爭因一九六九年十一月決戰的「敗退」而全面遭遇瓶頸的時期。這是許多人意識到這一點，並正在尋找突破口的時期。

就算是津村也一樣。他在這個時期的歧視問題論中，批判學生運動「失去了在東大、日大鬥爭中生氣勃勃地與生活連結在一起的鬥爭目標」，隨著全共鬥運動的衰退，當全共鬥的無黨派激進派的「一部分人開始尋求反現實情況的『自立』時，更多人則與新左翼各派一起走向了『七〇年安保—沖繩』鬥爭，走向了老舊的、只有形式上增幅的街頭鬥爭。」[184]津村所說的「自立」，指的是吉本隆明在六〇年安保後斷絕與政治活動的關聯，提倡從黨派中「自立」出來，甚至寫到如果要去政治集會的話「倒不如睡午覺」。

換言之，依照津村的說法，東大、日大鬥爭時期的全共鬥運動「生氣勃勃」，但在全共鬥運動的衰退之中，一部分無黨派運動者從政治鬥爭中抽離出來，轉向內在世界，其餘大部分則走向了新左翼黨派高呼的「十一月決戰」等「老舊的」街頭鬥爭。恐怕津村所感受到的，是全共鬥運動應當開拓出的新的地平線正逐漸被封閉起來。他在當時的評論中，主張「以入管鬥爭來注入靈魂，以遏止校園鬥爭的退潮」。由此可知，他之所以關注戰爭責任與歧視問題，是有意識地希望遏止全共鬥運動退潮所提出的方法。[185]

津村對於情況的認知，在一九六九年「十一月決戰」完敗後得到了進一步強化。他在「十一月決戰」後的論述中說道，「『新』左翼八派聯合的決戰主義的破產，現在不管從誰的角度看都已經相當明顯了。」此外，ＭＬ同盟的機關報以「羽田決戰勝利．壓制京濱工業地帶．一六——一七持續貫徹鬥爭」為標題。對此，津村批判「『勝利』、『壓制』是指在蒲田周圍一次又一次被機動隊驅散的事實，『持續』指的是持續到早上的只有ＭＬ派。應該有必要加上這樣的註釋吧？」，並形容這樣的黨派根本就像是「惡質不動產業者」。[186]接著，他主張在街頭鬥爭的僵局已然明顯的當下，能夠推進到下一個階段的主題就只有歧視問題。

而對津村來說，還有一個對於現實情況的認知。他在這個時期的文章中寫道，「一位黨派的幹部在早稻田的集會上表示，能夠威脅太平之世統治者的，只有學生與在日外國人。」[187]因為經濟高度成長，工人階級也在一定程度上變得富裕，由學生作為先鋒激發他們站出來的理論已經不再通用，這是眾所周知的情況。在這種情況下，挑戰「太平之世」的「秩序」與「體制」的人，只有學生與在日外國人，這樣的認知在逐漸形成。

津村對於戰爭責任問題與歧視問題的關切，是以這種情況認知為基礎。他對於歧視問題的投入，也包含了相當多探尋認同的要素，這也是年輕人反叛的特徵。

津村在這段時期的文章中寫道，當他聽到李智成死亡的消息時，他感覺到被問了「你究竟是誰？從哪裡來的？又要前往哪裡？」這樣的問題。[188]當自己在「太平之世」中一面深陷於消費社會裡，一面自稱著「荒謬笨蛋激進派」進行毫無意義的街壘鬥爭的時候，一名外國青年為了抗議入管法而結束了自己的生命。這迫使津村自我反省「你究竟是誰」。

事實上，津村在這時期的文章中，能讓人感覺到這些要素的內容相當多。津村寫道，在華青鬥的青年們在新宿西口展開絕食抗議時，他感覺到被要求面對了「『我們在此賭上性命，你們呢？』的質問」。他又說，「事情的本質在於我們日本人的內在歧視意識，在於『內部的希特勒』」，「我將與我內部的『日本』，以及與所有李智成的殺害者展開鬥爭」，大量使用了「內在的ＸＸ」這個字句。而他也將李智成的死描述為，「正是他的死，逼迫我面對個人的生命意義與民族的生命意義這兩個問題之間的連結。」[189]

津村雖然批判了「現代」，但根據他的說法，「如果將不斷質疑自己的根據的這件事稱為無產階級式的，那麼在日本並不存在無產階級式的馬克思主義，只存在著『現代』馬克思主義。」[190]這種對於「現代」一詞的用法，完全稱不上是普遍的用法。換言之，他所說的「現代」，指的是感受不到「生氣勃勃」的現實性，無法重新質問自己的根據並確認自己的存在證據的東西，可以說是一種「津村語」。

津村反覆批判在「和平與民主主義」名義下繁榮的「太平之世」消費社會，是建立於在日外國人與亞洲人民的鮮血之上的東西，並描述他感受到了「『我們在此賭上性命，你們呢？』的質問」。然而，這與在六〇年代後半年輕人們的反叛中頻繁使用的，批判建立在越南人民鮮血上的「欺瞞的繁榮」，以及東大全共鬥主張的「要參加鬥爭還是敵視鬥爭」的強迫性選邊站的論述方法幾乎是相同的類型。硬要說的話，也可以說這只是將「越南人民」置換成「在日朝鮮人」與「對亞洲人民的戰爭責任」而已。

津村在當時的文章中寫道「我本來對歧視問題並沒有太多了解」、「『民族的原罪』這個概念本身還沒有完全被闡明」。[191]他本身既不是在日朝鮮人，對歧視問題也並未有過長時間的關注。儘管他在一九六八年六月提出了「七・七早大宣言」，但在東大、日大鬥爭中感受到「生氣勃勃」的那段時間，歧視問題也並未出現在他的文章中。而八〇年代以後，他也開始遠離歧視問題，轉向關心自然飲食與太極拳。

如前述，津村提到為了超越「戰後民主主義」的「和平與民主主義」，「『少數者集團』、『內在價值』、『私的復權』」被當成「補充代位」而「藉由話語」提了出來。然而，如果觀察他的論點與對於歧視問題的關切，就會不禁浮現出這樣的疑問：他所尋求的是，從大眾消費社會中無法感受到「生氣勃勃」的現實性與認同的「現代的不幸」中解脫，而歧視問題與戰爭責任問題，或許只是這個時期的他的「補充代位」而已。如同在第二章中看到的，在早大反戰聯合於一九六九年二月成立時的傳單上，也展現出了「對這個奄奄一息的消費社會的憎惡」。

另外，在津村於此時期的論述中，還包含了別種問題。

首先，津村將「日本人」與「民族」當成同義詞使用，完全處在單一民族國家論的框架中。日本國籍的朝鮮人，或者「混血」的人們並不在他的視野裡。以他提倡「民族的『原罪』」的思想來說，可以說能夠明確區分「日本人」、「朝鮮人」與「中國人」的立場是一個必要的前提條件。

而且津村在當時的論述中，一邊主張對於「國族主義更為全面性的批判」，同時也一邊採取了這種建構集體性「日本人」的邏輯。[192]

例如津村提及了這樣的故事。在入管法反對鬥爭的集會上，當一名報告絕食經過的中國青年說出「我要告發日本人……」時，「自認為毛派團體〈應該是ML同盟〉的婦人」對其大喊「不是日本人，應該是日本的反動派。」對此，津村這麼寫道，「她用一副你居然連這個都不知道的口吻提出了指責」，「台上的報告者暫時停下了發言，用一種憐憫，卻莫名像是火焰般的目光望向『我們』。那時候的羞恥感，我應該一輩子都不會忘記。」[193]

津村的這種反應是誠實的。從他的「民族的『原罪』」觀點來說，不管是反動派還是革新派，是領導者還是民眾，只要是「日本人」，都應該無法逃脫「民族的『原罪』」才是。但他也因此在他者目光的投射中，構築出了所謂「日本人」的「我們」。

此外，另一個問題是，在津村這個時期的論述中，包含了思想與生活態度的「純潔化」要素。也就是說，一直以來他所具有的「對這個奄奄一息的消費社會的憎惡」，在歧視問題論中又進一步地加深。

津村寫道，由於自身的繁榮建立在亞洲人民的鮮血之上，「如果不能夠證明正在推動自身資產階級生活領域的解體，就不會有與處於艱困狀態中的在日外國人真正的結合與串連。」接著，他也寫道「必須『嚴厲地指出蔑視朝鮮人的思想，將自己的思想純潔化』。」[194]如果擴大解釋這個說法的話，以下的行為就有可能被正當化：對於過著消費社會生活的人，以及被認為「思想」不「純潔」的人，就算集中地譴責，甚至動用私刑也要加以矯正。

將不參與鬥爭的人從封鎖的大學裡驅離出去，從東大鬥爭的時候就可以看到這種嚴格主義。津村的論述方法，包含了可能將這種嚴格主義擴大至日常生活態度與內在思想的要素。

然而，從一九六九年到一九七〇年初，津村這樣的思想還未能得到廣泛的支持。根據絓秀實的回憶，津村的《我們內在的歧視》雖然受到「以入管鬥爭中的無黨派為主的新運動者們」的熱愛，津村因此成為左翼論壇年輕「明星般的存在」，但也「遭受了既存運動者的排斥」。這些既存的運動者們認為津村的文章並非理論性的，而是「極度道德主義的」。[195]

關於入管法反對鬥爭，據津村的說法，在九月十九日的討論集會之後，「沒有任何一次集會或遊行是以入管鬥爭為主題進行的」。[196]在一九六九年九月的當時，全共鬥運動尚未被一掃而盡，新左翼黨派的焦點也集中在「十一月決戰」上。

就算在「十一月決戰」敗退之後，直到一九七〇年六月安保得到自然通過之前，年輕人們的關心仍在安保問題上。然而，在過了一九七〇年六月以後，典範轉移發生了。

華青鬥的新左翼批判與七〇年的典範轉移

「十一月決戰」敗退後，新左翼黨派與全共鬥的年輕人陷入了無計可施的窘境。一九七一年三月，在前日大全共鬥的田村正敏與前東大全共鬥的余村康隆等人的座談會上，余村這麼說：[197]「自從全共鬥運動在大學立法以及十一月佐藤訪美後遭受到權力壓迫以來，我們變得完全不知如何是好。」一九六八年十一月，早大的運動者在接受雜誌訪問時回答，「我現在滿腦子想的都是七〇年安保的事，根本沒有時間考慮以後該怎麼辦。」[198]這樣的年輕人，在一九七〇年安保鬥爭結束以後，「變得完全不知如何是好」也是合情合理的。

在上述的座談會上，田村這麼回答：[199]「所謂的入管鬥爭，該說是日本的革命戰略？還是綱領？我認為，是最為明確地揭示出哪一方是我們的朋友，哪一方又是我們的敵人的鬥爭。」然而，並未有任何跡象顯示日大鬥爭時期的田村曾對入管法鬥爭表示過關心。但是，隨著全共鬥運動的衰退與「十一月決戰」的敗退，以入管法鬥爭為代表的歧視問題，開始成為被關注的焦點。

其徵兆，從「十一月決戰」時期就已經出現。新左翼各黨派中對於歧視問題相對友善的中核派，在一九六九年八月「衝進」大村收容所之後，成立了下屬團體「全國部落解放研究會聯合」，並在一九六九年十一月衝進了浦和地裁，該機構當時正在進行成為被歧視部落問題焦點之一的狹山事件審判。這個全國部落解放研究會聯合，在一九七〇年二月刊於中核派機關報《前進》上的〈七〇年代階級鬥爭與革命的部落解放鬥爭的展望〉這篇論文中，清楚呈現出該時期中核派對於部落問題的認識。

這篇論文首先指出，「〔昭和〕四十二年十月到四十四年十一月朝向羽田的被壓縮的鬥爭」結束了一個「循環」，「無論再怎麼懷舊，過去和平的運動已經回不來了。」接著指出，明治維新以降的「日帝，重整並強化了對部落的歧視，將其與朝鮮人、沖繩人一起，用作分化支配人民的工具」，「無產階級本隊能否與持續被歧視的部落民、在日朝鮮人、貧民窟居民們的鬥爭合體」，將是今後的問題。「所謂的同和教育，讓歧視和解並變得模糊難辨，進而煽動出對於部落的歧視性同情。使部落的學生搭建起街壘這件事，才是教育工作者應該追求的任務」，被歧視者應該做的，「不是夢想在民主憲法底下市民的平等，而是宣示將從正面發起打倒帝國主義體制的鬥爭。」[200]

關於這個論述，前新左翼及其同情者的高澤皓司與藏田計成在一九八四年這麼說：[201]「『七〇年安保決戰』在一九六九年秋天的『十一月決戰』實際上已經結束。在那之後，革命的左翼戰線擴展至沖繩、三里塚、入管、部落、阿伊奴解放鬥爭。這每一個鬥爭都具備著這樣的性質：如果沒有認識到身為帝國主義本國人民的一員，他們日復一日地歧視和壓迫亞洲人民、部落民、沖繩、阿伊奴人們，就無法展開鬥爭。」「十一月決戰」的敗退後，津村「民族的『原罪』」思想，逐漸得到了擴展的土壤。

一九六〇年六月修訂的安保條約，依循若無問題的話，每十年便自動延長的規定，因此將在一九七〇年六月自動延長。橫貫整個六〇年代，新左翼黨派以「七〇年決戰」為目標制定了鬥爭的時程表。就算在嬰兒潮世代中，也有很多人是在認為到了一九七〇年自己將會是大學生，將成為「決戰」的主角的認知下長大的。可是，由於這個七〇年安保在什麼都沒有發生的情況下就結束了，所以這種「變得完全不知如何是好」的狀態，當然也就在反叛的年輕人之間擴散開來。

這時，一個巨大的衝擊到來。一九七〇年七月七日的集會上，因入管法鬥爭進行絕食抗議的華青鬥，展開了激烈的新左翼批判。這個華青鬥的批判被通稱為「七．七告發」，其發生經過似乎是如下展開的。[202]

一九七〇年六月十日左右，華青鬥向語學共鬥提議，希望在盧溝橋三十三週年之際舉行集會，因為無法交由並不真正關心入管問題的新左翼黨派處理，因此希望在語學共鬥等大眾團體的主辦下組織集會。津村等人於六月十六日開設了準備會，集結了語學共鬥、越平聯、日中友好協會（正統）全都活動者會議（日中都活），與粉碎入管體制東京實行委員會（東京入管鬥）這四個團體，確認了集會的宗旨將為：（一）追問日本人民的民族責任、（二）這是場就連自民黨左派與新學同（創價學會的學生組織）也能加入的廣泛連結的集會、（三）在由至今擔負了入管鬥爭的人們為主軸的情況下，使新左翼黨派也加入。

六月二十四日，在婦人民主俱樂部，召開了以上述四個團體為召集團體的第一次實行委員會，並以這四個團體為主辦團體組成了事務局。然而，「回復日中邦交」這個口號遭到了刪除。在當時的新左翼黨派中，有部分主張中國共產黨也與日本共產黨或蘇聯共產黨一樣，是放棄了世界革命，安於一國社會主義的墮落的「史達林主義」政黨，因此反對等同承認中國共產黨的「回復日中邦交」。因此，為了使構成全國全共鬥的八個黨派也願意參加集會，只好刪除了「回復日中邦交」這個口號。

接著在二十六日的實行委員會上，作為觀察員的中核派提出了以下的提案。由於日中都活走的是「社民」路線，所以不承認其為主辦團體。而日中都活與語學共鬥，因為是東京入管鬥的組成團體，因此，如果東京入管鬥是主辦團體的話，這兩個團體就沒有必要也列名主辦團體。中核派排除日中都活的舉動，可以說「是基於該派『從日本階級鬥爭中放逐毛澤東主義者』方針的行為。」

在後來的實行委員會中，始終圍繞在誰應該是主辦團體的討論上，關於集會宗旨等事項的討論完全被拋在一邊。原本應為觀察員的中核派與其他新左翼黨派主張，應該將日中都活、語學共鬥、越平聯從主辦團體中移除，改列為參加團體，然後在主辦團體中加入由他們自己掌握主導權的全國全共鬥與全國反戰，並由東京入管鬥、全國全共鬥與全國反戰作為主辦團體並組成事務局。對於新左翼黨派來說，想辦法利用這場集會藉此擴展自身勢力，這才是他們的首要考量。

儘管華青鬥與四個團體爭辯說，無法將主辦權交由在入管鬥爭上沒有明確方針的全國全共鬥與全國反戰負責，但在七月三日的實行委員會上，中核派等黨派的提案仍獲得通過。隔天的四日，華青鬥表示抗議並退出了實行委員會，當初作為召集團體的四個團體全都辭去了事務局的職務。然而，新左翼黨派對於這樣的抗議毫不在意。在七月五日的實行委員會上，隸屬於中核派的全國全共鬥書記局成員發言稱「是華青鬥主動要退出的，應該沒什麼問題吧？」意思是，如果他們是自己要出去的，那就隨便他們吧。

對這段發言感到憤怒的津村與四個團體，指責這是「歧視性發言」並要求自我批判，會議因此陷入混亂。結果，中核派當場承認這是「歧視性發言」，以實行委員會的身分向華青鬥提出自我批判書，請求華青鬥重回實行委員會。然而，華青鬥並未重新參加實行委員會，只參加了七月七日在日比谷野外音樂堂召開的集會，並在約七千名（也有說法認為是四千名）參加者面前展開了激烈的新左翼批判。

「七・七集會」上華青鬥代表的演說，在新左翼各黨派機關報上記錄的內容有些細部上的不同，但大致是以下的內容：[203]

「我們為什麼要從集會實行委員會中退出呢?這是因為,日本的新左翼仍然持續抱持著排外的意識形態。對於在日朝鮮人和中國人的入管鬥爭,反戰・全共鬥一貫地放棄了對其展開支援及與之串連的鬥爭。他們不願直視因一九六五年日韓鬥爭的敗北,而帶來的在日朝鮮人所面臨的嚴酷情況,將一九六九年入管鬥爭消解在十、十一月決戰中,是在一面暴露出對於四・一九朝鮮學生革命(一九六〇年四月,韓國的李承晚政權因學生的起義遭到推翻)的無知下,一面呼喊著世界革命。」

「我們斷言,在日朝鮮人與中國人的問題,絕對未曾在新左翼之中扎根。若沒有對於這種情況的根本自我批判,串連就相當於空談。」

「諸君必須對於自己在日帝底下作為壓迫民族被包裹在其中這件事有所自覺。」

「是要對作為壓迫民族的自己有所自覺並從中脫離出來?還是就這樣無自覺地繼續下去?是要與日本帝國主義對決?還是要擁護它?立場分成了兩種。」

在進行完這樣的告發後,華青鬥代表離開了會場。留下來的新左翼各黨派與無黨派運動者們,幾乎一致深受震撼。

東京入管鬥的無黨派運動者,也在台上發言譴責新左翼黨派的「歧視性」。集會的混亂持續到晚上,原先預定的遊行被取消,八個黨派的代表上台進行了自我批判。甚至最後演變成進行自我批判的新左翼黨派幹部遭到會場上「無黨派人士的斥責,紙團、頭盔紛紛朝著他們飛去」。[204]

這個由華青鬥發起的「七・七告發」,為新左翼各黨派帶來了巨大的衝擊。中核派在機關報《前進》上,自我批判所屬於該派的全國全共鬥書記局成員做出了「歧視性發言」是「發自於,對於我等同盟只要身為侵略帝國底下的日本人民,本身就是壓迫民族的立場缺乏自覺」,並宣言表示「我等同盟為了澈底擠乾淨作為壓迫民族的膿液，將毫無妥協地推行內部的鬥爭。」[205]

而共勞黨也在機關報《統一》上這麼說：[206]「戰後『和平與民主主義』體制正是建立在排除在日亞洲人民、沖繩人民之上的東西」。「背負著對於中朝人民之血債的日本無產階級，唯有透過不斷受到亞洲人民的譴責與告發，才能真正贏得與亞洲人民的革命性團結。」津村先前的主張，以「七・七告發」為契機，一口氣在新左翼黨派之間擴散開來。

比上述更加激烈的，是無黨派運動者們對新左翼黨派的批判。津村在「七・七告發」發生後的論述中，強烈批判了對於歧視毫無自覺的「新左翼國族主義」。此外，在「七・七告發」發生後的無黨派的論述中，可以看到這樣的批判：「在入管體制強加於在日中國人、朝鮮人之所有生活過程中的從屬關係裡，新左翼也具有一定的責任。」「新左翼國族主義，建立在因歧視性的漠不關心而形成的國族主義基礎之上。在此，我們『身為日本人』的這件事，一如往常地被『無產階級國際主義』、『世界革命』這類的語彙一口氣跳過了。」[207]

如前所述，在「十一月決戰」以前，新左翼黨派與無黨派運動者曾說過，入管鬥爭或歧視問題等與革命和「自我否定」相比，是「三流的改良鬥爭」。然而在「十一月決戰」敗退，一九七〇年六月安保自動延長後，在「變得完全不知如何是好」的狀態下，在一九七〇年七月這個絕妙的時間點上出現了華青鬥的批判。如果華青鬥在一九七〇年六月以前就進行了這個批判，是否還能造成同等程度的衝擊並不得而知。

接著，津村在對自己嘲諷性的早大鬥爭感到「空虛」之際，因李智成的死而受到衝擊。與此相同的現象，也出現在當時的運動者們之間。到了一九七〇年，許多運動者都潛在地抱持著這樣的質疑：

認為在一九六九年已然變成「流行風潮」的全共鬥運動，以及刻板化的街頭鬥爭，或許真如年長者所言，是一種「革命遊戲」。這時，被認為是真正賭上性命鬥爭的華青鬥批判的出現，給了他們強烈的印象。當時明學大的女性運動者，在華青鬥批判後的日記中這麼寫道：[208]「歷來的新左翼行動，或許真的只是『革命遊戲』而已。」

在因為華青鬥批判而激發出這種疑問的年輕人之中，有不少人認為真正的鬥爭就在於歧視問題。當時關西大學的女學生運動者，在一九九四年這麼回憶：[209]「華青鬥中國青年的告發相當強烈。從『各位日本人！各位歧視者！』開始，陳述了日本人在亞洲到底做了些什麼……死命地讀書，參加所謂集會的集會，進行討論直到獲得可以接受的答案才肯罷休的每一天。」這樣的年輕人們，並非從以前就對歧視問題抱持著關心。這一點，可以從上述女學生「死命地讀書」的記述中清楚地看出來。

對於「戰後」與「戰後民主主義」的批判，也因「七．七告發」進一步強化。津村寫道，「關鍵在於，『戰後』是一種虛偽意識。」當時的一名論者主張，「持有所謂『戰後』這個意識本身，就是對於從『大東亞戰爭』以來持續處於戰禍與壓迫中的亞洲人民的一種特權。」[210]

接著，像是「『大人們』在『戰後』，並未能從對於亞洲的戰爭責任與殖民地支配責任出發，改變民族的風格，對文化進行革命」，或者「對於從三十歲後半到四十歲以上的人，首先應該就『民族責任』、『侵略責任』的問題展開討論」等等，認為應該追究「大人們」責任的論調也開始出現。[211]在這裡，已經沒有如安田武所主張的那種繼承戰爭體驗的空間了。

而「七．七告發」也使年輕人們構築出了所謂「日本人」的自己。先前引用的「我們『身為日本人』的這件事，一如往常地被『無產階級國際主義』、『世界革命』這類的語彙一口氣跳過了」的這種語句，就是其中一個例子。津村在「七・七告發」發生不久後寫下的論述中提到，「從站在南京大屠殺現場的那一刻開始，『你是日本人』的低聲呢喃就一直在耳邊糾纏著我。」[212]

接著，歷史的偶然疊加了起來。華青鬥告發隔天，一九七〇年七月八日，發生了沖繩出身的流浪工人，一九三〇年出生的富村順一，佔領東京鐵塔特別展望台的事件。富村獨自一人揮舞著菜刀，威嚇在展望台上的遊客，大叫著「日本人不要插手沖繩的事！」、「美國從沖繩滾出去」、「將天皇裕仁處以絞刑」、「美智子也去當妓女贖罪」等等，最後遭到警察逮捕。[213]

這起事件也被視為由少數群體對日本的歧視與侵略發起的批判。將富村的獄中書簡整理成書的富村公審對策委員會，在書的序文中有如下的敘述：[214]「富村先生從沖繩、朝鮮與被歧視部落人民的立場出發，燃燒著無盡的憎惡，毫無畏懼地，向默認權力歧視的我們提出譴責與告發。」

這種事件的接續發生，除了引起對歧視問題的重視，也喚起了人們對天皇制的關注。

事實上，在一九六八到一九六九年東大全共鬥的傳單裡，也幾乎沒有提到過天皇制。在新左翼黨派的鬥爭中，成為「突擊」目標的雖然包含了防衛廳、國會與首相官邸，但並沒有皇居。對於戰後出生的年輕人來說，並沒有認為天皇是重要問題的實際感受。

毋寧說，在這個時期控訴天皇制的，是在戰前接受了皇國教育的壓力，以富村為代表的戰爭體驗世代。其中一個例子，是東大教授平井啟之。如前述，他是向東大全共鬥挑起論爭的人，也是海神會的常任理事。根據至今仍在進行反天皇制運動的天野惠一所言，一九八八年平井曾這麼說過：[215]「我不太信任『全共鬥世代』的各位。因為在那個時代，就算身為教師向他們講述了天皇制批判的重要性，他們卻從來沒有任何正面的反應，儘管他們會做出像是對三島由紀夫的政治思想展現出共感那樣的行為。」

引用了平井的這番言論，天野如此寫道：[216]「為何在那個時代，還不積極地將這麼重要的思想性＝運動性題目視為課題呢？」在某種意義上答案很簡單，因為戰後出生的嬰兒潮世代幾乎從未實際感受過天皇制的壓力。因此，他們在一九六九年邀請了批判「戰後民主主義」欺瞞性的三島由紀夫到東大進行討論會，這正反映出全共鬥派學生們的精神狀態。

然而，三島與學生們的關注點並不一致。在這個討論會上，被視為「全共鬥」系的學生們，諷刺「戰後知識分子們」為「丑角」，述說了戰後「和平與民主主義」的荒謬性。另一方面，三島則主張了天皇的崇高性，並吐露出了這個「討論」中最為著名的一句話：「在安田講堂，全學聯的各位搞籠城的時候（這裡顯示出三島對於全共鬥與各派全學聯僅有少許知識，因此無法區別兩者），只要願意說出天皇這個詞語，我一定會高興地一起籠城。」然而學生方回應，天皇只不過是「資產階級秩序總體的補完物」，「天皇問題什麼的我們不怎麼有興趣，想要談的是關於（三島的）藝術作品本身的問題。」[217]

但在一九七〇年的華青鬥告發與富村順一佔領東京鐵塔之後，由於與歧視與戰爭責任問題有所關聯，討論天皇制問題（但與過去的敗戰責任論等提法不同，而是對於亞洲的加害責任問題）的趨勢快速擴展。

戰後「首次由『學生運動』提出『天皇問題』」的，據稱是在一九七一年七月召開的反帝學評全學聯第二十三屆大會上所提出的，阻止九月天皇訪歐行程的主張。[218]反帝學評是社青同解放派（一九六九年九月更名為「革命的勞動者協會」（革勞協））的學生組織，一九六八年七月，三派全學聯分裂成中核派全學聯與反帝全學聯，接著反帝全學聯在分裂以後，集合了自派底下的自治會，組成了獨立的「全學聯」。

如前述，對於戰後出生的學生們來說，天皇只不過是「不怎麼有興趣」的存在。但是對於中國人與朝鮮人等，在含括歷史脈絡的基礎上告發「日本人」時，天皇是無法缺席的批判對象。可以說當時反叛的年輕人們，藉由這些他者投來的視線，在作為「日本人」構成自己的同時，也開始關注過去並未意識到的天皇制問題。

不只是這樣，一九七〇年七月以後，過去並未關注的問題一個接著一個發生。如同在之後的第十七章將說明的，一九七〇年十月出現了日本史上首次單獨由女性解放運動發起的遊行。另外，如同本章之後將描述的，障礙者團體「綠色草原」發表新綱領，成為障礙者運動的轉捩點，這件事也發生在一九七〇年十月。

就這樣，一九七〇年七月之後，典範轉移發生了。對於「戰後民主主義」與「現代」的批判，雖然在此之前就已經開始擴散了，但在安保自動延長後，在少數群體的歧視問題與戰爭責任問題的興起之中，「戰後民主主義」與「現代」的批判受到了強化。接著，取代了「安保」，少數群體的歧視問題、戰爭責任問題、天皇制、女性解放、障礙者問題、環境問題等等，過去未受到關注的主題急速浮上檯面。

這個典範轉移，將形構出持續至二〇〇〇年代的「左翼＝重視少數群體歧視問題、天皇制與戰爭責任問題的人們」的架構。有一部分論述認為，六〇年代末年輕人們的反叛，是藉由提出少數群體歧視問題與戰爭責任問題超越了「戰後民主主義」，但其轉換並不是發生在一九六八年或全共鬥運動最鼎盛的時期。而是發生於，在失去了所謂安保的目標，全共鬥運動也退潮後的，一九七〇年七月到十月這段「變得完全不知如何是好」的時期之中。

轉移的背景與問題

然而，由「七．七告發」等事件喚起的對於少數群體歧視問題和戰爭責任問題的關心，也有不同於在日外國人們的，屬於日本年輕人們的獨立特徵。

首先是對於歧視問題的關注，就像在津村身上可以看到的那樣，具有與「內在的歧視」鬥爭這種「尋找自我」的要素。「七．七告發」不久後寫下的一篇雜誌論述提到，入管鬥爭是與歧視構造的鬥爭，同時也是由歧視與侵略歷史形成的「日本人」的「自己的戰鬥」。[219]

另外，一九七一年五月發布的訴求「支援劉道昌」的傳單上，一面控訴著「他的居留期限只剩下二十一天！他向在日日本人提出了什麼問題？」一面這麼說道：[220]

唯有在持續探問自己生存的意義中，才能構築出對所有人有意義的世界，因此，這個探問是根本的革命論、是共產主義論。

當我們自己的存在本身就是支撐著支配構造的人，沉重地擔負起清算日帝對於朝鮮、中國、東南亞人民那段沾滿鮮血的歷史的責任時，對於我們來說的入管鬥爭，就是與自己相遇、奪回自己的鬥爭吧。我們在鬥爭中，唯有在使自己普遍化的過程之中，才能清算作為日帝本國內壓迫者的自己，鬥爭也唯有在奪回「主體」的過程中才得以進化。

這種「與自己相遇、奪回自己的鬥爭」將「奪回『主體』」的論述方法，很明顯包含著從全共鬥運動以來，想要從「現代的不幸」中脫離的傾向。即使暫且不談這為什麼變成了「根本的革命論、共產主義論」，還是可以說歧視問題的鬥爭具有這種「尋找自我」的層面。

此外，一九七〇年十月，障礙者團體「綠色草原」發表了「我們否定愛與正義」、「我們進行強烈的自我主張」、「我們不選擇解決問題的道路」的綱領，也因為向造成水俁病的窒素公司展開抗議的行動日漸激烈，對於障礙者團體及水俁病的支援活動在新左翼黨派和前全共鬥的年輕人們之間急速擴展。[221]但這樣的支援活動也具有「尋找自我」的層面。

在二〇〇三年的對談上，前京大全共鬥的上野千鶴子這麼說道：[222]「那時候，剛好居民運動和反汙染運動正在盛行，三里塚與水俁成了聖地。校園的街壘封鎖被解除了以後，在喪失去處的運動者們當中，有一名去了水俁的男子。問他為什麼要去？他說，『因為在我內部沒有問題，所以去尋找問題。』他的話我到現在都還記得。」

而津村在一九六九年入管鬥爭期間從新左翼黨派幹部那裡聽來的「只有學生與在日外國人能夠威脅太平之世的統治者」的這種認識，也可以在華青鬥批判後的歧視問題論中看到。「七·七告發」後的一篇論述這麼提到：[223]

「如果從純經濟論的角度針對當前的日本提出問題的話，在日本工人階級中，除了『部落』、『沖繩出身者』與在日朝鮮人、中國人之外，不屬於『上層』的只有極少數人。當前的勞工運動也說明了這個情況。」

一九七〇年，在經濟高度成長之下，連庶民的生活也獲得了改善，這已是無論誰都能清楚觀察到的現象。從一九七〇年開始的「步行者天國」，以及一九七〇年舉辦的萬國博覽會的盛況，更進一步助長了這種繁榮氛圍。

所謂經濟高度成長只不過是表面上的繁榮，受益的只有中上層，不久之後經濟恐慌就將來臨——這樣的論述，在一九六七年前後還能通用，但到了一九七〇年，幾乎再也沒有人會相信這個說法了。在此情況中，產生出認為左翼唯一能夠依靠的，只有不屬於「上層」的被歧視少數群體的這種認識。同樣的認識，也存在於女性解放運動的運動者之間。將在後面第十七章中敘述的，以田中美津為核心的「Group・戰鬥的女人」，在一九七〇年十二月提出的集會訴求中這麼說：[224]

「由於勞工階級的資產階級化，社會的絕大多數也都擁有中流的生活意識，以至於形成了中間膨脹的社會構造。因此，少數在社會中落後的人就被逼到了絕境。」

如前述，在一九六六年受到越平聯邀請來日的美國和平運動者們提到，在美國，工會和民眾都沉浸在繁榮之中，對於越南戰爭不是贊成就是毫不關心，只有黑人等少數群體的工會是他們的支持來源。這在一九六六年看起來還是與日本沒什麼關係的問題，到了一九七〇年，對日本的左翼來說也變成了切身的實際問題。對於少數群體的關心，也具有這種左翼的情況認識產物的層面。

因此，新左翼黨派對於少數群體的關注，也具有利用主義的成分。

新左翼各黨派對於沖繩問題的方針也各有不同。每個黨派雖然都一致反對一九六九年十一月佐藤訪美時日美共同聲明中所提出的復歸計畫，但在那之後就各有不同的主張。按照身為新左翼而為人所知的高澤皓司的整理，當時新左翼黨派對於沖繩問題的方針，大致上分為四種。

第一種是中核派的「沖繩奪還論」，認為自民黨將美軍基地就這樣殘留下來的沖繩返還計畫，其目的是為了維持美日帝國的安保體制。因此，主張打倒這個體制，將沖繩席捲進本土的革命之中。第二種是ML同盟的「沖繩解放＝獨立論」，認為沖繩人民不管盼望的是復歸還是獨立，那都是他們的自由。問題在於如何將打倒帝國主義的鬥爭與沖繩人民相互結合。第四國際的「解放＝自立論」及共勞黨的「永續解放論」都與這種論調相近。第三種，是共產同諸派等的「沖繩鬥爭論」，共產同戰旗派等組織認為日美共同聲明中的沖繩返還，與其說是「日帝的侵略前線基地化」，更像是「美帝維持基地機能↓自衛隊的輔助性同居」。第四種，是革馬派的「反對基地合理化鬥爭」論，是最為重視全軍勞——美軍基地中勞務者的工會——的反對合理化鬥爭的論調。[225]

新左翼各黨派主張的路線，如果不了解細節很難做出區別。即使如此，他們沒有為了共通的目標展現出團結的態度，反而加劇了武裝內鬥。而這種難以理解的「理論」，也可以說多數出自於為了與其他黨派做出區別，從而採取比其他黨派更加激進的路線的動機。

一九二八年出生，一九四七年加入共產黨後，持續關注新左翼黨派動向的樋口篤三，在一九九九年這麼寫道：[226]六〇年代後半，共產同的一位幹部運動者總是將「搞不清楚的時候就往左邊跳！」掛在嘴邊。以此為引，樋口這麼說：

> 各黨派「看誰比較左」的革命戰略，可以說與充分投入時間對現況進行分析——世界的霸主美國帝國主義，和與其連為一體並從屬其下的日本帝國主義的政治經濟、社會、軍事支配的實際

情形、對亞洲的經濟侵略現狀、作為主體勢力的工人階級的狀態、工會運動的現況分析等這樣的革命戰略毫不相干。

我只能這麼認為，在一次又一次發生的鬥爭中，其根本上存在著這樣的心理狀態和邏輯：為了確立自家黨派的立足點並超越其他黨派、超越最大黨派的中核派（視革馬派為例外），總之先朝「左」去，理論則配合這個行動調整，交由一、兩個思想家在短時間內創造出來。

而且，新左翼黨派普遍有著極度厭惡被稱為「右派」的氛圍。因此充滿了「想成為最左的那一派」的強烈衝動，是「憧憬性左派」。

我的身邊也有一堆像是這樣的幹部運動者，因此「往左邊跳」的想法很快就進入了我的腦中。

樋口認為，在世界與社會急遽的變化，特別是經濟高度成長的急速進展面前，新左翼黨派的理論「活不過十年，甚至一年」、「從一開始就是『空想的戰略』」。如果樋口的觀察是正確的，那麼與其說新左翼黨派的理論是要回應現實，不如說更帶有為了標誌出與其他派系之差異的認同遊戲的傾向。這樣的新左翼各黨派，在少數群體的問題上也為了爭逐自家派系的正當性，而致力於將少數群體的學生團體組織進自家派系勢力底下。

例如，住在「本土」的沖繩出身學生們的運動，如前述在一九六八年七月成立了沖繩學生鬥爭委員會準備會，一九六九年七月正式成立了沖繩學生鬥爭委員會（沖鬥委）。但是，沖鬥委在「本土」黨派的介入下，最終走向分裂。[227]

而在沖鬥委之外，一九六八年十一月由沖繩出身的學生組成了海邦研究會，這個組織在一九七〇年二月成為沖繩青年委員會（沖青委）展開了運動。[228]然而，在一九七〇年七月的華青鬥批判後，中核派的組織者進入了沖青委，沖青委分裂成受到中核派指導的「沖繩青年委員會」與無黨派的「沖繩青年委員會（海邦派）」。

根據曾是「海邦派」運動者的仲里效的回憶，因為「黨派將其路線帶進了沖繩出身的青年組織裡。受其影響的人們組成了一個團體」，於是產生了分裂。根據仲里的說法，「在沖鬥委〈的分裂〉中，應該也有類似的情況。」對於黨派介入的原因，仲里這麼回憶：「當一個黨派的路線在沖繩出身者的組織中獲得貫徹，對於該黨派來說，似乎就表示了其沖繩鬥爭路線得到了正式的承認。」

換言之，為了讓其他黨派對自家黨派路線的正確性留下印象，他們試著拉攏沖繩出身者。另一方面，「海邦派」的仲里等人，認為中核派的「沖繩奪還論」，「只不過是將復歸論激進化的論述而已」。

之後，「海邦派」如前述於一九七一年十月，在承認沖繩返還的國會上，燃放了鞭炮進行抗議。

同時，以華麗的「衝入作戰」聞名的中核派，像是為了與反帝學評全學聯在一九七一年七月提出阻止天皇訪歐的行動相互抗衡似地，在一九七一年九月二十五日，作為阻止天皇訪歐鬥爭行動的其中一環，讓沖繩青年委員會會員衝入了皇居。[229]這個行動訴求全學聯與沖繩之間的串連，由一名中核派全學聯的成員與三名沖繩青年委員會的沖繩青年在「誓死聲討戰犯天皇、突入皇居鬥爭」的口號下進行。這是新左翼黨派第一次嘗試衝入皇居。

但是只有四個人衝入的行動，很明顯地不會有什麼實質效果，他們很快就被逮捕了。從結果來說，他們等同被中核派當成政治宣傳的棄子，利用沖繩青年為先鋒來回應天皇制與沖繩問題。

這種新左翼黨派的利用主義，從一九六九年四月二十八日的「沖繩日」鬥爭開始就存在了。當時某個黨派「在沖繩鬥爭的名義下，讓沖繩的學生作先鋒，衝向了機動隊。」隨後，在沖繩出身的學生之間對於這種新左翼黨派的態度表現出反感，並在沖繩出身學生的運動中，基於與黨派共鬥的問題產生了分裂。[230]

無黨派的運動者，有時候也會做出難以說是理解了少數群體立場的激進主張。時為京大助教的瀧田修，在一九七一年出版了《不成事者暴力宣言》，提倡破壞「戰後」虛有其表的繁榮的暴力鬥爭，成為了武裝鬥爭「教祖」般的存在。他在「七．七告發」後不久，便主張解散民團與朝鮮總聯。

在瀧田的定位中，如同共產黨、社會黨、總評為代表的既存政黨或工會淪為了當前體制的補完物一樣，民團與總聯是在日朝鮮人的既存組織。根據瀧田的說法，「在日朝鮮人的政治性組織型態，不，應該說他們一切的機構（秩序），同時也是資產階級『日本』勢力用以支配的管道」，在日朝鮮人「對於以總聯、民團為頂點的在日朝鮮人的各個相關傳統機構，必須追求造反有理的解體鬥爭。」[231]

即使民團與總聯存在著一定程度的問題，我也不認為瀧田熟悉在日朝鮮人的情況。瀧田的民團．總聯解體論，是直接將全共鬥運動對於共產黨與總評的解體論，套用在在日朝鮮人身上的煽動性論述。

也有論者試圖將少數群體當作自己妄想性革命理論或武裝鬥爭論的基礎。日本托洛斯基主義的開拓者太田龍，一九七一年在一篇於左翼雜誌《情況》的投稿「『琉球共和國』獨立的檄文——開啟為了使日本[iv]滅亡的十五年戰爭」中這麼寫道：[232]

「世界革命浪人，現在開啟了直到一九八五年的，即從今年起的十五年內，將日本帝國主義導向毀滅、誘使其走向失敗結局的計畫。」「誘使日本侵略軍進入琉球列島，並一個也不剩地殲滅。」「為什麼要將最初行動的目標集中在『對於侵入琉球的日本軍（以指揮官為首的）將校團的恐怖攻擊』呢？……這個『恐怖攻擊』，是向全世界的同伴展示殲滅日本的革命戰爭『已經公開宣戰了』。」「藉由設定這樣的目標，我主動承擔這個詞語的一切責任。」

這個主張從六〇年代開始流行，這是使用了列寧的「從戰爭發展到內亂」與格瓦拉「創造第二個、第三個越南！」的詞彙，將美國帝國主義拉進越戰中攻擊的這種論述方法的沖繩版。然而，「日本軍」是否有侵略沖繩的計畫？是否有足夠的兵力將其「殲滅」？被迫置身戰場的沖繩居民要怎麼辦？這些視角完全不在這個論述裡頭。

而且，太田雖然說著「我主動承擔這個詞語的一切責任」，但在沖繩於一九七二年返還以後，又把對象改成阿伊奴人重複了同樣的論調，接著又在之後轉往了環境保護運動。八〇年代後半之後，他出版了多本關於猶太人是世界資本主義的統治者，對抗其陰謀的日本民族從古代開始就持續與猶太人戰鬥至今的書籍。

此外，也因為當時關於第三世界或少數群體的出版物還不是很豐富，就算口頭上高喊包含第三世界在內的「世界同時革命」或重視少數群體，他們對於實際情況多半是無知的。當時為早大學生的小

iv 編註：原文的「日本」兩字旁邊有小字「yamato」，意為「大和」，日本的古稱。常用來指日本本島的政權或地域，特別常見於沖繩用來指稱日本的時候。

野民樹，在二〇〇四年的回憶錄中這麼說：[233]「在六〇年代後半，因為親蘇聯的卡斯楚與永久革命者格瓦拉的對比構圖，（學生與新左翼論者）對格瓦拉的支持佔了壓倒性多數。然而，知道格瓦拉被殺害的玻利維亞在哪裡、是什麼樣的國家的學生，應該寥寥可數，格瓦拉死亡隔年，《格瓦拉日記》的翻譯本出版了三種版本並成為暢銷書，但真的從頭到尾讀完的，可能只佔買書的人中的一小部分。」

就像這樣，新左翼黨派和無黨派對於少數群體的關心，包含了在對於少數群體實際情況一無所知的黨派的利用主義、輕視少數群體的情況、將自己的「理論」強加上去的態度，以及毫無責任地隨意更換關注對象等行為。因此，從少數群體的那一方看來，新左翼黨派等的「支援」，某方面是被視為一種令人感到困擾的好意。

例如，沖繩的知識分子新川明，一如我在之前的著作《「日本人」的界限》詳述過的，從一九六九年左右開始提倡「反復歸論」，也在「本土」的左翼媒體上撰文，獲得了新左翼與無黨派運動者的支持。然而在二〇〇三年的對談上，關於新左翼黨派提倡的「沖繩奪還」論及「沖繩解放」論，新川這麼回憶：[234]

> 我感覺，大和的黨派，不管是新左翼還是舊左翼，都不應該說出沖繩奪還或是解放這些多餘的話。如果在自己的城鎮、村落或工廠好好做了該做的事，就算不大聲疾呼這些事情，應該還是能翻轉日本的國會，自然解決這些問題才是。他們說著這就是沖繩奪還或解放，大老遠地跑來沖繩遊行，我認為這並不是什麼有意義的事情。

另外也有別種的批判。在日朝鮮人作家金城一紀在二〇〇一年的對談中，如此描述「日本人」對於在日朝鮮人的關心：[235]「我不喜歡的是，我感覺到日本的知識分子試圖拿在日、阿伊奴等少數群體的存在填補自己沒有自我認同的這件事。我感覺相當被利用，被當成知識分子的玩具。」

確實「日本人」對少數群體的關心，如同津村的關心從歧視問題轉移到自然飲食及太極拳上，太田從「琉球共和國」論變換到阿伊奴論、環境保護、猶太陰謀論那樣，具有著可替換的「補充代位」的層面。從這樣的例子來看，少數群體一方就算懷疑自己只是被當成「日本人」「尋找自我」的材料而已，也不無道理。

當然，當時年輕人們對於歧視問題的投入，很多都出自於「良心」。然而，這種「良心」之舉，卻也有造成問題的一面。那就是，在津村著作中的「思想的純粹化」與嚴格主義，開始變得比運動本身來得更加重要。

例如，在當時的歧視問題鬥爭之中，與入管法等一同受到重視的，還有在日外國人的反對強制遣返運動。早在入管法鬥爭興起之前，就發生了在日台灣人陳玉璽於一九六八年二月遭到強制遣返回台灣，並在一九六八年十月遭判處死刑的事件，理由是他在日本進行過台灣獨立運動。[236] 其後，展開了對於像是林景明或劉彩品等可能遭到強制遣返的外國人的救援運動。

但是，就算是良心的日本支援者，這些也並不是基於他們自身生活實感的運動。東大全共鬥的前運動者描述，只要涉及歧視問題鬥爭或其他「政治鬥爭，就會稍微遠離日常生活」，因此並沒有像全共鬥運動時那樣，學生們將此當成自己的問題，大規模地參與其中。[237]

投入歧視問題的年輕人們，是基於「良心」——因為自己是「日本人」，如果不透過參加鬥爭將自己「純粹化」，就會成為「共犯」——而參加運動。但正因為這並不是自己內在的問題，所以是一種唯有以「良心」鞭策自己才能持續參加運動的「辛苦」行為。當時的前運動者，在二〇〇三年以模擬對話的形式，如下述說了這種「辛苦」：[238]

A：在日中國人〇〇先生看來就要被收容了所以過來支援，或是要求參加XX先生正在進行的訴訟鬥爭等等，這樣的動員呼籲一直湧來，於是我們四處奔走。持續、反覆、不放棄地堅持……。

B：真正讓事情變得困難的，是作為全共鬥運動遺產的自我變革、自我否定、要進行改變自身的反體制運動的這種想法，變成了奇妙的形狀而束縛起我們自己。我們日本人因為一直以來歧視、壓迫了在日中、朝人民，因此不能不對這樣的立場有所自覺並獻身式地參加這個鬥爭。支援〇〇先生是當然的，我們應閉嘴照辦，這樣的風潮開始吞噬了整體環境，我們被逼入了什麼也不能說的困境當中。

A：就像是說著「稍微等一下」，但接下來的話語卻出不來的感覺。……

B：……接著是障礙者問題、部落歧視的問題等等，歧視問題接踵而至。我甚至也聽說在大黨派中展開了哪個群體更被歧視的討論……我並不是要嘲笑這件事。這些問題不管哪一個都是沉重而艱難的。可是啊，這些事情讓我們動彈不得。……我們被逼入了這種走投無路的情況之中。

在年長的資深運動者中，也有能夠冷靜應對的人。一九三七年出生，從六〇年安保鬥爭開始就是

運動者的長崎浩，在一九八〇年時這麼寫道：239

「如你所知，我對於『反對歧視運動』沒有興趣。」在「津村先生與他那個世代的人們竭力投入的『守護劉彩品』運動」中，「有一次，劉彩品一個個質問了運動內部的人。她問的不是考慮她自身利益的條件鬥爭，而是這場鬥爭到頭來對於對抗日本政府『是否具有意義』。我與和我同輩的人回答：『沒有意義』，說這只是朋友們有困難的時候出手相助的人之常情。」

如果是像長崎這樣，已經約莫三十歲中段，擁有豐富歷練的人，或許有可能冷靜應對。然而就像他寫的那樣，能夠做出這種應對的只有他與他的「同輩」。二十歲左右的年輕人們在受到質問時，或

v 譯註：本處原文理解有誤。在作者標示的引用出處：森宣雄《台湾／日本—連鎖するコロニアリズム》一八四頁中，並沒有指稱陳玉璽「在一九六八年十月遭判處死刑……理由是他在日本進行過台灣獨立運動」的段落，只有寫著陳玉璽「在一九六八年二月被強制遣返後，經過八月的一審判決（因教唆動亂罪而處七年徒刑），十月的再審上訴在本人缺席的秘密審判中遭駁回而確定刑期。」另外，該書作者森於三十頁寫道：「親中國派台灣人陳玉璽在夏威夷大學留學期間參與了反越戰運動，因繼續留學申請遭到國府駁回，從而到了日本，並接受支持大陸派的東京華僑總會與日中友好團體的援助，但在一九六八年二月遭到秘密強制遣返回台，並被以涉嫌叛亂罪的罪名關入軍事法庭的監獄。」同書三十二頁則寫道：「陳玉璽事件雖在日本國內遭到漠視，但在美國引發了大規模的救援活動……迫於這股壓力，陳從當初事實上等同遭求處死刑，改為被判處叛亂罪最低刑期的七年徒刑。在日本，儘管受到了親中派的背地阻擾，『守護陳玉璽君之會』（陳玉璽君を守る会）還是在個人層次上展開了救援活動。這起事件中，台獨聯盟聲明指出，即使立場相異，但『出自守護台灣人人權的觀點，將協助陳的救助活動』，在其中擔負起了核心角色。」據此，在森的理解中，陳作為親中國派並無「進行過台灣獨立運動」，更未因此遭強制遣返與求刑，同時也並未被求處死刑。另根據台灣轉型正義資料庫的判決書，陳玉璽是因為在東京《大地報》撰寫「雜技團給我們帶來了革命感情」及「美日反動派面臨經濟危機」等頌揚中共等文章，而被以《懲治叛亂條例》第七條「以文字為有利於叛徒之宣傳」判處七年有期徒刑。在森的書中，陳的事件是當時台灣海外留學生統獨共鬥的案例之一。

許只能在苦惱中以「良心」鞭策自己，做出持續鬥爭下去的承諾。

但是，也有忍受不了「辛苦」而離開運動的人。因「七・七告發」而懷疑「歷來的新左翼行動，或許只是『革命遊戲』而已」，投入歧視問題的前述明學大女學生的手記中，如此記述了一九七一年初的情況：[240]「二月八日的「劉彩品支援全都集會」只有不到一百人參加，他們組織的「明學入管行動委看來將會變成五個人（K子、R、T君、S、我）。情況↓『為了不要從入管戰線上脫隊而死命地攀附著的人、離開的人』，正是這樣的情況。」

隨著越來越多人離開，剩下的人變得更為「良心」，認為唯有靠自己持續努力下去的這種嚴格主義越加擴大。天野惠一如此描述這種倫理主義在運動中的擴張機制：[241]「當鬥爭將要被擊潰時，試圖在最後的邊緣線上使運動得以持續下去的意志，產生了倫理主義式的決心主義作風。這使運動退後〔成為沉重的東西〕，隨著孤立的深化，留下來的人的倫理主義（決心主義）又被進一步強化。面對產生這個惡性循環的病態情況，我只能束手無策地呆立原地。」

慶大鬥爭與日大鬥爭，以及各地全共鬥運動發生的時候，參與運動是很愉快的事情。就算在不是這樣的情況中，馬克思主義的世界觀也支持著行動。可是，這個時期的歧視問題鬥爭，既沒有全共鬥運動初期的樂趣，也沒有馬克思主義的理論支持，成了只能倚賴「良心」與「原罪」意識支撐下去的運動。

最重要的是，歧視問題鬥爭，並不是如全共鬥運動那樣，是關乎年輕人自身的問題。前東大全共鬥的船曳建夫這麼回憶：[242]

當時，我對於去參加各式各樣鬥爭的這種思考方式抱持著疑問，並稱之為宮澤賢治主義或者「不怕風、不怕雨主義」。也就是如果今天東邊有人遇到困難就過去幫助他，如果西邊有人感到疲憊，也跑去給予援助……這樣下去，只要世界上有鬥爭就得要跑遍全世界才行。但這真的是自己的鬥爭嗎？我產生了這樣的疑問。

不只是我，我的朋友們也用別種詞彙開始思考同樣的事情。

就這樣，以倫理意識維持的一九七〇年以後的運動，在其內部具有一定的脆弱性。它在受到如第十六章描述的聯合赤軍事件衝擊時，將一口氣瓦解。

這樣的嚴格主義，還帶來了更多負面的影響。它導致了一種風氣蔓延，也就是以「良心」的立場譴責從運動中離開的人、即將離開的人與漠不關心的人。當運動變得越來越孤立，以及自己越發在「辛苦」中還持續參與運動的堅持，這樣的傾向就更加強烈。另外，這種嚴格主義也被模仿當作攻擊對手的方法。

一九七一年，當時的越平聯事務局長吉川勇一這麼說：「當我聽到年輕人的批判時，發現他們有一種傾向，就是在只說了一句『自己也做過了自我批判』以後，就好像（使人覺得）自己已站在在日朝鮮人或被歧視部落民的立場，開始譴責或告發其他人。」研究在日本的台灣人問題的森宣雄也寫道，在「七·七告發」以後，「自認從歧視構造覺醒而站在被歧視者的一方，並將此置換成倫理上的優位性，對他人展開糾正或要求服從的觀念性倫理主義的權力行使在蔓延。」[243]

多次進出「偶蹄之會」的中野正夫回憶，「所謂『歧視』是一個方便的詞彙，能使人噤聲、讓善意的運動者退縮。這個詞語也反映出使用該詞的一方思考停滯。」例如發出類似「你這是歧視！」的譴責，讓自己處於不容質疑的正義位置，進而攻擊他人。[244]

於是，將「我們」設定為「日本人」來進行的一九七〇年的典範轉移，變成了將「日本人」整體視為「加害者」譴責的風潮。當小田實在一九六六年的日美市民會議上提出「被害者＝加害者」論時，加害者與被害者是一體的。小田的邏輯是，士兵因為被國家動員，受到了非人道的對待而先是成為被害者，之後在侵略的現場又成了加害者。對於在戰爭中遭受過大阪大空襲的小田而言，被害經驗是不可欠缺的要素。

然而，在一九七〇年的典範轉移後，出現了與此不同的傾向。沒有戰爭被害經驗的年輕人們，在書本上學習歷史，往往傾向於抱持「日本人」整體是加害者的認識。

其中一個象徵性的變化，是對於原爆被爆者態度的變化。被爆者，象徵著軍國領導者發動的魯莽戰爭下的日本的被害者。日本是「唯一的被爆國」這樣的說法，也在一九五〇年後的和平運動中被頻繁地使用。

然而，一九七一年二月的雜誌投稿〈對於朝鮮人被爆者的責任〉一文指出，一九七〇年末，十四名朝鮮人被爆者主張「因為是身為日本人遭受原爆，因此治療、補償的責任在於日本政府」而來到了日本，但日本政府將他們視為「非法入境者」逮捕。在這樣的現實面前，「包含『新左翼』在內，許多人過去說的『國際主義』」很明顯地淪為空談。「我們日本大眾，對於長崎、廣島的原爆．被爆者問題，在『邁向和平的原點』、『不要再有下一個廣島』式的，屈服於帝國主義與一國社會主義特權官僚權力的核威脅的基調上，草草了結在『對於和平的祈願』的層次中」，對此，朝鮮人被爆者「不只是對於日本政府，也對於我們日本大眾的每一個人都尖銳地提出告發」。[245]

在這種論調的興起中，認為廣島與長崎也是作為軍需工廠與軍港而興盛，在該地被爆的日本居民也是助長了戰爭的「加害者」，「唯一的被爆國」這樣的說法也是將日本特權化的國族主義，這樣的批判逐漸擴散。像小田那樣有過戰爭被害經驗的世代，對於全稱式地將「日本人」單方面當成「加害者」的論調不能不感到違和。小田在二〇〇四年，對自己的「被害者＝加害者」論的流行如此寫道：[246]

> 這雖然是件好事，可是一旦事情開始流行，就會揚起塵埃。有的年輕人不顧我當成立論前提的被害者體驗，性急且自以為是地追究著加害者責任。在廣島的和平集會上，年輕人出聲打斷了終於開了口、結結巴巴地說起自己的被爆經驗的年邁女性，盛氣凌人地說，「妳的體驗都是大家已經知道的事。比起這樣的事情，問題更在於妳對自己也身為加害者的事實有多少認識」。我感覺就像是自己被他斥責一樣，無法直視這個場景。

相較於一九六六年左右在越平聯周遭的，期待透過對於「戰後民主主義」的檢討使「戰後民主主義」得以批判性地再生的過程，一九六九年以後全共鬥派的「戰後民主主義」批判，被簡化成了單方面的全盤否定。而上述這種被簡化的加害者論的擴散，也與其相似。

此外，在年輕人當中也有誤讀了小田著作的人。一九四八年生的中野正夫，有從社學同參加赤軍派的經驗，在加入新左翼黨派之前時常出入越平聯的辦公室。他在讀了小田的著作後，誤以為其論點

「是將『加害者』觀念性地放大，以凸顯『被害者』的自虐式和平論的延續」，於是「馬上就放棄閱讀了」。中野在二〇〇八年的著作中，將小田定位成「建立起被害者與加害者的二元論展開論述的和平主義者」的始祖。[247]在該時代中，以同等程度理解著小田的年輕人似乎不在少數。

在這樣的「日本人＝加害者」邏輯裡，「日本人」要不是批判的對象，就是只能進行「自我否定」並參加歧視問題鬥爭。一部分認為已經無法再倚賴工人階級的運動者們，也開始認為包含工人階級在內的「日本人＝加害者」，是敵人。

結合這樣的想法與前述的「現代」批判，以及後述的一九七〇年以降高漲的武裝鬥爭論而現身的是——東亞反日武裝戰線。[248]這個團體在一九七四年為了批判日本企業向亞洲擴張與軍需承包，爆破了三菱重工和三井物產等公司大樓，將包含工人階級在內的「日本人」定位成剝削亞洲人民的「帝國主義的寄生蟲」。而且，他們還認為「日本人」侵略了從記紀神話時代開始就已形成「原始共同體」的阿伊奴、沖繩、熊襲、朝鮮、中國等地，而「否定『日本』的反日思想，是原始共產制在嶄新次元上革命性復權的思想」，這與「現代」批判的想法相互重合。

這個團體發布於一九七四年的文件《腹腹時計》中這麼表述：

1　日帝以長達三十六年的侵略和殖民支配朝鮮為代表，也侵略且支配了台灣、中國大陸、東南亞等地，並將阿伊奴・茅斯利、沖繩作為「國內」殖民地同化與吸收。我們是這些日本帝國主義者的子孫，是容許及默認了敗戰後開始的日帝新殖民地主義的侵略與支配，並使舊日本帝國主義者的官僚與資本家們再次甦生的帝國主義本國人。……

2　日帝將其「繁榮與成長」的主要來源，建立在殖民地人民的鮮血與累累屍骸之上，並且迫使他們遭受更多的掠奪與犧牲。正因如此，帝國主義本國人的我們，才得以安穩地過著「和平、安全且富饒的小市民生活」。……日帝本國的勞動者、市民，是與殖民地人民日常性地持續敵對的帝國主義者和侵略者。

從這篇文章中，可以讀出全共鬥運動的、或說津村的立論背景的，對於在經濟高度成長中出現的「奄奄一息的消費社會」的反感。在這個意義上，這個團體也源自於全共鬥運動的系譜。

然而，一旦走到了這一步，日本的多數人就只能成為敵對的一方或是被批判的對象。可以說，一九七〇年的典範轉移有其正面的意義，即提出了「戰後民主主義」一直以來忽視的少數群體與戰爭責任問題，但也有其負面的一面，即失去了呼籲日本多數人的話語。

武裝鬥爭論的興起

要討論一九七〇年以後的情況，必然需要提及武裝鬥爭論的興起。

在一九六八至六九年間擔任警察廳警備課長，後來成為警察廳長官的三井脩，在一九七五年的回想中認為，第一次羽田鬥爭時，警方在武鬥棒的「奇襲」下完全敗北，在佐世保也因為受到輿論責難而敗退，到了安田講堂攻防戰時才終於取得了勝利。然而，立花隆在記述中認為「警方完全品嘗到勝利滋味的時間，應該是再晚一點的六九年秋天」。另一方面，樋口篤三則認為「以遊走在鬥爭現場中的觀察來說，兩者勢力的逆轉發生在六九年四月二十八日」，「前一年與數萬名民眾的連結遭到了切斷，黨派軍團因此被迫赤身鬥爭，這是發生在秋天的鬥爭。」[249]

不管怎樣，一九六九年警方取得了壓倒性的優勢是共識。在這樣的焦躁感之下，唯有強化武裝才能戰勝機動隊的論調開始廣為擴散。

根據荒岱介的說法，「共產同開始意識到軍事，並開始軍隊建設，是在六八年防衛廳鬥爭左右。」一九六八年十月二十一日，社學同嘗試抱著圓木衝入防衛廳，最後遭到了機動隊驅趕。根據荒的說法，「從圓木的突擊開始，發展到認為應該建立用以對抗資產階級軍隊的人民軍隊，主張使用槍枝來提升武器的品質，如此一來階級鬥爭就可以進展至更高階段的所謂攻擊型階級鬥爭論，這個過程並沒有花費太多的時間。」[250]

進到一九六九年之後，這個傾向加速了。根據一九六九年四月二十八日的「沖繩日」鬥爭發生後的報導，中核派與共產同對「四・二八鬥爭」中「反戰青年委的武裝化做出高度評價」。[251]接著在一九六九年的初夏，從共產同中分裂誕生出了赤軍派。

這個赤軍派，於九月三日提出「戰爭宣言」，宣告「資產階級諸君！為了在全世界將你們打入革命戰爭中一掃殆盡，我們在此公開宣戰」。接著，在他們的建軍宣傳中更聲稱「在日本的現代階級史上，被壓迫人民至今一次也沒有拿起武器，組織過革命軍」、「被根植了奴性，並在庸俗的人道主義教育下，認為武器＝惡。」[252]

而從一九六九年開始，人們經常提及，在一九〇五年莫斯科起義以失敗告終後，普列漢諾夫（Georgi Plekhanov）做出「不應該拿起武器」的總結而被列寧批判為機會主義，並提出了以下主張：

「應當更加堅決、更果敢、更攻擊性地拿起武器才對。應當向大眾說明，和平的罷工無濟於事，無所畏懼、毫不留情的武裝鬥爭是必要的。」在上述赤軍派的建軍宣傳中，也主張「列寧說過『不想熟悉如何拿起武器、使用武器的被壓迫階級，是奴隸的階級』。」[253]

但正如在第十六章將描述的那樣，沒有接觸過武器的赤軍派年輕人們並不成熟。而要取得武器也很困難。赤軍派雖然製造了一些鐵管炸彈，但在十一月五日，當他們集結在大菩薩嶺，準備武裝突襲首相官邸時遭到了警察圍捕，有五十三人被逮捕。

即使如此，武裝鬥爭論仍未停息。中核派如此評論那些批判被圍捕的赤軍派不成熟的論調：[254]「我們不能將權力對赤軍派諸君的反革命襲擊當成事不關己的事，更不該一副自以為是的樣子指責其幼稚。如果我們不想使粉碎安保、打倒日帝淪為空話，我們就必須在政治與軍事上建立起擊潰敵人的力量與體制。」

中核派接著在「十一月決戰」全面敗北後也這麼主張：[255]「十一月決戰，使我們確立了對於權力『只要做就能勝利』的堅定信念，體會了軍事上的自信……也確立了對於『獲得』更為正式的『軍隊』的展望，使我們更為豐富地認識了革命的模樣。」在這些口號之下，武裝鬥爭論得到了進一步的提倡。

這種朝武裝鬥爭論發展的趨勢，似乎包含了幾個要素。

第一，如前述，在當時的新左翼黨派之間，存在著競相爭奪「最左派」的傾向。這樣的傾向，加速了新左翼黨派之間爭相主張武裝鬥爭的腳步。

在這種情況下，避免街頭鬥爭、提倡工人的組織化與形成「革命主體」的革馬派，又因為從安田講堂攻防戰中「逃亡」而遭到鄙視，被全國全共鬥排除在組織之外。過去主張非暴力主義的結構改革派的共勞黨，最後也放棄了結構改革論轉而肯定武裝鬥爭。

第二，在整體運動的低迷之中，新左翼黨派似乎也因淪為少數派並與民眾脫節，而變得焦躁和激進化。當時的一位運動者，之後成為雜誌《傳言的真相》總編輯的岡留安則，在一九八四年的座談會上這麼說：[256]

> 我認為七〇年以後的黨派與六八、六九年後期之前有很大的不同。六八、六九年之前，包含大眾組織在內的人們參與在黨派之中。因此，黨派曾有一段時期相當重視大眾意識，然而六九年秋天——被稱為政治決戰的時期——由於包含無黨派在內的全共鬥組織解體，黨派逐漸激進化。因為某種程度上曾對黨派帶來強烈影響的周遭同情者與無黨派的離開，黨派可以說因此變成非常純粹化。

這可能和朝武裝鬥爭論發展的趨勢，以及後述武裝內鬥的激化有所關聯。

而就算學生與新左翼黨派作為「引爆器」展開了街頭鬥爭，仍然看不到滿足於經濟高度成長的工人有想要站出來的跡象，從而引發了認為唯一出路就是少數派的武裝鬥爭的論調。

例如，在一九七一年出版了《不成事者暴力宣言》的瀧田修，在一九七〇年的論述中主張「最重要的事情＝暴力（軍事）力量的形成」。其認識的前提是，「過去認為如果學生‧反戰青年委員會的諸君努力的話，工人本隊就會站出來。然而，工人本隊並沒有站出來，不是嗎？」[257]

接著第三個要素是，當時的運動者們尚未從古典的革命形象中脫身。二〇〇三年，前全共鬥運動者在形容赤軍派的武裝起義計畫「非常古典且正統」之後，如此描述了當時武裝鬥爭論的盛行：[258]「彷彿像是德拉克羅瓦（Eugène Delacroix）那幅法國革命的畫作的古典性。在自由女神的率領下襲擊巴士底監獄的那幅畫……。我相信那是所有左翼都曾經都不只夢想過一次的景象。」「所以，誰都無法站出來批判的氛圍快速地蔓延開來。我們所有人都抱有這種古典的革命形象。」

接著，談到第四個要素，就像全共鬥學生熱中於高倉健的黑道電影那樣，他們對於浪漫的死亡抱有憧憬。特別是一九七〇年十一月二十五日，三島由紀夫在市谷的陸上自衛隊東部方面總監部監禁了總監，向自衛隊員們發表了顛覆戰後體制並呼籲起義的演說後，隨即切腹自殺，這件事對許多學生造成了衝擊。

三島的自殺，遭受到世間上大多數人的嘲諷。報紙對此下出了「時代錯誤的丑角」、「完全的自以為是」等標題，防衛廳長官中曾根康弘將三島的私設擬似軍隊「盾之會」形容成「讓人想起寶塚少女歌劇團」。文藝評論家荒正人評論道，「在現下安穩的大眾社會裡，就算用三島那樣的方式試圖點火，火花也不會擴散。」有的學生也表示「這讓人感覺不過是『憂國』的獨角戲，是自戀的極致」、「我原以為他的書寫與發言是在扮演右翼的小丑，所以感到很有趣。但他竟然做出這種事，就算是恐怖行動也很幼稚」等等的聲音。[259]

但是一部分的年輕人，因三島的死而受到了衝擊。瀧田修在報紙的評論欄寫下了「這是我們左翼的思想性敗退。在我們當中，沒有任何一個人能像那樣拚上了性命」，「在新左翼這一方也必須創造出幾名『三島』才是」的評論。[260]依據田中美津的說法，「當三島由紀夫切腹自盡時，我認識的那些像是『革命家』的男人們，都帶著被搶先了一步的羨慕眼光在看待這件事。」[261]

當時為法政大的學生，之後成為文藝評論家的川村湊，指出「年輕世代模糊地感受到，只有透過實際的『直接行動』才能打破時代封閉的現況與難關」，認為這是全共鬥與新左翼黨派的學生對三島的自殺感到「羨慕」的原因。[262]而鶴見俊輔在二〇〇三年指出，左派學生對三島的死感到憧憬，是「因為在當時的學生之間存在一種氛圍，認為不管怎樣純粹地思考到底，並勇往直前直到死亡是很偉大的一件事。」[263]

而在對於三島的共感中，對於「大人們」與「進步知識分子」的反感也起了作用。

例如當時為二十四歲的研究生，之後成為現代日本右翼思想研究者的松本健一，在聽到三島自殺的新聞而「茫然自失」後表示，「許多知識分子在那一天譴責了三島的暴力行為，並評論這是對民主主義及市民社會的暴行云云。我對這種知識分子的『良知』與『冷靜』感到不可置信。」川村也回憶道，「政治家們、評論家們、文學家們，以『瘋狂』、『法西斯』、『異常』等詞彙評論了『三島事件』，曾為全共鬥學生的我也對這樣的詞彙感到憤慨。」[264]

然而，考慮到也有如前述那樣冷淡的學生的反應，就像全共鬥運動的參與者佔大學生約兩成左右一樣，松本或川村那樣的反應在年輕人中應該也是少數派。可是，在這樣的年輕人中，也有因為三島的死而更進一步朝向武裝鬥爭的人。

第五個因素，是在一九六八年到一九六九年的街頭鬥爭中，對於機動隊壓倒性暴力的純粹的反感，在氛圍上推進了武裝鬥爭路線。

根據從第一次羽田鬥爭就參加了各地鬥爭的中野正夫的說法，在一九六七年到六八年左右的街頭鬥爭中，「還有不會把人打成重傷、也不打倒下不抵抗的警官的這種人的道德底線或說『武士道』，如果有學生興奮地繼續毆打倒下的警官，大部分學生就會出聲制止說『好了，別打了』。」[265]

但是依照天野惠一的說法，在一九七〇年前後「高喊『殲滅機動隊』『殺掉！殺掉！』等口號的〔遊行〕部隊變多了。」天野在六〇年代末新宿的街頭鬥爭中，看到來不及逃跑而被摘下頭盔的機動隊員遭到學生集體用石頭痛毆，他大喊「不要打了！他會死掉」試圖阻止，卻被回應「笨蛋！他是權力的走狗啊，你這傢伙！」「你是在做什麼天真的蠢事！」反而差點連他也一起打。這時，「一名女學生飛奔出來，用身體擋住倒在地上滿身是血，並蜷縮著發出哀嚎的機動隊員身上」，機動隊員才因此得救。[266]

就算殺掉一個機動隊員，革命也不會發生，這是不言而喻的事情。但是，在一九六九年的一連串街頭鬥爭中被機動隊員壓制的學生們的憎惡，已經深到這種地步了。

這種對於機動隊的憎惡與「殺掉！殺掉！」的氛圍，也可以在當代藝術家赤瀨川原平的連載漫畫專欄中看到。赤瀨川在《朝日Journal》上連載了以「圍觀者」的立場諷刺時局的，名為《櫻畫報》的漫畫專欄。[267]

然而，赤瀨川也同時在左翼雜誌《現代之眼》上刊載了連載漫畫專欄。在出刊於一九七〇年一月號的專欄〈現代機動隊考〉中，他以「願望的一頁」、「未來的一頁」為題，刊登了戴著頭盔的學生（？）們使用手槍與巴祖卡火箭砲射殺機動隊員，隊員的盾牌及肉塊四濺的「機動隊臨終之圖」。[268]

可以看到，即使是與新左翼黨派無關的「圍觀者」赤瀨川，也把在武裝鬥爭中殺掉機動隊當成「願望」。依據小田實的回憶，在一九七〇年到一九七一年間，氛圍已變成「流行著現在已經是『來福槍時代』的說法」、「去政治集會時，總會有勇猛的年輕人站出來如此主張」。[269]

第六，對於少數群體的關注，有時也被當成正當化武裝的理由。例如，瀧田修在一九七〇年的華青鬥「七・七告發」之後的演講這麼主張：[270]

客觀上確保了審判者地位的在日朝鮮人，要如何能夠相信疏離了軍事力量的國際主義呢？沒有形成軍事的力量，要如何在人情義理上對在日朝鮮人站得住腳呢？絕對站不住腳。我們因為沒有國際主義的軍事力量，所以只能眼睜睜地看著在日朝鮮人被壓迫成半死不活的狀態。對於以暴力迫害在日朝鮮人的「日本人」居民和右翼，我們日本人要暴力地與其對抗、守護在日朝鮮人，換言之，藉由日本人之間的暴力對決，動搖日之丸的國家秩序，朝向這種暴力的深化，難道不是形成國際主義軍事力量的一個步驟嗎？

這種論述方法也可以在赤軍派的「戰爭宣言」中看到。其中，針對「資產階級諸君」這麼描述：[271]「你們如果有權隨意殺死我們在越南的同志，我們也有權隨意殺死你們。你們如果有權殺害黑豹黨（美國的黑人武裝組織）的同志並以戰車碾壓族裔群聚區，我們也有權殺死尼克森、佐藤、季辛吉、戴高樂，並以炸彈爆破五角大廈、防衛廳、警視廳與你們每一個人的家。如果你們有權使用刺槍刺殺沖繩的同志，我們也有權使用刺槍刺殺你們。」

在上述瀧田的文章中，可以看到「在人情義理上站得住腳」這樣的詞語，而在當時瀧田的文章中，隨處可見「男人的道德」、「獨當一面的男人的道德」等詞語。[272]這也可以被視為當時受到全共鬥派學生歡迎的黑道電影，以及在第二章描述過的，他們小時候熟悉的軍事文化男子氣概傾向的表面化。順便一提，瀧田的《不成事者暴力宣言》的封面，是一幅由赤瀨川原平繪製的畫：一名戴著頭盔、手持黑道風的短刀，試圖向國會前的機動隊隊伍提出挑戰的學生的身姿。

然而這種男子氣概的傾向，某個層面上也是他們自卑感的反面表現。

例如瀧田在這個時期的論述中，將訴諸「自由與民主主義、愛與良知」、反對「暴力」的人稱為「上流的人」，並說「大家都想當上流的孩子」，然後煽動大家變成肯定「暴力」的「不成事的人」和「壞人」。[273] 然而他自己是德國革命家羅莎・盧森堡的研究者，儘管在當了研究生以後加入了關西共產同，但也不是個特別活躍的運動者，而是京都教育大名譽教授的高材生兒子。[274] 據報導，關於變成武裝鬥爭煽動者的瀧田，之前的同學感到不解地表示，「借用寺廟的一個房間，老是在唸書的他怎麼會……」。[275]

此外，瀧田在一九六五年還是研究生的時候，在漫畫雜誌《GARO》上發表了一篇文章，讚揚白土三平的漫畫描寫忍者們站在農民的一方挑戰當權者，鶴見俊輔甚至還以此當作研究生受到大眾文化啟發的事例進行過討論。這足以顯見，他是與實際的社會運動距離相當遙遠的單純的書齋派。[276] 而他將「暴力」形容成撕開世間欺瞞性繁榮的力量，「不成事的人」則是「純真、單純、強韌、剛毅、心胸寬大」的人，由此可以看出他強烈的文學傾向。[277]

接著，瀧田在一九七〇年的論述中這麼說：[278]「『純真、單純』是小孩子的形象，『強韌、剛毅』是工人的形象，『心胸寬大』則是母親或女性的形象，我認為將這些特質全部體現出來的人，就是戰士。然而遺憾的是，我顯然缺乏第二項條件的『強韌、剛毅』。而關於第一項，因為我本來就是像小孩的人，所以充分具備這項條件，多到甚至可以分給別人。」

瀧田也在內心意識到，自己激進的煽動其實是空虛的。如後述，他因為牽連上被稱為「赤衛軍事件」的自衛官刺殺事件，在經過超過十年的潛伏生活後，於一九八二年遭到逮捕。他在一九八九年以本名「竹本信弘」（瀧田是筆名）發表的《瀧田修解體》中這麼說：[279]

「六〇年代末，大眾長年累積的憤怒終於爆發了。這是由於六〇年代的經濟高度成長、快速的現代化、大量〔生產〕造成了對於人類的壓迫所帶來的反撲。」「我提倡大眾武裝，主張與下層民眾融為一體……但最後只停留在單純心血來潮的想法以及腦內的觀念操作而已。」「那些話語，並不是從我自身的體驗中誕生出來的屬於我的獨特話語，而是應時代氛圍的要求而出現的話語。」「當時的我是大學的助教，具有相當不錯的身分地位，並沒有身為社會不公義被害者的實際感受。我沒有親身經歷過所謂的壓迫、剝削、歧視或者迫害。」「在真正的被支配民眾、被壓迫人民的眼中，我看起來應該是個『過得很安逸的人』吧。」「我不知道如何從自己生命的事實與體驗中創造出理論。為了填補缺乏現實的理論的空虛，我只能利用革命的權威。」「當我使用『我們』一詞的時候，我自己也感受到了空虛。」

從這些文章中可以看出以下幾件事。由於經濟高度成長造成的社會劇變引發了不滿，對於這些不滿，只能使用「馬克思主義的傳統結構」或「革命的權威」的話語。而因為欠缺創造自己話語的能力，因此對於自己的話語與自身感受到的不滿之間的差異「感受到了空虛」。

可以說，發生在東大與日大街壘中「找不到話語」的現象，也發生在瀧田身上。為了填補這種空虛感，他雖然某種程度上知道那是空洞的，但還是只能滔滔不絕地進行激進的煽動。

他在《瀧田修解體》中也這麼說：「對於當時的我來說，下層民眾很難說是具體的現實存在。……我設想的更像是用以取代無產階級或工人階級的替代性規範。思考方式基本上就是馬克思主義的傳統結構，只不過是將工具換成了新的東西而已。」「不能說沒有想要（以激進的言詞）博得別人的稱讚，想要看起來很帥的這種私密的願望。」[280]

從這裡可以看到，如同對於津村來說歧視問題是「補充代位」一樣，瀧田的「下層民眾」或「在日朝鮮人」也是可以替換的「工具」。如前述，從一九六九年到一九七〇年初期的「戰後民主主義批判」，多數只是將「越南人民」換成了「在日朝鮮人」或其他群體，結構本身並沒有改變。武裝鬥爭論的盛行，或許也混雜了使用新的「工具」取代已經失去新鮮感的武鬥棒和頭盔，以求相互競逐激進程度與「帥氣度」的層面。

像是為這件事背書一樣，武裝鬥爭雖然在口頭和紙上被積極地鼓吹，但實際上並未被實現。在槍枝管制嚴格的日本，要取得槍枝相當困難，實際執行獲取槍枝的，只有一九七一年二月從槍砲店取得獵槍的革命左派（之後在一九七一年七月與赤軍派組成了聯合赤軍）等組織而已。

另一方面，當一九六九年三月ＭＬ同盟系的運動者被逮捕時，在其住宅裡發現了球型炸彈，這被視為新左翼團體製造手製炸彈最早的案例。其後，鐵管炸彈等的製造手法，也由理科的學生開發出來。然而，實際發生的炸彈事件，在一九六九年有十一件、一九七〇年則為九件，與持續發生激烈街頭鬥爭的一九六九年相比，一九七〇年的炸彈鬥爭呈現出減少的趨勢。[281]

但在一九七一年，出現了六十二起炸彈事件，被發現或使用的手製炸彈共有三百三十六顆，炸彈鬥爭較一九七〇年大幅增加。對此，立花隆提出了兩個原因。[282]

第一，是一九七〇年十二月二十日發生的，沖繩胡差市的「暴動」。[283]當天凌晨一點十五分，在胡差市中心的街道上，美軍車輛輾死了沖繩居民。沖繩警察並沒有逮捕美軍的權限，美軍的憲兵就算出手處理，很多時候也只做出輕微的處分。實際上，在一九七〇年九月，輾殺了主婦的美軍就被判為無罪。

當天，美軍憲兵雖然也試圖將作為加害者的美軍帶離事故現場，但沖繩居民們圍了上來，要求「好好調查」。恰好在凌晨一點二十五分，距離現場約莫五十公尺處，美軍車輛又再次追撞了沖繩居民的車輛，騷動進一步擴大。凌晨一點四十分，當憲兵正打算呼叫增援逼退群眾的時候，群眾開始丟擲石塊，憲兵方進行了威嚇性的開火。自此，約兩千名群眾進入了暴動狀態，他們使用裝有汽油的瓶子攻擊美軍的車輛，突破嘉手納美軍基地的大門，燒毀了基地內的美國人小學。

這場「暴動」一直持續到早上七點過後，這並非起因於新左翼黨派的煽動，而是從對於美軍的蠻橫支配的憤怒中自然發生的。沖繩的新聞也以「行動化的沖繩控訴」、「噴出火來的二十五年鬱積」為標題進行了報導，而並未對「暴動」做出指責。

另一個原因，是三里塚成田機場反對運動的高漲。[284]一九七一年，二月的第一次土地徵收強制代執行、七月的農民放送塔撤除等強制執行、九月第二次強制代執行，鬥爭的關鍵時刻相繼而來。各黨派將支援部隊送進一連串的鬥爭中，許多無黨派學生運動者也投入了運動。

不同於就算和機動隊發生衝突，要麼逃跑要麼僅被拘留幾天就沒事的學生們，農民為了守護自己花費數十年開拓的土地所展現出的抵抗，遠比只在嘴巴上高呼武裝鬥爭的學生來得激烈許多。在二月的第一次強制代執行中，農民們在徵收預定地裡建造了深達數公尺至十公尺的地下坑道網，在代執行當天，敢死隊將自己綁在樹上進行抵抗，只用了一發一升酒瓶的汽油彈就燒毀了推土機，並且抵抗了機動隊三週。

七月，終於有人向機動隊丟出了炸藥，承包工程的建設會社的事務所與工棚遭到焚燒，約四十輛推土機及砂石車中，陸續有些因為遭到汽油彈攻擊而開始燃燒。在五天的強制執行中，逮捕人數為二百九十二人，傷者超過五百人。

九月的第二次強制代執行，被新左翼黨派等團體通稱為「三里塚決戰」。在徵收預定地的地下築有地下坑道與要塞，被稱為「駒伊野城」的要塞為邊長六十公尺的四方形鋼筋混凝土地下要塞，周圍設有瞭望台、護城河與二十公尺高的大鐵塔，敢死隊們以汽油彈展開了抵抗。在代執行中，當局出動了五千五百人的機動隊和一百三十三台推土機與吊車，但熟悉地形的當地農民與黨派支援部隊，以汽油彈和竹槍在各處向機動隊發動奇襲，二十七所工棚遭到焚毀。

這場三里塚鬥爭與沖繩胡差的「暴動」一樣，並非起因於新左翼黨派的主導，而是強烈帶有當地居民的自發性因素。立花認為「在這兩起事件中，可能讓自認為激進派的中核派，意識到自己在激進程度上已經被大眾超越了」，這樣的情形在其他黨派中應該也都差不多。

一九七一年九月十六日，在三里塚第二次強制代執行反對鬥爭中，在東峰十字路口，機動隊的一個大隊遭到農民的青年行動隊與學生攻擊而敗走，三名機動隊員死亡。襲擊的一方雖然並沒有持有槍支，但因為農民對地形的熟悉而使奇襲成功，他們使用武鬥棒與鐵管、竹槍、汽油彈取得了局部的勝利。這起事件，對於雖然在口頭上鼓吹著武裝鬥爭，但對是否付諸實行仍感到猶豫不決的各黨派而言，帶來了擺脫猶豫的效果。

這起東峰十字路事件發生時，身為共勞黨幹部並且人在現場的白川真澄回憶，聽聞機動隊中有人死亡的消息，「包含我們的黨派在內，在整個游擊部隊中產生了巨大的衝擊與困惑。」白川還寫道，「雖然曾被機動隊打傷過，但從來沒有把對手殺掉的經驗或想法，會有這樣的困惑不是沒有道理的。就算確信鬥爭的正義性，但民眾的暴力是否已經超過了『抵抗』的自我限定性呢？我們的衝擊與困惑，表現了這個對自身的深刻提問。」[285]

實際上沒有想過殺害機動隊員，這番白川的證言，顯示出當時的武裝鬥爭論大概只是在嘴巴上說說的主張。一九七一年六月十七日，赤軍派在明治公園朝機動隊丟擲鐵管炸彈，雖然造成三十七名機動隊員受傷，但要藉由手製鐵管炸彈讓對手死亡是很困難的。因此，當在東峰十字路真的造成了機動隊員死亡的時候，包含各黨派在內的年輕人們感到了極大的震驚。

在此之前，輿論一直對三里塚的農民抱持同情，但由於殺害機動隊員的事件，使得支持程度大幅下降。然而，新左翼各黨派就像是無視白川所言的「深刻提問」一樣，將殺害機動隊員定調為一種「勝利」。就算是在白川所屬的共勞黨的機關報上，幹部也以「開啟了人民武裝鬥爭的劃時代性內容」給予高度評價。[286]中核派則評價道，「在民眾與權力之間的暴力性鬥爭史上開拓了新的一頁」，並呼籲「如果權力拿著槍，那我們也應該斷然地拿起槍才對。」[287]

即使知道這樣的武裝鬥爭論不切實際且只會導致孤立，但試圖從內部阻止這件事的氛圍卻不見了。曾為共勞黨學生組織「普羅學同」運動者的島田郭志，在一九九二年的回憶中提到，共勞黨在一九七一年十二月裂成三個組織，當他所屬的東京都練馬區的地域性組織加入軍事鬥爭路線派的時候，他心想「連機動隊都打不贏了，怎麼有能力建立軍隊搞革命呢？」，但「這樣的想法當時並不能說出口，說出來的話就會被指為機會主義。」[288]

就這樣，從一九七一年後半開始，炸彈鬥爭相繼發生。一九七一年八月，在警視總監宿舍發現了定時炸彈；目黑的警視廳職員宿舍發生了滅火器炸彈的爆炸；在朝霞的自衛隊基地，自衛隊員遭到刺殺；九月，在第四機動隊的宿舍發生炸彈爆炸；十月，以警察廳長官與成田新機場公團總裁為收件人的小包裹在郵局爆炸，接著在東京都內三所派出所發生了炸彈爆炸事件；十二月，在警視廳刑務部長家中，小型包裹爆炸造成其夫人死亡；平安夜，在新宿的派出所旁邊，偽裝成聖誕樹的炸彈爆炸，造成警官與行人受傷。

荒岱介在二〇〇七年這麼寫道：一九七一年六月時，朝機動隊丟擲鐵管炸彈還算可以理解，但聖誕樹炸彈等等「不知道會傷害什麼人」的東西，使得「本應以國家權力為對手的炸彈鬥爭，將毫無關聯的一般大眾也捲入其中。」[289]對於這樣的炸彈鬥爭，公眾輿論想當然地產生了反彈。

這些事件大多數都不是既存的新左翼黨派發動，而是由被通稱為「黑頭盔集團」的無黨派小團體所進行的。黑色並非任何一個黨派頭盔的顏色，而且安那其主義者有舉黑旗的歷史，所以無黨派的人們戴著黑色頭盔參加街頭鬥爭。這個「黑頭盔」團體便起源於此。

這些「黑頭盔」們，過去通常不加入黨派的遊行隊伍，而是以個別行動投擲汽油彈，當機動隊開始管制後，便丟下頭盔混入群眾當中，既是參與者又像是圍觀者。然而到了一九七一年，他們開始形成主張武裝鬥爭的小團體，據說在一九七一年夏天，共存在有一百七十一個團體，總計約一千四百人。[290]

如同「一百七十一個團體，總計約一千四百人」這個數值所顯示的，這些大部分都是未滿十人的小團體。就連之後集結成立了聯合赤軍的赤軍派與革命左派，在規模上都是完全無法與中核派等黨派相比的小型集團。

這種小團體的游擊式炸彈鬥爭之所以引人注目，其背後原因是，像一九六八年到一九六九年間那種由大型黨派發起的大規模街頭鬥爭，到了一九七一年左右，在除了三里塚以外的地方幾乎已經不可能再展開了。[291]

例如在一九七一年六月十七日，發起了以武力阻止簽署沖繩返還的鬥爭。但集結在明治公園的中核派等約兩萬人被警方完全包圍，只能放倒公園裡的樹木、燒毀公園周圍的車輛來構築街壘。如前述，此時雖然有人向機動隊丟擲了鐵管炸彈，造成三十七人受傷，但憤怒的機動隊進行了強烈的反擊，最後導致七百三十二人遭到逮捕，一千零八人受傷。

中核派在一九七一年宣稱「在戰後世界體制崩壞的危機中，今年秋天的鬥爭將是要成為戰爭還是革命的一大階級決戰」，於同年秋天嘗試了一連串的武裝起義。作為其中的一環，他們發起「一一．一四東京大暴動」，號召在澀谷附近發動起義，不只使用汽油彈，還呼籲以搶奪警官槍枝等方式使用一切可能的武器。

但十一月十四日的澀谷，在森嚴的盤問與交通管制下，變成了如鬼城一樣的狀態。中核派被從群眾中孤立出來，在澀谷公會堂和ＮＨＫ的後側等地與機動隊爆發衝突，雖然一名機動隊員遭到汽油彈殺害，但事態並未發展成如一九六九年一系列街頭鬥爭的規模。最後三百一十人遭到逮捕，起義以失敗告終。

接著，中核派號召於十一月十九日進行「日比谷暴動」。但集會場所的日比谷公園遭到機動隊包圍，一步也踏不出去。最後，只有日比谷公園內的老餐廳松本樓被放火燒毀，在機動隊的圍捕下約有一千六百人被逮捕。

總體來說，以中核派為代表的大型黨派的暴動型「武裝鬥爭」，讓人了解到一九六九年以來，大規模的街頭鬥爭已不再可能的現實，這樣的行動最後只會在產生大量傷者與被逮捕者的情況下告終。因此，小型團體的游擊式炸彈鬥爭開始受到了注目。

實際上，這些事情也與歧視問題在一九七〇年後半以降的鬥爭中成為鬥爭主題有關。已經不再能進行像是一九六八年或一九六九年那樣由大型黨派主導的街頭鬥爭型示威的事實，催生出像是「守護劉彩品之會」這種小型團體的大量出現。當時投入歧視問題的前全共鬥運動者，在二〇〇三年如此描述了一九七一年時的情況：[292]「舉辦大型集會、進行示威遊行，然後在某個地方做武力鬥爭，這種過去的鬥爭模式已經幾乎不再是主戰場了。」

在這種情況下進行武裝鬥爭的小團體，有些在組織上相當鬆散。[293]例如一九七一年八月引發自衛隊員刺殺事件的「赤衛軍」，就是名為菊田優治（假名）的日大生部分捏造出來的組織。

這起事件始於一九七一年二月，菊田打電話到《朝日Journal》的編輯部，由《週刊朝日》的記者接起了電話。菊田雖然沒有學生運動的經歷，但他冒充引發搶奪槍械事件的革命左派「京濱安保共鬥」的幹部，提出要供出東京起義的計畫。這種「密告」在報社十分常見，大部分都是以獲取採訪謝禮金為目的的「假情報」，但因為當時京濱安保共鬥的真實身分尚未明瞭，因此記者接受了這個提議。這名記者帶著同事川本三郎一起與菊田會面進行了訪談，在《週刊朝日》上刊登了「獨家專訪」。[294]

據採訪了赤衛軍事件的記者福田淳所言，菊田有說謊的習慣，曾向日大的朋友們編造許多像是高中時代因為加入共產同所以被退學、去法國留學而在拉丁區鬥爭中被逮捕、加入赤軍派後因為與幹部意見對立而退出等謊言。[295]打電話到《朝日Journal》，似乎也是想要藉由說謊登上大眾媒體。另一方面，之後成為評論家的川本回憶，當時自己身為入社三年的菜鳥記者，對於「能夠處理到大案子」感到相當興奮。[296]

在當時《週刊朝日》的編輯部中，不少記者對於學生的反叛抱持同情。據川本說，他與一起去採訪菊田的前輩記者，兩人曾經一起開車，在一九六九年將成為通緝犯的山本義隆送到了全國全共鬥集會場所的日比谷野外音樂堂。這在法律上是一種犯罪，但根據川本的回想，當時的山本是「英雄」，他「甚至以能夠協助一個時代的英雄感到自豪」。[297]

採訪後，氣味相投的菊田與川本等人，在川本家喝到了天亮。在那裡，菊田被介紹了關於在京都主張武裝鬥爭的瀧田修的相關訊息，他在四月於京都與瀧田見了面。瀧田提出了成立武裝鬥爭組織，並約定在四月二十八日的「沖繩日」，將於京都和東京各自進行武裝鬥爭。菊田在後續的審判中做出了上述證詞。[298]

可是，菊田並未做什麼組織，四月二十八日只是與朋友兩人租了車，朝變電所丟了五顆汽油彈而已。這一天，另有中核派等約一萬五千人進行了街頭鬥爭，菊田雖然事前向報社發出了採訪通知，但他的行為完全沒有獲得報導。可是，瀧田在五月再次邀請菊田到了京大，打算組織新的先鋒黨，並決定將此軍事組織稱為「赤衛軍」。這是菊田所做出的證詞。[299]

那之後，菊田與瀧田的友人在《朝日Journal》舉行了匿名對談，並預告為了武裝革命，將從自衛隊那裡搶奪槍枝。菊田邀了三名日大的朋友，彷彿組織實際存在似地印製了「赤衛軍」的「戰鬥宣言」，並從前自衛官那裡取得了自衛隊的制服，在經過三次的失敗後，於八月二十一日入侵了朝霞基地，刺殺了站崗的自衛官。根據菊田的證詞，在第一次的失敗後，遭到瀧田叱責道，「就算死也要完成任務，在完成之前不准活著跨進家門。」[300]

菊田等人沒來得及奪取武器就逃跑了，但菊田打了電話給川本要求採訪。根據川本的回憶，事件發生之前，川本被菊田帶往了他的「藏身處」。在那裡，菊田展示出事前準備好的寫有「赤衛軍」的嶄新頭盔、「戰鬥宣言」的傳單與一把菜刀。當揚言展開武裝鬥爭的菊田拿出菜刀的那一刻，川本據說「感到了失望」。然而，菊田在當場宣布將侵入自衛隊基地奪取武器。[301]

在電話中聽到自衛官被刺殺的消息的川本，雖然被上司制止了採訪，但他想到如果他放棄採訪「就會成了『機會主義者』」，所以還是前去採訪了。從菊田那裡聽完了事件經過的川本，要菊田拿出他作案的證據，菊田於是將從基地搶來的臂章交給了川本。之後，菊田說道，「在這次的起義中，我們終於趕上了三島。」[302]

可是，事情在那之後的發展卻意外地平淡無奇。被警察逮捕的菊田，馬上就坦承了犯行，供稱瀧田一直指導著武裝鬥爭，而川本也是組織的夥伴並且是與瀧田聯絡的窗口等等。

川本雖然以「記者的道德」不能公開消息來源為由，試圖拒絕配合警察的調查，但遭到了上司們的反對，被以隱匿臂章的證據隱匿罪逮捕，並遭到朝日新聞社開除，被判處十個月有期徒刑，緩刑兩年。川本在被逮捕前，感慨菊田的散漫，只能「自嘲地」喃喃說道，「如果真的要搞的話，果然還是想跟山本義隆或秋田明大一起奮戰到底啊。」[303]

另一方面，瀧田聲稱菊田的自白是假的，這是警察為了打壓他們捏造出來的事件，從而開始了潛逃生活。因為在當時的炸彈事件中，也有像是「土田Peace香菸罐炸彈事件」那樣，藉由警察的自導自演製造出打壓藉口的事件，因此瀧田的主張得到了一定的支持。但最終，在歷經超過十年的潛逃生活之後，瀧田於一九八二年被以強盜致死罪遭到逮捕。[304]其後，他在一九八九年出版了前述的《瀧田修解體》，埋葬了過去的自己。

就這樣，「赤衛軍事件」大致上是缺乏實質內容的，在「時代的氛圍」中發生的事情。法庭也在判決書中形容，「集團的思想統一性稱不上堅固，其組織幾乎沒有實體，計畫魯莽且草率。」花了十五年調查這起事件並出書的福井淳，甚至也在後記中寫下了「對於如此拙劣的赤衛軍，有時感覺到實在太過愚蠢與空虛，而多次想要放棄。」[305]

當時，這種小團體引爆炸彈的行為被一些人視為英雄。赤軍派與革命左派，以及兩者合併組成的聯合赤軍（關於其內情將於第十六章後述），就在武裝鬥爭高漲的「氛圍」中活動。

但是運動的退潮與輿論的背離，卻在武裝鬥爭論的流行與後述武裝內鬥的激化中逐漸惡化。前東大全共鬥的大橋憲三，於一九九五年這麼描述了這個時期的情況：[306]

「在七〇年安保鬥爭結束的時候，社會對於學生運動的共感與同情已經幾乎消失殆盡了。就算舉辦募款也籌不到什麼錢。被逮捕的夥伴的保釋金也無處籌集。最後，除了倚賴父母出錢以外別無他法，於是只好去拜託他們的雙親。這對我來說是一件很悲傷的事情。既不是什麼獨當一面的鬥爭也不是什麼像樣的鬥爭，最後還是得靠父母出保釋金，這就是我們的現實情況。我在那個時候感受到了我們鬥爭的侷限。」

有些資深運動者選擇逆行於這種「時代氛圍」，否定武裝鬥爭。在一九六九年遭到逮捕並獲釋的前日大全共鬥議長秋田明大，在一九七一年四月的筆記中寫道，「為什麼會有赤軍、京濱安保鬥爭這樣的人們出現呢？武裝起義究竟能實現什麼？」[307]

與秋田一樣，於一九六九年上半年被逮捕的資深運動者中，不少人在出獄後看到武裝鬥爭論獲得廣泛討論而感到困惑。在安田講堂攻防戰中身為ML同盟幹部，指揮了列品館攻防戰的瀧澤征廣，在一九九五年這麼表示：[308]

「在我被捕的這段空白的時間內，毫無對策地放任各大學不管，結果就是年輕學生們一股腦地開了許多討論武裝化方針的會議。我回來以後，馬上走訪了各個大學，告訴他們『這個方針在當下的社會是無法獲得認同的。馬上解除武裝！武裝化方針太荒謬了』而要求他們解散。在大部分的大學都得到了贊同，我們的組織就這樣解散了。」

雖然ML同盟就這樣解散了，但其他許多黨派還是走上了武裝化的道路。最為批判這個現象的，是因經歷過戰爭而深知兵器危險性的那一代人。小田實在之後的短文中，如此記述了這個時代的情況，「年輕人看來似乎不能充分理解到持有武器的意義——其可怕與令人厭惡之處。」[309]

另一個從別的角度批判武裝鬥爭路線的，是五〇年代前半共產黨武裝鬥爭時期的黨員們。他們其中的一位，同時也是越平聯核心人物的栗原幸夫，在一九九〇年的訪談中這麼說：[310]

我啊，因為體驗過五〇年代初期日共武裝鬥爭的時代，所以對於六〇年代末武裝鬥爭的盛行感到十分不舒服。這是因為，以學生為主的那些所謂新左翼的人們當然對那個時代並不了解。選擇使用武裝這個非法的手段後，在組織內部將會發生什麼情況？擁有武器，在組織中又將引發或可能引發什麼情況？五〇年代所謂「極左冒險主義」的時代，沒有比那還要淒慘的時代了。到處蔓延著間諜問題與盤查，黨員之間完全失去了相互的信任。……在黨內，擁有所謂「軍事」這個最高的權力，並且一般黨員絕對無法檢視的，被層層神秘面紗包裹的部分形成時，那將製造出完全無法想像的等級制度。

武裝鬥爭這個非法的行為一旦開始，就會產生對於警察間諜的恐懼以及黨員之間的互不信任，盤問與私刑橫行、掌握軍事力量的指揮部將會擁有絕對的權威。最終，栗原所指出的問題，在一九七二年的聯合赤軍事件中以最為醜惡的形式成為了現實。

然而，這樣的問題，在一九五五年日本共產黨在六全協上放棄武裝鬥爭路線後，並未被充分反省，其教訓也沒有傳承給年輕的世代。在這樣的情況下，朝著武裝鬥爭發展的趨勢持續加深。

在這種情況下，參加遊行變得必須要先有被逮捕的心理準備。和同時期的歧視問題鬥爭一樣，鬥爭已經不是件快樂的事情，而是變成了一種出於義務感和害怕被當成「機會主義者」而參加的行為。當時的東京女子大的學生這麼回憶：[311]

> 參加遊行已經變成了必須要先有被逮捕的覺悟。先不管主義、主張是否正確，內心都會陷入對被逮捕以後的人生的思考與掙扎。最終是「明天去還是不去？」的選擇。根據這個選擇，決定是否會被烙印上機會主義者的印記。

每次遊行後，遭到逮捕的人數都在增加，就算運氣好沒有被抓的人，也花費越來越多時間在救援被逮捕同學的活動上。加上還要與被逮捕同學的父母做沉重的應對。

就這樣，原本以義務感支撐著的街頭鬥爭，也和歧視問題鬥爭一樣，在聯合赤軍事件的衝擊下一口氣瓦解。這也可以說是在事件發生以前，參與運動早已變質成令人「辛苦」的事情的必然結果。

武裝內鬥的激烈化

不單是武裝鬥爭論，武裝內鬥也在激烈化。關於這件事，我將說明成為其前史與分水嶺的事件。

正如第三章所述，在一九六一年七月全學聯第十七屆大會上，革共同所屬學生組織的馬克思主義學生同盟（馬學同），持角材將包含前共產同系在內的聯合三派從會場中趕了出去，這起事件被視為新左翼黨派武裝內鬥的起源。如同在一九六七年秋天第一次羽田鬥爭中，學生運動的活躍與暴力化的並行發生一樣，武裝內鬥也更加暴力化了。

例如，由革馬派、社青同解放派、民青分別掌握著各自的自治會的早大，當時的狀態就像是武裝內鬥的巢穴一樣。在一九六七年秋天，革馬派毆打了在早大本部前面召開集會的解放派，約兩百人的解放派幾乎全部人都受了傷，解放派被從早大中趕了出去。[312] 關於這場在早大發生的革馬派與解放派的武裝內鬥也波及到了東大鬥爭一事，已於第十一章中描述過了。

另外，根據時為早大民青運動者的宮崎學所言，在一九六九年初，他聽聞革馬派襲擊了社青同解放派所掌控的第二法學部自治會室，於是他也襲擊了法學部的革馬派領導者。在早大，雖然民青也掌握了一部分的自治會，但革馬派能辨認出來的那些運動者都無法靠近大學，革馬派成了解放派與民青的共同敵人。依據宮崎的說法，他在早大校內將那名革馬派的領導者壓在牆上，使他「安靜下來」以後，把他帶到了青梅的小屋裡繼續毆打到昏迷，然後將威士忌灌進他的口中，讓他處於酩酊狀態，最後將他裸身留在那裡。[313]

當在早大發生了全共鬥運動的時候，津村喬等反戰聯合與革馬派之間多次展開了亂鬥。革馬派綁架了反戰聯合的成員，其中的一人這麼說，「在校內被鐵棒狠狠地毆打與踢踹，斷了兩、三根肋骨之後，在半昏迷的狀態中被丟上了卡車，清醒過來的時候，卡車已經在前往埼玉縣狹山的山路上了。……一起遭到攻擊的夥伴，一個接一個被丟到路邊，最後只剩下我一個人。接著，我也被丟在了深山之中。」這名學生住院療養了一個半月，然而即使到了一九七五年，膝蓋骨仍然沒有痊癒，而當時遭受私刑的女學生，在事件之後因為感到絕望而自殺了。[314]

不只是大學內的勢力競爭，黨派之間以及黨派分裂的武裝內鬥也很激烈。如在第十三章描述過的，一九六八年九月十五日在日比谷野外音樂堂，中核派與革馬派發生了激烈的武裝內鬥衝突。而以東大鬥爭為分界，在白天以集團形式進行武裝內鬥成為了常態。一九六九年七月，如將於第十六章描述的，在從共產同內部分裂出赤軍派時的武裝內鬥中，遭到監禁的赤軍派成員因逃脫失敗而摔死，成為武裝內鬥中的第一位死者。

革馬派在一九六九年一月安田講堂攻防戰中的「逃亡」，使其遭到了排擠。革馬派對於街頭鬥爭的消極與對武裝內鬥的積極態度，以及其對於其他黨派的解體與擴大自家黨派的主張，也成了革馬派遭到厭惡的原因。一九六九年九月全國全共鬥成立時，革馬派也遭到了排除。

從一九六九年後期到一九七〇年初期，每次只要召開大規模集會，革馬派就會和其他黨派發生衝突。如第十三章所述，一九六九年十一月，在日比谷野外音樂堂召開的，一場關於在東大鬥爭中被逮捕學生的審判的集會上，革馬派與其他黨派合計約莫兩千五百人以竹竿及石塊展開了亂鬥。十二月，在「十一月決戰」中死亡的岡山大學生的「人民葬」上，革馬派與其他各派約一千五百人相互亂鬥。一九七〇年四月二十八日的「沖繩日」集會，革馬派僅聯絡了主辦團體之一的六月行動委員會，在未告知全國全共鬥與全國反戰等其他主辦團體的情況下出現於集會上，在兩方劍拔弩張之際，警察出面制止，最後革馬派另行舉辦了集會。[315]

因為這些武裝內鬥事件，革馬派的處境更加孤立了。以一九六九年十一月及十二月的亂鬥為契機，革馬派遭到為「十一月決戰」逮捕者而成立的救援本部斷絕了關係。另如第十三章所述，由於襲擊了三里塚的「野戰醫院」，革馬派也遭到三里塚反對同盟斷絕往來。特別是中核派，在一九六九年十二月的中核派全學聯大會上將革馬派定義為「武裝反革命集團」與「第二民青」，與之展開激烈的對抗。[316]

然而，這個時期的武裝內鬥尚未有殺人的意圖。一九六九年赤軍派的死者，可以說是因為意外而死亡。宮崎學記錄了前述革馬派運動者遭綁架事件的經過，表示「這種程度的事情在當時學生運動內並不罕見」，並這麼寫道：[317]「當時只停留在徒手或以鐵鍊毆倒對方，放話『如果再來繼續糾纏的話，下次就不會這麼簡單放過你了』的這種程度，像之後幾年那樣把人殺掉之類的事情連想都沒想過。如果是為了對抗權力就算了，把學生殺掉，這對行動一點幫助也沒有，不是嗎？」

直到這個時期為止的武裝內鬥，到底都還被視為左翼陣營內的對立。就算是路線不同、彼此爭奪地盤，相互之間都還承認對方為左翼。雖然說中核派在一九六九年十二月的全學聯大會上將革馬派定義成「反革命」，但也還只是停留在作為指責用語的程度上。因此，如同上述宮崎的用語，「如果是為了對抗權力就算了」，學生運動者之間的相互殺害並沒有意義，這樣的認識才會成立。

然而在一九七〇年八月四日，發生了讓狀況有所變化的事件。中核派殺害了東京教育大學的革馬派運動者海老原俊夫，他的遺體於清晨被發現。[318]

實際上，八月四日這天，中核派原先預定將舉行大型的政治集會。這是每年固定召開的夏日政治集會之一，是對前一年做出總結並提出下一年鬥爭路線的最重要的集會。對此，革馬派從七月下旬開始發起了「全學聯一同街頭募款鬥爭」，在各地街頭使用麥克風演說進行募款活動。

中核派一方，將此視為革馬派對於八月大型政治集會的妨礙活動，並且為了確保集會的成功，做出了粉碎革馬派街頭募款活動的指令。因此，八月二日在新宿、三日在澀谷，兩派人馬約數十人展開了亂鬥衝突。三日，在池袋、御茶水、澀谷進行街頭募款的革馬派運動者遭到中核派綁架並施予私刑。海老原也於八月三日下午三點左右，在池袋遭中核派抓走，並被帶往中核派的據點法政大學，在那裡被要求進行「自我批判」，並遭受了鐵棒毆打、以鐵筆刺入大腿等私刑。

結果，海老原因為全身挫傷導致休克死亡。中核派運動者們據說原先並沒有殺死他的打算，最後他們將海老原的遺體搬到新宿厚生年金醫院的玄關前面並放置在那裡。放在醫院前面，可能是期待能夠得到治療，殺害海老原的運動者們，據說遭到了中核派高層的斥責。

立花隆推測，海老原被虐打致死的其中一個原因，是施以私刑的運動者們擔心遭受報復。中核派的高層原先做出了只要將綁架來的革馬派運動者打到無法動彈就好的指示，但實際實行私刑的運動者因為擔心被對方記住長相而遭到報復，因此加劇了私刑的程度。這個論點的間接佐證是，立花還提到，為了不讓長相被記住，海老原遺體的雙眼都被摧毀了。

海老原的死，可以說是從過去至今綁架與私刑的延伸上發生的偶發事件。然而，與中核派有著關係的「反戰自衛官」小西誠（後來與中核派決裂）在一九九九年的著作中，主張這起事件「並非偶發的事件」。[319]根據小西的說法，這起事件是當一九七〇年六月安保鬥爭結束後，失去了眼前目標的中核派與革馬派，在反覆的衝突中發生的事件。

先不論小西對這起事件的定位是否正確，一九七〇年八月初，是年輕人們在安保的自動生效下失去了眼前的目標，並因為華青鬥的「七・七告發」產生了典範轉移的時期。一九七〇年後半的典範轉移，可以說與武裝鬥爭論及武裝內鬥的激化互為表裡。

使得事態惡化的是，中核派對於海老原殺害事件的沉默，沒有謝罪也沒有自我批判。在八月四日的集會上也沒有提及海老原事件。幾年後，在中核派將革馬派明確定位為反革命勢力之後，每次殺害了革馬派的運動者，在機關報上就會刊載出誇耀「戰果」的記事。但在此時期，事態尚未發展到那種地步，在機關報上也沒有刊登任何關於海老原事件的記事。

據小西的說法，「就我所知，當時〔中核派的〕政治局員之中，有一些人對於這樣子的武裝內鬥激化感到痛心。」那麼，中核派為什麼沒有公開表示自我批判呢？這個理由並不清楚。雖然有可能是中核派的面子意識作祟，但根據小西推測，因為中核派最高領導者本多延嘉在一九六九年四月的沖繩日被以《破防法》遭到逮捕，「中核派指揮部無法對此事件做出正確的政治判斷與統一意見」。[320]

再次根據小西的說法，「中核派政治局員的陶山健一，據說曾經嘗試與革馬派進行調停」，但據立花隆所述，由於擔心革馬派報復，中核派指揮部向運動者們下達了至少要以十人以上的小組集體行動的指令。[321]無論如何，革馬派展開了報復攻擊，武裝內鬥開始呈現出相互報復性會戰的態勢。

革馬派的報復，發生在海老原殺害事件的十天後，地點為中核派的據點法政大。頭戴中核派頭盔偽裝的革馬派武裝部隊入侵法政大，包圍了約三十名的中核派成員，隨後約兩百名革馬派進入了校園。關於機動隊出動，革馬派撤離後的情況，據《朝日新聞》的報導詳情如下：[322]

「男子八人、女子兩人，全員被綁住手腳，其中也有人被沾有黏著劑的膠帶遮蓋住雙眼，也有人手腳遭到錐狀物刺傷，四人重傷、六人輕傷。學生們的腳被電線綁在椅子上，手被反綁，被倒吊在椅子上。旁邊的學生被白色塑膠袋完全罩住，眼睛被矇起來，雙手流著血，痛苦地在地上打滾。附近的走廊上，兩名女學生被反綁在椅子上，從臉上流出的血，滴滴答答地落在被敞開的胸前。」

在這起事件之後，革馬派做出如下宣言：[323]「我等全學聯公開宣誓進行階級的復仇，這只不過是其中一小部分的實現而已。八．一四的戰鬥，必將成為邁向更為強力、更為猛烈地瓦解袋派〔革馬派對中核派的蔑稱，因為中核派的『前進社』位於池袋〕的黨派鬥爭的信號。」

但是，當時兩派都尚未發展成在武裝內鬥中相互殺害的狀態。革馬派發起了「譴責殺人者集團中核派」的宣傳行動，試圖將中核派的勢力一掃殆盡。正因為海老原事件是武裝內鬥的首起私刑殺人事件，輿論的反彈也相當強烈。在全國大學裡，中核派的勢力大幅衰退，接連失去一個個學校據點，就連街頭募款也變得難以進行，據說在中核派內，被稱為「組織成立以來最大的危機」。[324]

革馬派基於革命尚遠的認識，比起街頭鬥爭，更傾力於自治會與工會的奪取與鞏固組織、以及瓦解其他黨派。因此，革馬派對於武裝鬥爭論也抱持蔑視的態度，將中核派一九七一年秋天的「東京大暴動」、「日比谷暴動」等「秋季決戰」論形容為「被逼入絕境的袋派官僚自暴自棄的最後掙扎」、「持續逃避自我承認破產而形成的武裝蜂起主義的結局」。另將炸彈鬥爭團體定位成「一小撮陰謀家的妄想」，並宣言「在今年秋天會將玩弄著粗劣煙火遊戲的袋派＝中核派等的『炸彈＝自爆』路線，連同其組織一起澈底摧毀。」[325]

於是，革馬派蠶食了中核派的據點學校，也加劇了武裝內鬥。這導致中核派展開反擊，一九七一年十月在橫濱國立大學，發生了第二次殺害革馬派運動者的事件。

橫濱國大雖然是中核派的據點學校，但革馬派在校內富士見宿舍的空房間召集了其他大學的自家派系運動者。一九七一年十月二十日，革馬派召開了臨時學生大會，準備驅逐自治會的中核派執行部。然而，二十日凌晨五點左右，約二十名武裝的中核派持鐵棒與錘子襲擊了富士見宿舍。在這次襲擊中，美術學校學生水山敏美因全身挫傷血流不止，雖然被送往醫院但最終還是死亡了。[326]

對於這個襲擊，革馬派將中核派形容成「小資產階級的流氓團體」，宣言要將其「從日本的階級鬥爭中滅絕」。[327]此後，革馬派組織了特別恐怖行動部隊，對中核派展開全面攻擊。

首先，水山殺害事件當天的傍晚，池袋的前進社遭到了汽油彈的攻擊。[328]十月二十三日，首都圈的中核派據點學校，以及十一月一日，中核派杉並區議員的事務所也遭受襲擊，不久後，攻擊行動蔓延到了各個地方。

另一方面，中核派與前一年海老原殺害事件時一樣保持了沉默。但依據立花隆的形容，海老原事件時的「沉默」是「自我批判的沉默」，但水山殺害事件時的沉默則是「豁出去了的沉默」。立花推測，這是因為由於已是第二次的殺害所以「習慣」了，再加上當時中核派忙於秋天的大規模武裝鬥爭，開始出現將不參與鬥爭的革馬派等組織視為「反革命」的想法。[329]

一九七一年十二月四日清晨，革馬派襲擊了關西大學，京大生的辻敏明與同志社大學的正田三郎兩位中核派運動者遭到殺害。辻曾是一九六九年京大鬥爭中鐘樓敢死隊隊長，正田則是同志社大學支部的負責人。接著，十二月五日，中核派的三重縣委員長武藤一郎遭受革馬派襲擊，四天後死亡。根據中核派一方的機關報，辻等人被殺害的時候，革馬派「指揮部的其中一人做出『殺掉他們，瞄準他們的頭部』的指示，對於已經無法動彈的他們，舉起了他們的雙腳一隻隻折斷，再將混凝土製的人孔蓋多次砸到他們身上。」

這個已經不再是偶發的私刑致死，而是蓄意殺人了。中核派在機關報上將革馬派表現為「Kakumaru」（カクマル），將其明確定位為非「革命勢力」，聲稱「Kakumaru」與警察聯手組成了「K＝K聯合」[vi]，並向革馬派做出「全面性殲滅戰」的「宣戰布告」。從此以後，事態就已不再被視為左翼陣營內的「武裝內鬥」，而是與權力爪牙之間的鬥爭。當時是由已經編整好恐怖行動部隊的革馬派持續發動著攻擊，但到了一九七三年，中核派也整備好了武裝內鬥的編制，兩派開始陷入激烈的報復性會戰。

武裝內鬥也發生在社青同解放派與革馬派、中核派與解放派之間。而共產同也在一九六九年初夏的赤軍派分派之後持續分裂，在呈現四分五裂狀態的共產同諸派之間，武裝內鬥也反覆發生。

例如，一九七一年四月二十八日的「沖繩日」集會上，共產同內分裂的戰旗派、叛旗派、一二・一八共產同等組織相互亂鬥。戰旗派的領導者荒岱介，雖然在隨後「單方面呼籲終止武裝內鬥」，但一九七一年九月，他在東京仙川的自家附近遭到裝填了鉛的橡皮軟管毆打，身負重傷住院。荒推測，襲擊他的是一二・一八共產同部分勢力的「關西派」。[330]

但同樣在一九七一年九月的深夜，一二・一八共產同的女性中堅運動者生田愛（音譯，生田あい），在自家遭到了戰旗派襲擊。生田事前接到電話，得知襲擊部隊正前往她家，便抱著年幼的女兒穿著睡衣逃往了朋友家。她兩天後回家時，看到「電話、電線被切斷，內部的玻璃窗、玻璃類的物品被粉碎成彈珠狀，包括電視、書籍、照片和信件等私人物品、貴重物品，幾乎所有的東西都被帶走，女兒的嬰兒櫥櫃被一個個打開、廚房裡當晚和女兒吃剩的味噌湯、醬油、油等等被四處潑灑、衣服被撕爛。」據生田當時聽到的消息，戰旗派的領導者因為遭到一二・一八共產同的襲擊，為了報復將她當成襲擊目標。[331]

武裝內鬥最終也蔓延到了黨派之外。一九七一年秋天，早大的越平聯遭到革馬派襲擊。根據一位革馬派運動者的說法，其原因是「解放派以該組織為掩護」。[332]至此，甚至連被視為受到對立黨派影響的團體，都變成了恐怖行動的對象。

一九七一年六月十五日，八個黨派聯合體的全國全共鬥與全國反戰分崩離析。當時的無黨派學生，在二〇〇三年如此描寫當天的情況：[333]

當我到了〔集會場的〕明治公園時，大型黨派還沒有抵達，只有一些小團體在周圍聚集。這

vi 譯註：警察的日文讀音為「keisatsu」，因此「K＝K」指「Kakumaru＝Keisatsu」。

時，以旗竿部隊為先鋒的社青同解放派的大型部隊到了。旗竿上成串地懸掛著革馬派的Z字頭盔。這或許是他們最近在某個地方襲擊了革馬派所奪取來的。這根本就像是戰國時代把剛砍下來的首級懸掛在槍上一樣。

隨後，解放派在舞台一帶落腳。因為距離集會預定的時間還很久，我決定移往越平聯的集會。在我離開不久後，中核派的大型部隊登場，並肅清了社青同解放派的部隊。最近從當時在現場的人那裡得知，正面戰在一瞬間就分出了勝負，但中核派繼續以鐵管攻擊殘留在周邊的解放派。

隔天的十六日，解放派（革勞協）、FRONT、共產同戰旗派等組織將會場移往宮下公園，中核派則持續在明治公園裡集會。之後的十七日，有人朝機動隊丟擲了鐵管炸彈，造成三十七人受傷。這已在先前提過。就此，全國全共鬥崩解，八派共鬥也走向分裂。

全國全共鬥的崩解，正好與當時經濟高度成長的成熟相互作用，使得民眾的支持銳減。曾為共產同同盟員的府川充男，在二〇〇四年這麼回憶：[334]「此時圍觀者的人數突然大幅減少。過去在大多數遊行中將人行道塞得滿滿的圍觀群眾，現在只剩下零星的幾個人。讓人感覺到，從一九六八年開始在背後支持著街頭行動的龐大而不定型的能量，如今已從眼前消失了。」

對於武裝內鬥橫行的心理機制，荒岱介這麼描述：[335]「當昨天還一起共患難的同志遭到敵人殘忍地殺害時，人確實可能會在其敵人面前變成魔鬼。就算只是被毆打、面子被羞辱，血氣方剛的年輕肉體也都會失去理智。」在新左翼黨派中，第四國際雖然做出了反對武裝內鬥的宣言，但根據第四國際運動者之一的國富建治所言，當時「也有部分心態認為『反對武裝內鬥』這件事，是在黨派鬥爭中的『機會主義』。」[336]

武裝內鬥的蔓延，與「血氣方剛的年輕人」對於敵對黨派的憤怒，以及競逐「最左派」的各黨派對於「機會主義」的厭惡有關。然而，這也是失去了所謂七〇年安保這個目標的運動在衰退中出現的現象。因此，荒畑寒村評論戰前社會主義運動內部論爭時的描述，「因為無法觸及遙遠且堅固的天皇制，所以只好騷擾、攻擊身邊的夥伴來排解憂愁」，似乎也有部分適用於此時的情況。[337]

在運動衰退及空想性武裝鬥爭論的盛行當中，新左翼逐漸失去來自大眾的支持，這也促使了武裝內鬥的激化。吉野源三郎根據自己戰前的社會主義運動經驗這麼說：[338]

我還記得過去福本主義（一九二〇年代末的共產主義運動內流行的激進理論）帶來壓倒性影響力時期的「理論鬥爭」。在遠離大眾之處，由年輕運動者們交織出的理論鬥爭，往往變成哪一方的立場比較激進的競爭。就算賭上分裂的風險也要打造澈底的革命主體，被當成優先的課題，很容易以為抱持澈底的革命性理論與意識，就直接等同於主體的形成。對於由此誕生出來的極左偏向，因為缺乏大眾的反饋，所以唯有痛苦的失敗才能使其止步。而失敗變成了對於未能跟上來的大眾的絕望，從而陷入彷彿革命運動不是為了大眾存在，而是大眾是為了革命運動存在的倒錯之中。不僅如此，同陣營內部的對立、鬥爭、分裂帶來了獨特的深刻怨恨。對於背叛者的憎惡，甚至超過了對原來的敵人的憎惡。在嚴苛的政治鬥爭內部，很容易產生這種傾向，在我見過的情況中，這樣的實例並不少。

這些戰前的經驗，或者一九五〇年代共產黨分裂期的經驗，並未能傳承給年輕一代。年長者們多半不願多言，年輕人們也往往將試圖阻止他們鬥爭的年長者們蔑視為「戰後民主主義者」。武裝內鬥的橫行，也讓學生們遠離了運動。一九九四年出版的《全共鬥白皮書》的問卷調查顯示，在前全共鬥運動參加者中，遠離運動的主因第一是武裝內鬥，第二為聯合赤軍事件。[339]

在黨派幹部中，也有一些人退出了運動。據鶴見俊輔所述，所屬於共產同、擔任反帝全學聯委員長的藤本敏夫是鶴見的學生，依據他向鶴見訴說的內容，他是在以下的過程中退出了運動：「武裝內鬥時期，原本由對立黨派安排來殺害他的學生向他發出了示警，建議他逃跑。對方也明白這是場毫無意義的爭鬥。」於是藤本逃往了九州，遭到警察逮捕，在獄中度過了武裝內鬥激化的時期，而後出獄。[340]

在這種情況下留在運動裡的人，只能忍著「辛苦」持續從事運動。曾為共產同戰旗派領導者的荒岱介，也在一九七〇年左右「認為要為日本未來的革命運動創建願景似乎已經是不可能的了。因此，我也想像身邊的多數人一樣退休，找一份工作。」然而，對於訴諸「能拯救陷入混亂狀態中的共產同的，只有荒先生了」的後輩們的責任感，使他留在了運動裡頭，他說「自己已經完全身陷視人們相互毆打為普通日常的世界中，除了對此有所自覺之外沒有別的辦法。」[341]

武裝內鬥造成的運動孤立化與脫隊者的增加，使得運動衰退，這又激化了武裝內鬥與武裝鬥爭論的流行，從而形成了一個惡性循環。如同在東大鬥爭中柏崎千枝子所說的那樣，持續有人離開運動，引發了一種現象：人們將想要離開運動的自己、那個「醜陋的自己」投射到武裝內鬥的對象身上，藉此尋求認同的安定。就這樣，武裝內鬥日益蔓延開來。

從一九七〇年到七一年間，在典範轉移產生之下，運動逐漸走向死胡同，失去了輿論的支持，彼此相互傷害，運動變成了唯有憑藉著倫理主義才能撐下去的「辛苦」行為。在這種情況下，任誰都潛在性地開始想要脫離運動。接著，一九七二年二月，當聯合赤軍事件發生時，年輕人們的反叛便迅速瓦解。

第十五章　越平聯

本章將聚焦在「越平聯」。「越平聯」（給越南和平！市民聯合）既是在討論「那個時代」的年輕人反叛時，不可迴避的存在，也被視為是日本公民運動的起源之一[1]。

越平聯本來並不限於年輕族群，而是以廣義的公民為訴求對象。然而，在遇上同時期發生的年輕人反叛後，越平聯在其中占據了獨特的位置。在本章中，一方面將透過檢視越平聯的發展軌跡，試圖更進一步了解年輕人的反叛，另一方面，也將指出這個社會運動的先驅值得學習之處。

越平聯的成立

越平聯是在一九六五年二月，美軍開始猛烈轟炸北越（日文稱為「北爆」）後成立的。這一年的三月，哲學學者鶴見俊輔與政治學者高畠通敏在東京的展覽會會場相遇。高畠通敏曾經在六〇年安保鬥爭時成立的公民團體「無聲之聲會」擔任聯絡人。他們兩人打算聯合諸如「無聲之聲會」等不隸屬於任何黨派的市民與文化團體，舉行反對轟炸北越的抗議活動。

儘管反對越戰的輿論高漲，當時的政黨或組織卻完全沒有發起反戰運動，這也是鶴見等人意圖舉行抗議活動的背景。如同在第一章提過，一九六五年八月二十四日《朝日新聞》的民意調查結果，贊成轟炸北越的僅四%，反對的比例則高達七十五%。

經歷過戰爭的世代占當時人口的多數，而美軍轟炸北越的電視報導，刺激了這些人想起自己的戰爭經歷。作家小松左京是越平聯創立初期的核心成員之一，他在一九六六年十月這麼寫道[2]：「十幾年來沒做過空襲的夢，但是從轟炸北越後，夢見好幾次空襲，光是我確實記住的次數就至少有兩三次。」「越南的慘禍明確地喚起二十一年前的那些記憶……我們絕對相信那無論如何是無條件的錯誤，從我們的舌根、身體的深處無可抗拒地甦醒過來的戰爭的『滋味』，使得這份堅信更加無可動搖。」

而在第一章提過，生於戰後接受民主教育的年輕人也對越戰反感。但社會黨或共產黨，都沒能立即發起反對越戰的抗議或罷工行動。社會黨實際行動部隊的總評等工會，因為勞工在經濟高度成長的背景下政治意識低落，而難以發起以政治口號為宗旨的罷工行動。

另外，這個時期適逢反對《日韓基本條約》的抗議行動進入最後階段，革新派的政治運動都投入這個議題，各個新左翼黨派也都忙於反對《日韓基本條約》的抗爭行動，因而對轟炸北越的反應較為遲緩。三派全學聯於三月三十日發起「粉碎日韓會談、反對侵略越南全國學生總誓師集會」，但重點還是放在「粉碎日韓會談」上[3]。

美軍轟炸北越以後，英國、西德、義大利、美國等地皆有數萬至數十萬人規模不等的反對轟炸北越抗爭，但是日本的反對轟炸北越抗爭，僅有越南人留學生五十人在二月十三日發起的抗議，以及於二月十五日由沖繩的工會與和平委員會等組織發起約一百五十人的抗議行動[4]。四月二十四日由越平聯發動第一次抗議行動的前一週，日本共產黨舉行了反對轟炸北越的集會與抗議，但不可否認的是動作確實相對遲緩[5]。

從六〇年安保一路參與過來的如鶴見與高畠等人，猶如鶴見所說：「大家都相當疲憊，都抱有一種想被比自己年輕的人領導的期待。」[6]作為所謂「年輕人」的候選，三十二歲的作家小田實浮上檯面，由他留學美國以及在世界各地旅行的體驗寫成的《什麼都看他一眼》在當時是熱門暢銷書。與小田對談過的鶴見打了電話給他，小田二話不說就答應了。雖然小田此前並未參與社會運動，但如同筆者曾在《「民主」與「愛國」》一書中提及，他經歷過一九四五年八月十四日的大阪空襲並倖存下來，越南遭空襲的電視影像因此對他造成刺激。

同樣的構想似乎散見於當時的知識分子之間。依據針生一郎的回想，一九六五年三月，針生、鶴見、高畠、武谷三男、山田宗睦、久野收等人在準備出版《中井正一全集》的聚會中，久野便提到為了反對越戰「有組織廣泛的市民抵抗運動的必要性」、「可以以小田實為中心，應該讓運動成為安保條約肯定派也能參加的運動等等」[7]。

儘管如此，小田在知識分子間的評價未必就好。雖然《什麼都看他一眼》一書讓小田以行動派作家而廣為人知，他卻沒有社會運動的經驗。此外，他雖然在《什麼都看他一眼》書中控訴戰爭的悲慘，卻也寫下「透過兩年的旅行，我的體內多少萌生了民族主義或『愛國心』」的句子[8]，也因此當時的評論界甚至將他視為「右翼新人」[9]。

因而在越平聯成立時，比起小田，也有支持同世代石原慎太郎的聲音[10]。當時石原是頗受年輕人歡迎的行動派作家，還沒右傾化，反倒在一九六〇年的安保鬥爭時，和同世代的大江健三郎與谷川俊太郎等人組成「年輕日本之會」而獲得正面評價。石原以自民黨身分參選參議院全國選區並以首位之姿當選，是在第五章中描述的一九六八年的變化之後的事。

爾後成為越平聯事務局長的吉川勇一，回想參與越平聯之前的想法[11]：「我讀了小田的《什麼都看他一眼》，但讀完後我的感想是，搞不好這是會成為日本新民族主義的人物也說不定。相較之下，我對在六〇年安保鬥爭中創立『年輕日本之會』、寫下《太陽的季節》的石原慎太郎反而更有所期待。」

就連拜託小田來擔任招牌人物的鶴見，當初對他也沒有太多期待。鶴見日後回想[12]：「沒有期待那麼多啊。頂多就覺得如果他願意把名字借給我們就很好了。」

當時小田也沒有非我不可的氣勢。接受邀請的時候，沒有料到越戰會打那麼久，他認為「大概很快就會有人接手了吧，到那時候再退場就好。[13]」

沒有人料想得到，越戰在那之後持續將近十年，而越平聯則成為留名日本社會運動史的存在。久野收在一九七三年時這麼寫道[14]：「越平聯藉著號召有志人士踏出的一小步，是一九六五年四月的抗議活動。誰會想到在那之後還持續了八年，壯大成現在的樣貌。」鶴見俊輔也如此回想：「最初沒想過越平聯會那麼廣泛地傳開，畢竟只是因為高畠、我和小田想儘快舉辦示威遊行才開始的。[15]」

一九六五年四月，鶴見、高畠、小田舉辦會談並決定命名為「越南和平市民文化團體聯合」。關於「市民文化團體聯合」這個名稱，久野在幾年後說：「這是因為越平聯不是由個人加盟，而是採用（像「無聲之聲會」般）由自立的小團體集結起來活動的組織論的關係。至少我是那麼想的。[16]」

這種小團體聯合的構想，吉川推測是曾經擔任「無聲之聲會」聯絡人高畠的主意[17]。但日後高畠留學美國，而且隨著以年輕人為主的個人參加者增加，名稱因而改為「給越南和平！市民聯合」。

越平聯第一次示威遊行在四月二十四日舉行，約有一千五百人參加。儘管如此，當初革新陣營並未給予越平聯太高的評價。

首先從社會主義者的角度來說，越平聯太過穩健。越平聯在最初的示威遊行中發的傳單寫著：「我們是普通的市民」、「我們想說的，就一件事，『給越南和平！』」[18]。而在創立時的三大口號是：「給越南和平！」、「把越南還給越南人」、「日本政府不要插手」。對於社會主義者而言，戰爭是源於資本主義的矛盾，而且越戰是美國帝國主義的侵略戰爭，不批判資本主義或美國帝國主義的運動只是半吊子。

對於加入新左翼黨派的人而言，比起「給越南和平！」，被視為英雄的切．格瓦拉所說的「創造第二個、第三個越南！」更能引起他們共鳴。爾後幫忙越平聯援助逃兵活動的山口健二，在一九六七年當時是共產主義者同盟ＭＬ派的政治局成員，他在日後這麼說[19]：「因為我是格瓦拉派，把越戰視為革命戰爭，當時的想法是要『創造第二個、第三個越南！』，要求『停止戰爭』很怪，不該要求『美國住手』，而是把美國拖下水後加以打擊。」從創造可以打擊美國的戰場的觀點來說，「給越南和平！」的口號毫無道理。

不提日韓條約問題也導致負面評價。反戰青年委員會和越平聯幾乎同一時期創立，其核心成員的高見圭司質問鶴見，越平聯是否不碰日韓條約問題時，對「運動將專注於反對越南戰爭」的回答感到不滿。高見認為，日韓條約是日本帝國主義達到國家壟斷資本主義階段後，在亞洲擴張的第一步，鶴見的回答缺少對日本帝國主義的批判，看起來只是延續以往被動的和平運動[20]。

越平聯的第一次示威遊行的號召也以「這場遊行，不包含政黨、工會」、「這是在文化組織、團體或個人之間相互邀請所舉行的遊行」為訴求[21]。初次遊行的發起人包括新日本文學會員、也是前全學聯委員長的武井昭夫，海神會的古山洋三，電影導演吉田喜重、篠田正浩，作家堀田善衛和開高健，右翼團體玄洋社國際部長的杉山龍丸等人，照小田的說法：「坦白說就是沒秩序的大雜燴。」[22]根據鶴見的回憶，新日本文學會系的左翼作家知識分子，看到參加者的無秩序狀態以及玄洋社的杉山龍丸也是發起人之一，便「負氣離去」[23]。

加上包括新左翼在內的學生運動者幾乎都沒有參加這次遊行，參加者似乎以經歷過戰爭的年長者居多。「無聲之聲會」創始人小林登美說：「本來希望可以更早一點舉辦像這樣的示威遊行。——大家都在等啊。」[24]，但據她在一九六九年寫的文章，這天站在遊行最前排的人們是「洗衣店員工」、「高中老師、廣告招牌店員工和公司職員」等，「平均年齡約四十五歲」[25]。

遊行結束後，比起抽象性的總結議論，小田認為實務事項比較重要，因此在決定下次遊行的集合地點與日期後就解散了。這種重視具體行動勝於抽象議論的姿態，也為日後的越平聯活動所繼承。

下一個企劃，是在五月二十二日與美國加州的和平運動團體，一同舉辦國際史上同步的示威遊行，並發表共同宣言。在英國和迦納舉行的和平運動也參加了這次企劃。小田曾留學美國並環遊世界一周，擅於英語，這次企劃很有他的風格，這種示威方式在當時日本的和平運動界頗為罕見。國際電話的進步與自由化，也是這次活動得以舉辦的要因。五月二十二日舉辦的這場示威遊行，約有三千人參加，京都的越平聯也在這天誕生。

越平聯的下一個活動，是在一九六五年八月十五日，租下赤坂王子飯店的大會堂，邀請各個政黨、知識分子以及有經歷過戰爭的人們徹夜進行討論集會，並且在東京十二個電視頻道直播這場座談。座談會採用當時在美國剛開始流行的「teach-in」方式，透過電視現場直播的手法則成為爾後「電視直播到天亮」的始祖，這些在當時都是劃時代的點子。

來賓陣容也很豪華。自民黨派出中曾根康弘、宮澤喜一、宇都宮德馬等，社會黨派出勝間田清一，共產黨派出上田耕一郎等，聚集了各黨的中堅以上的成員，此外有作家小田實和開高健，知識分子有鶴見俊輔、坂本義和、久野收和桑原武夫，橫濱市長飛鳥田一雄、日後成為神奈川縣知事（縣長）的長洲一二、前陸軍中將佐藤賢了等，跨黨派的知名人士齊聚一堂。活動當天負責報到處的，是當時還沒成名的山本義隆。山本在一九六六年十月成立東大反越戰共鬥會議，和越平聯是共鬥關係[26]。

有趣的是，當時自民黨的中曾根和宮澤都批評南越軍事獨裁政權與越戰。中曾根說：「（南越的）吳廷琰政權像是個瘋狂的政權」，而與之對抗的「（解放戰線）也未必就全都是共產主義者」、「也有文化界的人和民族主義者」，而以冷戰結構解釋這個對立的「政策，對美國而言未必是明智的判斷。」宮澤喜一也說：「美國經常犯下這種錯誤」，南越政府「首先就不是我們理解中所謂政府或政權那種東西。」[27]

其他政黨當然都反對越戰。儘管當時自民黨的佐藤榮作首相已經表明支持轟炸北越，一九六六年時也因《美日安保條約》表明支持美國的越戰，然而可能是由於這個時期的輿論反對越戰者佔壓倒性地多數，因而反映在議員的立場，即使是自民黨黨內，每個議員的立場亦有所搖擺。

這場直播進行到第二部要談論戰爭體驗，才剛說完要由《山谷回音學校》的作者無着成恭來談天皇的戰爭責任時，轉播就中止了[28]。即便如此，越平聯接二連三推出過去日本和平運動沒有的新點子，因此聲名大噪。

從一九六五年九月開始，越平聯在每個月的第四個星期六（後來改為第一個星期六）下午，定期舉辦從赤坂見附附近的清水谷公園走到新橋的遊行，這場定期遊行直到越平聯在一九七四年解散為止，共連續舉辦了九十七次。在其他地區，例如福岡越平聯從一九六五年十月開始，每個月十、二十、三十日定期舉辦遊行而稱為「十號遊行之會」，京都越平聯則從一九六五年十一月開始，每個月十日定期舉辦遊行[29]。除此之外，也會隨當時的狀況或在國際反戰日舉行臨時遊行。

這種定期遊行有兩個目的。一，遊行同時也是開會。越平聯的事務所最初是在鶴見俊輔主持的「思想的科學」社，日後則在電影製作人久保圭之介的事務所裡租了一間房間，最後則在神樂坂租了塊地，但只能容納十幾人的事務所，沒辦法舉行全體會議。

越平聯既沒有規約或綱領，也沒有會員登錄制度，市民可以自發性地自由參加或退出。越平聯一貫的主張是：「越平聯不是一個組織，是一場運動。」[30]他們當時的想法是：越平聯沒有「會員」也沒有正式的職稱，只要個人贊同越平聯的主旨並進行反越戰活動的話，那個當下，所謂「越平聯」的「運動」就成立了。這個尊重個人自發性的想法被稱為「個人原理」，並確立於日後的越平聯當中。

這個原理，誠如在第十章所述，類似於東大全共鬥的主張，並被描述為與共產黨金字塔型組織相反，是一種型態不固定的運動體。本書結論將會另行討論這個原理與時代背景之間的關係。儘管這個原理早有先例，卻是直到越平聯才讓這個原理聲名大噪。[31]

不過對於採用個人原理的越平聯而言，在讓十人左右處理庶務或舉辦幹事會議（通稱為「內閣」）的事務所之外，一個讓人們自由發言的定期遊行和集會，換言之，一個實行直接民主的場域仍是必要的。在一九六六年以後擔任越平聯「事務局長」的吉川勇一如此回憶：[32]

對於完全沒有像一般組織那樣的組織系統的越平聯而言，這個定期遊行的功能不可或缺。越平聯沒有會員制度，既沒有選出幹部，也沒有明文規定的權利或義務。從這一點來說，經常聽到有人批評越平聯沒有責任、缺乏領導力或無政府狀態。從既有的組織架構來看或許沒錯，但作為一個運動的整體，如果缺乏決策機制或領導能力，那運動是不可能成立的。

定期遊行出發前，會在清水谷公園召開集會，當場交換情報、溝通彼此的想法、由事務局進行業務報告、然後是行動的提案，決策機能在此實行。雖然有主持人，但發言完全自由，任誰都能自由說話、提案行動，不過只有一個附加條件：提案行動時，提案人一定要親自執行提案的行動，這被稱為「誰提誰做原則」。

即使提了案，贊成的人太少、沒辦法集結夠多的人，運動也無法成立。如果提案能喚起人們的共感、夠多人贊同的話，那就會作為越平聯的運動推行下去。領導者並不是由在組織裡幹部的地位或在社會上的頭銜來決定，是由人們對提案行動的認同，以及在那行動中，那個人的資質與實踐來決定。這是一種直接民主主義、參與式的民主主義。與此同時，這個定期遊行和發行月刊新聞一樣，是讓運動有最低限度的持續性與連續性的保證。無論運動在什麼樣的退潮時期，這兩件事都維持不變。

然而，並不是所有的越平聯都有舉辦定期遊行。位於大阪的關西越平聯就因擔心運動成為千篇一律的行動，便採取若要舉辦遊行就儘速發動遊行的形式，避開定期遊行的做法。[33]

但那是在成員彼此多半認識的地區性團體才有可能。定期遊行的第二個目的，是為了在那個沒有群組信也沒有網頁等聯絡手段的時代，能夠藉此齊聚分散在如東京這種大城市裡的人們。一九七〇年左右，越平聯的學生參加者這麼批評：「什麼定期遊行，不就千篇一律嗎？我們靠口耳相傳聯絡就迅速集合。這種不就是自發性嗎？」而小田如此回應：[34]

> 像你說的那樣，同伴可以馬上集合起來是一件很好的事啊。但要怎樣才能讓一般的市民知道遊行呢？如果是學生，在校內拿一個看板站著，大家就知道了，但我們沒有辦法傳達給公司職員或ＯＬ。更何況，我們也沒有什麼會議。
>
> 那不然就在每個月固定的日子裡，只要到那個地方就有人在，為此才想出定期遊行的啊。如果你說這會讓活動千篇一律，那就提出更好的替代方法吧。

被視為穩健的初期越平聯

越平聯的下一個企劃是在美國報紙《紐約時報》刊登反對越戰的意見廣告。刊登全版廣告所需的資金為兩百四十萬日圓，以提出這個點子的開高健為「誰提誰做」的核心，由知識分子們擔任發起人向一般社會大眾募款。無論是在《紐約時報》刊登廣告或募款，都是在過往的和平運動中未見的做法。

開高與同世代的永六輔等人，為募款活動四處奔走。少年雜誌《Boy's Life》來邀稿，由於當時的事務局長、電影製作人久保圭之介提到募款活動，因此也收到來自國高中生的捐款。若把街頭募款算在內，捐款人數約兩萬人，把款項送到越平聯事務所的約有兩千人。越平聯事務局將《紐約時報》的影印版送給知道姓名的捐款人，據說光是這個發送就花了一個星期。[35]

這個時期的越平聯，已經漸漸聚集了直到最後都扮演越平聯核心人物的人們：小田實、鶴見俊輔、鶴見良行（俊輔的表弟）、武藤一羊、吉川勇一、古山洋三等。另一方面，也有些人雖然日後仍保持合作關係，但已經退居幕後，如開高健、小松左京、永六輔等，以及和小田同世代、在二戰敗戰時十歲出頭的「少國民世代」的作家們，還有久野收、丸山真男、桑原武夫等鶴見俊輔的知己、較年長的知識分子們。

一九七一年時，吉川勇一說：「大部分從一開始就參與越平聯的人們，很多是昭和六、七年左右出生。小田是昭和七年，開高、武藤一羊、古山洋三還有我是昭和六年〔開高其實是昭和五年生〕[36]。」小松左京是昭和六年生，永六輔則是昭和八年出生。

這個世代出生於一九三一年的滿洲事變發生前後，日本戰敗時大約十幾歲。他們小時候被迫接受軍國教育，作為皇國少年迎來戰敗，是一個在青少年時期親身體驗過價值觀的驟變和戰敗後的飢餓、空襲等恐懼的世代。這個世代在一九七〇年代左右，在媒體上被稱為「昭和一位數」[i]世代[37]。

參加初期越平聯時為三十歲前半的「少國民世代」，以小田、開高、小松為首等人都經歷過空襲，那段記憶受到轟炸北越的刺激，成為參與越平聯的一大動機。而久野、丸山、桑原等較為年長的知識分子，則因在戰前沒辦法進行有效的反戰活動，那悔恨成為他們戰後活動的原動力。

i　譯註：原文為：「昭和ひとケタ」。意指昭和元年（西元一九二六年）至昭和九年（西元一九三四年）間出生的世代。

敗戰時三十歲以上的丸山和桑原，在戰爭結束後十分活躍。另一方面，小田、開高、小松等人則是在六〇年代、他們二十歲後半以後受到文學界的認可。一九三〇年出生的野坂昭如也是這個世代，經歷過神戶空襲的他以《螢火蟲之墓》廣為人知。野坂也參與了越平聯的募款，他初期的代表作品《美國羊栖菜》則是以越平聯首位事務局長的久保圭之介的經驗為藍本[38]。

可以說越平聯是以鶴見俊輔為首、敗戰後活躍的年長知識分子與當時年輕一代的小田及其同世代作家，以戰爭記憶為共通軸線而開始的反戰運動。初次遊行的參加者平均年齡為四十五歲亦可為一佐證。

《紐約時報》的反戰廣告於一九六五年十一月十六日刊載。背景是老鷹和鴿子的畫，文章則由桑原、久野、丸山、開高、鶴見俊輔、鶴見良行、城山三郎、木下惠介等人起草，羅列了「（美國）在亞洲最好的朋友是日本人」、「要求重省美國的越南政策，是日本人跨越所有政治意識形態與信仰的意見」、「在中國十五年慘痛的戰爭結果，我們領悟到靠武器是無法贏得民心」等字句。[39]

文章除了起草人皆有經歷過戰爭的共通點以外，還表達沒有意識形態色彩或對美國反感的立場。在一九六五年十月發刊的機關報《越平聯新聞》，一九六六年五月號裡寫著：「去年越平聯創建時，特別強調『不得反美』。」[40]

反戰廣告刊出後的一九六五年十一月號（第二號）這麼寫著：「（對反戰廣告的文章）有各種批評是理所當然，批評太溫吞啦、該用更直接的說法啦、沒有陳述任何理論啦等等」，「當然身為日本人的我們還有更多想說的，但，我們更擔心因為這樣失去任何一位讀這篇廣告的讀者」[41]。

對於廣告效果的意見也出現分歧。《週刊新潮》在美國的採訪報導，介紹了有鋼琴老師因為廣告是老鷹和鴿子的畫，還以為是「鳥類圖鑑還什麼的發售廣告」因此根本沒有細讀內容，以及廣告公司的調查部部長表示：「對於在思考怎麼解決這場戰爭的大人來說，廣告所傳達的內容太淺薄，儘管那可能是為了避免引起反感」等案例，指出廣告幾乎沒有達到應有的效果。[42]

另一方面，《越平聯新聞》上則刊登了來自美國和平運動家的信，寫著：「這個廣告給予我國參與和平運動的人們非常大的鼓勵」、「這個看似不起眼的廣告肯定會漸漸產生足以改變美國政府政策的巨大力量」等。[43]《越平聯新聞》事務局表示：「（廣告）引起巨大的共鳴。令人驚訝的是，美國人至此都認為我們日本人是支持美國的越南政策的。」[44]彙整日本或美國捐款人獲共鳴的意見的書《呼喚和平的聲音》也在日後出版。[45]

即使在前述《週刊新潮》的文章裡，認為「內容太淺薄」的廣告公司調查部長，也承認「要說我自己學到什麼，則可以說是日本人似乎相當關心越南的事」[46]。由此可見，至少在宣傳日本國內反對越戰的輿論很強這點，廣告應該有達到一定的效果。

直到這次的反戰廣告付款活動，都是由久保圭之介擔任越平聯的事務局長，而開高則是幫忙四下奔走。廣告見報以後，儘管結束「誰提誰做」任務的開高回歸作家的活動，過於熱中越平聯的久保卻因破產而無法回歸電影本業。因此吉川勇一從一九六五年十二月以後，取代久保成為事務局長。

吉川的經歷容後再述，原本是共產黨員的資深社運分子的他，擔任事務局長直到越平聯解散。鶴見俊輔日後如此描述吉川：「吉川是非常有能且能處理各種事務的人。他擔任事務局長以來，不止會計帳簿上有確實記帳，寄信用的通訊錄管理、集會遊行的申請和集會場地的預約等，總之全部都處理得很妥當。」「雖然小田的演講很受歡迎、也能賺錢，但記帳之類的完全不行（笑）。就因為有小田和吉川兩個人，越平聯才有辦法順利運作。」[47]

根據吉川的回顧，他擔任事務局長以後，首先處理日記和帳簿，接著製作意見廣告捐款人的名簿，響應募捐的信，必定親自書寫比來信更長的回信。據吉川所說，只要這麼做，「收到回信的人會確實地成為越平聯的穩定支持者。越平聯最初是由經歷過戰爭的文化界人士為中心成立的組織，事務所裡幾乎沒有年輕人。只要在回給年輕人的信裡，補上一句『要不要找個時間來幫忙一下呢？』，收到信的年輕人就一定會來，不知不覺就會定期來事務所裡幫忙。」[48]吉川的這種實務能力，搭配小田的魅力，讓越平聯開始獲得年輕族群的支持。

只不過，因為越平聯沒有設下固定職位，久保和吉川的「事務局長」的稱呼也只是通稱。進出越平聯事務局的年輕人們把越平聯代表人物的小田稱為「天皇」或「小田天」，稱禿頭的吉川為「侍從長」或「禿頭BOSS」[49]。

就這樣，越平聯為組織論或運動型態帶來新的構想。然而，初期的越平聯，被視為是由經歷過戰爭的文化界人士為中心、穩健而無明顯思想色彩、只不過是個把從自民黨到共產黨都有的反越戰情感直白地表現出來的和平團體。誠如初期越平聯集會遊行時唱的「和平頌歌」歌詞：「在橋下生活的人／在美麗丘陵上生活的人／都能在和平中安穩度日／是最棒的」，看不出有階級鬥爭的傾向[50]，更不用說與武鬥棒和頭盔有什麼關聯。

這種初期越平聯的性格，似乎也反映了小田想吸引厭惡左派色彩的「普通市民」的意圖。他在一九六五年八月的研討會中這麼說：「看過我們的宣言就知道，我們沒有使用『帝國主義』這種詞彙來批判（美國），也沒有使用『侵略』的字眼。那是因為在我的計算裡已經考慮到使用這類詞彙會帶來反效果。」[51]

小田在這場研討會中，批評日韓條約和沖繩問題等的集會遊行都已經「帶有色彩」、「只有同溫層參加」。又說就算有贊成日韓條約卻反對越戰的人也沒什麼不對，表明「反對將日韓與越南問題綁在一起」[52]。他的想法是，如果反對越戰的目標明確，其他部分有不同想法也沒關係。小田並未涉入過去的社會運動，也不是馬克思主義者，可以說他對過往運動的違和感，也反映在越平聯的樣貌上。

初期越平聯核心人物的年長知識分子或「少國民世代」的作家也有相同傾向。依據阿奈井文彥的回憶，久保圭之介說著自己的戰爭體驗、熱中於越平聯的活動，但並沒有特別支持解放戰線和北越，他說過：南越政府軍或解放戰線「誰輸誰贏都不重要」[53]。

一九六五年八月十五日的徹夜討論集會雖然手法嶄新，但從邀請自民黨到共產黨參與第一部的人選，乃至安排發表戰爭經驗的第二部這點來看，也表現了當時越平聯的個性。關於這個討論集會，一九六五年八月下旬越平聯事務局有此描述：「我們在越戰如火如荼間，迎接戰後二十年的八月十五日」、「沒有經歷過戰爭的年輕世代，已經佔了日本國民的半數以上，能夠提供這個世代靜心思考戰爭與和平的意義、以獨立自主的態度做出選擇的判斷材料，我們格外感到喜悅。」[54]

即使是前共產黨員的吉川勇一等人，也以他們自己的方式肯定初期越平聯的姿態。由於越平聯沒有綱領也沒有規約，個人自由參加、自由離開的原則，讓武藤一羊、飯田桃、栗原幸夫等被共產黨除名或退黨的人也得以參與。脫離共產黨的淺田光輝，在一九六五年夏天這麼說：「親身體會過（與黨中央意見不合就排除在外的）共產黨那種無益特性的知識分子，多多少少都參加了越平聯。」[55]

吉川肯定初期越平聯的姿態，似乎是因為在共產黨「無益」的體驗[56]。吉川曾在一九六五年四月以遭共產黨除名的人為中心召開反越戰集會，他「覺得如果只有以被除名的共產黨員為中心的運動也不對」時，越平聯成立，「這得大大給予喝采」，因此被問要不要接下無給職的事務局長一職時，他便爽快地答應。關於越平聯初期沒有著眼於《日韓基本條約》或安保，吉川有如下回想：

那時越平聯是以反越戰運動為起點。如果召集人或幹部那票人擅自決定將《日韓基本條約》或安保放到口號裡，我覺得那是違反運動裡的民主主義。

換句話說，一旦確立某個目的後邀請人們來參加運動，運動就應該聚焦在那個目的。如果想搞其他的目的，弄個新的另外號召就好。所以在越平聯裡提案子說：「接著來搞反對《日韓基本條約》的運動，贊成的人在幾月幾號召開集會」，這完全沒問題。但如果在以反越戰運動出發的越平聯整體之上，擅自加一個反對安保或《日韓基本條約》的口號，那就是違反和那些聚集而來的人之間的約定。這是我的理解。

吉川同時也說：「雖然在六八年以後，因全體的認識產生變化的關係，也開始關注安保」，關於這點待後詳述。無論如何，像吉川這樣的前共產黨員也因為經歷過共產黨「幹部那票人」「由上而下」地將運動方針強迫讓人接受的苦澀經驗，可以說是在「運動裡的民主主義」這點上肯定了初期越平聯的姿態。

另外則是當時日本政府並沒有明確支持越戰，越平聯沒有去抗議讓美軍基地駐留的日本政府，也沒有批判受惠於越戰特需的日本經濟界。換言之，對於日本是越戰加害者的看法並不明確。

毋寧說，當時的越平聯是著重於闡述倘若越戰發展成美中戰爭、日本將被捲入戰爭的危險性與受害者意識。為了在《紐約時報》刊登廣告的呼籲募款文章中也寫著：「反對殺人的人、不贊成越南戰爭的人、不想要日本人也被捲入其中的人、認為那個國家的事就該讓那個國家的人決定的人，請把上澡堂找的零錢捐出來」[57]。

廣告刊登後，《越平聯新聞》刊出鶴見良行的文章：「打算刊載這則廣告時，我們心底想的是，我們無法忍受無辜的越南人們被美國製的武器殺戮，以及不能接受我們日本人被捲入這場毫無道理的戰爭。」[58]在前述一九六五年八月二十四日的《朝日新聞》民意調查中，百分之七十五的人反對轟炸北越，與此同時，百分之五十四的人「擔心日本也被捲入戰爭」，百分之十七的人則「完全不擔心」，如此民意傾向也誠實地反映在越平聯上。

《紐約時報》廣告擬稿人之一的桑原武夫，在一九六五年十一月的《朝日新聞》投書：「雖然指責日美政府也是一個方式，但目前看起來沒有實際效果。我們並不反對採用那種方式的人們，只是我們認為也應該嘗試藉由市民對市民坦率地呼籲，訴諸美國民意的做法。」[59]儘管無法得知這是不是整個越平聯的共同意見，但確實是其中一位廣告擬稿人的想法。

也因此，警察對於初期的越平聯也沒有太強烈的警戒。刊載於一九六五年《越平聯新聞》上的一則來自長野縣的市民投書，當他們在街頭募捐的時候，「我們站的位置前方有派出所，相識的一位警察拿了向同事收集來的十圓硬幣，用一副像是在說『我捐錢的話會帶來好運喔！』的表情」捐了一筆錢。[60]

捐款的人們從老人、家庭主婦、公司職員到小學生等，年齡和思想傾向不一，大抵來說沒有什麼強烈的思想色彩。一九六五年的《越平聯新聞》刊載了一篇投書說，也有人是「因為這不是由政黨推動的關係」而捐獻款項。[61]保守派的評論家會田雄次也在週刊雜誌的採訪中這麼說：「我也有捐錢。但是說得不好聽一點，大概像是在玩遊戲的那種感覺喔。」[62]

也因此，新左翼對越平聯諸如「知識分子的越南遊戲」、「販賣廉價贖罪券」的批評從未間斷[63]。越平聯日後的活動，包括一九六六年十月邀請沙特和波娃（Simone de Beauvoir）舉辦研討會；一九六七年一月舉辦美國反戰歌手瓊・拜亞（Joan Baez）見面晚會；一九六七年四月在《華盛頓郵報》刊登反戰意見廣告；一九六七年八月，當代藝術家岡本太郎以獨特的字體為《紐約時報》[ii]上的意見廣告寫下「勿殺」題字，和田誠（「hi-lite」香菸盒的設計師）則設計了反戰徽章來做販賣，儘管內容十分多樣，但都被視為溫和且充滿文化性質的活動。[64]

媒體也將越平聯視為沒有政治色彩、穩健的和平團體。一九六九年的某篇評論指出，直到後述一九六七年十一月的援助逃兵活動開始前，「媒體認為越平聯是教養豐厚的日本進步派文化界人士與國際文化界人士一起開朗地、認真地思考反戰的團體，看起來像是聚集了老實的年輕人們的團體。」[65]

另一方面，左派色彩強烈的政黨或個人則認為越平聯太軟弱。據小田所說，越平聯當時「以展現新形式的和平運動而成為話題，同時也被認為是富裕『小市民』猶如遊戲般的和平運動，而招來不少反感」[66]。一九六五年的《越平聯新聞》也刊登了一封信說，一位想要募款的護士被友人批評：「越平聯沒有在追求所謂的真理，而是商業新聞式的、流於情感的做法」[67]。

特別是對共產黨而言，越平聯並未批評越戰是「美國帝國主義」的侵略，再加上遭共產黨除名的人參與其中的關係，而對越平聯採取批判性的態度。

如前所述，越平聯首次集會遊行的發起人裡，包括新日本文學會的武井昭夫。由於新日本文學會有許多遭共產黨除名的前黨員作家，被共產黨視為一種反共團體。而以吉川為首，遭共產黨除名或脫黨者加入越平聯，共產黨有將這類除名或脫黨人士視為偽「左」反共分子（共產黨系的寫手稱之為「『左』右」）的傾向。

因此，共產黨機關報《赤旗》在越平聯創立後的一九六五年五月十一日號，刊出由上田耕一郎寫的文章〈論「給越南和平！」的口號——濫用大眾和平願望的修正主義者的意圖〉，其主旨是，不批判美國對越南的侵略、只高唱「給越南和平！」只不過是「轉移越南問題真正的本質」。同一個月二十三日，刊載作家霜多正次所寫的〈針對「給越南和平！」的疑問〉，主張「我們該說的不是『給越南和平！』，而是『美國把手抽離越南！』、『從越南滾出去！』」[68]。這些很顯然是在暗地裡批評越平聯。

到了一九六七年，原遭共產黨除名的人加入越平聯的傾向愈加明顯，共產黨派系的評論者也就指名批評越平聯。共產黨系的雜誌《文化評論》一九六七年七月號，刊載一篇批評越平聯的文章〈「越平聯」的思想〉，其主張是，越平聯有「日本共產黨放逐的『左』右反黨分子流入」、「他們正意圖將『越平聯』運動化為中傷與攻擊日本共產黨的舞台。」[69]

而諷刺的是，遭共產黨敵視的新日本文學會也在首次集會遊行後與越平聯分道揚鑣。曾經是新日本文學會會員的針生一郎，日後有此陳述：

ii　編註：此處疑為筆誤，一九六七年有岡本太郎的字體的意見廣告應刊在《華盛頓郵報》。

> 越平聯最初的行動是那年（一九六五年）的四月二十四日，在清水谷公園的集會與遊行，我也參加了那場行動。小田在那場集會中強調，越平聯是「一般市民」的「兼差式的運動」，沒有會籍，任何人都能參加。……包括我在內，一些經歷過六〇安保鬥爭之前、共產黨系運動的人，都覺得這種「市民運動」是「微溫的」、沒什麼可取之處。
>
> 接著在同年六月十五日，在幾名知識分子的號召下，社會黨與共產黨兩黨、總評・中立勞聯、市民文化團體等自六〇年安保以來首次組成了反越戰統一行動。如此一來，我所屬的新日本文學會等，也漸漸認為像這種以勞動階級為中心、既有的組織也都參與其中的共同行動才是最重要的，而越平聯甚至避免將越戰稱為「侵略」，有其市民主義的極限。結果是會員個人參加姑且不論，但組織整體對越平聯提供的協助就此中斷。[70]

一九六六年十月二十一日，在總評的號召下，約五百五十萬人參與反越戰統一罷工，而十月二十一日則定為「國際反戰日」。在這種動向當中，像越平聯這種「微溫的」、弱小的市民團體，被判斷為不值得支援也無可厚非。就更不要說對新左翼黨派而言，越平聯並不值得一提。

除了有這類批判越平聯的聲音外，《越平聯新聞》一九六六年二月號刊載一篇投稿：「越平聯創建時，以不問思想為何、是一個反越戰者的集合為號召，但現在不就相當『左傾化』了嗎？」[71]這個被來自左、右兩側的批評夾擊的傾向，往後也一直伴隨著越平聯。

之所以出現前述「左傾化」的批評，是因為在一九六五年十二月，越平聯舉辦了名為「越南，今後我們該做些什麼」的研討會，會中討論了當下活動的問題點，以及往後活動的方向性。這場研討會的概要，刊登在《越平聯新聞》一九六六年一月號，當中指摘了「從去年秋天以來開始浮上檯面的運動停滯」，並討論了「市民得以任意參加的運動團體在組織上的問題」。[72]

一九六五年二月轟炸北越以來，媒體也連日報導越戰，喚起一般市民的關心。但到了一九六五年後半，媒體的報導減少，越平聯主辦的定期遊行也只有一百餘人參與。如前所述，越平聯從一九六五年九月開始舉辦定期遊行，參加同年十一月定期遊行的高中生說：「報紙上越南的報導從頭版移到第三版，標題也逐漸變小，之所以不太在乎這些變化，是因為對越戰感到厭膩了。」[73]

遊行參加者也以「我們只不過是『消費者』嗎？」為題，做了如此陳述：「偶爾出門參加『越平聯』那樣的市民集會，在那邊卻發現自己只是旁觀者，因而只是感到更深的疏離感罷了。」[74]

在各地創立的越平聯也出現停滯。京都和伊那谷已經有越平聯成立，但根據一九六五年十一月的《越平聯新聞》，在一九六五年五月成立的京都越平聯有以下回報：「危機在八月到來。一名核心成員表示過勞，負責打雜的學生回鄉探親了。現在就連通信費都繳不出來。」[75]

京都越平聯是在東京越平聯創立約一個月後成立，最初的抗議轟炸北越集會聚集了約兩百人，爾後大約每三個月一次，邀請兩到三人的講師召開集會，但「如果是有名的講師，參加者會多一些，反之則參加者並不多，在這個狀況下，組織漸漸衰退，陷入僵化的情形。」在京都大學人文研究所的飯沼二郎等人的提倡下，舉行定期遊行，但人數始終在十至二十人之間，「縮小成少數人的街頭行動，這種會也沒什麼意義」等意見也很有力。[76]

結果在一九六五年十二月的討論中，浮現「如果媒體疏於報導或無視『越南』，那這運動便失去本身的內在根據，無法走出感傷主義的範疇」，或「藉著個人勇氣支撐的口碑與經濟上的負擔，活動一路辦到現在，但如果不能確立可以吸收那些經驗與成果的組織，活動整體只隨著發散式的想法進行，終究會結束」等意見[77]，指出沒有組織也沒有綱領、只仰賴每個人自發性的運動終究有其限制。最後這場討論由「海神會」的古山洋一下了折衷的結論：「行動的形式以任誰何時都能參加為目標，但在心理準備上則採取強勢姿態」，並暫告一段落[78]。但也有些人將這個結論視為「左傾化」。如後所述，越平聯爾後也並未走上猶如既有政黨般的組織化路線，而是繼續維持尊重個人自發性的路線。然而，運動的停滯傾向並未改善，東京越平聯的定期遊行，到了一九六六年二月只剩約五十人參加[79]。一九六六年三月的《越平聯新聞》刊登了重考生的投稿，表示他到清水谷公園打算參加越平聯的定期遊行，「參加人數少得令人驚訝」[80]。

吉川勇一在幾年後，對這個時期的事有如下陳述：「人數減少所以被說是低潮期，我想大概也沒錯，但感覺有持續下去才是最重要的。」[81]然而，雖然這只是一種假說，但如果越平聯沒有遇上爾後的年輕人們的反叛季節，可能就作為一個穩健的和平運動最後自然消滅。

不過越平聯的活動，從一九六六年中期以後漸漸產生變化。在六〇年代末年輕人們的反叛時期中，其存在將佔有一個獨特的位置。

越平聯的轉捩點

讓越平聯獲得轉機的其中一個契機，是在北越首都河內被轟炸的隔天，一九六六年六月三十日，以非暴力直接行動的方式在美國大使館前靜坐。下午兩點，鶴見俊輔等七人，在有約三十名警察機動隊戒備的美國大使館前集合並在正門前靜坐。他們立即被機動隊帶走並在口頭訓誡後釋放，其後下午五點有十五人進行第二次靜坐抗議，七月二日和九日也發動相同的抗議行動[82]。

其實這場行動，從一九六五年底就開始策劃了。這個時期以後，越平聯內部設立了「非暴力反戰行動委員會」，並在一九六六年二月就私下開始「號召」[83]。當時決定的是，如果發生下列任何一項情況，隔天就到美國大使館前靜坐抗議：（一）美國對北越宣戰並實行登陸作戰；（二）美國使用核武；（三）美國轟炸北越。

依據東京都的公安條例，舉行抗議必須在七十二小時前向公安委員會提出申請並獲得許可，因此在北越遭轟炸的隔天進行抗議行動，代表行動是違法的。因此在「號召」時便表明：「有可能會成為處罰的對象」、「覺得被警察逮捕會造成不方便的人，不要加入同伴的行動，請站得遠遠地、裝成路人，成為這場行動的目擊者」，同時也載明：「請不要攜帶傷人的工具。我們的抗議，打算採用不訴諸暴力的行動方式。」[84]

這種非暴力直接行動，是學自美國的運動。如同在第十四章所述，越平聯在一九六六年六月一日邀請美國的和平運動家拉夫．費德史東與霍華德．津恩訪日，在越平聯幹部的陪同下，從北海道到沖繩進行全國巡迴演講直到六月中旬[85]。這些美國的運動人士，主張依情況不同，即使是非法也要透過非暴力直接行動讓人們覺醒。

儘管是非暴力，但對越平聯來說，不懼採取非法行動也是一種躍進。吉川勇一日後表示，之所以有不惜採取違法手段的覺悟，也要援助逃兵逃到國外（後述），是因為在那之前越平聯就已經有不畏懼採用非法手段進行直接行動的思考方式[86]。

一九六六年八月十一日到十四日的舉行「給越南和平！日美市民會議」加快了越平聯的變化。十四日聚集了約一千四百人，是這個時期越平聯規模最大的集會[87]。誠如《越平聯新聞》所載：「涵蓋我們無法忘卻的廣島、長崎之日，以及第二次世界大戰終結之日」，這個會議日期的選擇，反映了經歷過戰爭的年長者的想法[88]，只不過這場會議的內容，則超出他們的想法。

這場會議的發言人，日本方面除了鶴見俊輔、鶴見良行、小田實、古山洋一等越平聯的核心成員以外，還有丸山真男、日高六郎、久野收、竹內好等學者，以及離開共產黨的結構改革派安東仁兵衛、飯田桃、鶴見俊輔的知己也是中核派幹部的北小路敏等，共有六十一人與會。而美國方面則有霍華德·津恩等和平運動人士和學者等九人，另外還有來自法國、英國、加拿大、印度、巴基斯坦、蘇聯、阿根廷等和平運動人士與作家、編輯等約十五人以觀察員身分參加[89]。

在這場會議中，發起用以對抗日美國家間條約的「日美反戰和平市民條約」，決議可以個人資格署名並參與條約。在該條約中寫著：「美國政府無止境地使用軍事力量侵略越南，而依據一九六〇年的《美日安保條約》，日本政府亦協助美國，侵犯越南人活著的權利」。連署人則立約表示，為了（一）拒絕大規模殺傷武器、（二）拒絕戰爭教育及戰爭宣傳、（三）撤除設於亞洲的美軍基地、（四）反對以美日軍事同盟支配沖繩，將採取非暴力直接行動或抵制美國商品等個人層級做得到的行動。[90]

這個市民條約明確地批判美日政府和安保條約，並抗議美軍支配沖繩，其背景是於一九六六年五月，日本的外務大臣椎名悅三郎表明，日本政府將依據《美日安保條約》支持美國的越南政策，以及美軍的戰略轟炸機，是從美軍統治下的沖繩空軍基地飛往越南執行空襲任務。

在這種情況下，小田在這場會議的開場演說中明白地說：「日本國民不是中立的，我們很明白地是站在協助美國的一方」[91]，而到目前為止的日本和平運動都是從「被害者經驗」的立場訴求反戰，既然日本政府支持越戰，小田表明：「我承認自己是加害者。」

不過小田所提起的議論，如同在第十四章所述，是強調「被害者」與「加害者」的重層性。根據小田的說法：「只要沒有確立個人的（反戰）原理，自己勢必因國家的命令（身為士兵）開槍」、「在那種情況下，自己是站在加害者的立場。但與此同時，自己也是國家的被害者」。國際間也認為，從屬於美國的「日本站在被害者的立場。但面對越南時，日本則是站在加害者的立場。」

既是被害者，同時又成為加害者。為了突破這個狀況，小田說：「不是從被害者的立場來討論，而是警惕自己有可能成為加害者，同時對國家權力這個加害者，我們必須做出明確的反擊。」

這個市民條約和小田的「被害者＝加害者」論，給越平聯乃至日本的和平運動整體帶來劃時代的變化。越平聯創設時，對美日政府或安保條約的批判很薄弱，運動也是從戰爭被害的記憶出發、擴大到越戰，並且擔心日本會被捲入戰爭、成為被害者，但在此卻展現了「被害者＝加害者」的重層性，以及必須對在那狀態下逼迫個人的日美國家「予以反擊」的姿態。

誠如第一章和第十四章所述，這似乎也是小田為了將運動拓展到沒有戰爭受害經驗的年輕世代的一種戰術。在前述一九六五年八月的研討會中，小田主張，戰後日本的和平運動是以被害為核心的戰爭經歷為原動力，但這有「無法引起下一個世代共鳴」的弱點[92]。

這個變化也反映在對越南戰爭的新聞報導和輿論的變化。《朝日新聞》於一九六七年刊登本多勝一的現地報導「戰場之村」，引起反響。在這篇報導中，本多勝一將利用越南特需獲得利益的日本形容為「死之商人」，他這麼寫著：「在越南人的眼中看來，很難完全相信那些從支持美國的戰爭的體制中『施予小惠』的人們，是再理所當然不過的。……在反對美國轟炸北越之前，支持轟炸北越的日本政府更應該被視為問題。」[93]

然而在一九六六年的夏天，越平聯仍舊沒辦法拭去文化界人士的穩健運動的色彩。日美市民會議之後，淺田光輝說，無論哪個先進國家，伴隨著資本主義的高度化，既存革新政黨或工會也會官僚化和納入體制，未組織的勞動者或學生、市民、知識分子等則在議會制民主主義的框架外，舉行街頭遊行或集會等新左翼運動，日本的狀況也相同，「越平聯的運動也完全是同一個潮流」。[94]

但淺田又說：「作為新左翼的越平聯，相較於歐洲或美國的新左翼運動，有個巨大的差異：這個運動幾乎沒有學生積極參加。」日美市民會議的日本方面的六十一名與會人士中，「學生只有三人，其中一人是大學生，其他則是高中生與預備學校的學生。」

淺田接著說：「學生中戰鬥性的部分，對這個運動幾乎沒有什麼關注，而這不免讓人感到，越平聯的氣氛本身有什麼讓他們提不起興趣。」淺田舉了一個例子是，日美市民會議中，針對較激進的市民條約，有人主張「這會縮小連署人的範圍，不再是任何反對戰爭的人都能連署」，這與共產黨以「破壞一致」為由，切割激進學生運動的那種「一致的邏輯」沒什麼兩樣。

另外也有人提出相反的批評。桑原武夫雖然參加了日美市民會議，但卻拒絕連署市民條約。如前所述，桑原對抗議日美政府一事抱持懷疑態度，而且也反對束縛個人的「誓約」般的東西。他在市民會議主張，「越平聯在創立時，擁有某種類似餘裕的東西」，但「現在餘裕主義正在轉換成道德主義。」[95]

擁有戰前和平運動經驗那個世代的知識分子，大概都反對越平聯轉向激進。參加了日美市民會議的語言學學者新村猛，在會議上有此發言：「我和久野（收）曾在戰前一起參與過抵抗法西斯戰爭的運動。現在感到後悔的是，如果當時有和更為穩健的人合作就更好了。如果只有自己做，很容易太過認真，漸漸就變得太激進。那結果就是陷入孤立無援，並就此告終，我就是親身經歷過這種苦澀經驗的其中一人。」[96]

如前所述，久野收對越平聯的構想是：贊成安保條約的人也能參加的反越戰運動。久野收在一九六七年十一月的週刊雜誌訪談中這麼說：「越平聯的活動不是政治活動，是沒有力量的市民表達抗議的心聲，收到這個心聲後，思考帶來和平的具體方式，是政治家的工作。」[97]

另外，旁聽會議的新左翼黨派的學生，對著小松左京拋出「這太溫吞了」、「什麼市民條約只是在玩吧」等發言。但小松左京說，美國方面的與會者認為反越戰運動充其量只是和平運動，「對於日本學生的發言經常把反越戰和革命綁在一起想，有點令人吃驚。」[98]

還有人從不同角度批判與點出問題。依據鶴見良行，參加會議的丸山真男提出疑問：這個市民條約，「是日本市民與美國市民，作為兩個集團交換的條約，還是說，這是日本與美國的個別市民的連署，並依之生效的宣誓的堆疊？」[99]

鶴見良行針對這點，一方面闡述原則指出，越平聯不是組織，是基於個人自發性的運動體，而立基於這項個人原理，「連署人每一個人都不能代表不特定多數的『我們』，只能代表『我』」，另一方面也指出，隨著這項連署運動進行，「越平聯不得不正視要如何統括這個反國家權力的市民團體等組織化問題。」[100]隨著運動擴大，組織化與個人原理之間產生的矛盾，是日後也無法擺脫的問題。

即使有這些批判，日美市民條約與「被害者＝加害者」論仍是越平聯與日本和平運動的轉捩點。

年輕人的加入也是給越平聯帶來的變化之一。儘管淺田曾批評越平聯幾乎沒有年輕人參與，一九六六年到六七年初始的《越平聯新聞》記載，越平聯的「事務局大半都是十幾、二十幾歲的年輕人。」[101]這也可以說是前述吉川努力的成果。

事實上，參加集會或定期遊行大多是年輕人。當時的《越平聯新聞》記載了「學生壓倒性地多，超乎我們的預料。令人感覺到將來與市民連帶的困難處」、「越平聯明明是號召一般市民參與，但令我失望的是，無論如何都還是學生居多。」等意見[102]。

雖然越平聯號稱市民運動，但在週休二日尚未普及的當時，星期六舉行的定期遊行，很難動員上班族和家庭主婦，也因此，學生的比例自然會偏高。在一九六六年至六七年的《越平聯新聞》上，也有來自上班族和家庭主婦的投書，希望可以將定期遊行和集會辦在星期天[103]。

但只要閱讀機關報就會發現，說是年輕人，高中生或重考生的投書比大學生來得多，可以推測越平聯吸引比較多年紀較小的年輕人。事務局似乎也是同樣狀況，一九六七年二月的《越平聯新聞》有「考試期間，事務局顯得比較冷清」的記載[104]。《越平聯新聞》上也有大學生的投稿，但與新左翼等比起來，顯得比較溫和也較沒有意識形態的色彩，即使在日後支持越平聯的族群拓展到學生，這個傾向基本上也沒有改變。

因此，中核派的北小路敏等人，形容越平聯是「隧道」，意思是，「沒有染上政治色彩的年輕人」首先會加入越平聯，而不滿於越平聯沒有穩固確實的主義和路線的人，便會加入新左翼，換句話說，就是在加入新左翼前，「先通過越平聯這個隧道」的意思[105]。這個「越平聯隧道論」，不時就會被提起。

然而，年輕人帶來的活力，與非暴力直接行動以及提倡「被害者＝加害者」論，共同改變了越平聯的性格。一九六六年十月，以「聚集在越平聯事務局的高中生、預備學校學生、大學生為中心」的「多半都是十幾歲的青少年們」設立「給越南和平！青年聯合（俗稱Young Beheiren）」[106]。

一九六六年十二月，作為國際共同行動，號召「給越南和平！抗議的十天」，小田和古山等年紀較長的人，在曾是美日開戰之日的十二月八日清晨，以「回想二十五年前，穩固對和平的誓約，表達對越戰抗議的意志」為主旨召開集會[107]。另一方面，沒有「二十五年前」的記憶的Young越平聯的年輕人們，則在十二月十日聚集在橫須賀的美軍基地，發宣傳單給美國士兵[108]。

美軍約莫出勤六個月就會有一星期的休假，而在越南作戰的士兵通常都在日本的美軍基地度過假期[109]，越平聯以這些士兵為對象發放傳單，內容是關於良心拒服兵役或逃兵等鼓勵反戰的行動。

年輕人也參加了十二月八日的集會。製作傳單的是鶴見俊輔、鶴見良行和武藤一羊等人，而栗原、吉川、武藤等人也加入在橫須賀發放傳單的行動，兩者之間沒有對立而是合作關係。但是戰後出生的年輕人，對於年紀較大的人們那種基於戰爭記憶而發動的反戰運動，仍有無法產生共鳴的部分。

例如一九六七年三月在國鐵勞動會館，來自各地的越平聯成員的討論會中，一位大學生這麼說：「至今的『反戰邏輯』都是基於大家各自的戰爭經驗所構成。我們這個沒經歷過戰爭的世代，也必須找出我們自己的『反戰邏輯』。[110]」另外在《越平聯新聞》一九六七年九月號刊載了女大學生的意見：「我不知道戰爭是什麼」、「我覺得自己與越平聯戰中派的大人們之間有隔閡」等[111]。

而對留在日本的美軍士兵發反戰傳單的點子，來自接受日美市民會議邀請來訪的美國和平運動家，其中一人表示：「士兵是錯誤政策的最大犧牲者，因此更必須影響他們。[112]」因此，一九六七年十月，反戰非暴力直接行動委員會（前身為六月在美國大使館前靜坐的非暴力反戰行動委員會）開始對美軍士兵發反戰傳單。

這個委員會發表的呼籲文章「站出來組織不服從行動吧」當中寫著：「我們每個人都是加害者」、「政府謹慎地說，日本不應該繼續採取中立立場。資本家從這場戰爭中獲取利益。日本幾個工廠不斷地製造軍需品，並送往越南」等，發傳單給美國士兵的同時，也鼓吹向日本的軍需工廠抗議[113]。這個委員會在一九六六年一月與一九六七年一月，分別向三菱重工以及石川島播磨重工業發送抗議傳單[114]。

這種「日本人＝加害者」的論調，是可以成為沒有經歷過戰爭的年輕人們獨立的反戰邏輯。《越平聯新聞》一九六七年一月的投稿中，一位學生這麼寫著：

> 擁有極東最大的核彈基地沖繩、兩百個以上的美國軍事設施、靠著越戰特需賺錢的我們，正在參與越戰，是美國的共犯，所以我們必須解除與這場戰爭的關係。這就是「越平聯」所說的加害者意識吧。當然，我也贊成這一點。但只有這樣的話是不是有點薄弱？越南解放戰爭作為一個契機，當我們意圖贏取日本的解放時，我認為我們可以與越南人民產生真正的連帶。取回沖繩、一掃美國軍事設施，那麼寄生在美國帝國主義的日本壟斷資本必將潰滅，當然，日本的社會機構也將產生變革。我想要在能夠預測到這一步的狀況下，參加反越戰運動。[115]

儘管將反越戰進一步推展到日本社會變革的想法，在這個時候還不是越平聯的主流，但在往後幾年，越平聯也開始提倡「社會變革」。

沒有戰爭經驗，沒辦法訴說「和平」的意義，受經濟高度成長的急速變化影響的不安穩的心情，似乎也都成為越平聯年輕人傾向直接行動的背景要素。一九六六年十月，富士電視台採訪了四名參與越平聯活動的年輕人，製作了名為「青春的摸索」的紀錄片，但最後富士電視台高層決定無限期延後播放日期[116]。

在抗議這件事的小冊子裡，笠井聖志（後來成為作家、批評家的笠井潔）這麼寫著：「我們是沒辦法不帶著羞恥去談論和平或革命的世代。即使是現在，連我們自己都不知道為什麼我們從事『和平運動』。不，我們就連自己在做的事究竟是不是『和平運動』都不知道。」「我們採取行動。行動就是意義——這是我現在的想法。」[117]

一同讓越平聯脫胎換骨的，除了像這樣帶點存在主義式（笠井讀過沙特）以及「探索自我」式的年輕人，還有事務局長吉川勇一、武藤一羊和栗原幸夫等被共產黨除名或脫黨的前黨員們。

爾後一九六九年的座談會中，吉川以「和平頌歌」的歌詞：「在橋下生活的人／在美麗丘陵上生活的人／都能在和平中安穩度日／是最棒的」，批評越平聯初期是穩健的「文化團體聯合」。武藤一羊亦隨之呼應：「那從一開始評價就很糟糕啊」，可見在越平聯創立便參與的前共產黨員們，當時就已對初期的越平聯感到不足[118]。

然而，他們對共產黨那種不容許破壞「一致行動」的風氣有苦澀的回憶，因此並不打算讓越平聯清一色地轉換成激進方針。栗原幸夫在一九六七年二月的《越平聯新聞》中，指出對軍需工廠發傳單，「才是符合越平聯的」行動，並有如此陳述[119]：

我最擔心的是有這種狀況……因為越平聯是集結一般市民的團體，舉凡靜坐、糾察或在基地散發傳單等這種會讓一般市民參與者有所牴觸的行動，都不應該進行，類似直接行動之類的行動，請到越平聯之外，設立別的組織再進行。

……我想越平聯有兩個基本原理。一是多樣性的統一的原理，二是自發性的原理。在我的想法裡，所謂多樣性的統一是指，有些人熱中於舉辦國際會議，但絕不參與靜坐或發傳單，有些人熱中於靜坐或發傳單，但絕不站上舞台說話，像這樣各自立場（喜好？）極端不同的人們，在同一個組織內，都能找到自己的位置，進而發揮十二分的力量。……為此，要說有什麼最低限度的條件，假如以現在的常識稱為激進派與保守派，那麼保守派不可以對激進派說什麼事不應該做；相反的，激進派也不可以要求保守派應該做什麼。

這個原理配合「誰提誰做原則」，由小田實摘要為「越平聯的三項原則」[120]：「一、什麼都好，做自己喜歡的事。二、不要對別人做的事說三道四。三、提了行動方案，自己一定要率先行動。」小田在著作裡明確闡述「三原則」是在一九七〇年，但吉川日後說：「我以為是從初期開始就有了」，當時屬於年輕成員的吉岡忍也在日後說：「那種規則漸漸成形」，由此可見這大概是在一九六六至六七年間自然形成的。[121]

年輕人的加入與各地越平聯的成立

在年輕人們與前共產黨員等開始改變越平聯性格的同時，以一九六六年六月的全國縱貫演講會為契機，在各地也陸續成立越平聯團體。一九六五年時京都和伊那谷等地由當地市民成立越平聯，直到一九六六年底，札幌、旭川、仙台、水戶、茅崎、名古屋、長野、大阪、廣島、福岡、沖繩等地也成立了越平聯。各地大學如法政大學、東京大學、一橋大學、早稻田大學、東京教育大學、慶應大學、明治大學、學習院大學、京都府立大學、三重大學、橫濱市立大學等，也有越平聯或日美市民條約連署者會議成立。[122]

高中生們也紛紛各自將《越平聯新聞》貼在教室，或別上反戰徽章[123]，也有像京都堀川高中那樣，提了獨立企劃的高中。一九六七年九月，在東京越平聯定期遊行後，高中生反戰聯絡會議（高反聯）成立了[124]。

當時的越平聯，高中生或預備學校學生似乎比大學生還多。對於部分高中生來說，因為能夠接觸到有名人士如小田或鶴見，越平聯的定期遊行顯得很有吸引力。一九六六年還是高中生的府川充男，也參加了定期遊行後的聚會，儘管他因政治意識高而加入民青，但他回想當時：「明明就是民青同盟成員，但因為想聽小田實、鶴見俊輔和開高健等人說話，從高一開始就光明正大地參加越平聯的聚會。聚會結束後，也和鶴見先生或飯田桃先生等人談話。」[125]

一九六七年時為重考生的中野正夫進出越平聯事務所，如此回憶來到事務所的年輕人：「一橋生或東大生等大學生是有，但因為他們大多參加校內的運動，在我去的下午這個時段，比較多高中生和重考生。」「大學生或重考生可能沒什麼朋友所以寂寞，來自各地區的人比較多，高中生則大多是來自附近教育大學的附屬高中或都立的升學學校等好學校的少爺小姐。[126]」由於越平聯的參加者不固定，無法得知哪個階層的人比較多，但這是一個可以參考的證詞。

由於越平聯重視個人的自發性，也拒絕像既有政黨那樣的中央集權制，各地的越平聯並不是「支部」，既不需要登錄，無論進行什麼活動，什麼時候成立、什麼時候解散也都沒有限制。與東京越平聯的關係，也僅止於各地越平聯代表參加每年召開一次的全國會議，在會議中報告活動與討論而已。

一九六六年十月在法政大學召開的第一次全國會議，越平聯的名稱正式從「給越南和平！市民文化團體聯合」改為「給越南和平！市民聯合」。當初越平聯的名稱是由「無聲之聲會」等市民團體的聯合構思，但到了這個時間點，則決定將越平聯是由擁有反戰意識的市民個體所集結的團體這點變得更加明確。擔任全國會議主持人的「海神會」古山洋三，會議結束後的感想是：「即使是事務所，也沒有任何一個人是專門在越平聯工作。首先是採取行動，接著是持續思考，這麼做的每一個人構成了越平聯。[127]」

一九六七年三月的《越平聯新聞》刊載了東京越平聯的文章：「所謂越平聯，不是東京的，而是全國進行反越戰運動的人們，以及打算進行反越戰運動的人們的總體。……我們經常收到『我想在○○市創立越平聯，該怎麼做才好？』這類的詢問信件。我們都盡力回覆，但事實上創立越平聯並沒有什麼秘訣。[128]」

在各地的越平聯，也有許多只是小型團體。札幌越平聯在一九六六年十二月指出：「北海道越平聯運動最初是由兩個人開始的」，爾後和前共產黨員、北海道大學的助教授花崎皋平相遇，逐漸拓展活動，到了一九六七年十月，定期遊行有十二人參加[129]。名古屋越平聯是由十九歲的女性美容師在找名古屋的《越平聯新聞》訂閱者並舉辦定期遊行所創立，一九六六年底時，《越平聯新聞》的全國發行量約一千份，名古屋的訂閱者也有限[130]。一九六七年夏天「創立」的岡崎越平聯只有一個人，透過在街頭發傳單募集參加者，花了十天以上才終於找到第二位參加者[131]。

此外，各地區的越平聯參加者，也不僅限於「普通市民」。也有被除名或退黨的前共產黨員，活用自身的運動經驗而成為核心成員的案例。據吉川所說：「在各地的越平聯團體中，札幌、靜岡、金澤、京都、大阪、福岡等有力團體的中心，都有這樣的人在。[132]」像這樣的年長運動人士，活用自己的經驗進行活動，通常這種越平聯的持續力會比較強。

相反地，也有很多與這些年長的前共產黨員等沒有關聯，憑著年輕人的活力而組成的越平聯。一九六七年二月的《越平聯新聞》刊載了來自帝塚山學院高等部的女學生投書：「日本各地都有小型的越平聯成立。我們也成立了！（雖然現在真的說：『創吧——！』的只有三人）。[133]」相較於幾乎都由年輕人組成的新左翼和全共鬥，像這樣的年輕人與小田或開高等無黨派作家、鶴見俊輔和飯沼二郎等非共產黨系知識分子，以及吉川和武藤這種前共產黨員等年長者共存，也成為越平聯的一項特徵。

即使像這樣在各地都有小型越平聯誕生，但仍舊苦惱於運動的停滯。儘管如前所述，事務局長吉川不認為這是低潮期，但也有表達徒勞感的聲音。一九六六年九月成立的大阪越平聯（反越戰大阪行動委員會），在一九六七年七月的機關報上，刊出了如下文章：

六月的第三個星期日，我們只召集到十五名同伴。這似乎是史上第二少的一次……

日常生活中，我們反戰的感覺漸漸淡化，漠然地將（寫著反戰口號的）布別在身上、走著和之前相同的路線，這真的能為反戰達成些什麼嗎？這個疑問總是在我們心底確實地浮現。別著反戰口號的布也汙損得頗嚴重，第一次別上寫有反戰口號的布時，那種害羞的心情和表達想法的驕傲，已經不曉得到哪去了。[134]

即使越平聯拓展到全國各地，一時之間也沒辦法讓運動活躍起來，為了突破這個狀況，一九六七年七月推出了新企劃「和平之船」：在這一年結束前，募得一千萬日圓，將募款用於向北越與解放戰線捐贈醫療用品，而非只援助南越政府的紅十字會與日本政府[135]。

小田在呼籲向「和平之船」捐款的文章中，指出「特需、沖繩、在日美軍基地」的存在使得日本成為加害者，因此與解放戰線連帶，是「日本人的義務」。然而由於募款的狀況不佳，「和平之船」直到一九六九年一月才出航，在那個當下並沒有真的活化運動[136]。

一時間欠缺鼓舞運動聲勢的越平聯，隨後迎來讓運動急速成長的契機，也就是一九六七年十月第一次羽田鬥爭爆發的學生反叛，以及同年十一月美軍逃兵的出現。

讓越平聯躍進的支援逃兵活動

針對一九六七年十月八日時任首相的佐藤榮作訪問越南，越平聯也發起抗議行動。前一天十月七日是東京越平聯的定期遊行日，當天聚集了約一千人到首相官邸和美國大使館抗議，是至此所有定期遊行中人數最多的一次，並發了約五千張傳單。上一次對美國大使館的抗議，已經是六〇年安保鬥爭的事[137]。

十月八日當天，雖然僅止於在羽田機場外召開集會，並成功送了少數人進到機場內抗議，但第一次羽田鬥爭與山崎博昭之死，在越平聯內部也引起一些迴響。

事件後的《越平聯新聞》一九六八年十一月號，刊載如下的投稿。其中一則是來自十八歲的預備學校學生：「反戰運動已經來到必須更廣泛地普及到國民之間的階段，躁進的集團越來越激進，可能會再次發動流血慘劇吧。」「因此我們必須將非暴力行動，更加廣泛地推廣開來。就算被說成是進香遊行，或者就連警察都不當一回事，我相信非暴力直接行動，才是我們推動反戰運動的最好選擇。[138]」

另一位主婦的投稿說：「反對佐藤首相訪問越南，但什麼都沒做的我，沒有權利把那些在羽田與警察機動隊衝突的學生稱作暴徒或混蛋。對於死去的山崎博昭，我充滿抱歉的心情。」還有其他的投稿訴求：「在羽田使用武力阻止也是必要的，我認為所有反越戰的鬥爭都是必要的。現在不是一臉得意地去說暴力學生的衝動的時候」、「有良知（？）的一般市民、普通的一般市民，站出來支持全學聯的鬥爭吧！至少不要扯他們後腿。大家一起被機動隊狠狠痛打吧！」等[139]。

即使意見相左，山崎博昭的死也給越平聯的相關人士帶來衝擊。如同第八章所述，年輕成員的井上澄夫在一九六九年的文章中所寫：「我和越平聯的夥伴或各新左翼黨派的人聊過，發現直接受到十・八影響而開始參與反戰運動或革命運動的人，驚人地多。」

山崎的死，也成為各地年輕人創立越平聯的契機。關於山崎死後，參與越平聯的契機以及創立一橋大學越平聯時的事，井上澄夫這麼說：

（山崎死後）我莫名地覺得：「總之，必須做點什麼」，十一月某天，在打工結束的回家路上，就晃進了當時在御茶水的越平聯事務所。去看看才發現，這個地方就像是狹窄的倉庫，還真虧他們能塞進這麼多人和物品，人都擠滿到走廊上，我搞不清楚這是什麼狀況，總之就站在溢出來的人潮的尾端，過了一下子，有人遞過來一疊厚重的紙，正在確認這疊紙是什麼的時候，被告知把這疊紙一張張折三次。然後就在我還搞不清楚狀況時，我已經開始努力做事，這就是我參與越平聯運動的起點，拚命折的紙是《越平聯新聞》，當我意識到自己在幫忙發送這份報紙的時候，已經是我花了三十日圓買了一份，搭上國鐵，想說「好！拿出來再看一下」的時候……

……我在那年年底創立一橋大學越平聯的時候，也差不多是這種感覺。我人生第一次在校園的布告欄上寫了一張海報，主旨是我要創越平聯，贊同的人撥個電話給我。然後在海報最後，謊稱「已經有好幾位贊同者加入」。結果隔天接到一位女性的電話，約在咖啡店碰面。當時的對話如下：

（在大致說明關於越平聯運動之後）

「那，要一起弄這個運動嗎？」

「好啊，但，我也想和其他人碰個面。」

「其他人？」

「海報上不是寫了已經有好幾人加入了嗎？」

「啊……」（我有點不知所措）
「加入的好幾人是哪些人呢？」
（我終於鼓起勇氣大喊）「就是，我和妳啊。兩個人就夠了。我們做吧！」[140]

越平聯的下一個行動，是在十月二十一日國際反戰日的美國大使館抗議。這天除了越平聯，還有國民文化會議、新日本文學會、婦人民主俱樂部、無聲之聲會、日本山妙法寺、海神會等約四十個市民與文化團體加入，聚集了約三千人，並對山崎博昭的死默哀[141]。

越平聯內的年輕人，則參與了直接行動。十一月十二日的第二次羽田鬥爭時，機場外三派全學聯與警察機動隊爆發衝突，而包含三名女性在內的越平聯年輕人共十一人，以非暴力手段，躺在機場內首相專用車道上阻止車輛通過，最後全員遭到逮捕[142]。

如同第八章所述，事件前一天的十一月十一日，年老的世界語者由比忠之進為了抗議佐藤首相訪美而自焚身亡。接著在第二次羽田鬥爭的隔天，十一月十三日，小田、鶴見、吉川三人代表越平聯召開記者會，揭露越平聯成功援助當時停泊在橫須賀的美軍無畏號航空母艦的四名士兵逃到國外，並放映四名士兵朗讀聲明以表明決心的紀錄片。

十一日由比的自焚和十二日的第二次羽田鬥爭，緊接著十三日的越平聯支援逃兵活動記者會，引發巨大反響。記者會前就湧入近百家新聞、雜誌、通信社、電視台的詢問，記者們擠滿記者會場。

這也引發一般大眾的巨大反響。根據《越平聯新聞》，記者會結束後，「八點以後，『我看了電視報導』、『可以多提供一些細節嗎？』、『有沒有什麼可以做的事？』之類的電話，大量湧進越平聯事務所。獨自留守事務局的青年，完全沒辦法應付兩支同時響個不停的電話，直到隔天十四日，電話也響個不停。」記者會後一個星期，約兩千封鼓勵和捐款的信湧入事務局[143]。

之所以引發這麼大的反響，有幾個理由，其中一個是這些介於十九至二十歲的年輕美軍的逃兵聲明的說服力。他們的聲明，並不只是單純基於厭戰的情感所以才逃走，而是為了「拒絕支持軍事的大量屠殺」、「相信這才是對的事所以採取行動」，並有如下陳述：「如果被逮捕，我將為了自己的行動和信念入監服刑。有些人可能會把我說成反美主義者或共產主義者吧。……我只不過是一名為了自己認為是正確的事而採取行動的美國人。」「我是美國人。想到再也不能回去美國，遠離在美國的未來、友人與家人就感到心痛。但如果，為了結束這場戰爭、為了找回美國的良知，這是唯一的方法的話，我會自己站出來被貼上共產主義者的標籤。願我國的憲法精神獲勝。」[144]

對於擁有反戰情感卻被升學考試競爭的日常淹沒、懷有罪惡感的日本年輕人而言，美軍逃兵的聲明引起他們的共感。記者會後的《越平聯新聞》刊載了兩位札幌市預備學校學生聯名的投稿[145]：

> 我們每天都對越戰抱有深切的關心。即使懷抱著「必須做點什麼，不能保持沉默」的心情，考慮到現下自己的狀況（我們兩人都是預備學校的學生），一直沒有採取積極的行動。日前與我們同一個世代的四名海軍士兵，基於「為了自認是正確的事而不得不站出來」的信念，採取了勇敢的行動，聽到這件事，不禁覺得他們似乎正在對我們說：「你們不能什麼都不做。」

同一期的《越平聯新聞》還有來自京都的高中生投稿：「唯一能說的是：『逃兵萬歲！』」，以及橫濱的中學生投稿：「我是在美國的四名士兵從橫須賀逃走時，得知《越平聯新聞》的。『給越南和平！市民聯合』這個詞足以媲美我心中的想法，不，感覺適用於全日本。」一九六七年十二月，京都的堀川高中的志願者，向東京越平聯事務所借了在記者會播放的紀錄片舉行放映會，結果「儘管正值考試前夕，還是很多人前來參加。」[146]

來自神戶的女重考生的投稿，充分表現了這種年輕人的心境：「保護逃兵事件是一件非常好的事。從新聞報導上得知此事時，我非常、非常開心，甚至覺得考大學什麼的也不重要了。」「萬一不小心考上（東京的大學），我一定會去訪問事務局，請一定要讓我幫點什麼忙。[147]」來自東京都中野區的中學生的投稿則說：「我想創『給越南和平！中學生聯合』，現在不能仰賴社會黨或共產黨那些笨蛋辦什麼反戰運動。[148]」

另一方面，經歷過戰爭的年長者，則是從別的動機對逃兵產生共感。戰爭期間在爪哇擔任軍屬的鶴見俊輔，日後這麼說：「對我們戰中派而言，逃兵是很嚴重的，畢竟日本軍的軍律是，只要發現逃兵就可以立即射殺。我當時也想逃，但沒辦法逃。[149]」

久野收在日後的對談中這麼說：「那時候（六〇年代末），我們日本人裡，直接經歷過戰爭的人還活著。身為日本人，自己在戰爭中想做（反戰活動或逃走）也做不到，對此仍感到後悔。……因此對於美軍逃兵們所做的事非常感動也很有共感，非常投注於支持這件事。他們可說是我們的模範和尊敬的人啊。[150]」

大量湧入越平聯的信件與捐款，也是源於像這樣的年輕人和年長者反響的結果。

事務局在《越平聯新聞》刊載了以下的文章：「『我想加入越平聯，請告訴我組織規章和入會手續』。近來我們突然接到許多像這樣的信件和電話，每次接到這樣的詢問，我們都很努力地說明：越平聯不是組織，是運動體，所以沒有組織規章也沒有會員制，只要希望「給越南和平！」並採取行動就可以了。」[151]

另一方面，警察突然開始注意越平聯，十一月二十八日，右翼團體襲擊、破壞越平聯事務所[152]。媒體相關人士認定越平聯是以文化界人士為中心的穩健運動，因此對此一事件也感到驚訝。十一月二十日，蘇聯的塔斯通訊社表示四名美軍逃兵在莫斯科，十二月二十九日，四人經由蘇聯抵達中立國瑞典。對於借用蘇聯的力量協助逃兵出國一事，「也有些記者感到被背叛似地直呼：『我還以為越平聯是善良的團體，沒想到也做得出這種計謀！』。」[153]

吉川勇一對於這些反應，在當時的雜誌這麼寫道[154]：

> 所謂越平聯，是由一般市民，為了越南的和平，在自己做得到的範圍內，自發性地付出做得到的努力，採取行動的團體。
>
> 一起唱瓊·拜亞的鄉村歌曲，徹夜舉辦討論會並透過電視播放，募得人們約會的零用錢的一部分，在美國的報紙上刊登反戰廣告。這讓「正經的」評論家皺眉，說這是「文化界人士的越南祭典」，或「只是在販賣廉價的贖罪券」等。
>
> 而到了這次事件，突然就被說成一個半非法的地下反抗組織似的。在這次事件記者會後，連日湧入的諸位記者，追問越平聯的「基層組織」（！）有多少？是不是已經準備好掩護下次逃兵的秘密藏身處？甚至還有人問有沒有在小田實身邊部署警備？對諸如小林多喜二的案例有什麼想

法等這類恐怖的問題。

還有人說越平聯面對警察的訊問也沒有開口，是挺身而戰的和平戰士團。這可不是普通的市民。雖然很了不起，但令人畏懼而無法靠近。

不是這樣的。我們越平聯的構成完全沒有改變，我想也不能改變。……這次許多協助四名逃兵的人們，與正在閱讀這篇文章的你完全沒有兩樣，只是普通的上班族、家庭主婦和學生。……越平聯仍舊被說是「輕佻淺薄的越平聯」，也仍舊會進行一些會被說是「不正經的玩耍的越平聯」的活動，然而，如果想逃走的士兵再次現身，我們還是必須協助他們吧。

儘管如此，吉川自己是在一九五一年加入東大共產黨基層組織的運動家老手[155]。吉川在一九五二年作為東大學生自治會中央委員會議長，為了反對單獨和談與美日安保兩項條約，帶頭發動罷課而遭退學處分，爾後也負責和平運動和禁止原子彈氫彈運動等抗議活動。然而在一九六四年，共產黨因支持中國、蘇聯的核爆試驗，禁止原子彈氫彈運動分裂為共產黨系的原水協，與社會黨系的原水禁之際，吉川因批評共產黨而遭除名。

其後吉川擔任越平聯事務局長的同事，也同時是共勞黨的黨員。然而，由於他經歷過共產黨因強迫推行特定方針而導致禁止原子彈氫彈運動分裂的悲劇，他認為民眾運動的越平聯，應該與先鋒黨的共勞黨分別以獨立的邏輯運作。他之所以強調越平聯是「一般市民」，也是基於這種想法。

吉川並沒有邀請越平聯的年輕人加入共勞黨，他回想：「避免越平聯受到共勞黨的影響，是我這個共勞黨黨員的任務。[156]」日後鶴見俊輔如此評論吉川[157]：「他絕不將共勞黨的活動帶進越平聯。」「這是因為，禁止原子彈氫彈運動是受到政黨的利益與策略才被迫分裂，而他是為了抗議這件事才遭到共產黨除名。」

吉川在一九六八年時十分肯定地說：「我不是市民運動萬能論者，也不是所謂的市民主義者。我很清楚，無論再如何發展這個運動（越平聯），沒有職場的市民運動是沒辦法組織大罷工的。」站在這個認識前提，他同時也從事先鋒黨的共勞黨活動。只不過，他的論調是：「承認（越平聯的）限制的同時，也應該要充分認識它的有效性。」[158]

小田也不認為越平聯因為開始支援逃兵而有什麼變化。在支援逃兵活動記者會後，記者問：「終究就連越平聯也開始考慮地下組織了嗎？」，小田笑著答：「誰要創那種東西啊！」[159]

支援逃兵的舞台背後

越平聯接受逃兵的內情並不單純。在美國和平運動家的建議下，越平聯從一九六六年底開始，到橫須賀、立川與岩國等美軍基地附近，散發呼籲逃走或良心拒服兵役的傳單[160]。當時也有新聞報導，指在歐洲也多有因拒絕上越南戰場而逃走的美軍士兵。

如同在第十四章所述，一九六五年七月，韓國士兵金東希在出發前往越南前逃走，儘管他希望亡命日本，卻被日本政府以偷渡罪逮捕，關押在九州的大村收容所，事件發生後，越平聯從一九六七年三月開始號召支援金東希的活動[161]。以這件事為契機，鶴見俊輔等越平聯的知識分子，開始關注在日韓國人的問題。

但據吉川所說，因為他們沒有遇過真正的逃兵，「如果真的出現了，實際上並不知道要怎麼處理。[162]」鶴見俊輔也回想：「沒有想到真的會出現逃兵。[163]」而且這四名逃兵，並沒有看到越平聯的傳單，而是在逃走以後，透過介紹才找上越平聯。

他們到越平聯的始末如下[164]：一九六七年十月二十六日，新宿的「瘋癲族」群聚的知名咖啡店風月堂，主持地下劇團的東大生，被美軍士兵問：「有沒有可以便宜住宿的地方？」。他們身上只有一百三十日圓，那位東大生的指導教授曾經對他說：「如果有什麼事，隨時來找我商量。」因此東大生就打電話給他的指導教授，沒想到教授告訴他：「不要牽扯上這種事，快點向警察通報。」

雖然那位東大生不關心政治，但知道越平聯有在發呼籲士兵逃走的傳單，因此就從東大教養學部的學生會館打電話給越平聯。十月二十八日，吉川接到這通電話時，因為太過吃驚，忍不住對電話大喊：「什麼！？逃兵！」，當時在事務所裡的預備學校學生和高中生十來人嚇得心臟都快停了。越平聯基於對方「也可能是FBI的臥底」，於是懂英文的鶴見良行便和吉川一起到東大，在與對方聊了約一小時以後，才確認是真的逃兵。

以吉川為首的幹部們，連續好幾天都在討論該怎麼處理逃兵們。後來決定先拍逃兵們唸聲明文的紀錄片，理由是：第一，逃兵們主張要公開發表自己的意見；第二，如果他們被逮捕的話，逃兵存在的事實可能會被掩蓋，他們逃走動機也可能被捏造成符合當局需求的危險；第三，他們被送到蘇聯以後，沒辦法預測蘇聯當局會如何對待他們，公開讓世人關注可以確保他們的人身安全[165]。

十月三十日，越平聯第一任事務局長久保圭之介找來攝影器材和認識的攝影師。那天是前首相吉田茂的國葬日，警察忙於管制會場，無暇顧及攝影器材的移動。逃兵和小田實、鶴見俊輔、開高健、日高六郎，就這樣拍下發表聲明的紀錄片，拍攝場地是鶴見良行自宅公寓大樓的房間。

鶴見良行允許攝影在自家拍攝，是需要勇氣的行為。當時他擔任國際文化會館的企劃部長，文化會館方面以美日親善為重，對反越戰運動沒有好感。鶴見俊輔回想：「被知道的話是會被開除的。那時候他是賭上他的工作的。[166]」

在紀錄片中露臉的小田、鶴見、開高、日高也是抱著被逮捕的覺悟。大約一週後，依據日美行政協定，美軍的出入境不歸日本的「出入國管理法」所轄，因此協助美軍士兵出國，並不觸犯任何法律，然而，當時鶴見等人並不曉得這件事。鶴見回想：「大家認為這應該會觸犯協助偷渡或藏匿犯人罪，因此非常緊張。大家都不是專業演員，但卻是呈現逼真魄力的影片。[167]」

但他們是抱著即使觸法也要協助逃兵的覺悟。依據吉川的回想，如前所述，他們已經從一九六六年日美市民會議邀請的美國和平運動家學到非法、非暴力的直接運動的想法，也已經經歷過在美國大使館前的靜坐行動，對他們來說，「沒有因為是群眾運動所以不能違反法律的想法」[168]。

關於該如何處置逃兵，也有過許多討論。小中陽太郎在一九六八年的報告中說：「我們沒有人覺得他們可以逃到海外。我們當時打算把他們藏到越戰結束。[169]」然而，考慮到很難躲避在日美軍和日本警察的耳目，決定讓他們亡命到瑞典。

瑞典是不屬於東、西兩陣營的中立國，反對越戰的輿論也很強。一九六八年春天，瑞典國內舉行大規模反越戰集會遊行，身為教育大臣的帕爾梅（Olof Palme）也參與其中。美國當時召回大使表達抗議，但帕爾梅沒有退讓，他表示：「這是身為人類的職責」。爾後帕爾梅成為首相，一九七二年時公開表示美軍轟炸北越「是比納粹還野蠻的行為。」那時越平聯的吉川、福富節男等人向瑞典大使館表達支持帕爾梅之意，大使館則回覆：「前來表達支持的，在日本只有貴團體。我們將立即轉達給我國政府。」[170]

問題是要如何讓逃兵逃出日本。最終還是靠著蘇聯的協助，搭上蘇聯的船經由莫斯科進入瑞典。請求蘇聯大使館協助的交涉，是由吉川進行，他因為禁止原子彈氫彈運動，與蘇聯大使館認識。當時蘇聯的國境警備隸屬於國家安全委員會（KGB）管轄，就連吉川也不得不接觸ＫＧＢ。

因此在蘇聯解體、ＫＧＢ秘密文書公開後，日本的保守派媒體報導了在ＫＧＢ合作者的名冊上有吉川和小田的名字。然而，吉川在日後這麼寫道：「當時我們，或者應該說，我，個人的心情是，只要能協助逃兵逃離日本，不管是蘇聯ＫＧＢ還是間諜、香港的黑幫、還是惡魔，我都想借用他們的力量。」[171]

雖然蘇聯大使館沒有積極提供協助，但也默認這件事，四名逃兵從橫濱搭上前往納霍德卡的蘇聯客船，於十一月十一日離開日本。兩天後，算好他們搭乘的船進到公海、離開日本政府的管轄後，越平聯召開前述的記者會，並播放紀錄片，揭露逃兵已經出國的事實。

記者會在十一日由比忠之進的自焚和十二日的第二次羽田鬥爭後連續發生，因此引發巨大迴響。但吉川說，記者會是依據航海的行程決定，只是偶然接在連續兩天的事件之後而已[172]。

日本是越戰的重要後方基地，發生逃兵事件，美方也受到衝擊。正值佐藤榮作首相訪美之際，當時電視台的新聞主播田英夫，記述了當時美國方面的反響：「四名海軍士兵逃走的新聞傳到美國時，恰巧是佐藤首相訪問華盛頓。但比起佐藤首相的訪問，美國的報紙或電視台新聞花了更多篇幅報導四名逃兵。由此可見美國社會的『震驚』。[173]」

其後，承攬援助逃兵的組織「援助反戰脫逃美軍士兵日本技術委員會」（Japan Technical Committee to Aid Anti War GIs, JATEC）成立，栗原幸夫以「誰提誰做」原則擔任負責人。在美國參議院的軍事委員會裡，有報告指出：「世界有七個國家、二十三個援助逃兵的機關組織，全世界最有效率地援助逃兵的是日本越平聯。」[174]

但是據吉川所說，最初的記者會時，「不知道接下來會怎麼發展」、「雖然記者會時表明今後如果還有逃兵，我們會歡迎並支援他們，但那是因為也不能說到此為止、拜託別再來了，所以只好那樣說。」創立ＪＡＴＥＣ則是「大勢所趨，不得不為」[175]。

對於創立像ＪＡＴＥＣ這樣的秘密部門，越平聯內部也有過一番討論。設立非公開組織的話，可能會導致運動內的權力關係或防止秘密外洩、間諜嫌疑、盤問等由組織踐踏「個人原理」的弊病。關於這點，吉川有此回想[176]：

大家都有那種自覺。鶴見俊輔先生特別強烈，但我想大家都有警戒心。內部有過很多討論，好比說這不是與群眾運動的原則矛盾嗎？或群眾運動真的能經營一個秘密部門嗎？等等。不管怎麼說這都是沒有前例的活動，完全是處於摸索狀態。

但無論如何那都是必要的事。由越平聯這個群眾運動來做支援逃兵的事非常危險，但現實狀況是警察會監視逃兵，既然如此，秘密部門就變得必要了。……

結果就成了這種形式。首先，ＪＡＴＥＣ並不號召大眾，而是個別地邀請。作為群眾運動，則另外在海老坂武、福富節男、鈴木道彥等人的號召下成立「無畏號四人會」，替ＪＡＴＥＣ向大眾募款。而那也不是以越平聯的名義，而是以個人號召的運動名義獨立出來，那麼一來，「無畏號四人會」即可擔任仲介，聯繫JATEC和越平聯。

換句話說，這創造了一個形式：儘管越平聯會對外召開記者會，但並不直接參與支援逃兵的行動。實際上成員幾乎是兩邊都參與，但在形式上將兩者分開。

如前所述，鶴見良行從一九六六年的日美市民會議開始，就已經在思考隨著越平聯運動的擴張，可能會浮現組織化的必要性與弊病。然而越平聯總算是渡過這個問題。在記者會上，也不是「越平聯」，而是以「越平聯志願者」發表聲明。過去在共產黨等政黨裡，曾經惱於黨內盤查或權力鬥爭的成員不在少數，因此這也可以說是具有越平聯風格的智慧與做法吧[177]。

據吉川所說，之後突然收到蘇聯大使的通告，表示按照政府指示，今後只接受將校等級或原子潛水艇的士兵。關於這點，吉川說：「這意義再清楚明白不過，意思就是如果不是有十足的政治宣傳效果，或能拿到軍事機密情報等對蘇聯方面有幫助的人選，就不會再幫忙。」「這再次令人認識到，社會主義國家的政府，乃至組織真正面貌的現實狀況。」[178]

原本蘇聯也打算讓最初的這四人在莫斯科上電視，做反美宣傳，然而應該也是考慮到逃兵接連而來，如果都是下級士兵的話，宣傳效果也不強。儘管如此，那之後仍舊運用各種手法，諸如偽造護照將逃兵送往法國等，繼續支援逃兵。[179]

無論如何，以山崎博昭之死為契機，在年輕人的反叛正要爆發的這個時期，公布支援逃兵活動，雖然是偶然但也是絕妙的時間點。認為越平聯「溫吞」的年輕人們，也一改此前的評價，越平聯定期遊行的參加者，到一九六六年時減少到不滿五十人，此後以學生為中心，開始緩慢增加。

一九六八年二月三日，東京越平聯舉行第二十九次定期遊行，採用行經國會、首相官邸、美國大使館的路線。此時的遊行參加者增加到約兩千人，是定期遊行的新紀錄[180]。在各地也相同，京都越平聯的核心人物飯沼二郎表示，一直以來的定期遊行參加人數都在十到二十人左右，「一九六八年的春天開始急速增加，成長到大約兩百到三百人左右。」[181]《越平聯新聞》的發行量也從一九六六年底約一千份、到一九六七年底約兩千份，記者會後的一九六七年十二月號，則加印到五千份[182]。

此外，在《紐約時報》刊登意見廣告，運用電視播送進行徹夜討論會，放映美軍逃兵的紀錄片的記者會等，越平聯推出各種活用大眾媒體的新企劃，也很適合經歷經濟高度成長的新時代。當時的報導將越平聯評為：「極度適合資訊產業時代的運動方式。」[183]

就這樣，最初由年長的文化界人士以他們的戰爭經驗為基底組成的越平聯，在一九六六年到一九六七年間成功蛻變，在一九六七年底以支援逃兵活動為契機，吸收年輕人們反叛的能量，作為一個運動得以飛躍性地成長，並且，越平聯也和全共鬥運動或新左翼不同，成為一個有獨特性格與位置的存在。

佐世保的活動與佐世保越平聯的誕生

下一個越平聯的活動，是抗議美軍航空母艦企業號於佐世保停泊。在第八章已經討論過，這個佐世保鬥爭引起各界對三派全學聯的同情與共感。

當然越平聯沒有採取暴力行動[184]。小田當初的計畫是從航空公司包下一架小型飛機，在約後樂園球場兩倍大的企業號甲板上空，將呼籲逃離軍隊和在軍隊內進行反戰活動的約一萬張英文傳單撒給水兵。小田因此準備了包機用的現金及傳單和吉川出發到佐世保。

但長崎縣大村機場的飛機公司，對來交涉的吉川說：「我們不能把飛機借給這種在政治上偏向特定一方的活動。」拒絕吉川的包機。不過據小田說，在企業號進港當天，那間航空公司的小型飛機「全被派出去做歡迎飛行」。

小田沒有因此挫敗，在地區工會和反戰青年委員會，以及社會黨系的全國執行委員會的合作下，借到一台附有麥克風的宣傳車，掛著寫有「FOLLOW THE INTREPID FOUR. WE WILL HELP YOU. BEHEIREN」大字的看板，開到外國人群聚的酒吧街邊繞，邊呼籲：「你們知道無畏號的四人吧？他們脫離戰場了。他們不會再上場作戰了。他們在瑞典過著和平的日子。要不要追隨他們呢？越戰是世界最骯髒的戰爭。不要再殺人了。」據小田所說：「感覺那個時候在酒吧街引起了一場異常的風暴。[185]」

準備的傳單，在店家群聚的地方發給上路的水兵們。負責發傳單的，是從福岡趕來的「福岡十號遊行之會」（實際等於「福岡越平聯」）成員，以及看到小田等人的活動，志願幫忙的佐世保市民。受到三派全學聯的刺激，因而想做點什麼的佐世保市民，聚集到小田等人的行動行列。吉川在刊載於《越平聯新聞》的佐世保報告中這麼說[186]：

許多市民來到我們落腳的飯店，夜間部的女高中生、查電表的人、主婦、說是從岡山過來的學生……。都是說想要幫忙越平聯活動的人們。英文傳單藉著他們的手接連被帶出去，發給在外國人酒吧街上的水兵們。美國士兵也很關心，兩個人有一個人會收下傳單，其中甚至有些看到標著NO.2的傳單，還會問有沒有NO.1的傳單。據說還有美軍士兵向某記者問道：「聽說無畏號的那些人過得很幸福，是真的嗎？這是不是共產主義者的宣傳？你是記者，應該知道真相是什麼吧？告訴我是不是真的。」總之無畏號的四人與越平聯的名字，所有的美軍士兵都知道。

美國的《時代》雜誌寫著，企業號的全部機組人員在上陸前，都被上級提醒：「抵達佐世保後，要特別留意越平聯」。

革新系團體和工會不只在陸地上抗議，一月十九日在海上還舉行了一場用十六隻船的抗議活動。只不過，他們掛的標語牌和旗幟都是用日文寫的，小田說：「這搞不好還會看成是歡迎的船隊。[187]」這也顯示當時的革新系團體，並沒有直接訴諸美軍士兵的想法。

越平聯對美軍士兵使用英文呼籲，在當時頗為特殊。當時的雜誌這麼形容呼籲逃離軍隊和在軍隊內進行反戰活動的越平聯傳單：「這在『鼓勵逃兵』的同時也在『鼓勵反叛』。換個角度想，這是比三派全學聯的角材還大膽、還更有衝擊力的反戰武器。」[188]

一月二十一日，小田等人在社會黨系全國執行委員會當地本部的斡旋下，在當地借到一台約三噸的小船。然後掛上寫著「STOP THE KILLING! FOLLOW THE INTREPID FOUR! BEHEIREN」大字的看板在企業號周圍繞行，並用手持麥克風和事先準備好的錄音帶用英文向水兵呼喊[189]。

在七萬五千噸的核動力航空母艦前，三噸小船的呼籲，用小田的說法：「無疑是幅諷刺畫」。但小船繞了幾次以後，在甲板上看著小田的水兵變多，小田確實地收到效果[190]。

十八日時社會黨與共產黨發動了五萬人的遊行。但這場遊行完全由共產黨員和工會成員組成，特別是共產黨系的隊伍裡有過激分子「托洛斯基主義者」加入遊行，對於他們是否會搗亂溫和的遊行多有警戒。便衣刑警也混入遊行隊伍裡，如果出現丟石頭等行為，以之為理由進行管制和逮捕，已是警察的常用手段。因此共產黨系的遊行，會對參加遊行的人呼籲：「如果看見不認識的人，那要不是警察就是托洛斯基主義者，不要讓他們加入隊伍，請把他們趕出去。[191]」

根據當時的報導，在社會黨系全國執行委員會的斡旋下，小田等人借到小船的事，共產黨系的中央執行委員會發了牢騷。一方面是從越平聯創立以來，共產黨就對越平聯沒有好評，此外，則是對於意料外的行動破壞了一致性而感到不快。根據報導，全國執行委員會的工會幹部，對發牢騷的共產黨員厲聲說道：「那不然你就試著替代小田用英語訴求反戰看看啊」[192]。

另外從一九六四年核動力潛艦停泊的反對運動以來，佐世保就有「反對核基地市民會議」的存在。但那是以社會黨和民社黨的組織為中心，工會與婦人會的聯合，據小田所言，那是個「市民個人沒辦法自由加入」的組織。小田間接聽到的是，那是因為民社黨不喜歡共產黨員以「個人」身分加入「市民會議」的關係[193]。

另一方面，想採取行動的佐世保市民越來越多，小田在看得見航空母艦的港口，聽到女高中生說：「我也反對停泊。只是不知道該怎麼做，才能表達我反對的想法。」[194]像這樣的市民，除了當看熱鬧的群眾聲援三派全學聯或捐款，沒有表達想法的手段。

因此小田在一月二十一日用小船呼籲的行動之後，和吉川兩個人試著辦了遊行。把紙貼在合板上，當場寫下：「找不到地方加入的人／一起走上街頭吧！／來抗議企業號停泊／越平聯」，拿著標語就開始遊行。

據吉川所說，小田最初寫的字太隨便且潦草，運動老手的吉川重新寫得更好閱讀。吉川回憶，將他除名的共產黨遊行隊伍喊著：「看到不認識的人，不要讓他加入，請把他趕出去」，而「越平聯完全相反，採取不認識的人就是新同伴的立場。」[195]

兩人在製作標語的時候，也有人靠過來說：「請讓我幫忙」、「一起走上街頭吧」。他們在往社共兩黨合辦的抗議集會場的公園路上，沿路都有人說：「是小田先生對吧」、「果然越平聯也在佐世保活動。請讓我加入。」就這樣一路上人們加入隊伍，抵達會場的時候約四十人，在會場周圍走一圈，便聚集了約一百人[196]。因經濟高度成長帶來的社會結構變化，有越來越多無法對既存的組織抱有所屬意識或認同，「找不到地方加入的人」，小田等人製作的標語，顯然很有魅力。

如同第八章所述，一月十八日社共發起的五萬人遊行隊伍，改變原本預定的遊行路線，避開三派全學聯與警察機動隊衝突的佐世保橋，可以說是捨棄學生，「有秩序地」朝解散地點前進。小田對社共這種態度有所質疑。或許讓有年長勞工參與的五萬人遊行隊伍和警察機動隊衝突是太莽撞了。但小田認為：「就像聲援的市民那樣，至少在監視警察行動的意義上，靜靜地站在旁邊也做不到嗎？[197]」

在小田等人發起遊行的二十一日，三派全學聯和機動隊也在佐世保橋上起了衝突。這天共產黨系的遊行隊伍撤離衝突現場，當機動隊的另一支小隊打算移動到學生的後方準備包夾時，福岡、長崎、大分等縣的工會，舉著旗幟的勞工從中介入、牽制了機動隊。小田等人的市民遊行隊伍也從橋的旁邊守望事態發展[198]。如後所述，這成為一九六九年越平聯遊行隊伍所採取的行動的原型。

小田等人的遊行隊伍，到晚上就在車站附近解散了。某位女高中生一臉亢奮地說：「這是我第一次（參加遊行），覺得自己應該為了反對企業號做點什麼，一直很煩躁。如果是這種抗議遊行，那麼就算是我也能參加。[199]」

據吉川所說：「當然誰都不認識。但這些人在遊行結束後，就讓佐世保越平聯誕生了。[200]」吉川喊著：「有沒有人可以擔任今後活動的聯絡負責人啊？」一位年輕的電表檢查的公司經營者站了出來，記下全員的聯絡方式。那天晚上，四位站出來擔任幹事的年輕人，和小田與吉川聊到很晚，彼此在「請加油」、「交給我吧。明天馬上就開始動手。」等激勵的話語中向彼此道別[201]。

「佐世保十九日遊行之會」與佐世保越平聯同時創立。另外還有看了新聞報導，從長崎來到佐世保的主婦，參加了小田等人的遊行後，成立了長崎越平聯。原來她是長崎地區工會幹部的妻子，也是向那些來對小田等人的海上抗議發牢騷的共產黨員厲聲回話的人。她抵達佐世保後加入了社共的遊行隊伍，但對繞開佐世保橋一事感到憤怒：「連學生都沒辦法保護的遊行到底算什麼？」因此在二十一日參加了小田等人的遊行[202]。

「創造出新型溝通方式的運動」

一九六八年二月，第二回越平聯全國懇談會在東京千駄谷區民會館舉行，來自各地的越平聯有四十七個團體，「福岡十號遊行之會」等雖不是越平聯、但與越平聯有友好關係的團體多達十八個。與會者報告了多樣化的活動型態，例如松本越平聯說：「越平聯很受歡迎，民青或中核的成員也沒有起爭執，而是改變價值觀一起活動。」名古屋越平聯則說：「除了『個人原理』和『自發性』等概念之外，我對越平聯，還想加上一個定義：『創造出新型溝通方式的運動』。[203]」

小田在一九六八年十月這麼寫道[204]：「到處都有『越平聯』成立。或大或小。全部都站在平等、自覺的立場。」「如果有人喊：我就是越平聯，那他就會變成越平聯，還蠻方便的裝置。東京有『越平聯』，東京的某一區也可以有『某某區越平聯』，也可以有『某某路越平聯』。不，就算是『某某家越平聯』，甚至是『某某人越平聯』也可以。」「一位少年在某天的遊行被抓走，移送家事法庭（他當時未成年）。警察對他說：『你們是被小田實等人煽動才參與（越平聯運動）的吧？』據說他非常憤怒地說：『小田實是什麼東西？我就是越平聯！』我覺得沒有什麼能比他說的話還更貼切地表達『越平聯』運動了。」

小田還這麼寫著：「當然有時候會有人說：『我累了所以要休息。』越平聯的運動，人們除了肯認走的權利以外，也同時肯認休息的權利。過一下子，休息的人，會再次回到隊伍。會有這樣的對話：『剛剛我稍微休息了一下。』『是嗎？太好了，現在有比較有精神了嗎？』沒有人會把休息的人當背叛者、說他們壞話。也有人覺得這樣不可靠。相反地，也有人認為這才是根植於人性、因此是個強韌的運動。不管哪一方，我都不是很懂。不管選擇哪一種說法，我就是我，『越平聯』就是『越平聯』，人類就是人類。」

各地發跡的越平聯，創立動機也各有不同。十九歲當時還是成衣學校學生水田風，在米子創了越平聯，她這麼回憶：「高一的時候，在書店找到《什麼都看他一眼》這本書，我馬上就成為小田實的熱情支持者，即使只是在雜誌目錄看到小田實三個字，都會心頭一緊。」「讀了小田實的文章〈加害者的邏輯，被害者的邏輯〉（對吧？），我非常吃驚，心想：『呃，我是加害者！』『得做點什麼、真的得做點什麼』（這是用米子的方言說）。不能再坐視不管了。」爾後在《越平聯新聞》上讀到一篇文章說，每個人自發地發起運動就是越平聯，所以就一個人創了「米子越平聯」[205]。

身為區區一名小田粉絲卻能發起這種行動的時代背景，是包括她在內、當時年輕人接受民主教育所奠定的基礎。在第一章也引用過，水田如此回想[206]：「我是所謂戰後民主主義教育的天之驕子世代」、「成長過程中下定決心『不管發生什麼事，我都反對戰爭！』（拜這種『戰後民主主義教育』之賜，我一直堅信『只要大家都站出來反對，就能阻止戰爭。』）」

像這樣的年輕人以及經歷過戰爭的年長者，在各地的越平聯發起各種行動，增添對越平聯的各種不同詮釋方式。

一九六八年的全國懇談會前，武藤一羊在定期遊行中演講，他說：「我們的立場，比方說思想上是馬克思主義或存在主義或什麼什麼主義，與這些都沒有關係。」他接著這麼說[207]：

> 我們已經舉辦了超過三十五次的集會遊行，也做了炒熱媒體的事，半夜辦討論集會，被中斷了就刊在週刊雜誌上。還支援了逃兵，那些逃兵先是在莫斯科現身，又跑去斯德哥爾摩。也邀請瓊．拜亞來辦演唱會。這些要怎麼用三言兩語說明？所謂越平聯到底是什麼？……如果說得簡單一點，我們想要努力試著創造出一種不是維持現狀的和平、一種不只是透過議會程序的民主主義，以及創造出這些的運動基礎。……
>
> ……越平聯運動的歷程……我認為展現了在超越思想信條的同時，能夠在不是維持現狀的和

平以及不只是透過議會程序的民主主義等共通思想上產生聯繫。

這裡提示了，拒絕伴隨「加害」與排除人性的「維持現狀的和平」、對議會民主主義的懷疑、對基於「個人」自主性的直接民主主義的志向，是有可能成為超越思想信條的連帶邏輯。確實在六〇年代末期的反叛，全共鬥運動也好、參加新左翼的人也好，即使思想和行動方式不同，對這些想法的志向卻是一致的。

把越平聯形容為「新型溝通形式的運動」，也吸取了年輕人們想脫離「現代的不幸」的志向，並成為與全共鬥組織原理共通的東西。儘管越平聯一直都有「個人」參與原理，但加上一九六六年以後的變化，越平聯漸漸成為適合年輕人反叛的運動。

一九六八年三月，受到新春攻勢的衝擊，美國詹森總統宣布停止轟炸北越並退出總統大選。這時有許多媒體到越平聯事務所採訪，詢問：「事務所內有沒有高呼三聲萬歲？」「有沒有慶祝的燈籠隊伍？」等問題。越平聯方面則回答，如果美軍沒有撤離越南，就會照常進行活動，某位記者對此批評：「那種說法很難令人相信只是普通的市民運動。越平聯的運動也持續了很長一段時間，所以變得不再單純了，不是嗎？[208]」

然而在那之後，美國再次轟炸北越，顯示越戰還沒結束。吉川勇一在一九六九年發表的文章〈何謂越平聯——現存框架無法理解的組織〉中，舉了前述的例子，說明媒體人擅自創造「自己腦中的越平聯想像、市民運動想像」，只要越平聯不符合他們的想像，他們就發怒[209]。越平聯實際上與那些傾向擁抱既有大眾媒體的「市民運動」不同，而是一種「創造出新型溝通形式的運動」。

一九六八年三月至四月的三里塚與王子，與拿著武鬥棒的三派全學聯不同，越平聯舉辦了非暴力的遊行和集會。在王子，越平聯的旗幟前也舉著「找不到地方加入的人／一起走上街頭吧！」的標語，有女高中生說：「是越平聯嗎？我只是高中生，可以加入你們的隊伍嗎？」一位參加遊行的中年男子說：「我女兒與妳年紀差不多。……我因為反對在這邊開設野戰醫院，所以和老婆一起來參加遊行。[210]」越平聯以這種方式，將「圍觀的群眾」轉化成「市民」，創造出反叛學生的後衛。

一九六八年四月，東京各大學的越平聯集結起來，創立「越南反戰學生聯絡會議」（越反學聯）。四月二十八日的「沖繩日」，越平聯訴求：「（在越南）受傷的美軍士兵，在日本國內的野戰醫院接受治療。我們沒辦法在虛假的和平裡作壁上觀。」並派了遊行隊伍到王子。越平聯的遊行隊伍，在醫院前進行非暴力靜坐，與警察機動隊對峙[211]。

越平聯的運動雖然以抗議越戰和日本社會現狀為要旨，卻不喜歡如三派全學聯那樣使用暴力抗爭的手段，也不喜歡如社共等既存政黨那樣由上而下的組織結構，引起「找不到地方加入」的年輕人共鳴，許多年輕人因此加入越平聯。鶴見俊輔對王子的越平聯遊行有如下記述[212]：「去王子的時候，我不認識舉著越平聯旗幟的青年，也不認識繞著隊伍向大家傳達注意事項的少女。離開京都，新成員像從地底湧出來似地不斷加入東京的越平聯。別的地區看京都越平聯的時候，是否也是同樣的情況呢。」

一九六八年春天，小樽、高槻、山形、橫濱等地，接連有新的越平聯團體誕生。雖然每個都是集會和定期遊行只有數十人參加的小團體，根據高槻越平聯的報告：「至今從來沒有像這樣的市民運動，生根於這個人口十六萬的衛星都市。」考慮到這點，這其實是劃世代的現象。神奈川的某高中，因為怕被學校禁止活動，學生便偷偷創立越平聯，背著教師，私下在各個班級偷傳購買反戰徽章的申請表[213]。

一九六八年四月的《越平聯新聞》，如此描述東京事務所[214]：「考完大學入學考的高中生、重考生們，最近每天都來事務所，非常熱鬧。此外也很多剛來東京、表明想幫忙運動的人，大家光是要記彼此的姓名都很費力。」就這樣，越平聯與全共鬥運動幾乎從同一個時期變得活躍起來。

市民團體在「六月行動」中的共鬥

一九六八年五月，另外五名美軍士兵藉由JATEC成功逃到國外一事，與五人的聲明同時發表[215]。一九六八年四月，小田實、日高六郎、阿部知二、古在由重、新村猛等五人號召「反越戰六月行動」，在六〇年安保鬥爭邁向最活躍時期的五月十九日到六月三十日這段期間，為了宣傳各地團體舉行反越戰活動，負責統籌的「六月行動執行委員會」（六月行動委）成立[216]，越平聯擔任其核心，負責協調各個團體。

據福富節男所述，六月行動委的前身，是在前一年的一九六七年十月二十一日舉行的美國大使館抗議活動時，由越平聯、國民文化會議、婦人民主俱樂部、日本山妙法寺、新日本文學會、「無聲之聲會」等約四十個市民團體組成的「反越戰國際統一行動市民文化團體執行委員會」。一九六八年二月，這些市民團體聚集起來，準備在一九六八年六月發起行動，因而組成六月行動委員會。行動委員會的聯絡窗口，一九六八年時由國民文化會議（組織代表是日高六郎）擔任，一九六九年以後則由越平聯取而代之[217]。

由六月行動委員會號召，「六月行動」以下述原則進行[218]：「一，單獨行動的進行方式，由各團體、個人自由決定；二，單獨行動的所有責任由發起企劃的團體或個人承擔（包括財政負擔）。」「贊成號召並表明參與六月行動的團體……全都是『六月行動』執行委員會的成員。」這可以說是將越平聯的運動原理，應用在團體之間的共同行動上。

六月十五日，樺美智子逝世紀念日，東京、札幌、仙台、大阪、福岡等地舉行中央集會，揭示了諸如「六一五共同行動，包括老人與小孩也能參加的大眾集會與遊行，依據非暴力市民不服從運動在內的各種行動形式，分為幾個不同的團體。」「尊重每一個團體的自由，不得介入或妨害其他團體的行動。」「關於參與的各個團體與個人意見，雖有相互批評的自由，但需避免中傷、指責的態度或言語。[219]」這也可以說是越平聯原理的應用。

六月行動委聚集了超過兩百個團體，行動內容也很多樣。有婦人民主俱樂部或歷史學研究會等超過二十年以上歷史的團體，也有許多像是「送X光攝影到越南之會」、「在中國種樹之會」、「一人」等如日高六郎所說：「沒有事務局職員，因此也無法官僚化的小團體」聚集[220]。

這場「六月行動」主張反對越戰，但在行動期間，也明確有意識地反對安保條約。六〇年安保鬥爭的記憶，以及依據安保條約日本間接參與越戰的「加害者意識」，在一九六六年日本政府表明支持越戰以及一九六八年企業號停泊等因素下變得更顯著，而六月行動有意識地反對安保條約，也可以說是反映了這一點。

然而，「六月行動」的原理，未必受到所有既有政黨的支持。共產黨系的文化團體，途中便退出六月行動委員會。吉川如此回憶當時的經過[221]：

初期也有許多共產黨系的大眾團體參加這個執行委員會。但共產黨系團體提案將「以反共為目的」的新日本文學會從執行委員會中排除。越平聯和許多其他市民團體反駁，共產黨可以自由批評新日本文學會，但在參與執行委員會的所有團體、個人之間，沒有辦法取得「新日本文學會是反共集團」的共識，因此拒絕共產黨系團體的提案。但沒想到他們提出更令人驚訝的提案：「那麼，我們讓民主文學同盟（共產黨系的文學者組織）退出，作為交換，不得讓新日本文學會加入。」

如果要讓〇〇加入，那也讓XX加入，或者說□□會退出，所以讓△△也退出，像這種把團體或個人作為政治交換的籌碼，在社共總評之類的共鬥組織中是家常便飯，但在六〇年代後半的市民運動中，只不過是恥笑的對象。

福富節男如此回想那個時候的應對[222]：「眼前有阻止越戰的問題，卻來了這樣的提案，實在很奇妙且令人覺得度量狹小。」「對我們這些不關心這兩個團體之間有什麼過往的人而言，客觀來看，感覺就像是被知道背後發生什麼事的大團體愚弄般，多少令人不悅。」結果共產黨系的團體沒有加入六月行動委的集會，也採取往後不與越平聯合作的方針。

「六月行動」的高潮，是六月十五日在東京日比谷野外音樂堂的集會與遊行。在社會運動整體處於停滯的一九六六年，六月十五日只有樺美智子母校，東大國史研究室的團體三十人聚在國會前。一九六七年的這一天下著大雨，來自社學同系的學生舉辦遊行，人數止於三百餘人。[223]。一九六八年六月十五日，在缺乏社共等政黨的合作下、總評也僅止於鼓勵個人參與，卻在六月行動委的號召下，從六〇年安保鬥爭以來，首次聚集了一萬數千人。

六月十五日的集會，最初眾人對樺美智子、山崎博昭、由比忠之進等進行默哀。日高六郎對這場聚集男女老少等各種團體、訴求多樣性與自主性的這場集會如此描述[224]：「可以有一百公尺跑十五秒的學生團體，也可以有慢慢走一百公尺的老太太們。學生不可以輕視老太太的走法，也絕對不可以妨礙老太太的行動。如此一來，老太太們也肯定會對一百公尺跑十五秒的學生予以掌聲喝采。」

集會中各個小團體發著各種不同的傳單，最讓參加者驚訝的是「機動隊友之會．警視廳反戰製作」的「鎮壓與作戰手冊」中寫著[225]：「每天，不得不對各位學生、勞動者、市民進行鎮壓，今天，捨棄那樣的警察立場，帶著反對戰爭的想法參加活動，令人感到高興。作為司法勞動者的六月行動，我們製作這本小冊子，說明鎮壓的實際狀況以及為了鎮壓的作戰守則。……在此主要闡述被逮捕之後的狀況。」

即使是宣揚非暴力的這場遊行，面對第一次羽田鬥爭以來日益增強的警察機動隊鎮壓手段，參加者也被要求要有相應的準備。依據東大全共鬥的運動者大原紀美子在一九六九年的筆記，儘管當時只是「平凡、光明正大且安穩的集會」，但「即使如此，出發時事先預想可能會與警察機動隊起衝突，因此招募了行動隊，被逮捕時的注意事項的筆記在參加者之間流傳，證明身分的學生證或月票統一管理，把手巾撕開做成鞋帶等等。」[226]如同第十章所述，這天在東大佔據了安田講堂，引發了東大鬥爭。集會後的遊行，由年長市民為中心組成第一梯，包含年輕學生在內的參加者組成第二、三梯後出發。這個手法，是越平聯的學生在一九六八年一月嘗試過的方式。

一九六八年一月，東京也組成了由大學越平聯為主力的「學生市民阻止企業號停泊執行委員會」，一月十七日與二十日舉行遊行，並決議參加二十日晚上反戰青年委員會的遊行。當時針對「什麼是更有效果的遊行」進行討論，結論是：「不需要全體都作一樣的事，是否更應該依據不同想法，把抗議遊行集結起來」，因此遊行隊伍分成A與B，A隊由想做之字形遊行或高速衝刺的人組成，B隊則以不想做那些行為的人為中心組成[227]。

這個手法帶來很好的結果，不只是聚集了四千人的遊行參加者，如果B隊被警察機動隊的管制擋下，A隊的學生可以趕過去救援，而B隊則可以沿路讓市民途中參加遊行，發揮了兩隊互助的效果。某大學越平聯的成員這麼說[228]：「結合了尖銳的攻擊與大範圍強力抵抗的」這個方法，「對於派系化的現有學生運動來說……這也算是一種無言的批判吧。」

承繼這個手法的三梯次遊行隊伍，喊著「反對越戰」、「粉碎安保」等口號，走過國會與美國大使館前。這天遊行的樣子，有如下紀錄[229]：

在國會的南側門附近，站在隊伍前端的日高教授，在樺美智子的照片前獻花，遊行隊伍便停下腳步，眾人低下頭。……排列著越南文、日文、法文寫著「連帶」的文字與解放戰線旗、越平聯旗、法國三色旗等的越平聯大型橫幅旗幟，跟在後面的是無數越平聯團體的旗幟、草籽會、婦人民主俱樂部、無聲之聲會等色彩豐富的旗幟以及日本山妙法寺團扇太鼓的回音，這些全部化為一體，像大浪般充滿道路，從首相官邸湧向美國大使館的坡道。

大使館前，遊行隊伍同時向正門前的警察機動隊投擲幾百架紙飛機，有幾十架越過機動隊頭上，飛入大使館的鐵柵欄中。「越平聯的各位，請停止投擲紙飛機！」感到困惑的警察，用廣播車的麥克風大聲地喊著。……

第一梯的大型集團通過、第二梯的團體靠過來後便開始靜坐。人數約有數千人。兩年前的六月，抗議轟炸河內與海防的非暴力直接行動時，只有三十人到這裡靜坐，不到幾分鐘就全被帶走，現在想想那時候的行動簡直像夢一般。……

既沒有明確的指揮系統，習慣這種場合的領導者也很少，明明只是參加者自發性地組成的隊伍，卻能在這條大馬路上部署成遊行隊伍，這實在太出色了吧。……沿路都有人們接二連三地加入遊行隊伍，……整齊，而且還能繼續維持戰鬥性以及一貫多樣性的遊行，這創造了一種全新的遊行，沒有人是被強制參加，自然產生的規律和調和……。

……組織人員的數量與動員能力，以及依照負擔的費用多寡，來要求在整體行動中的發言權，以及決定其他團體能否參加的VETO（否決權）等等，那種過去常見的共鬥方式，就在這天這場一萬數千人的遊行中被破壞了吧。……

數寄屋橋路口。那個角落的大樓上掛著寫有「EXPO70（七〇年的大阪萬博）、還有六三五天」的大型電子看板。就在遊行隊伍即將通過那電子看板的下方時，大樓樓頂降下長達二十公尺的巨大布條，寫著：「你好七〇年、勞動者、市民、學生站出來奮鬥」，同時，傍晚，急著回家的人們與遊行的人們擠滿銀座街頭，天空飄下各種顏色的紙花和傳單，數十張、數百張，然後數千、數萬……。刨冰色調的碎紙片漫天飛舞，紙片向人們宣告著：「你好七〇年。永別了安保！」湧起的歡呼聲、搖動的旗幟和標語牌子。

第二、第三梯的年輕人們在國會前靜坐抗議時，第一梯的年長者便等著年輕人再次起身移動。一九六〇年安保鬥爭的六月十五日，學生衝進國會時，以社共為中心的國民會議遊行隊伍置學生於不顧，朝著解散地點前進。經過反省，這次採取了不同的做法。

日高六郎如此描寫這種穩健年長者與激進學生的共鬥關係[230]：「完全沒有人責備或批判（年長者的）第一梯隊，第一梯的團隊在附近等，反倒讓他們（學生們）感到安心。」「在不同的行動方式間建立起信賴關係，這一點超越了一九六〇年代。」

靜坐的學生也認可不同的行動方式，日高如此記述[231]：「警察機動隊逼近的時候，第一次參加的學生突然感到害怕，向朋友們求救。而朋友們也馬上回應：『從道路那邊離開就好，就在那邊看著我們吧。之後我們在八重洲出口附近會合吧。』這樣的學生並沒有被視為逃走的人，前提是，每一個人當然都有離開那個地方的權利，並具體實踐這個理念。」

日高是這麼總結這場遊行[232]：

在靜坐組中出色地達成了一種自律。團體當然有領導者。但並不只是遵守領導者的指揮，所有的參加者，在表達自己想法的同時，也看顧著整體的狀況。因此警察機動隊沒辦法出手，靜坐就成功了。……

自律不同於那種他律式的合法性，後者僅是遵守警察提出來的條件。在行動中，實現了許多警察向來不允許、但從市民抗議的觀點來說卻是理所當然的權利。例如允許橫幅抗議布條，但為了讓用路人可以看清道路，不准人們沿著遊行隊伍舉起橫幅抗議布條。我覺得這不太對。儘管如此，那天的遊行中，婦女團體成功地拿著橫幅布條走在街頭上。……

總結的會議中，有人提出頗有趣的意見：牽制警察機動隊的，不應該是活躍的學生們組成的第二、第三梯隊，而是最老實、以一般市民為中心的第一梯隊。人數多，而且穿著日常的便服，有年長的婦女、年輕的女孩參雜其間的團體，有所自律地行動，即使隊伍擴散開來，機動隊肯定也是置之不理。

當超過一萬人的隊伍有自律的態度時，也能自行克制造成他人受害的行動。參加遊行的團體當中，有採取激進行動的知名團體，據說最初嘴上還抱怨著遊行的溫吞、說市民主義的壞話，但要不了多久便察覺到整體氣氛的優秀之處，最後還積極地融入整體的流動當中，解散時便聊著這次活動得到從來沒有過的充實感等等。……

還有一個自發性地改變自己的例子。過去在經過大使館附近時，總是會湧出「YANKEE GO HOME」的口號，但六月十五日的遊行，不知道是誰的創意，冒出「ARMY GO HOME」的呼聲。這個口號很快獲得參加者的支持，從那之後就取代了「YANKEE GO HOME」的口號。……如果是從上而下單方面要求的口號，是絕對不可能產生出這種創意的。

在各個地區，也都舉辦了各自的「六月行動」。札幌於六月十五日，由札幌越平聯與北海道大學越平聯為中心，加上新左翼各派和無黨派學生參加，舉行了約五百五十人的遊行。在金澤，六月十四日由社青同解放派、中核派、革馬派、共勞黨等約四百二十人舉辦遊行，十五日，金澤越平聯成立，召開約兩百人的集會。在大阪則由關西越平聯打先鋒，由三派全學聯、勞組、結構改革派的民學同組織了約八千人的遊行，三派全學聯和警察機動隊發生衝突，而越平聯與勞組則進行了手牽手大遊行。[233]

六月二日有一架美軍戰鬥轟炸機發生事故，墜落在九州大學校內，因此這一波運動最高昂的，莫過於福岡。事件隔天的六月三日，由代代木系、反代代木系、無黨派學生聯合舉辦的學生遊行，自然而然地湧入約五千人。四日與五日，九大校長打頭陣，舉行了約四千人的遊行，十四日則有約兩千名學生發動遊行[234]。

各個地方的行動中，也有獨特的創意。關於六月行動，神戶越平聯有此描述：透過傳單或海報、明信片等，試圖號召人們參與六月十五日的行動，「問題是，那天晚上要做什麼？連續三年都舉行集會遊行，能做的大概也都做過了。」「這種集會也是用盡花招。演講、電影、討論集會、小組討論會、唱片音樂會等等。」結果，聚集了「年齡從六十歲到女高中生」約三百人參加集會，在這場集會中，首次嘗試把會場的講台與座位布置成同樣的高度，舉辦了讓素人也能盡可能參與的座談討論會[235]。

年長者與年輕人的對立以及新左翼黨派的介入

然而同樣是在六月十五日，東京發生了令人忌諱的事態。當天晚上，包括中核派在內的學生團體，與反戰青年委員會在日比谷音樂堂召開集會，如同在第十三章所述，革馬派闖進來，與中核派用武鬥棒打了起來。《越平聯新聞》記載著：「我們日夜創造連帶的努力就這樣化為泡影。[236]」

越平聯整體的狀況也不容樂觀。一九六八年以後，加入越平聯的年輕人急速增加，吉川如此回想[237]：「一九六八年左右加入的年輕人，多少和之前的年輕人素質不太相同。一九六六年左右，如果在明信片上寫『要不要來事務所幫忙？』，很多人就那樣成為職員留下來幫忙，一九六八年以後則感覺是來得快，去得也快。當然會留下來的人就會留下來沒錯。」越平聯也像全共鬥運動中常見的那樣，當運動蓬勃發展時，參加者也多，過了那個時期人也就離開了。

另外是新加入的年輕人，也有人受到三派全學聯的刺激，認為應該發動更激烈的運動。一九六八年九月以後參加越平聯定期遊行的立教大學越平聯成員，在一九六九年時寫下學生參加越平聯遊行時的樣子，以及自己的感觸[238]：

> 當初這些學生部隊出現時，參加者有什麼意見呢？發動之字形遊行的話，就說「不要做挑釁行為」，「拿了紅旗和黑旗來，會破壞越平聯的形象」等等，即使是相對比較有好感的人也不過是覺得「年輕人真有活力啊」，對於突然出現的「三派」式的學生只有茫然或旁觀的姿態。在這種情況下，我們試著呼籲：「我們來想想『誰都能加入的越平聯遊行』，這個口號所展現的到底是什麼樣的想法吧？」對此，開始有人指出這個想法的危險性：那不過是為了擺脫過去市民運動的形象，給運動整體營造一種「不太有激進行動」的氛圍。「所謂越平聯的這個運動體，是以『給越南和平！』、『把越南還給越南人』、『日本政府不要協助戰爭』三個口號為軸心，只要認同這三點，不是從極左到極右，誰都可以參加嗎？」我們思考並發聲，主張越平聯要自己打破「好孩

子市民運動」式的調性。

然而，以東京為首乃至各地越平聯的年長者，大抵對於越平聯的激進路線持慎重態度。京都越平聯的核心成員飯沼二郎，在京都越平聯的機關報《越南通信》這麼寫道[239]：

去年十二月八日，在同志社學生會館舉辦的討論集會上，越平聯受到部分學生的強烈批判：在美國最近的反越戰運動急速激進化的當下，日本的越平聯，繼續維持這種溫吞的運動型態真的好嗎？在提出這種批判的學生諸君腦中，與其說是美國，無疑是想起最近日本的學生運動方式。但我認為，越平聯保持現在的做法比較好。

近來學生運動的做法，實在非常令人憂心。學生諸君，是否真的覺得帶著頭盔、拿著棍棒，就能戰勝諸君所說的「國家權力」？我想各位當中應該沒有那樣的笨蛋。但是，諸君必須認識到，在戴上頭盔、拿起棍棒的瞬間，學生運動就會被一般國民澈底遺棄。學生運動戰勝「國家權力」的唯一方法，就是赤手走向警察機動隊，被警棒打死。此外沒有獲勝的方式。你可能會說，在羽田抗爭中，山崎已經被警棒打死了。但是，無論山崎是被車撞死，還是被警棍打死，學生只要用頭盔和棍棒「武裝」起來，就只能是白白送死。不賭上性命，能做到什麼？

飯沼是虔誠的基督教徒，他在腦海裡想到了以自己的死教誨民眾的耶穌，或沒戴頭盔也沒拿武鬥棒而死的樺美智子了吧。

幾乎每一期《越南通信》都有飯沼的投稿，他的思想大致如下[240]：「我認為把生活全部投入社會運動的職業革命家，是種高貴的生活方式。沒有這種人的話，革命絕對辦不到。但，並不是誰都能成為職業革命家，也不是只有職業革命家，革命就會成功。那是市民運動的前鋒。」「很多人只有在當學生的時候模仿職業革命家（被人們稱為學生運動家之類的），一旦從學校畢業，就澈底停止活動。」「全身繃緊、喘不過氣，這樣是沒辦法持久的。日本，可不是一個簡簡單單就能讓它變好的國家。」

但飯沼並沒有否定非法活動，遭警察逮捕美軍逃兵要求保釋時，他也當了逃兵的保證人。關於非法和合法活動的關係，他這麼說[241]：「我不認為只靠合法的行為，得以貫徹、實現我們與當前政府政策對立的意志。」「只不過，在那種情況下，我不希望人們忘記，儘管學生有特權，但市民沒有任何特權。比方說，學生就算被警察抓，也就是那樣，既不會被退學也不用休學，上班族的話馬上就會被開除，至少也躲不掉停止加薪或被砍年終的懲罰。」「合法活動與非法活動，只有在兩者都尊重對方的自主性，相互協助的情況下，我們的意志才有可能貫徹、才有可能實現。這兩者之間的關係，也可以比喻成游擊戰與支持游擊戰的一般民眾之間的關係，絕對不是誰比較勇敢、誰比較懦弱的問題。」

飯沼也主張，京都越平聯的遊行，必須是老人或小孩、上班族或主婦、誰都可以自由參加。他在一九六八年七月這麼說[242]：「近來的反戰運動越來越激進化，京都越平聯的遊行作為一種『誰都能參加』的市民遊行，我認為其意義變得越來越重要。」「學生們對我們的遊行，可能會覺得我們『令人不耐煩』或『太溫吞』。但，如果不是這樣的遊行，有些人就沒辦法參加了。」「我對於京都越平聯被捲入各位學生的激進運動型態感到憂心。被各位學生罵我們膽小沒關係，罵懦弱也沒關係，我還是想守護現在的運動型態。」

順帶一提，飯沼從一九六七年五月京都越平聯創建以來，到八年後解散為止，持續每個月舉辦定期遊行，意志非常堅強，也因恪守基督教教誨「愛你的鄰人」的關係，顯得格外勇敢。京都越平聯的一位成員，將定期遊行的插曲寫在一九七〇年的機關報上[243]：「就在N與我被機動隊員包圍、要被粗暴地帶走的時候，飯沼先生衝了過來，把機動隊員撞開，保護了我們。那位溫柔的飯沼先生竟然衝撞機動隊員——這件事讓我印象非常深刻，同時我也反省了那個只想著逃跑、掙扎，完全沒想到要幫N的自己，感到非常慚愧。」

飯沼在一九六八年十一月還這麼說[244]：

> 有個笑話說，比起民青，反代代木的女學生比較多，理由是，與陰鬱的民青相較之下，帶著頭盔的反代代木比較「帥」。越平聯與民青一比，看起來可能更糟，但如果對帶著頭盔的反代代木抱有劣等感，絕對也沒辦法取笑前述的女學生。
>
> 必須先澄清的是，我並沒有否定看起來「很帥」的學生運動具有的意義。只是，他們到底累積了多少樸實且枯燥的努力，說服一般市民理解並認同他們運動的意義，我抱持強烈懷疑。……只靠引人注目的努力，連「引爆力」都沒有吧。統治階級恐懼的，不是漆黑的夜裡綻放的美麗煙火，而是一點一點地侵蝕建築物地基的白蟻。

當時越平聯是高中生或預備學校學生、新手都能參加的團體，因此普遍存在把越平聯當成「隧道」、通過以後就畢業比較「帥」的價值觀。評論家絓秀實說：「六八年學生過激的行動主義，經常會蔑視越平聯的穩健運動風格。[245]」一九七〇年五月京都越平聯的機關報上，刊載了如下的學生投稿[246]：「我被東京的女孩子說：『你還在越平聯？幾年啦？四年？不行啦……有夠遜的，誰會那樣搞啊』。」

一九六九年四月，吉川這麼寫[247]：「有所謂『越平聯隧道說』、『越平聯中學論』，這些論調是指：越平聯確實有集結新市民的效果，但在越平聯活動一陣子後就差不多該快點『通過』或『畢業』，朝『更高度政治性的』活動前進。無論是誰打算只是通過或畢業，越平聯從來沒有批評過這樣的人是『背叛者』或『機會主義者』，也不是那樣的組織。」「但我並不贊成這個『隧道論』，因為我認為，越平聯，或者是反戰市民運動，在七〇年代鬥爭，或七〇年代鬥爭期間，逐漸擁有自己獨特的重大任務。」

許多人從越平聯移動到新左翼是事實。前面提到在高中一年級的定期遊行後參加集會的府川充男，爾後也成為共產主義者同盟的一員。照府川的回想：「六八年夏天前後陸續出現的其他黨派高中生組織的領袖或幹部，幾乎……大家都是（越平聯）定期遊行的常客。」[248]

然而，在年輕人流動性很高的當時也有逆流的現象。例如某越平聯的年輕人，在高中時隸屬於民青，因為對民青感到不足，退出以後參加無黨派活動，在王子和三里塚上街遊行。他在一九六八年六月加入社學同的遊行隊伍時，與警察機動隊起衝突後受傷，由於照料他的是越平聯的成員之故，爾後他便加入了越平聯。他說：「沒有入會申請書也沒有會員制度，以非暴力為號召，沒有固定型態的這個團體，輕易地就接納我的加入，也沒有任何束縛。在這個團體裡，幾乎只能用五花八門形容，有各式各樣的人進行各式各樣的運動。」這位年輕人受此吸引，之後便持續地參加越平聯的活動[249]。

不過總體而言，從越平聯往新左翼運動團體移動的案例還是不少。這種傾向，在東大或京大這種聚集喜好理論的學生的菁英學校裡格外顯著。

在日後的座談會中，越平聯幹部們這麼說[250]：「（越平聯在）京大只能組成一個非常小的團體。這很重要，因為京大生喜歡理論。」（鶴見俊輔）、「京大對越平聯來說是不毛之地。稱為京大越平聯的團體創立了四次，創立後大概兩三個月就會解散。」（飯沼二郎）、「大概都是說根本就沒辦法繼續參加這種像笨蛋似的團體，大家紛紛加入左翼、離開（越平聯）。東大也是一樣，沒有人是來自那些所謂一流大學，私立大學的參加者比較多啊，越平聯。」（小田實）

小田還如此回憶[251]：「日本各地無名的——硬要說的話，就是那些名字聽都沒聽過的大學裡有頗多『越平聯』自然而然地成立，在日本或各地稍微有名氣的大學，除了極少數的例外，幾乎都沒辦法成立『越平聯』，或者是成立以後馬上就解散了。」

最了解實際狀況的吉川則表示，東京六大學的私立大學越平聯或中大越平聯很活躍，但是東大、東外大、東工大等國立大學就沒什麼活力，京都也是立命館和同志社等私立大學比較活躍。不過，在札幌、福岡、名古屋、金澤、廣島、仙台等地方都市，國立大學的越平聯卻很活躍[252]。說越平聯沒辦法在「知名大學」裡活動是有點誇張了，但大部分「喜好理論」的大都市菁英學校的參與度較低也可以說是事實。

但是東京越平聯中通稱為「內閣」的領導層，除慶應大學畢業的栗原幸夫以外，東大畢業或肄業的成員並不少見[253]。鶴見俊輔也是哈佛大學畢業。儘管越平聯在菁英學校沒什麼人氣，但許多領導層的成員都是知名大學畢業，擁有豐富經驗的判斷力。從這點來看，越平聯也和在第十章所述的東大全共鬥類似，領導層都不只是由「普通的市民」所構成。

加上如前所述，東京越平聯的定期遊行是星期六，相較於學生，有工作的市民比較難參加也是一項原因。因此也有市民參加者說：「是不是應該要重新檢討星期六下午的運動型態？因為星期六下午休假的工作，除了政府機構的人以外應該不多……」與此相關，吉川勇一是如此記述一位每次都參加定期遊行的中年男性[254]：

這位男性任職的公司，星期六下午也要上班。但即使越平聯的定期遊行沒有改到星期天，他還是來參加。目前他在每個月第一個星期六都會出現在清水谷公園。這怎麼辦到的？他一年有二十天特休，二十天特休當中，有十二天都用在參加越平聯的遊行。

僅僅兩個小時的遊行。……他埋沒在近千人的遊行隊伍中，默默地走著，既不是之字形遊行，也沒戴著頭盔。在他人眼中看來，只是一名普通的中年人。但他為了這兩個小時的行程，用掉了一半以上的特休。又或者那是支撐著一個月二十五天到公司上班，為了生活出賣自己的勞力、枯燥乏味的沉重時間而存在的，充實的兩個小時。

參加學生遊行絕對不是什麼輕鬆的事。但是……對那些不受時間束縛、在職業層面上對於參加運動沒太大困難的人來說，似乎很容易忘記每一位參加遊行的人，參加運動的時間所佔的生活比重，以及在那僅僅只是兩個小時的遊行中，在每一步、每一步行進的背後，有與整個生活的拉扯，這些都讓我一再深切思考。

吉川回想那些希望將定期遊行改到星期天的意見[255]：「那時候週休二日還沒普及，可以理解希望改到星期天的意見，但是也有另一種討論，指出很多人星期六上午工作就結束，在工作結束後的下午，比較容易參加都心的遊行，如果改成星期天，那人們就不得不特地從家裡來到都內參加，人數反而可能減少。所以說，如果改成星期天，也很難期待參加的市民人數會暴增，雖然這樣對那些只有星期天可以參加的人有點抱歉。」

只不過像這種「大人」們的體貼，新加入的年輕人們卻感到不滿意。一九六八年的京都越平聯機關報《越南通信》，刊載了如下的大學生們的意見：

「京都越平聯因定期遊行，導致團體陷入所謂定期的窠臼。」「定期遊行後的討論會上，重考生說：『大學生待在越平聯沒意義』，也有高中生或重考生說：『進大學後就改去全學聯』。這些發言對我們的啟示到底是什麼呢？」「千萬不可以被京都越平聯裡那些說什麼後衛位置的言論荼毒。」[256]「（六八年的）春天以來，越平聯遊行不斷擴大，而遊行的主體是由學生構成。」「即使如此還是要對學生主張京都越平聯是市民的團體嗎？」「『相較一般市民參加遊行的難度，學生是處於比較有利的立場，因此希望學生對市民可以稍微讓步』，這我們可以理解。但是我們總也不能無止境地處處讓步。如果京都越平聯堅持市民萬能（我姑且用這個說法稱呼）的話，那學生就必須離開京都越平聯。[257]」

一九六八年春天以後，雖然京都越平聯的定期遊行人數急速增加，新參加者卻都是大學生。但是飯沼曾經表示「打從心底尊敬的」一位「不模仿任何人，只是一個人拿著日之丸國旗參加遊行」的老人，卻從同一個時期的定期遊行中消失了[258]。如果飯沼或其他年長者意圖制止年輕人「過激」的鬥爭，甚至會有學生譴責：「粉碎京都越平聯裡的史達林主義官僚！」[259]

吉川在幾年後這麼回想[260]：「各地越平聯都出現許多對立的聲音，我想這實在不太妙啊。但是越平聯的原則是依個人判斷自由參加、自由組成、自由行動，並不是那種由中央下達命令的運動，沒辦法由東京下令阻止什麼事。即便說要控管年輕人，也不能禁止他們來參加遊行，當時的心境是覺得，這短期間也沒辦法解決吧，希望年長的人多忍耐、多體諒，好好帶領年輕人，希望每個地區的人都能自己站出來，想辦法找到一個好的解決方案。」

學生當中也有人指責與南越解放戰線的游擊戰對比之下，越平聯太過「溫吞」。在第一章也提過，一九六八年八月《越南通信》刊載一篇名為〈體內的越南〉的文章[261]：「越南人民不屈不撓的奮鬥，把『人究竟為了什麼而活』這個問題捅到我們所有人的面前。」「他們（解放戰線）賭上性命奮鬥，但我們只是發起（穩健的）遊行、送錢送藥（前述「和平之船」的企劃）而已！難道我們不該為此感到羞愧嗎？」由此可見參加穩健的遊行，並沒有辦法平撫他們的認同危機。

意識到這種年輕人的聲音，小中陽太郎在一九七三年時，寫下一九六八年四月於斯德哥爾摩召開的「越南緊急國際會議」的樣子[262]：

> 我在總會致詞、發表完無畏號四人的事以後，便出席「抵抗運動」的專題研討會。……丹麥的和平運動團體製作「反戰」徽章，對此，菲律賓的青年說他們「發起在購物袋上書寫反越戰的運動。」
>
> 聽到這些事例，一位繫了領帶、穿著高雅的青年說：「這些行動，真的是非常棒的運動。」

現在就連我也開始理解要在（當時的）菲律賓這種獨裁國家推行這類運動有多困難，但當時我並不曉得。

當時我在心底想的是：「現實中的解放戰線明明在叢林裡拿著槍戰鬥，而我們只要別上徽章就夠了嗎？」

我一邊這麼想，同時非常在意附近一位沉穩的青年。接著我問了那位高度讚許徽章和紙袋、繫著領帶的青年：「請問你來自什麼國家？」他沉穩地回答：「我是解放戰線的人。」……我對於眼下正在砲火中作戰的人竟然這麼有餘裕感到非常驚訝。或許正是這種餘裕才能引導他們邁向勝利吧。……

他總是這麼回應：希望世界其他國家的人們，在他們自己的土地上，做他們能做的事，就算那只是一張傳單也好、一枚徽章也好。他絕對不說，我可是在燒夷彈下啊，你也太溫吞了。……無論如何，那之後我在銀座賣我們的報紙，或與市民們遊行的時候，戴著頭盔的學生過來，對我們吼：「你們做這種事，對那些在越南作戰的越南人說得過去嗎？」的時候，我總是會想起那位越南青年。

若要類比實際上在槍林彈雨下作戰的解放戰線，拿著木棍、戴著塑膠安全帽就以為自己是「賭上性命在奮鬥」，這反而只是印證了對真正的戰鬥一無所知。

即使是批評越平聯「穩健」的學生，恐怕也沒有幾個笨蛋真心相信靠著武鬥棒和頭盔就能擊敗「國家權力」。他們憧憬暴力抗爭的根底，恐怕是為了藉由「賭上性命奮鬥」的充實感，來逃離「現代的不幸」，以及透過將自身置於危險當中，來緩和身處經濟高度成長時期的罪惡感等「存在」性質的動機，至於政治性的效果，則是次要考量。抱持這種動機加入越平聯的年輕人們，在越平聯的遊行中，透過之字形行進或衝刺遊行等行動來獲得充實感的年輕人並不在少數。

此外，由於警察機動隊不太鎮壓越平聯的遊行，也有些人會做在新左翼黨派遊行中會被阻止的行動。一九六八年夏天，設立一橋大越平聯的井上澄夫說[263]：「有一部分的學生，因為覺得參加全學聯的遊行太可怕，所以跑來越平聯的遊行，在還不到被逮捕的程度下，搞之字形遊行等，我認為這是在吃越平聯豆腐。這對我們這種尊重個人意識的遊行來說，坦白講是添麻煩。」

另外，新左翼黨派的運動者，也開始帶著招募成員的動機，加入越平聯的遊行。重考生時代參加越平聯，後來加入社學同又轉到赤軍派的中野正夫回想，越平聯遊行的參加者「多是相信戰爭與暴力是不可原諒、擁有單純理念與正義感、有閒暇時間的高中生、重考生與大學生。革共同（中核派與革馬派）、共產同、社青同、統社同等認同者便看準這些人、意圖招募他們。」[264]

在這些新左翼的運動者當中，也有人故意讓越平聯的遊行隊伍和機動隊起衝突。曾參加越平聯定期遊行，一九六八年加入共產同的府川充男回想[265]：「我把定期遊行後的集會當成招募的機會，（六八年）二月開始直到四月，將高中生會議（共產同的高中生組織）的成員帶進定期遊行四次。」「在越平聯市民遊行隊伍的尾端，安排了約一百多名健壯、戴著頭盔的部隊（有時候後面會跟著沒帶頭盔的無黨派高中生），打算在抵達解散地點前，用之字形前進的遊行方式衝撞幾次警察隊伍。」

府川和許多新左翼的運動者一樣將越平聯蔑稱為「越屁聯」。五月的越平聯定期遊行中，府川讓自己安排的高中生們衝撞警察、導致成員被逮捕後，他認為「只是為了在區區越屁聯的遊行裡招募新人或拓展人脈卻被逮捕，感覺太蠢了」，因此在那之後就不再安排部隊參與越平聯的遊行。

一九六八年八月的《越平聯新聞》，吉川勇一以投稿的形式（也就是不以事務局長的身分發表，而是以個人意見的方式投稿）做了如下陳述[266]：

> 七月的定期遊行。越平聯的定期反戰遊行，今年以來參加人數急速增加，這天是學生差不多開始放暑假的日子，一如往常，參加人數不少於一千人。雖然多半是大學生們，但也有一些年紀頗大的人或帶小孩的婦人。
>
> ……遊行從虎之門接近解散地點的日比谷公園時，突然遊行隊伍的前半擴大到整條街道，並同時用很快的速度衝刺。……
>
> 遊行隊伍裡帶著小孩的婦人，把小孩抱了起來，婦人左右都是猛烈地向前衝刺的年輕人們，而她被遺留在人流當中，後來才終於脫離隊伍，走到道路兩旁的人行道上。我則把兩手張開，避免接二連三衝出去的學生隊伍撞上像這樣的參加者。
>
> 我希望參加遊行、這個時候衝出去的學生們可以想一想。我不是不懂學生們的心情，只是，如果認為不管什麼遊行都只要搞之字形前進或衝刺，就能藉此表達強烈的意志或更有戰鬥氣息，那是非常嚴重的誤解。……
>
> 我並非認為絕對不應該發動之字形前進或衝刺。我只是希望，在每個月第一個星期六的定期遊行，即使是帶小孩的婦人或老年人們，或者是從來都沒參加過遊行的人，都能安心、自由地持續參與遊行隊伍。

有些參加者——我知道特別是學生族群裡非常多——對於一直用同樣方式舉辦越平聯定期遊行心有不滿。……參加越平聯的遊行，如果警備有漏洞可以衝，完全不考慮其他參加者就衝出去，自己得到某種程度的解放感或滿足感就好，反正也沒有被全面鎮壓的危險——這種心態，難道不是吃市民遊行名義的豆腐嗎？……

更不要說，最近更有些團體，既不認可越平聯活動的意義，也不贊同越平聯遊行的意義，甚至自稱是「革命性的介入」，完全只是為了政治說服越平聯活動參加者才來參加。在越平聯裡無論帶有什麼政治見解都不受拘束，想表達什麼意見，或提出什麼批判也都是自由的。但是……既不認同越平聯的意義，也不理解越平聯遊行的意義，這種團體不應該參加越平聯的活動。這難道不是民主主義的基本價值嗎？

更不要說我還聽到某學生故意和警官或機動隊起爭執，藉此對一般參與者展現所謂「權力」，「提升」他們的意識。我認為如果他們不能捨棄那種自以為只有自己才知道什麼是權力的傲慢，是不可能對當今權力產生任何一點微小的影響。

然而，吉川也不認為只要發動像社共或工會幹部常有的那種整齊、溫和的集會遊行就好。據吉川所述，一九六七年十月二十一日，越平聯的遊行隊伍呼喊著：「反對機動隊鎮壓」、「滾回去！滾回去！」等口號時，一起舉辦共同遊行的工會幹部來對他說：「你是這個團體的負責人嗎？後面有勞動者的隊伍，請停止無謂的挑釁！我們得保護勞動者！」吉川說：「為什麼叫機動隊滾回去是挑釁？為什麼不是勞動者要保護市民？為什麼是反過來市民要保護勞動者？那個當下我一時沒辦法理解。」[267]

如前所述，吉川雖然也是共勞黨黨員，但他將先鋒黨的共勞黨和越平聯分開，採取不將共勞黨的活動帶進越平聯的姿態。他因批評群眾運動的禁止原子彈氫彈運動遭先鋒黨的共產黨擺布而被除名，對他來說，共勞黨和越平聯的區別很重要。另外，對吉川而言，潛入越平聯的運動，進行自家派系招募活動的新左翼的行為，在他眼中也是違反規則之舉。

只是，由於吉川重視「個人原理」，因此「新左翼的運動者在遊行結束後，問『要不要去喝杯茶？』或『要不要來我們研究會？』等這種邀請去新左翼黨派」的行為，雖然「令人感到困擾」，但也默認那是「個人的自由」。只不過如果是在越平聯事務所有招募行動，他會表明：「這裡不是做那種事的地方喔。」阻止招募[268]。

也因此，新左翼運動者對吉川也是敬而遠之。中野正夫評論吉川是「能在整體脈絡中辨別敵友，能掌握重點、事務處理能力十分出眾，他看穿人心的銳利眼光，與公安刑事是同等級的能力。」他回想，越平聯事務所「幾乎像是運動人士的收割地，（新左翼的）組織者或臥底高對（高中生對策組）都來了。」但是「因為有吉川事務局長的銳利目光，他們也沒辦法做出黨派色彩太過露骨的行動。」[269]如後所述，世俗傳聞吉川等人控制著越平聯，也有部分是基於這個狀況。

越平聯的「激進化」

越平聯就這樣保持微妙的平衡，最終還是一點一滴地邁向激進路線。其激進的象徵，可說是於一九六八年八月十一日到十三日舉行的「反戰與變革國際會議」（International People's Conference against

War and for Fundamental Social Change）。這場會議租借了國立京都國際會議場舉辦，但最初國際會議場擔心會聚集過激的學生，出借的意願不高，最後是在桑原武夫的斡旋下才成功借到。[270]

這場一九六八年國際會議的特徵是以社會「變革」為主題。主張當時社會的「變革」，是有可能被學生解釋成打倒資本主義的革命的。

根據會議後的座談會，將「變革」放進會議名稱，是鶴見良行和武藤一羊的主意。鶴見良行認為，在現代大眾社會，馬克思主義或自由主義都成了「過時的意識形態」，「創造新思想的努力，不正是變革的行動嗎？」因此將「變革」一語放進標題[271]。同場座談會上，武藤也說：「以陳舊的革命運動構圖思考革命，越平聯運動等同於陳舊類別裡的革命運動，這種組成方式」是「沒辦法對抗現在的狀態的。」[272]

換句話說，他們揭示「變革」的時候，並沒有把社會主義革命列入考慮。但依據鶴見良行的說法，會場也出現「單純樸素的變革構圖」，「不是照那種方式詮釋，反倒應該立即奪取權力，因此不能提倡溫和的和平，而要在行動上採取更具戰鬥性的手段，才能靠近變革的方向。」[273]

當時，全國已經有大約一百八十個掛著越平聯名號的團體，每個團體的代表，以及越平聯以外的反越戰運動團體都被邀請參加。來自國外的出席者來自五個國家，共三十七人，日本的出席者達到兩百一十九人，前三派全學聯委員長秋山勝行以及中核派幹部北小路敏也都參加了，但越平聯方面希望「代表黨派出席時，也希望是以個人身分發言。」共產黨在《赤旗》上刊載了批判這場會議的文章，來自共產黨的出席者很少，但以學生為主的旁聽觀眾達到三百人[274]。

會議成了長期參與越平聯的年長者與新加入的學生們之間對立的場子。會議第二天，市井三郎反對會議的名稱，主張越平聯只要強調反對越戰、走自己的路就好。據鶴見俊輔說，從越平聯創立以來，「無聲之聲會」等許多市民團體裡「都有對越平聯模仿全學聯危言聳聽的戰術抱有強烈反感的人。」只是在聽眾多半都是學生的情況下，「以打倒美日帝國主義為目標的中核派秋山勝行、北小路敏，贏得廣泛的共感與掌聲。」[275]

會議到了第三天，「發聲明表示支持某大學（東大）佔領鐘樓！與南越解放戰線的大型攻勢同一個時間點，發動不經申請的集會遊行！等等各種勇武（提議）開始浮上檯面。」自稱「越平聯原住民」的松田道雄，反駁了這些年輕人們。松田的理解是，馬克思主義是十九世紀的思想，在現代只適用於發展中國家，蘇聯等「十九世紀以來解放理論的社會主義，實際上很明顯是一種支配的邏輯。」[276]

據鶴見俊輔所述，松田在會議上的主張如下[277]：「越平聯作為一種群眾運動，能夠一路成長，是因為目標很明確：反對越南戰爭，而今天能夠借到這個國立的會場，舉辦討論集會，也是因為越平聯反對越戰，因此穩健派和越平聯站在一起的關係。」「像這樣的群眾運動，忘了自己立足的基礎，轉移到以社會變革為目的的運動是很危險的。」「社會變革是必須的，我喜歡為此努力的全學聯，但為什麼他們滿足於對社會變革一知半解的狀態，將各自的結論絕對化後相互毆打呢？」

另外，根據京都大學助教授樋口謹一，松田也表達了對下述的擔憂：「過去造成Fundamental Social Change的都是ARMY。越平聯是不是也打算成為ARMY？」據樋口所說，松田的主張是，至今「十九世紀式」的革命都是使用軍事力量，領導無知民眾的先鋒黨所發動，「是基於『否定從民眾當中自然發生的可能性以及自發性』的『支配的邏輯』。這是顛覆以尊重個人『自發性』為前提的越平聯『抵抗理論』。越平聯是不是打算不再成為『運動體』，而是要成為『組織體』了？」[278]當然，在松田腦中想的應該是以蘇聯等為首，落入「支配的邏輯」成為軍事國家的社會主義國家的現實狀況吧。

松田自己則在會後寫道[279]：「他們（年輕人們）所說的新曲像是十九世紀的曲調。他們說是托洛斯基編曲，其實是馬爾托夫做的，以為是史達林編曲，實則和列寧的曲子一模一樣。」「因為社會黨或共產黨沒有認真要處理『反對越戰和社會根本性的變革』，活力十足的少年少女聚集起來，想讓像越平聯這種團體著手做這些事。」「想到盧梭的直接民主也會被法西斯採用，我不想輕率地說什麼直接民主制。」

最具象徵性的狀況是會議閉幕時。依照原本通過的提案，在閉會致詞後，將合唱過往在越平聯國際會議上唱的美國公民權運動歌《我們終將勝利》（We Shall Overcome）。但是新加入越平聯的年輕人和學生聽眾唱起《國際歌》，就在國際歌的合唱中會議閉幕[280]。

鶴見俊輔在會後說，看起來就像是學生「認定現在正是踢開越平聯克倫斯基內閣（俄國革命中被打倒的政權）而策劃了這件事」。吉川也沒有唱。據小中陽太郎所述，吉川說：「國際歌是應該在革命戰鬥中唱的神聖的歌曲，不應該在像越平聯這種市民運動的場子上唱。」[281]越平聯是群眾運動，與先鋒黨有所區別，是吉川一貫的想法。

幾年後的座談會上，吉川似乎反對舉辦國際會議。越平聯是靠著一般市民的捐款，和販賣數千份的《越平聯新聞》，再加上小田實與鶴見俊輔把自己收入投入越平聯才得以運作。即使如此，從運動的規模來看，越平聯其實是以很少的金額營運，如果翻一下每一期《越平聯新聞》最後刊載的收支表，東京越平聯每個月的支出約十至二十萬日圓，依據小中陽太郎的回憶：「受自民黨代議士婦人會邀請的吉川，說了這個金額也沒有任何人相信。」而且當時正是因全共鬥運動而開始批判知識分子的時期。在那種情況下，花費大量金額邀請知識分子舉辦國際會議，據說吉川對此憤怒地表示：「到底幹嘛搞這種悠哉的活動。」[282]

另一方面，小田和鶴見俊輔被吉川與武藤等馬克思主義者圍繞著，卻自始至終都沒有對共產主義產生共鳴。鶴見從童年以來便傾心於無政府主義，並對馬克思主義抱有違和感，這可能是沒有產生共鳴的理由，但小田則不一樣。小田在加入越平聯之前，藉由國際作家會議有到訪過蘇聯等社會主義國家的經驗，越平聯創立後也訪問了北越，因此漸漸認為社會主義國家的現狀並不理想。小田回想這場一九六八年八月的國際會議，在一九九五年的回憶錄裡這麼描述[283]：

> 我在那時候常常半開玩笑地說這個笑話：關於對世界現狀的認識，我大概都和「越平聯」偏「左」的夥伴諸君不同，反倒是和社會上偏「右」的評論家一致。但是，結論完全相反，所以才能和「越平聯」偏「左」的夥伴們一起行動——。
>
> 我開始思考在「反戰」的同時，「變革」也是必要的。那甚至是根本意義上的社會變革——正是所謂「Fundamental Social Change」。只不過，無論那是什麼形式，都不是「全學聯」的「少年們」希求的、飯田氏視為理所當然的前提去論述、而松田氏反而對之感到絕望的「社會主義革命」。……
>
> 我……首先，不是馬克思主義者。……我至少已經比一般人見過更多社會主義各國的現實狀況。我在這個意義上對那沒有幻想。在我周遭非常多日本偏「左」的人們在看過那樣的現實後，都說確實那是什麼地方搞錯了。但是，但我看來，他們被另一種幻想附身：他們認為自己來做的

話，會得到和那些地方完全不同的良好成果。事實是，在我看起來，他們與過去推動錯誤的「社會主義革命」當事者們相較之下，也算不上特別優秀。那時候我內心有個對事實的冷峻認識：不管是誰來推行，「社會主義革命」都會造成差不多的結果吧。

在這場集會之後，舉行了走到京都圓山公園的遊行，遊行時，有人朝行進隊伍投擲硝酸瓶，造成越平聯的年輕人受傷和燒傷。雖然犯人始終不明，但在當時，對像越平聯這種穩健的遊行施加過激的行為，引發混亂後誘導其與警察發生衝突，是當時新左翼黨派經常採用的手段。

已經對越平聯產生戒心的京都府警察，則發表了諸如「越平聯的遊行出現如此越界的行動」、「必須對遊行隊伍攜帶的物品嚴加看管」等，讓人有越平聯投擲硝酸瓶印象的言論。結果像是《讀賣新聞》等媒體也以「瘋狂的『目盲戰術』——越平聯遊行」這樣的標題報導[284]。

無論如何，這場會議成為越平聯的轉捩點。曾參與京都越平聯設立的笠原芳光，在一九七三年的時候這麼說[285]：「我在六八年夏天成為京都越平聯的營運者，在京都國際會館召開『反戰與變革國際會議』那陣子以來，越平聯的主力已經轉移到年輕人們了。」「在那之前，越平聯主要在文化方面發想與發揮作用，是年輕人們突破了這個角色。然而與此同時，市民運動所具備的日常性與寬容也逐漸減少。」

就這樣，越平聯從以具有戰爭經驗的文化界人士為中心的運動，轉變成雖然仍堅持非暴力但以抱有社會變革志向的學生的集團。從越平聯初期便參與、經歷過戰爭的年長知識分子，如開高健、小松左京、岡本太郎、丸山真男、桑原武夫、松田道雄等，雖然那之後仍在《週刊ANPO》執筆或協助支援逃兵活動等，與越平聯保持友好關係，但已經退居幕後。就連笠原也說：「我與越平聯比較有交集還是在創立後大約兩年這段期間」，承認自己在一九六八年以後與越平聯的關係逐漸淡化[286]。

以這場會議為分界，離開越平聯的，並不只是年長者。從越平聯初期就參與的年輕運動者大越輝雄，在會議後的遊行中被硝酸瓶所傷，幾乎目盲。之後，他離開越平聯，加入赤軍派，一九六九年時赤軍派為了闖進首相官邸，在大菩薩嶺遭到逮捕。小中陽太郎這麼寫道[287]：「在毫無抵抗的狀況下被化學品潑到的他，在看起來也只是走路而已的越平聯式遊行中，是如何咬牙切齒、感到扼腕、又想了些什麼？我只要想到這點，心情不免黯淡。或許是想著，即使冒著失明的危險，也只能走啊？於是就轉而加入新左翼黨派。在這個意義上，我恨最初被丟出來的那瓶硝酸。」

年長者與年輕人之間的緊張與合作

然而，一九六八年以後大量學生加入，使得越平聯急速成長亦是事實。一九六八年初全國各地約有五十個左右的越平聯團體，到了六八年末則增加到約兩百個團體[288]。然而另一方面也出現這樣的聲音：「越平聯被稱為市民的遊行，但實際參加後，發現幾乎都是年輕人，成年人其實很少。[289]」

儘管第一次羽田鬥爭後可以說是反叛的季節，但為什麼年輕人會聚集到非暴力的越平聯？越平聯的年長者們有各自的觀察。鶴見俊輔在一九六八年的國際會議後說：「越平聯的普及，是來自這兩個條件：年輕人們對社會黨、共產黨、總評的失望，以及在政府加強鎮壓全學聯各派系的情況下需要某種合法的偽裝。」[290]不過，更精確的觀察應該還是來自在這場會議後的座談會上，京大教授作田一如下的描述[291]：

讀了各種學生運動或左翼政黨的報紙，完全都是用列寧主義的詞彙書寫，但與學生個別聊一下，雖然他們只能用那種詞彙表達，但我想他們確實還有不屬於那部分的東西。也就是說，那部分含有沒辦法融入既有組織的東西，而那些，來到了越平聯。

鶴見所說的原因，或許反映了一部分的事實吧。但也實際存在著一個面向：那些對以既有的馬克思主義用語構成的新左翼黨派感到違和、認為使用既有的詞彙也沒辦法表達不滿和願望、「找不到地方加入」的年輕人，因為能以個人動機參與，而聚集到越平聯來。換句話說，運動型態不固定的越平聯容許每個人都能以自己的解釋加入，因而得以接納那些想逃離無法用言語表達的「現代的不幸」的年輕人。

實際上立教大學的越平聯成員就在當時發行的獨立刊物寫道，對越平聯抱有「在新左翼黨派無法完全容納的某種東西」的「希望」。恐怕那所謂的「某種東西」，是他自身也無法言語化的事物吧。國際會議合唱《國際歌》，與其說是年輕人們相信社會主義，不如帶有一種借用既有的社會主義運動歌曲來表達自己的面向。吉川在日後的訪談中這麼說：「與其說學生把它當成革命歌，不如說是為了表達某種戰鬥情緒才唱的吧。」[292]

不過，各地的越平聯都持續有年輕人與年長者的對立狀況。一九六九年二月的越平聯全國懇談會上，有這樣的報告：「本來是女兒參與越平聯，但不放心讓女兒一個人參加，現在是全家越平聯，父親和女兒都從熊本來參加。」（玉名越平聯），也有這種報告：「市民與學生創立後，一直從事有創意的各種活動，但學生卻逐漸將行動升級，隨著活動激進化，市民也漸漸不參與，結果導致團體面臨解散的狀態。」（仙台越平聯）[293]

在大學越平聯的報告裡，也提到：「雖然有向工會和政黨提出共鬥的提案，但被共產黨說是三派系托洛斯基主義者而遭到拒絕。」以及在全共鬥運動中「想與校內的四托洛、FRONT共同推動以大學解體為目標的造反有理運動」等[294]。越平聯向來都被共產黨視為「托洛斯基主義者」，但由此可見大學越平聯也有與新左翼黨派共鬥的案例。想從新左翼黨派獲得認同安定感的年輕人，以及沒辦法用新左翼的用語表達自己內在的「現代的不幸」的年輕人，恐怕這兩者只是一線之隔。

各地大學的越平聯性格，依不同大學有各自不同的特徵。小中陽太郎如此記述一九六八年到一九六九年間大量成立的大學越平聯的樣貌[295]：

> ……（他們）製作標語和旗幟，辦過許多遊行。他們在手製的旗幟上寫上「立教越平聯」或「獨協越平聯」。
>
> 上智大學等當時承認越平聯為校外活動的大學，則使用頭文字：「J大越平聯」。新左翼黨派很強勢因此不太能存在的學校，則會隱藏大學名稱來參加。
>
> 東京女子大學越平聯的成員，戴著麻製的白色大帽子、穿著灰色的迷你裙來參加，東大越平聯的成員看起來總是很瘦。而即使說是越平聯，他們幾乎不來（越平聯定期遊行出發地的）清水谷公園，也有一些只是在校內戴著頭盔四處採取行動的團體。那種越平聯的特色，是演講時把我

們說成是「越平聯中央的右翼重組」且要「粉碎」我們，因此獲得許多喝采。其中（中核派的據點學校）法政大學越平聯幾乎像是獨立的黨派似的。

由此可見，既有忠於越平聯原本的原則的團體、也有對之採取批判態度的團體，有與新左翼黨派對立的團體、也有與新左翼黨派幾乎合為一體的團體。越平聯對於各地創立越平聯團體的時候沒有任何限制，因此存在各種越平聯團體。

一九七三年山口文憲回想，新左翼黨派介入大學越平聯的狀況愈發激烈，甚至有「只要提到『哪裡的越平聯又怎麼了』，就會有人說『那個越平聯，現在全都是革馬的成員』」的狀況。山口說：「只有神樂坂（東京越平聯事務所）沒有被誰奪走或搞派閥等」，但顯然大學越平聯的狀況不太一樣[296]。

然而，以小田和吉川為首的越平聯領導層的年長者，並沒有打算把越平聯變成像新左翼黨派那樣高呼革命的組織。八月的會議後，小田遇到的每個人都對他說：「越平聯變了呢」、「總算決定踏出變革的一步了啊」，讓他感到非常厭煩[297]。

小田在一九六九年九月的文章中這麼寫：「提到變革，人們似乎都會想到揮舞著武鬥棒喊著革命。我想要針對這種想法進行變革。」「『越平聯』還是會繼續舉辦氣球遊行、燈籠遊行。然後，與此同時，如果是情勢上的需求，我們當然也會在基地前面進行靜坐抗議。」意思是，就算存在是否將安保條約或沖繩納入視野的差異，但那也是從事反越戰活動「至今的『越平聯』運動理所當然的延長線」[298]。

吉川也在日後的訪談中說：「年輕人加入弄得吵吵鬧鬧的，但我倒從沒考慮過要改變我們的活動方式。」關於一九六八年八月的國際會議，他也說：「當時只覺得，松田先生，你也不需要那麼擔心喔！」[299]實際上，當時正值年長教授們遭到強烈批判的全共鬥時期，先不論各地的越平聯團體，據點所在的東京越平聯，經驗豐富的年長者成功與年輕人合作，成為這個時期稀有的運動體。吉川這麼回想能做到這點的理由[300]：

……我和那些幾乎每天都來越平聯事務所，一起準備、舉辦遊行的各位關係非常好。他們總是想向年長者學習，甚至也有人說「這裡就是我的大學」。另一方面，年長者也想試著把這些年輕人培育成下一個世代的承擔起運動的人，因此總是能幫的就盡量幫的態度。因此和他們來往，我想我們應該是比社會上一般的大人還更能理解他們的閉塞感。

但是也常常罵他們喔。例如，說是要「去看一下新宿集會，大概三十分鐘就會回來」就離開事務所的學生，過了三小時也沒回來。我們還以為他們是不是被逮捕了，一直很擔心，在事務所等到很晚。

然後那傢伙就一句「我回來了！太有趣啦！」就回到事務所，我可真是大發雷霆：「你不知道留在這裡的夥伴會擔心你嗎？為什麼打通電話也不會！我們甚至已經在想如果你被抓走要怎麼救你，想說你被拘留在哪個警察局，還想與律師討論！」他臉色一沉，說了「抱歉」。

事務所裡很多這種年輕人，我也以我的方式真誠地和他們打交道，所以彼此間沒有什麼矛盾或對立。就算覺得他們真是傷腦筋的傢伙，也覺得只要好好引導他們就會改變。

吉川還說：「我想，其他年紀較大的成員與年輕人的來往也差不多是這種感覺。要說這是越平聯的年長者得以和年輕人合作的理由，那我想應該也是吧。」「至少不會有人說，我是長輩，或我是有名的人來擺架子。」只不過，這與「個人原理」可以說是一體兩面：不喜歡這種引導方式的年輕人「就不會再來事務所了吧。那種人就請他們去參加別的團體。」然而，與那些為了明哲保身而迴避與學生對話的多數教授不同，誠實來往的姿態，滿足了年輕人們想溝通的願望，可以說是成功建立起合作關係的原因之一。

捧著花的抗議遊行

越平聯在一九六八年後半舉辦了各種活動。國際會議後，來自日本本土的二十七名志願者抵達沖繩，八月十六日時在嘉手納基地前靜坐，遭到美軍逮捕後，移送胡差市警察局，在統治沖繩的美軍民政府的退島命令下，被強制遣返回日本本土。[301]千葉越平聯，在九月二十九日包下一架小飛機，向三里塚的居民宣傳如果三里塚蓋了機場會有怎樣的噪音汙染[302]。九月十六日，遭美軍徵兵後送往越南的日本留學生清水徹雄，在回到日本休假時決心逃離軍隊，向越平聯請求保護[303]。

新左翼黨派在防衛廳和新宿引發騷亂的十月八日和二十一日，越平聯則獨自採取行動，發起「十月反戰行動月」，並成立「十月反戰行動執行委員會」。

十月八日，越平聯旗下的學生約兩百五十人到新宿車站月台遊行和靜坐，抗議美軍運送燃料。另外還有兩名越平聯的學生，不是投擲石頭和火焰瓶，而是發起企劃，採取非暴力直接行動，打算把白色油漆裝進蛋殼裡後拿來扔，因此把兩百顆蛋做成蛋包飯吃掉，並把裝好油漆的蛋事先放在新宿車站的寄物櫃，結果被警察發現，做了化學檢查，越平聯也第一次遭到警察搜索。裝了油漆的蛋，稱不上是凶器，這顯然是警察的騷擾，越平聯因此發起抗議[304]。

這年的十月二十一日是星期一的關係，重視市民參與的越平聯決定二十一日參加總評等團體策劃的共同行動，並在十月二十日星期天獨自舉辦遊行。二十一日的遊行，十月反戰行動執行委員會約三千人，學生越平聯集結了約四千人，和總評等工會合計約七萬人，遊行和平地進行。這場集會與遊行也強調「誰都能參加的遊行」，包含前來詢問「請問——我們也能參加嗎？」的OL等，也聚集了許多不是由工會動員的人們[305]。

二十日的遊行則展現了越平聯的特色。為了抗議美軍運送燃料，這天以越平聯為中心，約有四十個市民團體、約五千人聚集在新宿舉辦遊行。遊行隊伍準備了花與傳單一起發送給群眾，進行非暴力遊行。遊行隊伍有「牽著可愛的男孩和女孩的夫婦、日本山妙法寺的僧侶，捧著花束的少女，以及東大的日高六郎教授、紀實報導寫手的石田郁夫」等人也都參與其中。[306]

然而，由於有幾個新左翼黨派宣示會在二十一日出動到新宿，二十日的遊行沒有辦法取得途經新宿主要道路的許可，機動隊也排起鋁製盾牌包圍遊行隊伍。小中陽太郎是如此描述這天的遊行[307]：

> 人行道上雖然有成千的群眾聚集，卻沒辦法給他們一張傳單或一枝花。就算試著過去，也只是被鋁製盾牌冰冷地推回來。
>
> 不只是這樣。到了甲州街道的角落，我們被氣勢高昂的警察機動隊澈底痛扁了一頓。機動隊

對準腳把鋁製盾牌砸下來，看到不爽的人，就兩三個人把他圍起來，用盾牌蓋住，或揍或踢。這些都在一般人看不到的地方進行。

那時，前方車輛的擴音器傳來巨大的聲音。

「手上有相機的人往前！把每一個機動隊員都拍下來，請把現在正在打人的人拍下來。」是小田實。那天我們借了大台的宣傳車，坐在裡面的小田實大聲地吼著。

「遊行是民眾的權利！我們很弱，手上只有花。但是那些花不會輸給堅硬的鋁製盾牌。拿花去戳盾牌吧。如果有人敢出手，再怎麼輕微也都馬上拍下來，帶著相機的人，往前，相機往前！」

年輕人們一口氣湧向角落，女孩拿出花，驅散人們的盾牌，鏗鏘作響的盾牌。我們很弱小。但是，除了仰賴每一位市民凝視的眼神以外，我們沒有抵抗的手段。將近五千人的遊行隊伍，在小田實反覆的話音中，背著夕陽，緩慢地走上南口的大型陸橋。

小田一直喊著：「各位記者、各位業餘的攝影師們，請拍下機動隊的照片！」「現在，有人差點被機動隊搶走相機。為什麼不能拍照？警察竟然會偷別人的東西嗎？機動隊是小偷、強盜！」[308]沿路的群眾響起掌聲，機動隊員也對遞上花朵的女性感到困惑。

小中寫道：「從那之後，對於沒有武鬥棒的我們而言，花和相機成為最起碼的武器。」[309]某位學生看了這場遊行後說：「看著即使在物理上澈底被打敗但仍掙扎的姿態，我不得不想起自己」，因而決定要認真參與越平聯的活動。[310]拿著花的遊行，如後所述，在一九六九年也成了越平聯的特色。

越平聯的幹部似乎沒辦法對二十一日的新宿事件產生共鳴。小田的意見已經在第十三章介紹過，吉川也在日後這麼說[311]：「美軍的燃料運送車輛會經過新宿，因此想在新宿辦反戰遊行的心情我是可以理解，但我覺得應該採取稍微不一樣的戰術。比方說，與其侵入新宿車站點火，不如在鐵道上靜坐，阻止運送車輛通過，堅持不要離開一直到全員都被逮捕等等。」「我不贊成破壞新宿車站或電車。不知道為什麼學生不能採取別的戰術。」這是從五〇年代就開始參與運動的老手吉川的意見。

與全共鬥運動的關係

越平聯幹部對全共鬥運動的情感，似乎頗為複雜。也有一些曾經在越平聯活動的學生，直接或偶然地成為他所屬大學的全共鬥領導層級，進而深入全共鬥運動。前述的山本義隆在一九六六年時曾經擔任越平聯主辦的日美市民會議窗口，井上澄夫也擔任過一橋大學的罷課執行委員長，甚至還一度打電話給小中討論「該怎麼辦」等等。[312]

小中如此記述[313]：「似乎有種情況是，在參與大學越平聯期間，該團體就成了身處混亂的團體之一，爾後就加進全學共鬥會議。我們對這樣的年輕人，有時候感到羨慕，有時候則以一種痛心的想法遠遠地守望著他們。」

越平聯也在定期遊行期間支援日大全共鬥，拜訪日本大學工學部之際，獻上花束給被學生扔石塊而殉職的西條巡查部長，以「即使是警察機動隊，也是尊貴的人命，希望不要再有這種死亡案例」為旨，進行默哀。儘管也有一些據守校舍的日大全共鬥學生說：「做那種事太荒謬了」或發出噓聲，就連越平聯的遊行隊伍也傳出「太荒謬了」的聲音，但幾乎所有遊行參與者都加入默哀。[314]

此外小中在一九六八年十月底受邀到東大全共鬥演講，他說「雖然對學生們說，像這樣生氣蓬勃的參與意識才真的令人感覺到是校園」，然而「學生們的注意力已經完全放在鬥爭的戰術上。」小中又說：「這個時期以後，全共鬥真的已經進入『武鬥棒與破壞』時期，誰也沒有辦法阻止這個時勢，令人感到遺憾。自此已經沒有我出場的餘地了。」[315]

在安田講堂攻防戰中，學生們舉的旗幟當中，也混雜著幾面大學越平聯的旗幟。大學越平聯的成員裡，有人是佔據安田講堂的一員。[316]

《越平聯新聞》上正反兩面的投稿都有。某位東京女性的投稿說，她以為越平聯是無黨派的和平運動才參加了越平聯的遊行，但是「在東大鬥爭等，對那些被稱為是反日共派或托洛斯基主義者的團體，抱有高度善意且支援他們，對於近來這樣的越平聯，我嚴重覺得被背叛了。」[317]另一方面，也有投稿說，為了支援東大全共鬥，「越平聯打算採取什麼方式支援？」[318]

吉川在《越平聯新聞》上公開的回答如下：[319]

「可以篤定的是，越平聯的目的是終止越戰，但是關於大學問題或捷克問題，越平聯並沒有採取特定的態度。」「有些大學越平聯支持東大全共鬥，表明與全共鬥合作，這是基於該越平聯團體獨立的判斷所做出的決定。」「我想補充的是：現實問題是從去年以來，在六一五行動等，與越平聯或許多市民團體一起積極行動的『東大反越戰會議』，裡面許多年輕的東大研究生都加入了東大全共鬥，也有許多人遭到逮捕。上智大學、日本大學、明治學院大學等，在許多捲入紛爭的大學裡，越平聯成員對大學執行部採取批判的態度，許多人在鬥爭中遭逮捕、受傷或被起訴。一起參與反越戰運動的同伴遭鎮壓，因此在各個越平聯團體中發動了救援運動。」

大學越平聯中，也有以朝全共鬥運動前進為理由而宣告解散的團體。一九六八年八月的《越平聯新聞》上刊登了立命館越平聯的解散宣言：[320]

立命館越平聯發跡以來歷經一年半。這段期間，我們以反越戰為中心進行各種活動，而今，我們對於校內的活動感到強烈懷疑。立命館越平聯難道不是無視自治會民主主義——自治會內批判的自由與行動的統一——嗎？難道我們沒有荒廢生活場域的校園活動，只是喊著「市民！市民！」到處活動嗎？

七〇年安保就在眼前了，我們必須盡快統一戰線。因此我們決定應該盡快發動校園活動。我們過往都太偏向「越平聯」這個名號了。……眼觀內外各種狀況，我們認為，就此解散立命館越平聯絕對沒有任何負面影響。

一九六九年一月十五日的東大全共鬥機關報《進擊》寫著：「安田講堂聚集了許多決意發動戰鬥的同學，十日晚上十一點多，小田實、吉川勇一、小中陽太郎等越平聯成員，到安田講堂來激勵同學們。小田鼓勵同學們：『希望大家可以排除所有大學當局意圖結束事態的策略，也不要停止摧毀東大的行動、繼續奮鬥下去。因為只有戰到讓過往的東大不復存在，東大鬥爭才能真正成為改變社會的基石——』」[321]但是據吉川所說，他們的確有訪問安田講堂，談了團結與激勵，但沒有說出前述那些話。[322]

小田在安田講堂攻防戰後寫下的意見如下[323]：「共鬥會議，有向校園外面的市民表明自己的想法、想要達成什麼事嗎？」「我並不否定『佔領』。但首先，我希望那可以是讓一般市民進得去，得以自由地討論諸如什麼才稱得上是自主的新大學，並實際著手創造那樣的大學等『開放式的佔領』。」「或說，為什麼，佔領日本的大學沒有開放給美軍逃兵們？」

據小田所說：「坦白說，在共鬥會議至今的動態裡，看得見頹廢的新芽，而且這在日本各地的學生運動中，無疑都看得見那種頹廢的新芽。幾乎沒有對『佔領』的目的進行大眾議論，只不過像是趕流行似的發動『佔領』，不正是種明證嗎？」「特別是在警察機動隊進入之前的各種『武裝內鬥』更是明顯（我遇過一邊喊著「殺掉民青」、一邊之字形前進的學生們）。」據吉川回想，一九六九年一月訪問安田講堂的時候，小田「努力地說服東大全共鬥：為什麼不召集一般市民？只對學生訴求、與民青爭論是不行的。」[324]

小田在一九九五年的回憶錄中如此敘述[325]：「學生們對『佔領』感到亢奮。在大學外面無限寬廣的世界裡生活的市民，並不在他們的視野裡。」「我當時對他們有偏見。……覺得沒有靠自己賺錢養活自己的學生弄出來的學生運動，只是一種『遊戲』。」「如果是對這件事有自覺所發動的學生運動，我也會認真奉陪，如果沒有自覺，那我會希望他們停止。」「陪小孩或青年的『通過儀式』，我想適可而止就好。」「『自我否定』確實是重要的認識，方法為何，推到最極端的狀況，則可能變成『自殺』。如果沒有變成那樣，則會導致『轉向』，而且是一百八十度的『大轉向』。」關於小田如何批判性地看待前全共鬥的企業戰士，已經第十三章談過。

小田在同一個回憶錄裡還寫道：「因為我完全沒有學生運動的經驗，對學生的動向不甚關心。」

「對於『全學聯』、『全共鬥』等學生們的動向，在『越平聯』的運動中，我想我是保持最遠距離的其中一人。」安田講堂攻防戰後，針對鎮壓東大全共鬥，發起「市民立場」寄送抗議聲明的活動，與越平聯有關係的知識分子都參加了連署，但小田並沒有參加。據小田所說，抗議聲明是「我們將以全共鬥學生的行動作為自己的指針活下去，我們將繼承他們的行動，之類的內容」，而「我沒辦法用那種方式生活，而且也不覺得應該那麼做」，因此拒絕連署。[326]

順帶一提，這篇聲明文章是由引介法蘭茲・法農（Frantz Fanon）進日本的海老坂武起草文案，內容包含批判東大教師。由於不少越平聯相關人士連署這篇聲明文，因此與丸山真男等人逐漸疏離。[327]這個事件可以說是越平聯處於年輕人與年長知識分子之間一種微妙位置的象徵。

吉川在日後這麼說[328]：直到安田講堂攻防戰前後，對全共鬥運動還算是有好感，「在安田講堂攻防戰透過電視全國播送以後，導致佔領大學成為一種流行，變得好像不用街壘封鎖就趕不上流行，雖然不知道是為了什麼但總之就搞下去。當然其中也有像日本大學那樣提出切實的要求、真的算得上是鬥爭，但是事態演變成那樣就沒辦法再支持了。」如後所述，吉川反對不考慮政治效果，只是「確認自我的運動」而與機動隊產生衝突的行為，對全共鬥運動似乎也抱持著相同的看法。

總的來說，年長幹部們的意見為：部分贊成全共鬥的主張，並對各大學越平聯的成員參加全共鬥運動一事抱有親近感，但並不認為他們有踏實地努力說服一般市民，對於只是「確認自我的運動」而「佔領」或武裝內鬥無法苟同，但因為越平聯的原則是「個人原理」，所以也沒辦法阻止他們。因此對於加入全共鬥運動的越平聯學生，他們只能帶著「痛心的想法」守望。

援助逃兵的實情與間諜

越平聯在一九六八年最後的事件，是一九六八年十一月五日，因美軍間諜潛入的關係，逃兵未能成功出國，導致逃兵與JATEC成員山口文憲遭到逮捕。

按照計畫，預定將逃兵用漁船從北海道的釧路帶到海上交給蘇聯的船。山口是預備學校的學生，他與邁爾斯（Meyers）、強森（Johnson）兩名逃兵在往釧路途中的弟子屈町，但強森突然行蹤不明，日本警察開始跟蹤他們。雖然美軍士兵的出入境不在日本政府管轄之內，但如果美軍要求，日本警察必須提供協助。而強森其實是間諜，密告了邁爾斯和山口的所在地。

山口寫下被警察包圍時、即將被逮捕之前與邁爾斯的對話：329

我簡短地對他說被逮捕時的事，並向他道歉：「事情變成這樣，真的很遺憾。請原諒我。」他插話說：「不，這不是你的錯。包括你在內，日本的人們真的很親切，我打從心底感謝。」

我繼續說，追求世界和平與自由的人們，一定會為了救你而站出來，一起奮鬥下去吧！希望激勵他的勇氣。

「沒錯，正確的事終究會勝利。我會在法院戰鬥到最後。我不會忘記你們。也許做不到，但希望以後可以在哪裡再相會。」

語畢，他握緊了我的雙手。

之後，邁爾斯被移交美軍，山口也以違反速限被逮捕，並被冠上假的持槍嫌疑。這個事件以後，行經蘇聯的路線被發現，再加上如前所述，蘇聯方面只接受核動力潛艇船員的關係，行經蘇聯的這條路線就不能再使用。

這個事件造成巨大的打擊。藏匿逃兵的家庭被警察調查，也有通報協力者任職單位等的騷擾情事。努力保護的逃兵被逮捕，造成ＪＡＴＥＣ「成員澈底喪失鬥志」，一時之間ＪＡＴＥＣ陷入崩壞狀態。[330]

據吉川所述，蘇聯路線被截斷後，進行了各種討論：[331]「包括小田實在內，主要的成員都非常拚命。中國如何？古巴如何？印尼如何？嘗試了所有可能性。到香港以後，與黑道搭上線的話應該買得到護照吧？有沒有辦法藉由日本的黑道與香港的黑道聯繫？等等。」結果，日後雖然採取透過前述以偽造護照搭上飛機送往法國的方法，ＪＡＴＥＣ不久就將活動重心從協助逃兵逃到國外，轉移到以在美軍內部進行反戰活動或良心拒絕服兵役等、訴求「解體美軍」為主。

將活動重心從援助逃兵轉移到鼓勵美軍內部的反戰活動，是因為比起協助逃兵個人，軍隊內部的反戰活動效果比較明顯，另外也是因為援助逃兵的負擔比較大。不只是從日本逃到國外，要找到能在出國前的國內藏匿住所也不容易。要和因為會被送回越南而心理狀態不穩定的逃兵相處，也非易事。

吉川在日後寫道[332]，在替逃兵找落腳處時，「有完全不懂英文的人自願說，如果不在意房子狹小的話可以來，另一方面，也有針對反體制運動發表過優秀論文的評論家，拜託他收容一名逃兵三天就好（這對我們來說，是拚了命的請求），結果對方說鄉下的親戚突然要來家裡住，或小孩生病等等，令我感受到在這場運動中，可以看清楚每一個人最赤裸的樣貌。」藏匿逃兵的市民或ＪＡＴＥＣ的成員也說：「在越南殺了不知道多少解放戰線士兵的十九、二十歲的年輕人，要和這些活生生的人類、而且還得一邊避開警察的耳目與他們二十四小時相處，看起來或許是很高明的運動，實際上是給精神與肉體帶來極大負擔的活動。」

一九六九年七月號的《越平聯新聞》上，刊載了以下文章[333]：「從逃兵支援者的筆記來看，逃兵是非常像人類的人們。有些要女人，有些要酒，完全不聽勸告，跑到外面閒晃。要求起來完全不客氣。也有些人有性病。其中也有人不知廉恥地說：『從現在開始，我和反戰運動沒有任何關係。』如果把這想成只是單純的慈善活動而援助逃兵，任誰都會覺得被背叛而感到失望吧。」辛辛苦苦送到瑞典的逃兵中，也有無法融入國外生活而回去美國、被處以重度勞役刑責的案例。

事實上，大多數美軍逃兵都不像最初無畏號的四人那樣，具有明確的反戰思想。負責援助逃兵活動的越平聯成員的文章如此描述[334]：

「最具決定性的就是逃兵既非英雄也非聖人。」「某逃兵經常聊大麻的事，某逃兵則是連日本中學生都知道的單字也拼錯，而且也只能寫出像蚯蚓扭動般的字。即使自己是接受幫助的一方，他們絕對不會感到不好意思，也毫不客氣，有什麼事就說『這是我的作法！』令人感到束手無策。」「毒品成癮的P逃兵，給我們帶來非常多麻煩。他逃離JATEC回到美軍，又再從美軍逃出來、向我們尋求保護的時候，負責的小組對於要不要接受有正反不同的意見。……贊成的成員說：『最後是賭一把在（人類）上了』。結果P在幾個月後又逃離JATEC，在街上閒晃的時候遭到逮捕。」

一九六八年八月，將三名逃兵引介到鹿兒島縣吐噶喇群島的諏訪之瀨島上的嬉皮公社躲藏的阿奈井文彥如此回憶[335]：「這三人知道的日文單字只有三個：『好色』、『小姐』、『好美』。他們用這三個單字與年輕女性搭訕。」「『完全不能不看著他們，他們會擅自騎著腳踏車到處晃，非常顯眼。』吉岡〔忍〕因此感到很厭煩。」

他們在嬉皮公社躲了約兩星期，其中一名嬉皮回憶道[336]：「我們也不是不關心越戰，對於拒絕殺戮而逃離軍隊的士兵也抱著敬意。但是躲在諏訪之瀨島的三人，完全不是那麼回事，他們沒有反戰思想，只是對長官動了手而不得不逃走的無賴。」「很糟糕的一群人。與嬉皮或公社完全沒有關聯，大概只比關禁閉室好一點。肚子餓了就晃到廚房，想吃肉就拿著菜刀追雞。」「為了這些小鬼，全日本的運動人士拚了命進行救援活動，想到這點就打從心底覺得像笨蛋似的。」

一九六八年十一月，邁爾斯遭逮捕後，許多JATEC成員喪失鬥志，部分也是因為背後有像這樣的逃兵狀況。邁爾斯逮捕事件後，JATEC內有如下議論[337]：「說穿了逃兵們對美軍來說是多餘的沒用的人，我們辛苦地照料他們，不是剛好幫忙強化了美軍嗎？……比起犧牲的程度，政治效果令人存疑——諸如此類的意見，成為脫離這項活動的契機。」

但是與此同時，與逃兵的相處，也給那些幾乎被經濟高度成長的繁榮淹沒的年輕人，一個重新審視自己的機會。前述一九六九年七月號的《越平聯新聞》文章裡，除了在逃兵支援者的筆記中記載了逃兵赤裸裸的姿態以外，也有如下段落[338]：

「但在筆記發現了那樣赤裸裸的逃兵姿態，反倒也有樂在其中的部分：首先支援者是為了拯救自己才協助逃兵，因此可以將逃兵的人性與自己放在同一個平面上看待，所以可以和逃兵平等地對立、吵架、和解，進而超越救人與被救的關係，得以一窺個人與個人的連結。能夠對不是英雄、只是無可救藥、毫無廉恥的異國年輕人伸出援手，若因此失敗被關進監獄也不後悔。」JATEC的年輕人即使知道逃兵的真實面貌還能繼續行動，想必是透過這種與他者的「連結」而能獲得「拯救自己」的喜悅之故吧。

其實JATEC的年輕人曾經對強森是間諜提出質疑。但是幹部的「大人們」把意圖排除強森的年輕人意見壓了下來。當時JATEC的年輕運動者吉岡忍，在一九九七年的時候如此寫道[339]：

> 我的工作是，在最初接受逃兵後，把他們帶到普通、不起眼且願意隱藏他們的市民家裡，其中只有在帶著強森移動時有令人感到奇妙的事：一定會有人跟蹤。……
>
> 我把這件事向由小說家、哲學家和評論家等長輩們組成的高層——當時我稱呼他們為「大人們」——回報，我說：「這個人很可能是間諜，如果繼續包庇他，活動或逃亡路線可能會遭到毀滅性的打擊。我們應該放他走。」
>
> 但是，我的主張很快就被否決，大人們說：即使只有一點點他不是間諜的可能性，就應該支援他。即使真的是間諜，我們也甘願承受。
>
> 我為此和他們鬧了脾氣。而這情緒轉為憤怒，是在讓強森與另一名逃兵從北海道的漁港逃出國之際，陪同的兩位同伴遭到逮捕的時候。……所以我當時不就說了嗎？這是大人們的錯誤判斷，一種鬱悶殘留在心底。
>
> 但是，這個時候被救的反而是我。
>
> 事後我想想，如果我堅持間諜的主張，強硬要求放走強森，那之後會發生什麼事？
>
> 每次接受新的逃兵時，我大概都會對他是不是間諜疑神疑鬼，也會澈底懷疑藏匿逃兵的人

吧。也可能會對身邊的夥伴說：你根本不認真。這種不祥的氣氛會立即蔓延到全體，間諜這個詞是具有這種魔力的。

那正是將組織存續列為首要考量，追求運動的純淨度的時候，必定會發生的事。最後就會導致肅清，甚至是慘烈的私刑或殺人——聯合赤軍事件或奧姆真理教事件，都有在事態即將暴露前，同伴之間就開始疑神疑鬼、相互殘殺的情況。

如何處置間諜潛入，並不只是援助逃兵的問題。一九六九年八月，東京越平聯的事務所搬到神樂坂的出租辦公室，每週二召開俗稱「閣議」的管理人會議。據吉川所說：「這誰都可以參加，沒有資格限制。最初是從六點開始，後來越來越晚，變成晚上十點才開始，結束的時候已經是凌晨兩、三點。議題也很多樣。有時候是宇宙論、哲學、農業的現狀、數學中關於無限的定義，有數學學者、哲學學者參加，話題無止境地擴張，變成像知識沙龍似的。」[340]

但是，「誰都能參加」的「閣議」，也引來疑似公安警察的間諜加入。但是吉川在學生時期，親自面臨過共產黨所感派的學生在審問國際派學生後動用私刑的事件，下定決心「不要再重複那種事」而參與越平聯的活動[341]。吉川打電話給人在京都的鶴見俊輔討論，鶴見給了如下意見[342]：

首先，冠上「這傢伙是間諜」的嫌疑後，集體式地聲討、批鬥這種事，不要做。……

雖然花錢也花時間，在事務所閒聊以後，總之就去到處吃吃喝喝，要到不同的店吃飯喔，如此一來，被認為是間諜的傢伙，體力被消耗殆盡、錢也用完，自然而然就會脫隊了（笑）。

就這樣到了早上四、五點左右，就只有老成員留下。重要的議題、不能被間諜聽到的討論都最後再進行。吃倒他的作戰（笑）。雖然很累，但是是民主的作法喔。

努力的結果是，越平聯內部沒有發生審問、私刑或武裝內鬥、分裂等狀況。這可以說是「大人們」的智慧與經驗，成功地將年輕人們的能量順利地導引到水道上。

新宿西口的民謠游擊隊

一九六九年是越平聯在動員數量上達到高峰的一年。根據鶴見俊輔的回想，越平聯八年的活動期間，「一九六九年左右是最艱難的時期」[343]。就結論來說，是因為下述狀況所致。

一九六九年時全共鬥運動也進入退潮期，新左翼黨派的街頭鬥爭也漸漸遭到鎮壓。喪失去處、「找不到地方加入」的無黨派學生們，大量流入越平聯的遊行。因此增加了越平聯的遊行人數，然而，新加入的學生們對越平聯作法感到不滿足的傾向逐漸增強，而這不滿轉為批判年長的幹部們。越平聯因此在一九六九年時達到動員能力的高峰期的同時，也面臨運動體的危機。

接著將討論這個高峰與危機，但是在這個小節將先記述「新宿西口民謠音樂游擊隊」，其在一九六九年越平聯的活動中頗受矚目。

一九六九年春天的「新宿西口民謠游擊隊」的起源，據說是來自一九六八年末，關西越平聯使用吉他的街頭行動。一九六八年十一月七日，關西越平聯邀請小田、吉川、鶴見俊輔召開專題討論，小田談了關注安保，鶴見則提了大村收容所的問題等。但是，覺得貼海報和發傳單的宣傳效果有限，就到大阪的鬧區梅田地下街演奏吉他，吸引路人駐足討論[344]。這場討論會，日後被稱為「梅田地下大學」。

在此應留意的是當時的吉他價格。山葉從一九六六年開始在國內生產使用鐵弦的民謠吉他，定價一萬八千日圓。除此之外，只能用二、三十萬日圓購買美國製的吉他，或者是到當鋪買美軍流出的二手吉他。無論如何，在大學畢業生的薪水約二、三萬日圓的當時，吉他屬於高不可攀的樂器，一般人沒有什麼機會聽到吉他的現場演奏。雖然在之後吉他逐漸大眾化，在一九六九年時，日本國內已經約有五百萬支吉他，但是吉他的現場演奏還是可以充分吸引路人目光。

關西越平聯取得這次成功後，發起在十一月十日名為「為了越南與沖繩的十小時」的企劃，作為籌備階段，八日和九日都在梅田地下街舉辦民謠集會和討論會。十日從早上九點半開始，在中之島公園舉辦民謠集會，約一千人唱著民謠、沿著御堂筋遊行，晚上也再次到梅田地下街舉辦民謠音樂會和討論會。[345]

一九六八年十二月，以《考生憂鬱》出道的中川五郎為首，在京都也舉辦了約三百人參與的民謠音樂集會。結束後，他們加入四條通的高中生等，一邊合唱《我們終將勝利》和岡林信康的《朋友啊》、一邊走向市政府。一位高中生說，這場「令人感動的」集會和遊行的「『價值』，絕對不只是自我滿足，而是銘刻在每一位參加者的心中。」[346]

關西的民謠部隊，在十二月二十八日的遊行時來到東京。這場遊行為了反擊警察總是用交通管制為藉口，提交申請的時候，將遊行冠上「史上最長的名稱」：「絕對不會之字形前進，不會妨礙交通，不會造成店鋪的困擾，會排成兩排，拿著花反對越戰，反對美軍油罐車通過的遊行」[347]。

這場遊行申請，除了是嘲諷警察的智慧型犯罪式的作為外，也是來自越平聯內部的狀況。據越平聯年長幹部古山洋三所說，十月二十一日剛發生新宿事件，因此考慮過「誰都能參加的遊行」，但年輕人「對日共派那種『整齊的遊行』反感，又或者是被稍微意氣用事的『不就是被說會破壞一致性嗎？』刺激到」的關係，就用這個運用機制的方式讓他們接受[348]。

公安委員會方面極度不悅，但還是給了行經新宿鬧區的遊行許可。當天約一百五十人，從新宿ＫＯＭＡ劇場前出發，一邊把花和傳單發放給沿路的人們一邊前進。這個時候，來自關西的北攝越平聯的吉他部隊三人唱著歌加入遊行。過去惱於警察機動隊管制的某位參加者這麼寫著[349]：「有幾個月沒有這種解放感了？每個人、每一個人的表情看起來都開心得不得了。有人說『看起來越平聯也終於發瘋了啊』，但這種遊行真的從來沒看過。」

參加這場遊行的山本晴子，高中畢業後就業，在基督教派對慈善活動中，參與過送醫療物資給越南孩童的活動，因為感覺可以做更多，在一九六八年十月後才參與越平聯的定期遊行。日後成為「民謠游擊隊歌姬」的她，寫下這天對遊行吉他部隊的印象[350]：

> 我想：「大阪人們的運動真是太棒了啊。」不知不覺我也加入他們，拿起了麥克風，對那些路過這裡、和我一樣的年輕女性、下班回家路上的上班族、學生、發了傳單卻不看一眼的人們，試著用民謠傳達，我總覺得一定可以讓大家一起思考戰爭、社會矛盾。

東京越平聯也在一九六九年一月十一日，於社會文化會館大廳舉辦「六九反戰民謠音樂與討論集會」，由中川五郎和高田度舉辦民謠音樂集會，以巴布・狄倫歌詞譯者聞名的片桐讓等人則與小田共同舉辦研討會。但是，東京越平聯的高野光世這麼寫道[351]：「唱歌的人與不唱歌的人，感覺彼此任務分割得太過明確的一天，戴著頭盔、喊著唱歌太荒謬的人們，與唱著反戰民謠的人們，兩者之間到底要如何連結？」

一九六七年瓊・拜亞訪日之際，鶴見良行寫了名為〈「志」之女〉的瓊・拜亞論[352]。訪日的瓊・拜亞說：「首先我是人類，其次我是和平的鬥士，最後我才是一名歌手。」而鶴見主張，民謠在美國公民運動中扮演巨大的角色，所謂民謠（folk song）是人民（folk）的歌謠，原本並沒有區分是職業還或業餘。

據鶴見所說，美國的民謠粉絲有三種，第一是公民運動的參加者等「生產者也是消費者，原則上是最純粹的類型。」第二是「被視為垮掉的一代的反社會青年」，「作為一種心理壓抑的抒發而愛好民謠，實際上並不參與運動。」第三是「將民謠視為歌曲，單純喜好這種歌曲的純粹消費者類型」。鶴見認為民謠應該以第一類為原則。

民謠就應該是民眾的歌，這個論調在當時的日本屬於主流。高田渡一在一月十一日越平聯主辦的民謠集會結束後這麼說[353]：「我對於民謠變得像流行音樂的風潮有抵抗感。真正的民謠，可不會那麼容易就流行起來隨後就消失、不是那種東西，而是一種更深奧的東西……」

就這樣，在當時的日本民謠界以及越平聯周圍的人們普遍認為，民謠不是聽眾單方面地消費職業歌手的歌，而是演奏者和聽眾成為一體共同創造出來的folk（民眾之歌）。十二月二十八日的遊行，看到北攝越平聯的吉他部隊而深受感動的山本，與其他有共同感想的東京越平聯成員交換意見，考慮也在東京街頭舉辦民謠集會。一九六九年二月，關西越平聯的吉他部隊以「Fold Caravan」為名來到東京。他們在新宿西口舉辦民謠集會的時候，幫忙發傳單的東京越平聯年輕人說：「就是這個！就這麼做吧！」[354]

新宿西口的地下廣場，基本構造至今依然沒變，是小田急線、京王線、國鐵（現ＪＲ）等路線的通道，頭上的圓頂之上有大型道路，有個數百公尺的四方空間。如同在第八章所述，一九六八年一月佐世保鬥爭之後，那空間成為三派全學聯的學生向路人募款、與路人討論的地方。根據一九六八年三月的報導，即使沒有募款的學生，到了傍晚，路人與學生也會自然聚集在此，組成數個討論小組，成為議論佐世保或王子鬥爭、安保或越戰的空間。[355]

這個狀況在一九六八年後更為擴大。根據一九六八年四月的報導，這些討論俗稱「全學聯Teach-in」，在御茶水和池袋等地也零散地出現，但還是屬新宿西口地下廣場最興盛。當時的報導這麼寫著[356]：

「新宿西口的地下廣場，幾乎每天都持續著討論集會，成為小有名氣的景點。」「隨著討論進行，會依不同的小組討論不同的話題。這邊可能是討論成田機場的問題，那邊可能是越南，在參加者裡也有人遊走在不同主題的每個小組之間。不只如此，到了十點左右學生差不多離場後，市民們經常會繼續討論集會直到十一點多。」

如同在第一章所述，當時的東京有大量上京的青壯年男性，娛樂也不多，在第八章等已經討論過，這是遊行能聚集「群眾」或「看熱鬧的人」的背景要素。但是他們也渴求可以溝通或討論的場所，因此新宿西口地下廣場，就這樣成了他們的「廣場」。

當時的新宿西口還不是高樓大廈群聚之地，稍微離開新宿車站，也只有淨水廠和草原。一九六六年十一月，浮現新宿西口各電車路線連通道的再開發計畫，連通道的滙集空間被稱為「地下廣場」，但設計者並沒有在此創造「廣場」的意圖，只不過是「為了避免路人擁塞（而設下寬廣）的空間，偶然被稱為廣場」而已[357]。

此外，事實是「在法律上來說，這種公共的土地，在日本只有明定道路和公園，原本就沒有所謂的『廣場』存在。」[358]「廣場」沒有法源一事，如後所述，警察在對民謠集會進行管制時也利用了這點。

一九六九年初開始，出入東京越平聯事務所的年輕人，開始思考要在哪裡辦民謠集會。然後，他們第一次拿著吉他到新宿西口，是二月二十七日[359]。爾後便開始在每週六傍晚舉辦民謠集會。而不知道從什麼時候開始，他們便自稱「東京民謠游擊隊」。

選在新宿西口，似乎也只是偶然。高野光世在東京藝術大學學小提琴，覺得不滿足而參加民謠游擊隊，他在一九六九年這麼寫道[360]：「我們選上新宿西口的地下廣場時，並沒有明確的理由。當然，的確是有路過的人很多，以及地理位置上靠近（當時位於信濃町的越平聯事務所）等優點，但其實澀谷也行、池袋或數寄橋也可以。」民謠游擊隊的成員伊津信之介，在一九七〇年四月時寫道，二月在西口開始演唱的時候，「我們腦中並沒有所謂廣場，也沒有想到會變成幾千人的集會。」[361]

然而，如前所述，新宿西口地下廣場從一九六八年初開始，就成了學生募款或熱中於討論的市民與年輕人的「廣場」，對民謠集會而言可說是絕佳的地點。一九五〇年生的堀田卓，他在一九六八年十一月開始參加東大鬥爭，說「開始找不到去大學的意義」，並如此描述他們開始演唱那時的西口地下廣場[362]：「反映出去年以來校園鬥爭高漲，募款和署名活動非常活躍。二月的寒氣仍像刀割般令人難以忍受，但來往於廣場的人們，對學生們的視線卻未必冷漠。一．一八、一九的安田講堂鬥爭、神田拉丁區鬥爭時衝撞機動隊的學生們，頭包著繃帶並戴著頭盔，來到廣場辦募款活動，人們圍著學生，四處都有討論的小圈圈。」

在這個狀況下，他們的首次演出顯得生硬。他們從來沒在人群前唱過的歌，淹沒在募款學生的吶喊聲與討論的話音當中，沒有人停下腳步。當時二十二歲的小黑弘在一九六九年時這麼說[363]：「第一次表演時，頭一直低著看吉他，儘管腦中知道自己已經下定決心要上街頭，但還是覺得很不好意思。」

考上東海大學的伊津信之介說，「實際上大學後，發現沒有地方有一點活力，覺得很驚訝」、「去了一次課堂後覺得很反感」，之後便開始參加越平聯活動，他在一九六九年寫下這樣的文章[364]：「我記得第一次在西口唱歌，真的覺得很難為情，那實在是很糟糕的演出，別人看起來如此，自己看起來也是。」

但是他們往後漸漸地找到在街頭唱歌的感覺。伊津如此回憶[365]：

> 看看街頭的民謠演出，關西的人們充滿自信。他們的民謠有充足的魄力，讓我們感受到「就是這個！」但是如果說我們也要嘗試做到那樣，那似乎就有哪裡不對。最初那陣子，如果靠過來聽我們的歌，會發現我們其實唱得不差，但在集會當中就顯得缺乏魄力，大阪那群人則渾身是勁，很顯然就是拚命在唱。我想在初期這種差異蠻明顯的。

這導致沒有什麼人停下腳步。但隨著演出的次數增加，我們的聲音也越來越大，從認真照譜彈吉他，漸漸變成能更自由地彈奏。

就這樣，他們只要唱歌，就有人停下腳步，三月時約一百人，四月約有三百人，到了五月已經能吸引約五百人圍觀。堀田說，三月左右開始，「警察開始會過來說：『你們，真令人困擾欸』」，民謠游擊隊的成員室謙二說：「人數聚集得越多，警察的騷擾就會越頻繁」，儘管如此，這個時期還「沒有那麼組織性地進行活動」。[366]

他們唱的歌除了越平聯一直以來都會唱的《我們終將勝利》以外，岡林信康唱的關於連帶與勝利之夢的歌《朋友啊》、高田渡諷刺自衛隊的《加入自衛隊吧》和改編版《加入機動隊吧》、中川五郎的《考生憂鬱》的改編版《機動隊憂鬱》、揶揄首相佐藤榮作《小榮敘事曲》等都是定番曲目。這些都是當時被稱為「抗議歌曲」、聽眾也容易記住的曲子。

例如《加入機動隊吧》的歌詞是[367]：

討厭遊行的人　就來機動隊
警棒催淚彈噴水車　反正就是打爆遊行
用警棒和頭盔武裝　拿好巨大的鋁製盾牌
用力毆打學生的頭　沒有比這更帥氣的工作了
加入機動隊　加入吧　加入吧　加入機動隊就是天堂

他們發了自製的歌詞本和聽眾一起唱，在換歌的空檔演講，漸漸地「圍觀的人越來越多，就連歌詞本也能用一本五十日圓義賣募款。」[368]

唱抗議歌曲，而且還得和聽眾一起唱，這從他們寄託在民謠上的思想來說至關重要。吉岡忍是當時《越平聯新聞》的總編輯，一九六九年編了《誰是民謠游擊隊》，他對日後想唱民謠的年輕人們寫道：[369]

只要唱的歌是民謠，大概就會唱到戰爭、特別是越戰、我們在這場戰爭中的責任、安保條約等等，或是「什麼是活著？」「什麼是愛？」等困難的問題也會出現在曲子裡。

什麼是活著？什麼是愛？這些都是人類有史以來既哲學又日常的問題，不是什麼可以輕易回答的問題。越是拚命地把你們現在思考的問題傳達給別人，圍著你們的幾十、幾百的人們也會被帶進那些問題裡。……如此一來，你們最初創造出來的「人類的圈圈」裡，所謂民謠游擊隊的核心將會消失（說得好聽一點就是不再先鋒吧），肯定會漸漸成為一個漩渦。

不同於「先鋒黨」領導民眾的位置，越平聯的運動論，是創造一個人們自發性參加的「人類的圈圈」。此外，民謠也被認為是年輕人們面對「現代的不幸」或「人的異化」的一種克服手段。小黑弘於一九六九年時如此寫道[370]：

我可以很明確地說，這種Protest Song（社會抗議的歌曲）才是Folk Song（民眾的歌曲）。因為沒有生產手段，沒辦法在自身當中將自己客體化、喪失人類特性的勞動者；不得不執著於家庭生活中心主義的上班族；煩惱拿到幾個「優」、因量產教育被迫喪失缺乏批判能力的學生；因為我們視現今體制下總是被壓榨、壓抑的人們才是真的民眾，如果真是如此，他們和我們的思考，幾乎可以說全部都能成為社會抗議歌曲的題材。例如針對意圖維持日本帝國主義的壟斷資本家、與這些資本家勾結的佐藤政府的批判歌聲，才是從心底流露的民眾之歌。

小黑在此使用了馬克思主義式的用語，在他因煽動民謠集會遭逮捕起訴後所寫的〈被告人意見陳述書〉中，則變得重視「交流」[371]。他說：「現在在資本主義經濟體制中被層層異化的我們，沒有任何交流，人們即使在滿員電車中面對面，也沒有產生任何溝通。」「誰都希望溝通可以復活，簡單來說是渴望綠洲，那種地方、那種綠洲，正在新宿西口廣場形成。」「滿員電車上充滿無精打采的面孔，在通往公司的輸送帶的終點或是途中，有個綠洲。」

免費參加的民謠集會，也被視為是拒絕巨大資本單方面給予的文化，並且得以自己創造「民眾的文化」。小黑在一九六九年五月這麼說[372]：「租個場地、要聽眾支付高額門票，不能說是在唱民謠，我們追求的舞台，是誰都能輕鬆來聽、來唱、來聊，屬於民眾的場地。像這樣在街頭唱抗議歌曲的時候，我們感覺這超越了至今的支配文化，感受到被支配者的民眾創造了自己的文化、獲得自己的文化的過程。」

高野光世也在一九六九年的時候這麼說[373]：「我們從三月以來一直在街頭唱歌，我們的目標是透過歌曲向路過的人們搭話——藉此恢復喪失的交流，藉由歌曲打開封閉的心扉，現在，這些都在舞台或門票的框架中逐漸被抹殺，我們想將所謂的『音樂』就那樣直接扔進日常生活中，試著讓曾經活著的音樂再生。」

對於仰賴門票、唱片銷售量為生的職業歌手來說，很難接受他們這種對「商業主義」否定的態度。誠如在第一章所述，在新宿西口的民謠集會中，並沒有職業歌手出沒，然而，在民謠游擊隊的想法裡也不需要「職業歌手」（乃至「先鋒」）。

直到一九六九年五月初，他們的民謠集會大約是數百人的規模。從民謠游擊隊一九六九年當時的筆記來看，這是他們覺得最開心的時期。伊津信之介如此回想：[374]「對我而言，五月中旬的民謠集會令人難忘。我想當時大約有五百人左右聚集圍觀，最後唱《我們終將勝利》時，人們高聲歌唱了好幾次，這才真的是人類的吶喊。這才是民謠啊！在我們心裡留下非常深刻的印象。」

根據室謙二，當時的日常大致如下[375]：「大家在每週五通宵做歌詞本。……演出結束後，大家一起到西口的「鯨炸屋」（鯨魚炸物，當時的一種廉價料理）討論。」

伊津也在一九六九年的時候，如此記述當時的樣貌[376]：「演出結束、討論到十點過後，大夥到國鐵電車鐵橋下的鯨炸屋吃飯，這是每天的例行公事。邊吃邊聊說：『今天那位大叔捐了一千日圓啊，回家搞不好要被老婆罵了』，或一起唱起新歌，可說是非常愉快的總結會議。」「我還記得當時那種真切地活著的感覺。」

但是從三月開始便出現關於集會方式的討論。當時小黑的筆記中記述著：「不夠大聲的話就沒辦法引起注意，所以開始做發聲練習。」，而同時也有「民謠是喊話還是煽動，成為討論的主題。」[377] 討論的契機是因為出現一些受到民謠集會刺激的聽眾，表示想要參加越平聯。據小黑所述，三到四月之間，「常來參加、一起唱歌的『熟客』漸漸增加，在集會結束後，來問越平聯事務所所在地的人也越來越多，他們有些是想學唱這些民謠，也有些說是想在自己的學校發起游擊隊，或表示對越平聯運動產生興趣等等，各種人都有。開始覺得民謠集會似乎成為越平聯的窗口。」[378]

一九六九年四月號的《越平聯新聞》，記載了在三月時，以民謠游擊隊為首的越平聯年輕人的討論[379]：

> 事務所的整理差不多告一段落後，到處都有人討論各種話題，大學鬥爭、交通事故、電影裡的親熱畫面、指出定期遊行的僵化和反對的聲音、新聞報導偏頗、酒店裡的裝潢、大學入學考、hi-lite和HOPE香菸的味道、性愛的話題、山谷的話題、關於馬庫色（Herbert Marcuse）、《平凡Punch》和《週刊Playboy》哪一個比較有趣、然後是小田實關於「現代史」的話題……。
>
> 也有關於民謠的討論，例如——
>
> 「民謠是一種喊話？還是煽動？」
>
> 「我指的是，民謠到底是一種獨立的歌曲嗎？還是一種政治手段？」
>
> 「所謂民謠，是一種美好的藝術啊，我覺得。」
>
> 「照你這樣說，我想民謠不應該大吼大叫，而是應該喊話。」
>
> 「說起來，我們到底為什麼要在新宿的廣場唱歌？」

「剛才不就說了嗎？是因為想要交流不是嗎？」

小黑如此整理爭論中的分歧。其中一方認為，「民謠集會成為越平聯的窗口沒什麼不好，應該利用這點，在人們聚集的集會上介紹、宣傳像越平聯這樣的市民運動。」另一方則認為，「民謠集會不應該成為越平聯的窗口，而應該深化民謠集會的內涵。」據小黑所說，雖然「這場論爭沒有得到結論」，但最後的共識是：「先用我們的民謠歌曲吸引人們，如果這些人來了以後，不只是唱歌，而願意參與越平聯的定期遊行，或者其他的街頭運動，那不就太好了嗎？」[380]

然而，從四月左右以後，出現兩方矛盾的徵兆。一九六九年五月號《越平聯新聞》的編輯後記中，記載了同時參加民謠游擊隊的「Young越平聯」遊行的故事：[381]

有個女孩子，大叫著「為什麼不能唱國際歌？」然後逃離遊行隊伍。這是在四月二十日、Young越平聯舉辦的第一次「民謠遊行」中發生的事。那位女孩子大概是高中生年紀，穿著長褲和運動外套（在伴隨暴力抗爭的遊行中常見的女性服裝）。她無疑是想要參加一場更為激烈的遊行，而非「民謠遊行」這種溫吞的遊行。她用手上的抗議標語對著其他唱著民謠的女孩子丟下一句「我被背叛了」，便快步離去。

在遊行參加者間，一種無以名狀令人厭惡的氣氛在蔓延。……確實現在，連結激進與許多不那麼激進的部分之間的迴路並不明確，這是事實，而我們正被要求弄清楚該如何尋找這連結的迴路。

以學生為中心的激進部分和以市民為中心的穩健部分之間的矛盾是過去就有的問題，這個問題在年輕人的民謠運動中，化為「民謠是『藝術』嗎？還是讓遊行和集會更盛大的『政治手段』？」的問題浮上檯面。

在民謠集會還是小規模的時候，這個矛盾還不明顯，但是從五月後半開始，聽眾增加到數千人以後便成了一個明顯的問題。

諷刺的是，讓新宿西口民謠集會成為大規模集會的契機，是警察的管制。五月十四日，警察發布以下禁令[382]：「禁止於西口地下廣場進行募款、合唱、聚眾以及給他人帶來困擾等行為。違反者，依違反道路交通法、鐵道營業法裁罰。淀橋警察署署長。」

一直到三天後十七日星期六這段期間，警備體制採制服警員三人一組，用無線電對講機保持聯絡並依序盤查。十七日當天，越平聯事務所接到好幾通電話，詢問：「這週也要唱歌嗎？」[383]民謠游擊隊成員討論了該如何應對，最後全員一致決定，為了維護受到憲法保障的言論、集會自由，集會應該要繼續辦下去。為求自我保護，成員們規劃，一旦開始唱歌就馬上組成人牆，如果是兩個人唱，開唱以後聯絡負責人就揮舞手帕、其他待機的成員邊大喊「糟了──！」邊朝唱歌的兩人跑去，藉此聚集路人。[384]

就這樣，民謠游擊隊往新宿西口出發。但不知為何沒揮舞手帕、計畫因此失敗，但集會的常客自然而然地圍起人牆。高野光世這麼記載：[385]

在等著什麼似地「一觸即發」的氣氛中，突然有兩支吉他發出聲音。……那瞬間人們一湧而上，令人大吃一驚的人數，正面是整排相機，四周圍起人牆，還唱不到一分鐘，一群穿制服的警察硬是穿過人牆闖入，抓住兩個彈吉他的人的手，便把他們強制帶走，當然，連個「警告」都沒有，人牆馬上就散開，「幹嘛？在幹嘛？」「滾！到底來這裡幹嘛？」「唱歌哪裡不對？」然後是數百人對警察的大合唱：「滾回去、滾回去」，警察在喧騰聲中圍著兩人，往地下道的方向前進，追上去的人群被警察的人牆擋住，彈吉他的兩人，即使兩手都被抓著，仍繼續彈奏「We Shall Overcome」、「朋友啊」。雖然警察試圖阻止我們，但我們仍繼續唱下去，不斷反覆、反覆唱著，這時候的「We Shall」和「朋友啊」聽起來比什麼時候都還優美。

剩下的民謠游擊隊在那之後往新宿東口移動，被警察追趕的西口群眾也到東口合唱，隨後西口又來了三支吉他，雖然再次被警察帶走，「人數變多的合唱隊，以及路過的市民不斷向警察抗議。」不久警察機動隊也出動，趕走吉他部隊和市民。然而，當機動隊離開後，人們又繼續合唱，隨後形成時事討論的小團體，持續到九點左右。[386]

這天人在現場的鶴見良行這麼寫道[387]：「出動了一百五十名穿著防暴服的機動隊，人牆很快就潰散，『不要停下腳步，快點往前走！』『慢吞吞的會受傷！』等粗暴的聲音從防暴服傳了過來。」「年輕人們既沒有帶著頭盔，也沒有拿著武鬥棒，被強硬地拉到旁邊，傳來美麗且堅定的歌聲，與民眾一起唱著。」「這夜的新宿，人們很明顯沒有照著被規定的路線流動，每一位民眾，在每個自己所在的當下，表現出自己的想法，展現了直接民主制度。」「他們沒有帶著頭盔，也沒有拿著武鬥棒，只希望在被帶走的時候，仍舊可以維持柔軟的姿態，唱著『朋友啊，天就快亮了』。只有這樣才是弱者的復活之道吧。」

根據五月十八日的《讀賣新聞》報導[388]，先是五十名穿制服的警察出來管制，「在地下廣場的越平聯約一百人，加上路過的人，齊聲喊著『滾回去、滾回去』的口號，接著眾人開始合唱反戰歌曲《朋友啊》。」接著機動隊出動了一百人，「儘管他們呼籲路人『快點前進』，但只要機動隊一靠近，歌聲就突然停止，只要試著管制一邊，另一邊就會唱起歌來，即使是機動隊，一時之間對這種『歌聲游擊戰』也是束手無策。」

如前所述，新宿西口成為表演場地只是偶然，也有人認為沒必要堅持在西口，換個場地就好，但民謠游擊隊認為不應該屈服於管制。高野光世當時如此記載：[389]「被禁止在西口唱歌的時候，我們很堅持要在西口唱。」「這次的禁令，只是對日後可能持續鎮壓表達自由的第一步，如果我們此時接受禁令、離開西口，等於是容許對表達自由的攻擊。」「那時候的西口、吉他，並不只是單純的場地和方法，而是象徵我們『澈底保護表達自由』的決心。」

五月十七日這天，民謠游擊隊有一人手指受傷，但沒有人被逮捕。然而前述《讀賣新聞》的報導中，淀橋警察署署長表示：「以後將不惜逮捕」，隔週的「二十四日，大家都有全員被逮捕的覺悟」。他們抽籤決定演出順序，約定「如果有人被逮捕，就換下一個人唱」，就這樣迎接二十四日[390]。

不過二十四日這天，發生了意料之外的狀況。見到十七日的管制報導，市民和學生湧向西口地下廣場，在民謠游擊隊抵達之前，就已經聚集了五千名群眾[391]：

五點半左右，瀰漫著緊張氣氛的事務所裡，響起了電話鈴聲，說是「人群已經聚集起來開始唱歌了啊」。吃了一驚，我急忙趕到現場，平常唱歌的柱子附近，已經被人牆塞滿，不斷地撥開人群後，總算抵達人們圍成一圈的中心，已經有幾名拿著吉他的年輕人在那，他們的表情混著開心和困惑，開始撥弄吉他。事件源於某個團體想要募款，結果和前來制止的警察起了爭執，趕走警察後，人們圍成一圈並開始唱歌，圈圈中間開始有人坐下，外面也有人坐下，隨即在西口廣場的一角開始靜坐大集會。加上站著的人、從樓梯上觀看的人，人數多到難以計算。各種歌聲匯集成大合唱，流往西口廣場。聽得見日大全共鬥的演說，看起來像從事藝術相關工作的男子在說話，大意是：「看見音樂以這種形式在街頭演出，我非常感動。」人們不斷地喊著：「解放西口廣場！」沒有機動隊的蹤影，在酷熱的天氣與照相機的閃光中，數千人的大集會持續到八點以後，就是字面意義上的靠「力量獲取勝利」。……擠滿西口的人們，最後組成隊伍在地下廣場遊行，並分小組進行討論會。

隔天二十五日的《每日新聞》報導，警察對群眾的數量感到驚訝，「當天夜晚，署長以下共四十六人用擴音器不斷警告群眾停止遊行，但其中有十名警員被關在地下廣場的派出所裡。在附近待命的兩個機動隊中隊共六十五人，或許是因上週穿著防暴服出動評價不佳而有所顧忌，最後沒有出動，只是謹慎地待命準備。」這天夜晚的民謠游擊隊「說是『今天的集會就到此為止。下週也要取得勝利！』比平常還早，約晚間八點半左就離開現場，但被大學施壓的日大全共鬥等學生，發動約一千五百人的遊行，並散見於群眾的討論小組中直到深夜。[392]

根據報導，路人的反應似乎依年齡而異。年輕人「壓倒性」地認為「新宿車站是民眾的車站，希望是一個大家可以自由發表意見、溝通的地方，不應該取締。」但認為「很吵，妨礙通行」的中年以上的人似乎比較多。[393]儘管如此，加入討論的年長者也不少。

此外，六月三日也出現當地商店街反對遊行妨礙營業的報導。對此，民謠游擊隊以「反戰民謠集會的邀請函」為題，將寫著「請各位也共同來參與。唱歌或宣傳商品都可以，廣場不就是這種地方嗎？」的信寄給商店老闆。[394]

無論如何，五月二十四日以後，參加民謠集會的人急遽增加。這在某個意義上可以說是民謠游擊隊成功地動員了群眾。「新宿西口民謠游擊隊」在之後半神話化而留名，也是因為從五月二十四日到七月，每週六都引發約五千群眾聚集的現象之故。如果維持在那之前每次數百人的規模，他們可能也不會在歷史留名。

然而，在這個民謠游擊隊中，也對狀況突然變化感到不安與期待，五月二十四日後發行的《越平聯新聞》中刊載了兩種歧異的想法。《越平聯新聞》編集長、也是民謠游擊隊成員的吉岡忍在編輯後記描述了他的期待：全共鬥運動築起的藩籬，那個「空間」因為「忘記注入時間的流動」而崩壞，相反地，「新宿西口廣場每週六傍晚舉行的抗議歌曲集會，似乎在空間中注入了時間＝歷史，至少我這麼覺得。」[395]

另一方面，在同一期刊載的高野光世的文章中，混雜著幾許不安這麼寫道：「這次事件作為一個契機，我們的運動正迎來巨大的轉機。」「一直都沒有很明確地思考過所謂的民謠在整個運動中，或是它自身帶有什麼意義，而這些問題，現在很清楚地浮現，我們被要求重新檢討使用民謠的方式。」

而自己的音樂，必須達到「在品質上有巨大的成長，成為我們創造出來的文化，而不單純只是用來吸引人群或作為一種餘興節目。」[396]

就結論來說，高野的不安反而是正確的預測。雖然每週六的民謠集會都有數千人參加，但音樂卻只有「單純用來吸引人群或餘興節目」的意義。不只如此，人們會聚集過來，只是因為每週六傍晚人們會在那裡聚集，而與音樂無關。民謠游擊隊的成員室謙二日後這麼說：「五月二十四日之後的狀況，明顯和那之前的集會不同，政治狀況超越民謠狀況，集會也被帶走了。」[397]

關於六月二十一日西口民謠集會的模樣，隔天的《朝日新聞》有如下報導。[398]

民謠游擊隊大約都在下午六點左右抵達現場，但從四點左右開始，就漸漸有聽眾聚集而來。而以人群為標的，東京女子大學短期大學部的全共鬥成員約六十人，合唱《國際歌》與呼著「粉碎大學立法」的口號，發動遊行吸引眾人目光。接著，各大學的全共鬥與新左翼團體，顯然也以群眾為目標，募款部隊開始遊說人群。舉辦民謠集會的星期六傍晚，因為很多人在募款，所以新手也可以練習勇敢向人們募款，「經常用來訓練第一次站上街頭募款的女學生們」。

五點四十五分左右，民謠游擊隊一登場，約四千名的群眾同時鼓掌，接著是《朋友啊》和《國際歌》的合唱。八點過後，民謠游擊隊把曲子唱過一遍後便離開現場。之後是各大學的全共鬥與新左翼團體展開遊行，聚集而來的年輕人和市民討論時事直到十一點左右。

另一方面，下午四點左右抵達現場的七十餘名機動隊員，因為「這次也被迫待命」的關係，「看漫畫或雜誌，沒什麼事做」。這些隊員有如下的對話：「學生們用的單字，像『粉碎』等大概不超過十個字」「對啊。那些人畢業後會當上大臣呢」。

這已經不再是民謠游擊隊的音樂的問題，「人們在週六傍晚到西口聚集」這件事獨立不斷地進行著。也有遊行隊伍穿越唱歌圈子的狀況，民謠游擊隊的人們則對遊行隊伍說：「想遊行的儘量遊行，但是你們沒有把唱歌的人趕走搞遊行的權利」，並把遊行隊伍趕走。399

此外，在民謠游擊隊的演奏中，也很多不聽音樂而熱中於討論的人。這現象在五月前半就已經發生。小中陽太郎如此記述「五月初」民謠集會的模樣：400

……一出地下的國鐵閘門，就能聽見縈繞的歌聲。……《機動隊憂鬱》或《加入自衛隊吧》等歌曲之間，聽得見短版的呼籲。不過我關注的是，在人群圍起來的圈子中，有無數的小漩渦，人們在那認真地討論，為了沖繩返還能做什麼？政治黨派與無黨派的問題、組織是否為惡的、市民的極限是什麼？拿著蝙蝠傘的白髮老人、從埼玉來的蔬菜店歐吉桑和學生，正為著那種沒辦法輕易解決的問題，口沫橫飛地討論著。

我的第一印象是，人們渴求討論。上班族、工人、商店老闆們，希望和不認識的人交談。常見到的民謠的圈圈，就像是為了製造出那種討論氛圍似的東西，歌曲什麼的都沒人在乎的部分頗有趣。

小中在五月十七日警察介入以後，到民謠集會與一名參與討論的青年對話，對話內容如下：401

我當時把自己被新左翼黨派問但答不出來的問題，問了在場的青年。

「在這裡，像這樣聚集起來，會帶來革命嗎？」

我想對方是學生。他穿著像學生的夾克。那看起來木訥的青年像是生了氣地說：

「我一個星期工作六天，只有在星期六的傍晚，能到這裡兩個小時，唱歌。在工廠的六天，我完全沒有感到任何樂趣。在這裡兩小時，像這樣和大家一起唱歌，心情會變得很好。像你這樣突然問什麼，做這些事會不會帶來革命，是想幹嘛？你想對我的樂趣潑冷水嗎？」

我感到非常羞愧。但同時，我也懂了。西口民謠是什麼？我覺得我在他的回答中，似乎找到了答案。

如前所述，當時的東京聚集許多上京的學生與青壯年勞動者，他們惱於孤獨感，也沒什麼娛樂。和那些來看三派全學聯與機動隊衝突的圍觀者相同，聚集在民謠集會的人也和民謠游擊隊的意圖沒有關係，不少人是為了脫離「現代的不幸」、來尋求溝通的機會與合唱時的一體感。

這件事在六月二十一日《朝日新聞》的集會報導中如此描寫[402]：「在合唱外圍的女學生，拉著年輕人的襯衫，『你常常來嗎？』『嗯』，女大學生問同伴，『誰啊？』『住附近的。在家附近不太能聊天啊』。廣場對於年輕人們來說，似乎也是『精神解放區』。」「和不認識的同伴搭肩，馬上就能成為朋友。其中一名學生說：『只要來這裡，感覺就像交了很多朋友似的』，他多次使用『連帶』這個詞來強調這件事。」

警方也有人察覺這個狀況。警視廳警備第一課長、擔任安田講堂攻防戰與淺間山莊事件指揮的佐佐淳行，如同在第四章所述，他將新左翼的街頭鬥爭與全共鬥運動，視為是在經濟高度成長之下，飽受孤獨的青年為了追求「連帶」才參與的活動。關於新宿西口民謠集會，他在一九九二年時這麼說[403]：

全共鬥世代對「連帶的憧憬」，在昭和四十五年夏天、長達十七週的新宿地下「越平聯・土用波SHOW」（星期六晚上舉行之故由媒體下的標題）的警備現場也感受得到。

約一萬名年輕人聚集在數百名越平聯團體的演奏會，陶醉在反越戰歌曲《我們終將勝利》或童謠《紅蜻蜓》（砂川鬥爭以來的反體制主題曲），看著他們，覺得啊這就是在水泥叢林裡過著孤獨的生活，渴望朋友、戀人、同伴的孤獨青年們的「盆踊」啊，機動隊的武力管制實在應該手下留情……。

佐佐的文章將一九六九年的民謠集會寫成「昭和四十五年」，將公民權運動的歌曲《我們終將勝利》寫成反越戰歌曲等記述，與事實不符。此外，西口民謠集會約有五千人、民謠游擊隊則約十人上下，將之寫成「約一萬名年輕人聚集在數百名越平聯團體的演奏會」，很難說是正確的記載。

但如果撇除這些錯誤不談，在思考警察如何看待民謠集會這一點上，有其有趣之處。機動隊在七月之前保持待命狀態，並未實行武力管制，也或許是因為警方也有與佐佐相同看法的關係。

許多演唱抗議歌曲的人，並沒有高度的政治意識。在當時的雜誌文章中，記載了參加合唱的高中三年級女學生所說的話[404]：「我不能參加遊行，因為在這邊唱的歌是抗議歌曲或反越戰歌曲。我討厭遊行。如果有人拿出武鬥棒，我就會回家了。」「我是打算就業的。想說趁現在體驗一下。再說，也沒有別的地方可以大聲喊了。很舒暢的。」

也有因為工作壓力感到疲憊的中年上班族，喝得酩酊大醉、拿著麥克風不知所云地發表演說。[405]當時的報導是如此記載這類演說：「我啊、我啊、沒上過學啊，去上夜班啊，然後，拚命撐到現在啊，沒什學問啊（圍觀的人喊：『你到底想說什麼』）我啊，總之，拚了命撐著啊，你們也，要拚了命搞下去啊（有人喊：『沒錯』）」。

在這種現實狀況下，儘管小中等人覺得「似乎得到答案」，但對於想用自己的音樂創造新文化溝通運動的民謠游擊隊來說，卻很難不感到擔憂。小黑弘在一九六九年時寫下六月的狀況：「聚集的群眾的數量增加，也逐漸在品質上有所轉變，在集會上吉他的地位不斷下降。」「民謠運動到底是什麼？」[406]

聽眾變多也影響到選曲。為了讓五千人都能參加合唱，漸漸地只能選擇大家都知道的曲子。根據堀田卓的筆記，六月以後「民謠在西口集會逐漸喪失地位。某些歌曲被拒絕，漸漸只限定在能唱的曲子。」小黑也記下：「我們唱的歌只剩下《朋友啊》與《我們終將勝利》。現在西口的狀況就是只能唱這些曲子。」[407]

此外，聽眾的質變造成曲目變化的現象，也反映在每次都合唱《國際歌》的情況。依據當時的《朝日Journal》，以民謠游擊隊為首，「原本對民謠派來說，對於唱《國際歌》感到猶豫。」但是五月二十四日以後聚集在新宿西口的群眾，以日大全共鬥為首，有許多是「從校園的街壘火速趕來、或是被趕出來的年輕人」，時不時就有《國際歌》的合唱。當時的《朝日Journal》記者這麼寫著：「新宿西口地下通道被歌聲制服了，但是就連在那裡也感覺得到年輕人們敏銳的心有頹廢的徵兆。」[408]

民謠游擊隊漸漸地沒辦法享受西口的演奏。伊津信之介在一九六九年的回憶錄裡寫道，五月二十四日以後「似乎只是因為民謠游擊隊的每一個人都必須到西口唱歌的這種義務感，才到西口廣場唱歌。」小黑的筆記寫著六月的狀況是「煽動演講、靜坐、加上些許民謠。即使如此我還是會去。」民謠游擊隊的成員，對新聞記者「小聲地說」：「我們在那邊唱的歌，已經不是民謠。那邊已經不需要吉他了。」[409]

堀田卓在一九六九年寫下的回憶錄有此描述：[410]

> 西口廣場聚集一百人的群眾、在我剛開始唱的那陣子，當時的群眾的圈圈，是為了享受民謠而存在。但是過一段時間後，圈圈逐漸擴大，比起最初被鎮壓時，那些圈圈不只在數量上、在質量上也有所變化，唱民謠，已經不再是唯一的目的，集會變成聚集人潮的工具，民謠所具有的音樂性，在那裡已經被否定，只強調包覆著民謠周圍情況的政治性。
>
> 民謠，已經不再是民謠。……我發覺用我們的民謠創造出來的團體開始有別的目的時，不得不感到些許失望。

參與人數增加的同時，民謠游擊隊的士氣卻開始下降，警察的鎮壓也悄悄來到。《越平聯新聞》一九六九年七月號上，刊載了如下的文章[411]：「星期六的模式漸漸變得理所當然，不過，我覺得必須要對這件事有清楚的自覺：『我們』自己埋沒在『只要星期六去那裡，就肯定有什麼活動』這種我們創造出來的日常性，是一件非常危險的事。如果有個便衣刑警（誰都可以）挑釁、對派出所丟石頭，那將會引發怎樣的混亂狀況？」

這個恐懼，終究成為事實[412]。六月二十八日，舉行了有史以來最多、高達約七千人的民謠集會，晚上七點四十分時出現了一群遊行隊伍，那是反對郵局作業合理化、抗議引入郵遞區號自動讀取機的抗議隊伍。機動隊試圖鎮壓這個抗議隊伍的時候，出現「監視機動隊！」的呼聲，在這個聲音的引導下，群眾企圖從地下移動到地面上時，機動隊的廣播車宣告：「你們的行為違反道路交通法，立即解散！」，隨即發射催淚瓦斯。

很快地機動隊也鎮壓了地下廣場。那個當下，地下廣場的派出所被石塊攻擊。《越平聯新聞》的文章這麼記載：「常常看到的便衣（刑警）大叔也站在最前面，可怕的事情很快發生。那位便衣總是待在唱歌的團體裡，並且呼喊『我們去抗議！』，這樣看起來，最先丟石頭的搞不好也是他。」

那之後，地下廣場陷入恐慌的漩渦。機動隊員毆打民謠游擊隊和市民，催淚瓦斯的煙霧籠罩著廣場，派出所則已被石頭破壞。

隔天的新聞寫著：「意圖破壞派出所而遭到逮捕的少年民謠成員，左手拿著吉他，右手緊握著鐵管。」這恐怕是以警方的發言為底所刊登的「好像自己親眼看到似的謊言。」這個清晨，越平聯事務所遭到警方搜索。事實是，這天並沒有民謠游擊隊成員遭到逮捕，而且他們當時其實是試著阻止派出所遭到破壞[413]。儘管越平聯召開記者會，但「暴力集團越平聯」的形象依舊被創造出來。

這只是鎮壓的第一步。七月四日清晨，伊津信之介在自家被逮捕，包括吉他在內被沒收了九十六項物品。隔天七月五日，參加越平聯定期遊行的堀田卓，突然被機動隊員與便衣刑警們等同於綁架似地逮捕。七月十四日，被稱為「民謠游擊隊歌姬」山本晴子，在上班地點、位於神田的出版社遭到逮捕。全員都是以指揮六月二十八日的事件、以及一連串的民謠集會中遊行與集會之嫌疑遭到逮捕。[414]

七月十六日，在阿波羅太空梭登陸月球的話題佔據媒體版面的狀況下，警察則在這天宣布「西口地下廣場，在道路交通法上隸屬於道路」，並將車站所有寫著「廣場」的看板改成「道路」。如前所述，這是因為「廣場」並沒有法律依據，而如果是「道路」，就能基於道路交通法，管制未經申請的集會遊行。[415]

七月十九日星期六，躲掉逮捕的小黑等人前往西口，但此時地下廣場已經擠滿約四千名機動隊，一開口唱歌，小黑馬上就被帶走，路人被命令禁止停下腳步、儘速前進，已經不再有集會的可能。雖然二十日有抗議遊行，但已經沒有太大的效果[416]。

隔週七月二十六日，鎮壓變得更加嚴峻。室謙二等人比平常早很多、約下午兩點左右就帶著吉他抵達西口，雖然圍起近三百人的圈子，但馬上就被便衣刑警包圍。下午三點，民謠集會的圈圈被機動隊破壞後，就再也圍不起來。中央公園聚集了近五十台的警察運輸車，超過兩千名機動隊員朝地下廣場前進，只要某些地方響起歌聲，在圍起圈子之前，機動隊便馬上趕過來，人們「被扣住脖子、被拖走、被毆打或被衝撞。」[417]

儘管警方發了注意事項給機動隊員，要求「在管制交通的時候，不要被對方的態度挑釁、不要使用粗暴的言語、不要有粗暴的舉動」，但實際狀況卻非如此。[418]一九六九年八月一日的《讀賣新聞》刊載了三十九歲的女性上班族投書[419]：

二十六日晚上十點左右，我在新宿車站西口遇到警視廳的交通管制。在西口地下廣場的機動隊員人數令人吃驚，但更令人驚訝的是機動隊員粗暴的行動。一位青年靠近機動隊員，像是在抗議什麼事似的，隊員突然就抓住青年的手把他拉過去，像是某種行動暗號似的，十幾名隊員很快圍著青年，在人牆中又踢又打、對他動手，簡直就是不留辯解餘地的私刑。

在意圖召開集會的人們散去之後，西口的警備從強硬的機動隊，轉換為女性警官不斷喊著：「請不要停留」的柔性勸導。到了一九六九年末，西口的民謠集會便被人們遺忘。

遭到逮捕的民謠游擊隊成員中，小黑和伊津遭到起訴，孤獨的法院抗爭持續了很長一段時間。[420]依據伊津在一九七〇年四月寫下的文章，當年三月舉行第一次公開審判，他和小黑說，如果旁聽席塞滿了人該怎麼辦，但是結果只有二十人來旁聽，他說：「我突然想：『那幾千人現在都去哪了呢？』」[421]

那之後，旁聽人數不斷減少。伊津和小黑說：「要不要乾脆別打官司了？說聲『真的是非常抱歉』讓訴訟結束吧。我們也快畢業了，訴訟纏身就算想找工作也找不到吧，找不到就會餓死的說。」「真的累了。」「現在西口什麼的不就是過去式了嗎？開庭也沒人來旁聽，就連來越平聯事務所的那些人，也都忘了這件事不是嗎？」伊津在這篇一九七〇年四月的文章中，寫著在西口唱歌的關係，「我們親身體會到什麼是權力，也思考了什麼是廣場，還思考了什麼是民謠。但是什麼都沒有改變。」[422]然而，他們基於守護表現自由的義務感，仍舊持續打官司。

民謠游擊隊的成員、當時是《越平聯新聞》編集長的吉岡忍，在西口於七月被完全鎮壓後，在《越平聯新聞》上寫了一篇名為〈歌聲將消散而去〉的文章。在這篇文章中，他說：「在此，我想表達的是，就算沒有警察的管制，人們終究會不再來參加。」並有如下陳述[423]：

離開有三種情況。一是明顯反對民謠游擊隊和越平聯行動的人們。二是在學校或工作的地方參與過激進的鬥爭，因此認為西口廣場的行動太「舒適」的人們。最後是覺得對廣場應該有點「什麼」，參加過幾次後，卻找不到那點「什麼」的人們。

大多數的民眾恐怕是第三種。……為了追求「什麼」而來到廣場的民眾，或許他們自己也沒辦法理解那「什麼」到底是什麼。

離開的民眾，對那些民眾而言的「什麼」，也是對我們而言的「什麼」不是嗎？我們能先取得那個「什麼」嗎？

吉岡也在寫完這篇文章後的八月遭到逮捕。恐怕他所說的「什麼」，也是日本大學或東京大學的全共鬥學生們在街壘中、新左翼黨派或反戰青年委員會的年輕人在街頭抗爭中想要尋找的東西吧。儘管那些也和民謠集會一樣被警察鎮壓，但就算沒有警察介入，也不是一種可以永遠持續下去的東西。

吉岡所說的「什麼」，或許直到現在也都還沒有找到。吉岡在一九七四年越平聯解散後，成為自由寫手，不斷寫著找尋那個「什麼」的採訪作品。而曾經是「民謠游擊隊歌姬」的山本晴子，結婚後改名為大木晴子，在二〇〇三年反伊拉克戰爭運動後，再次站出來訴求反戰，二〇〇九年時每週六都站在新宿西口的「地下廣場」，拿著訴求反戰的看板。

闖進衝突現場的花束遊行

民謠游擊隊在西口唱歌那陣子，越平聯的動員力逐漸達到最高峰。但與此同時，過往存在於越平聯內部的年輕人與年長者之間的對立也浮上檯面。

這個問題在一九六九年二月越平聯第四次全國懇談會中被提出來討論。某個城市的越平聯報告：「早期只要聚集了六十名市民，從以前就參與市民運動的人就會留下開心的淚水，但學生族群開始用市民無法理解的詞彙演講之後，市民族群的參加者就越來越少，接著跟不上行動升級的人也漸漸不來了，學生團體也因為成員轉而參與各個政治派系的活動，結果處於潰滅狀態。」[424]

這場全國懇談會中浮現了各種意見。在各地的大學越平聯中，有些團體說：「越平聯不應該參與校園鬥爭，應該貫徹市民運動」，也有些團體承認「越平聯隧道說」，表示：「我們不這麼覺得。越平聯是通過用的隧道，出發點是召集一般學生來參與行動，但不應該永遠停留在越平聯裡，終究應該離開這裡，轉而參與政治性更高的活動，越平聯只是中介的團體。」[425]

此外，以市民為中心的地區性越平聯則有如下意見：「沒有先鋒也能進行變革，這類例子是有，但是從來沒有案例是，後衛、也就是一般民眾不在、只靠先鋒進行變革的。在這個意義上，後衛擁有巨大的可能性。」[426]比起「先鋒」的新左翼，更應該肯定「後衛」越平聯的價值。

當時的《越平聯新聞》上，刊載了幾篇來自從各地到東京的學生，以及年長市民的投稿，指出越平聯以學生為主體，活動太過激進，這些投稿是這麼說的：「參加看看定期遊行，到處豎起旗幟，參加者都是學生，總覺得有違和感。一旦開始遊行，眾人喊著『粉碎安保、打倒佐藤！』然後開始之字形遊行。『給越南和平』到底藏到哪裡去了？這根本不是什麼市民的遊行，完全無法參與其中。」「手持武鬥棒的學生之類的人，成為最近越平聯的主體，我們這種中、老年人，感覺跟不上他們。」[427]

新左翼運動者潛入越平聯遊行的現象也從未止息，甚至在越平聯遊行解散後，還有不同新左翼黨派另外召開總結集會的狀況。一九六九年八月的《越平聯新聞》上，刊載了如下批評四月東京越平聯定期遊行的文章[428]：「遊行結束之後也沒有總結集會。有總結集會的，只有不同派系、戰鬥性的團體。這麼一來，根本不是『給越南和平！市民聯合』，而是『給越南和平！新左翼聯合』。」

另一方面，在全國懇談會上接連出現各地的越平聯飽受警察鎮壓之苦的報告。在地方社會裡人們的目光較為嚴格的小型都市裡，這對於只有幾十人舉辦定期遊行的各地越平聯來說是十分現實的問題。《越平聯新聞》上，將這類意見摘要成如下內容[429]：

> 許多地方、特別是各地小型都市的越平聯團體，也有同樣的煩惱：即使廣泛地號召市民族群，邀請他們來參加活動的難度相當高。這也受到最近加強的警察鎮壓所影響。每次遊行都派出許多便衣刑警，澈底拍下參加者的照片（橫濱、濱松等各地），第一次遊行以來就有機動隊出動，之後每一次都用高分貝的擴音器恐嚇遊行隊伍，像其他市民做反向宣傳（松江等地），對高中生的壓迫特別嚴重，參加遊行的高中生，會有刑警到家裡訪問，也會通知學校參加者的姓名等等這類回報很多，在更嚴重的地區，甚至有警察通報高中生參加者的父親的職場上司（佐世保等）的案例。

像這樣的各地區越平聯，與大型都市中激進派學生將越平聯導向激進方向的狀況，是不同的世界。一九六八年五月創立，由五至二十名參與者舉辦定期遊行的宮崎越平聯，其中一名成員在一九六九年如此寫道[430]：

……宮崎越平聯，現在面臨了嚴重的問題。即使有想參加越平聯的定期遊行、照自己的方式喊出反越戰的人，因為（東京等大都市的）越平聯被認定為反體制市民運動的關係，許多「市民」漸漸不來參加遊行。具體來說，如果是高中生，動不動就受到退學或處罰等恐嚇或歧視。沒有保護自己的組織的人，則會遭遇包括開除在內的處罰或歧視。

……在東京或大阪等大都市的越平聯可能不成問題，但是這不正是各地都市的越平聯團體所面臨的共通問題嗎？

小田實在這場一九六九年的第四次全國懇談會，發表了如下的意見[431]：「我期待學生越平聯能夠扮演串連學生運動與市民的角色。現在的大學改革運動主體，並沒有直接訴求一般市民。」「越平聯著手的問題範圍相當廣，大至解放人類的大問題，小到地方社會的問題，也有預備學校的團體發起反對蕎麥麵漲價的運動。但是，沒有介於之間的部分。作為補充這中間空白的問題，安保、沖繩、基地問題很重要。我認為缺乏對反戰有強烈意識的改革是沒有根底的。關於變革，有第三世界的革命觀，也有蘇聯和中國的革命觀，與那些對等、日本的我們自身的變革觀，我想以反戰為根據。」

就這樣，「給越南和平！」之外，「安保．沖繩．基地」成為越平聯著眼的主題而浮上檯面。那是越平聯從一九六六年到六八年的活動，也是認識到下述事實的結果：日本是越戰的加害者＝被害者，《美日安保條約》與在日美軍基地、以及美軍基地集中地的沖繩，都是日本身為越戰共犯的象徵性存在。

因此，一九六九年以越平聯為中心的大規模遊行，特別是四月二十八日「沖繩日」或六月十五日樺美智子追悼遊行，安保或沖繩議題都較以往更為顯眼。此外，小田等人出資發行了雜誌《週刊ANPO》，出資的資金只要用完就停刊，這種脫離出版界常識的計畫也獲得實行。

然而，要揭示安保或沖繩主題並不容易。越平聯成立時，約有八成的民意反對轟炸北越，越平聯是搭著這個潮流而獲得發展。但在一九六九年初，小田與總評事務局長岩井章的對談中，小田問：「要用反對安保的名義進行罷工嗎？」岩井則回答：「這辦不到吧。這又沒有得到國民支持。」[432]

這種指摘，在越平聯內部也有。一九六九年夏天的越平聯幹部座談會上，小中陽太郎說：「我認為越平聯接下來不會再成長了。」「理由是，『給越南和平！』是民意。換句話說，當時我們是執政黨，接著只要運動的風格好，我們就能吸引人們來參加。但是……如果攻擊直接維持著日本支配體制的安保，那就會是一場死鬥。」[433]

針對這點，鶴見良行主張，只要抱有這種試著「讓自己從這類社會的價值觀脫離」的志向，那就是「反戰」的關鍵點，與「順從既有價值觀」不同的形式，是有可能推廣「與社會產生連結」的運動。[434]

從這裡可以發現，鶴見良行對年輕人們反叛的背景有所理解。幾年後，吉川被問到在經濟狀況良好時期，年輕人還發起反叛的理由為何時，他是這麼回答[435]：「確實那是經濟狀況良好的時期，但我認為那是因為當時有非常強烈的閉塞感。換句話說，我們以後會變成什麼樣子？可以變成什麼樣子？社會又會變成什麼樣子？像這類閉塞的感覺非常強烈。」「（這件事當時的）年長者不太能理解。但是在越平聯內，即使是年長一輩的人，鶴見良行對此有所理解，武藤一羊也是。」可以說正是因為有這層理解，他們才能在持續對立的狀況下，與年輕人建構一個協調的體制。

一九六九年的越平聯活動，從前述一月十一日的「六九反戰民謠集會」出發。接著在二月四日於沖繩回應全軍勞（沖繩的基地勞動者工會）為首的大罷工，在大阪進行絕食抗議，在東京則約有三百人在美國大使館發動「撒豆子遊行」。在當選縣知事、革新陣營的屋良朝苗判斷下，沖繩大罷工最後中止，但是源自節分的撒豆遊行，讓警察感到困惑，「剛開始機動隊不知道飛過來的到底是什麼東西，因而有點慌亂。」[436]

二月二日與二十二日、三月二日，越平聯在東京都立川市砂川地區的美軍基地發動抗議，因長崎縣的大村收容所收容了違反「出入國管理法」的朝鮮人，越平聯在三月三十一日到大村收容所發動抗議。加上三多摩地區反戰青年委員會的成員，砂川的遊行約為兩百人，大村收容所的抗議為五十九人規模，當時還在「一九七〇年典範轉移」以前，很少人關注對少數族群，因此向大村收容所抗議是劃時代的行動。[437]

四月二十八日「沖繩日」的越平聯遊行，則是越平聯展現獨立姿態的一場遊行。如同在第十三章所述，這天在警察事先將道路清空以後，各個新左翼黨派在銀座附近用火焰瓶和街壘築起「解放區」，與機動隊爆發嚴重衝突。

這天晚上，估計遊行參加人數不多的越平聯，向公安委員會提出的申請中，預定人數只寫了一百五十人，然而在集合場地的常盤橋公園卻聚集了三千人。對新左翼黨派的暴力鬥爭戰術持疑的學生或市民，都來到越平聯的場子。遊行隊伍一邊撒著花和傳單前進，沿路參加的人數加起來達到約一萬人。[438]

拿著花的越平聯遊行隊伍，朝著機動隊與新左翼黨派起衝突的銀座街道前進。小中陽太郎如此記述那個夜晚的模樣[439]：

要前進嗎？還是不要前進？

眼前數百公尺處，催淚瓦斯彈炸開、石頭四處飛舞。霓虹燈滲透在催淚瓦斯煙霧裡，警察的投射燈照得學生們像剪影般漆黑。頭上的高速公路，警備車響著巨大的警笛聲疾駛而去。我們，市民行動的遊行隊伍有將近一萬，但那是夾雜著女性與老人的部隊，前方是喊著制霸首都、與機動隊交手的學生們。

這是一九六九年四月二十八日，沖繩日的夜晚。我們越平聯的遊行隊伍，從東京車站附近的常盤橋公園出發，經過數寄屋橋，打算在新橋的土橋解散。這是東京都公安委員會認可的合法遊行路徑。

但是，無論合法與否，前面有中核派的學生們，戴著頭盔、拿著武鬥棒、臉上圍著毛巾、手上抓著人行道的石頭，他們以那種裝扮反覆前進、後退。只要前進，就會有人受傷，只要後退，這一萬多名的市民便發出怒吼，而這反而讓混亂倍增。

負責警備的警察過來告訴我們：「希望你們在這裡結束遊行，不能再往前進了。」

大概是晚上八點左右吧，在這麼緊迫的情勢下，原地不動也很危險，被警察追趕的學生們，開始往這邊的隊伍逃，催淚瓦斯則追著他們發射。

不，隊伍後端大學越平聯的早稻田部隊已經被催淚彈攻擊，隊伍裡的考生受了重傷，說是有失明的危險，隊伍進也不是、退也不是。

遊行隊伍的前端有車輛，我們聚集在車輛旁邊，小田實、吉川勇一、古山洋三、福富節男和我交頭接耳，但也找不到什麼好對策，催淚瓦斯的煙幕越來越嚴重，情緒高亢的年輕學生拍打的車子大吼：「到底在幹嘛？打算對前面的人們見死不救嗎？」……年輕的大學越平聯成員也氣急敗壞地說：「喂！越平聯打算對那些在前方賭上性命的中核或反帝的學生見死不救嗎！」

……幾乎沒有人想採納警備的提案就地解散。首先，如果在這裡撒手不管的話，可以預見群眾全都會被警察管制。

也有這樣的意見：「改變行進方向吧。從這裡走到銀座四丁目，繞過去、抵達新橋，這路線不錯吧？」遊行隊伍有老人和婦人，避開危險的意見。「那，想去的人就直走，不想去的就在這邊左轉，這樣如何？」這應該是我提的意見吧。「但是，與市民分開的前進部隊就會被一網打盡了吧？從市民遊行的特質來看，也不應該採用這種分離喔。」我想這應該是武藤一羊說的。……

「我們的遊行，是我們的權利。出發吧。」

「說是這樣說，現在出發的話，會闖進新左翼黨派裡。那種行動我沒辦法參與。」

「不，用市民的圈圍住他們，不是我們的任務嗎？」……

「原地不動比較危險。看吧，催淚彈又來了。何況，如果在這裡退讓了，我們今後反越戰都必須衡量安全之後才能行動了吧。」

大家短暫地沉默。白色的煙在夜空裡飄蕩，白煙後面有霓虹燈，我不記得是誰說的，但大家都有相同想法。

「好，走吧！」

這個時候的小田，其實很慌張，也很焦慮，不知道怎麼做比較好。那種時候，就專心等待情勢轉變。但是看到周圍產生了決議，行動就迅速。已經不會改變方針了嗎？眾人默默地點頭，小田就和吉川爬上車頂。

遊行隊伍對著火焰和水柱，緩慢地開始移動。「我們，作為市民，有遊行示威的權利。我們出發。」說話的是車頂上的吉川勇一。

催淚彈還在燒。學生的部隊轉為（打散街壘和隊伍分小隊）游擊戰。時間已經將近十一點。我們一出動，機動隊便拿著盾牌往前進。盾列開了小小的縫。「讓他們過、讓他們過」，小隊長也下了命令。在靠近數寄橋公園的地方，一萬名群眾就通過了。小田實站在車頂，不斷叫喊：「各位市民，我們，現在來到這裡了。這是我們的權利。加入遊行吧！一起前進吧……」

小中還這麼寫著[440]：「這時，賭的是遊行這個公民權利。無論對手是警察，或是相反地，是擁有相同反戰思想的部隊所扔的石頭，都不能退讓。」

這天，機動隊之所以讓越平聯通過，是因為吉川在宣傳車上這麼喊[441]：「機動隊的各位，停止非法鎮壓。我們越平聯只不過在行使日本國憲法所認可、理所當然的表現自由。各位沒有任何妨礙這場遊行的權限，讓開道路！」

當時的評論這麼記載[442]：「通常是機動隊的裝甲指揮車喊著：『這是第X機動隊，請讓開！』遊行的市民不斷地被趕走，這天則是相反的光景。不只是如此，整好隊的遊行隊伍，面對機動隊鋁製盾牌陣列說：『我們是照著獲得許可的遊行路線前進！』然後向前走。機動隊不甘願地讓開道路，那瞬間，兩旁守護的群眾響起掌聲：『太棒了！越平聯！』」「大家因為催淚瓦斯流著眼淚，卻抬頭挺胸地前進，走過臭著臉的機動隊員排開的隊伍前，小田實一邊呼著口號，光明正大地向前走，這個時候才總算是贏回日本國憲法爽朗、健康氣息的瞬間。」

這個行動，也是對小田向來的問題意識的回覆。一九六八年一月的佐世保，社共兩黨五萬人的遊行隊伍繞過三派全學聯與機動隊衝突的佐世保橋，小田對此提出質疑，他在一九六九年夏天如此寫道[443]：

> 我是合法主義者（說是如此，我相信的首先是日本國憲法，與其說是相信該憲法所保障的權利，不如說，努力不懈地盡最大可能行使作為我們的義務的權利，並藉此保護憲法，我是這個意義上的合法主義者），因此高度評價那種（合法的）抗議遊行，我自己也打算實踐，但是那是建立在一個保留條件之上，也就是，這個合法且和平的遊行何時、不管什麼情況、在什麼地方都能舉行的保留條件——所謂何時、不管什麼情況、在什麼地方，也包括機動隊暴力鎮壓學生的時間與地點。
>
> 實際上我覺得很不可思議的是，大型政黨所組織的合法且和平的遊行，往往都沒有澈底實踐

合法且和平的遊行這一點。……去年一月在佐世保反對企業號靠港的社會黨、共產黨、總評所舉辦的遊行，在我看來是一個假裝合法且和平的遊行的例子。……為什麼帶領遊行隊伍前進的（社共的）大人物不站在前方，就那樣衝進學生與機動隊的衝突場面呢？這麼做，不但可以貫徹自己主張的合法且和平的遊行，搞不好還可以在那個衝突的場子上，重新創造合法與和平的秩序也說不定。但是……他們捨棄了衝突現場和學生們，按照警察的指示改變路徑。

今年四月二十八日，也就是「沖繩日」，「越平聯」舉辦的遊行可以說是完全相反的案例吧。……我們那天只是走在獲得許可的路線上，撒著花、喊著口號，我們只是在學生們與機動隊衝突的現場做了這些事。那恐怕與世間大多合法且和平的遊行有根本上的差異也說不定。……我們保護了我們自己的原則，我想說不定某種程度上也保護了學生們。……一邊撒著花一邊安靜地走進銀座的時候，在高速道路上的圍觀群眾，出乎意料地響起掌聲，他們回應了我們「加入遊行吧！」的召喚，接二連三地加入隊伍。

堅持非暴力且不惜採取直接行動，這也是越平聯一直以來的態度。一九七三年時，久野收這麼寫著[444]：「越平聯主張一切都存於街頭抗議遊行當中，創造了新型態的遊行，給陷入窠臼、變得似乎與周遭無關的例行公事般的大眾遊行帶來新的意義、賦予生命。越平聯所創造的遊行的『場』，在都會市民之間創造了什麼樣的空間，幾乎是只有參與其中的人才能實際體會。在新左翼黨派的內鬥之間、被機動隊強制控管、用肉體和身上所有的東西抵抗的新左翼黨派之間，越平聯獻上花束、穿越其間的遊行，稍微感性點說，說不定也可以說是種藝術性的作為。」

不定型的運動

越平聯的這種方式，是拒絕在暴力鬥爭的新左翼黨派，與溫和有序的社共遊行之間二擇一。井上澄夫在一九六八年的座談會就說過：「市民運動和學生運動也好、勞工運動也好，我想警方很認真地思考如何有意地分割這些運動。」並主張要有一個不要掉入陷阱的運動方式。[445]

吉川在一九六九年夏天，一篇題名為〈何謂越平聯——以既有架構無法完全掌握的組織〉的評論中，批判大眾媒體創造的「健全的市民運動樣貌」，並做如下陳述[446]：

像這樣被創造出來、被強加的市民運動樣貌，說得極端一點大概就是像這樣的東西：有抗議遊行，但構成遊行的成員，全學聯不在其中，不，是不能在其中，工會也不在，高中生參加沒關係，但所謂的高中生不是「反帝高協」或「反戰高協」等暴力鬥爭的高中生，而是融合無黨派、穩健、年輕、開朗、純真等特質，必須像石坂洋次郎《藍色山脈》、《山的彼端》裡的主角那樣，在純粹無菌室裡培育的高中生，其他可以在遊行裡的，還包括家庭主婦、大學教授、作曲家、評論家、醫生，還有像代表庶民的年輕藥局老闆、蔬菜店的老闆也可加入，老太太就更加歡迎。這個集團絕對不會舉著紅旗……也無法想像會與機動隊衝突，遊行成員會和別著綠色臂章、負責管制交通的巡查笑著閒聊，穿梭在大樓與大樓之間、繁忙的車輛流動之間，整齊地行進——大概是像這樣的遊行隊伍。

如果是這樣的反戰市民運動，不只沒有造成危害，對政府也好、對媒體也好，作為一種日本有和平憲法、有言論、集會自由、民主主義受到保障的證據，反而是必要的存在。然而，現實中的市民運動也好，越平聯也好，都不是那個樣子。這差異已經不只是與放進當政者電腦裡的打孔卡的穿孔組合不同，而是連打孔卡的紙張厚度都不一樣。

實際上，四月二十八日越平聯的遊行是不同格局的東西。根據吉川所說：「遠遠超出主辦者的想像，參加者中有許多拿著鬱金香和劍蘭的團體，有各自扛著貼有大張手寫海報看板的團體，有戴著頭盔做之字形前進的團體，有下班的上班族和ＯＬ，有拿著募款箱從學校趕過來的高中生，也有似乎會在六本木一帶出沒、穿著喇叭褲的女孩。」[447]

吉川接著說，援助逃兵活動之後，「接著則是被冠上暴力集團的越平聯的形象。」把裝入白色油漆的蛋說成「凶器」，或是民謠游擊隊握著鐵管的報導，都是這方面的例子。但現實狀況是，市民運動擁有「每天不斷誕生的新性質」，「警察或當政者，不到最後是無法理解越平聯到底是什麼的。」[448]

這種尊重多樣性的態度，在各地方與其他團體協調時也發揮了作用。例如在東京都練馬的朝霞美軍基地用手持擴音器播放反戰廣播的「大泉市民集會」（實質的「練馬越平聯」），在他們一九六九年四月的定期遊行中，反戰青年委員會的「年輕人戴著藍與綠的頭盔（藍色是社青同解放派的顏色，綠色則是ＦＲＯＮＴ的顏色）」也來參加。[449]

儘管市民方面有如下意見：「這是市民的遊行，希望不要戴印有團體名稱的頭盔」，或者基於「個人參與原理」主張「希望可以拆散反戰諸君的隊伍，混入其他遊行的人群裡，維持一貫的市民聚會遊行」，但反戰青年委員會方面拒絕了這些要求。遊行申請負責人、俄羅斯歷史研究者和田春樹最後表明：「我會負起責任，反戰諸君請加入隊伍的最後端」，才讓各方接受。

> 反戰青年委員會的年輕人們，在市民們隊伍的最後面，一邊唱著《國際歌》，一邊進行之字形遊行。雖然市民方面感到「十分不安」，但警察命令遊行負責人阻止之字形遊行時，和田只是做做「像是要制止的動作」。據和田所說，後來「我們也習慣他們的做法，而反戰諸君也接受幾種我們的做法」，反戰方面也沒有喊出什麼批判其他新左翼黨派、或是過度強調自家黨派正當性的口號，也有市民說「在我見過的戴頭盔的遊行中，這是最令人感到舒服的」。[450]

儘管越平聯與新左翼黨派、全共鬥合作，但卻沒有肯定暴力鬥爭，一方面是因為越平聯向來重視非暴力直接行動，另一方面也很清楚暴力鬥爭戰術的極限。小田在一九六九年夏天這麼寫道[451]：

> 坦白說，從我參加許多遊行的經驗來說，我的直覺是「武鬥棒」主義，現在正遭遇到巨大的困難。簡單地說，擁有權力的一方早就取得壓制「武鬥棒」的力量與手段。……我的想法是，在沒有壓倒性的市民支援的情況下，現在大概已經是學生沒辦法獨力靠著「武鬥棒」就能戰鬥的狀況。
>
> 不管怎麼想，我想「武鬥棒」都不是武器（所謂「武器」是像機關槍、巴祖卡火箭筒、戰車）。學生們現在應該重新認清這再簡單明瞭不過的事實。「武鬥棒」，確實，如同最初許多學生們所主張的，是一種自我防衛手段，確實是一種表明自己與國家權力戰鬥的意志象徵。……即使如此，在他們的心底，搞不好有「武鬥棒」是「武器」的錯覺。……關於校園鬥爭，「武鬥棒」確實可以成為一種武器，但在校園外就很難說了。

如同第十一章所述，在一九六八年初夏的時間點，東大全共鬥議長山本義隆明白表示，武鬥棒是「展現戰鬥意志的象徵」，但在那之後的校內武裝內鬥，武鬥棒成了「武器」。小田所指摘的，就是學生把校內鬥爭的錯覺，帶到街頭抗爭裡。接著在一九六九年四月，暴力街頭抗爭完全被警察鎮壓。小田的文章，就是立基於這項事實。

小田的文章中提及，針對現狀有兩個「明快的做法」。一是澈底實踐議會制民主主義，街頭抗爭採穩健路線，以擴大黨組織為目標。另一項則是讓武裝升級，實現暴力革命。

但是小田否定必須二者擇一。前一個選項，只要看看社共兩黨的現狀就知道沒有希望。至於武裝鬥爭，他說：「我不相信反權力的一方擁有實行現在這種鬥爭的力量。」「從更原理的觀點來說，那種鬥爭最後只會陷入少數先鋒的代理主義。」而即使武力革命成功，「對於民眾來說，在那之後出現的明日世界未必就令人滿意。」

小田否定「明快的」二者擇一，他認為，擁有權力的一方與反體制的一方「都不明確、猶如鵺一般的狀態，傾向將事物弄個明白」，但「現在運動所需要的，是流動的、如鵺一般的狀態」，而越平聯正是那種狀態的事物之一。

小田在一九六九年的雜誌訪談中這麼說[452]：「越平聯是種不知道到底是什麼、如鵺一般的存在，像打游擊戰那樣做就好了。」「我認為唯有如鵺一般的存在，才能創造變革。我完全不相信暴力鬥爭的學生所說的從武裝鬥爭到革命，但如果那種形式的革命成功了，我也不會住在那種社會裡。」「世界上有喜歡把事情弄個清楚明白的人，也有喜歡各種東西都混在一起的人。喜歡事情清楚明白的人，要不只是嘴上說著『守護議會制民主主義』但什麼都沒做，要不就是在社共周邊組織清楚明白的集團。更加明白好懂的人們就認真地搞武力鬥爭。但是，像這樣清楚明白的人們，不論是哪一種都不行。」「我不是玉碎主義者，中核派所說的那種武力鬥爭會成為大眾的引信，我是不會相信這種愚蠢的說法的喔。」

小田在一九六九年的雜誌訪談中，還這麼說[453]：

> 不管哪個社會都是金字塔型對吧。總理大臣在最頂端，下有大臣、局長，依據不同功能分擔、構成。但是，應該要與這個組織對決的總評、社會黨、共產黨大家都有大樓、有書記長、有接待窗口對吧？這我是絕對反對的。
>
> 當組織的規模或架構越來越巨大，即使是革新派政黨，因為不想毀壞自己的組織，就越加不會去做刺激掌權者的行為，如此一來，這個組織的運動就只是空殼，會變弱，根本無法對抗國家權力，只要和掌權者做相同的事，就絕對會失敗。就算是學生也喜歡城堡，城堡是某一天會被攻陷的東西啊，一旦建了城堡，就會為了維持城堡耗費所有的精力，而無法採取行動。

小田在這個雜誌訪談中答道：「越平聯在越戰結束、越南人民滿足了以後，就會立即解散喔。」[454]此外，他在一九六九年六月的評論中提到，每一個人都應該打破體內的「金字塔」意識，在平地上的只有「肉身的自己」，只有做得到這一點的抗議遊行，才是他「對民主主義的具體想像」，並表明「對於這陣子流行的『戰後民主主義』這個詞感到違和」，但不認同對「戰後民主主義」輕薄的批判。[455]

只不過，小田和吉川都沒有主張越平聯就是理想的運動。在一九六九年的文章中，小田說：「手裡拿著花走上街頭的遊行隊伍，或是拿吉他站在前面的遊行隊伍，如果只是這樣，沒辦法獲得充分有效的力量。」吉川也說：「我不認為現在這樣的越平聯運動，會以這種形式永遠持續下去，越平聯裡的成員也沒有任何一個人想要永遠持續下去吧。在這個意義上，越平聯也好、市民運動也好，都只不過是受限於當下狀況的一種過渡性存在。」「若為這種群眾運動的持久性感到驕傲那就完了。光是想像越平聯創立十週年的慶祝宴會，就令人毛骨悚然。」[456]

越平聯拒絕兩者擇一，拒絕將組織的存續變成組織的目的，而企圖展開一種「不定型」的運動。這一點，可以說正是一直以來對既存的新左翼黨派或革新政黨兩者感到違和而「找不到地方加入」的人們，為求表達不滿，選擇加入越平聯，並在一九六九年帶來人數大量成長的理由。

一九六九年六月十五日的成功

越平聯從一九六八年持續號召「六月行動」。當年的六月十五日的晚上，在中核派與革馬派的亂鬥下失敗，基於這點，一九六九年讓各地的全共鬥或反戰青年委員會、新左翼黨派等也加入執行委員會。這場一九六九年六月十五日的遊行，成為越平聯的另一個高峰。

這個時候已經不像一九六八年六月十五日那樣由知識分子號召，令人感覺到全共鬥運動造成知識分子地位低下的影響。聯絡窗口也從國民文化會議改為越平聯，並在六月十五日的集會與遊行中，增加了一九六八年沒有的「安保」訴求，標語改為「反越戰與反安保」。[457]

關於這場六月十五日的行動，吉川在事前說，四月二十八日的媒體報導中，要不是只呈現了社共等團體「整齊一致的行動」，就是只呈現新左翼黨派「超級過激暴力遊行」。但是，「拒絕被統整進握有權力的一方與大眾媒體準備好的範疇裡的人們，平常找不到自己的表現手法的人們，都會將這天的遊行變成可以充分表達自己主張的場子吧。」[458]

此外，吉川如此陳述六月行動委員會的原則：[459]「如果認同基本目標（去年是反越戰，今年是反戰、反安保、支持沖繩鬥爭勝利），接著要各自加上什麼標語，完全都是自由的。思想與主張的多樣性將完全被肯認。說是共同行動，絕對不會要求在形式上一致，行動的形式可以各自自由選擇。但是，選擇好的行動必須由自己的團體負起責任執行，絕不能強制要求其他團體，也不得妨礙其他團體。此外，必須在事前彼此告知，知道其他團體將採取什麼行動，以求彼此之間最大程度的合作。當然允許彼此間的相互批判，但須節制中傷、非難，更不能稱呼對方為『敵人』。」「共產黨也好、革馬派也好，只要認同剛才所說的最低條件，就歡迎所有人的參與，以平等的資格加入所有議論。」

新左翼黨派之間的爭執造成仲裁十分困難，儘管如此，中核派、共產同、ＭＬ同盟、共勞、第四國際等都加入了六月行動委員會。與吉川一起擔任六月行動委員會協調人的福富節男說，當時新左翼黨派之間的對立也變得沒有那麼尖銳，「這些學生組織、政治黨派妥善地統合，在六行委的帶動下準備活動。」[460]

這場六月十五日的集會與遊行頗成功。日比谷野外音樂堂的集會，根據主辦方的發表，約聚集了七萬人（警方宣布為約兩萬五千人），越平聯的《週刊ANPO》第零號與中核派的機關報《前進》銷量頗佳。被通緝的東大全共鬥代表山本義隆也與知識分子們共同舉辦演講，演講結束後躲過警察的耳目，再次消失無蹤。[461]

參加執行委員會的各個團體，都接受這天的遊行是非暴力遊行。還沒從四月二十八日大量逮捕的打擊中恢復的新左翼黨派也同意這點。

據小田所說，在日比谷野外音樂堂「我喊著：『各位學生偶爾也拿一拿花朵！』，聚集在舞台附近、戴著頭盔的學生們回應這項呼籲，同時獻上花朵。」[462]小田在回應雜誌採訪時這麼說[463]：「我們是不搞暴力鬥爭的喔。因為我是和平主義者。」「現在的武鬥棒，不是武器，那只是個象徵不是嗎？如果是象徵，那當然還是拿著花比較好，首先，花不是比較美嗎？」

遊行照慣例由年長的市民團體先出發，學生和全共鬥、新左翼黨派等隊伍緊接在後，最後是民謠游擊隊與以個人身分參加的人們，共同邀請沿路的群眾加入遊行，同時一邊演奏、一邊前進。關於這民謠游擊隊的模樣，小黑弘在一九六九年時這麼寫道[464]：

我們扮演的角色是「拾穗」，換句話說，是邀請那些沒有加入任何一個遊行隊伍的人們，以及被比我們還早出發的遊行隊伍影響、走在人行道上的人們，加入到遊行中。……在幾乎所有的遊行隊伍都出發以後，構成隊伍最後端的游擊隊，豎起寫著「誰都能參加的遊行」的旗幟，一邊唱著民謠，一邊在日比谷公園遊行。離開公園的時候，已經成為超過兩千五百人的大型遊行隊伍。這個隊伍對著機動隊充滿嘲諷地唱著《加入機動隊吧》：「用警棒和頭盔武裝／拿好巨大的鋁製盾牌／用力毆打學生的頭／沒有比這更帥氣的工作了」，用手牽手大遊行填滿道路，並用指揮的手持擴音器對機動隊發出警告。

「這裡是越平聯公關組。各位機動隊員，立刻放下手上的鋁製盾牌和警棍，否則我們將以攜帶凶器預謀集合罪檢舉全員！」

擅長應對頭盔和武鬥棒的他們，也拿這口號沒轍了吧。從來沒在過去的遊行中，看到過表情那麼複雜的機動隊員。我們的另一項任務：邀請人行道上的人們加入遊行隊伍，這部分也很成功。……遊行隊伍越來越多人參與，最後聚集了四千人召開總結集會。

這天的遊行，吉川勇一遭到便衣刑警猶如綁架般的方式逮捕，另外還有七十一人被逮捕，儘管如此，仍舊成功落幕。一位刑事犯對被拘留的吉川說：「我也非常不爽，出去的話，我去參加遊行痛揍警察一頓，到時候還請多幫忙。」吉川回答他說：「越平聯不打警察，所以你去找全學聯吧。」[465]吉川被冠上的嫌疑是指揮遊行、造成混亂之類的，很明顯是事先就算計好的不當逮捕。吉川在拘留數天獲釋後，舉辦了抗議遊行，遊行的名稱是：「絕對不會妨礙交通，秩序端正，遵守日本國憲法，手上拿著花束安靜地走路並抗議警視廳鎮壓的抗議遊行」。[466]

據吉川所說，這是繼一九六八年十二月「不會妨礙交通，不會造成店鋪的困擾，邊走邊發送花束的和平遊行」後，另一個帶有「嘲諷」意味的遊行，同時也是因為警察絕對不會受理抗議文的關係，乾脆把「抗議」放進遊行申請名稱。申請的時候，警察被告知「如果遭到駁回，就上法院告到底」，只好一邊抱怨「越平聯真的是很惹人厭的存在啊」，一邊讓申請通過。[467]

負責越平聯的公安刑警這麼說[468]：「很難取締越平聯，蠻討厭的。革馬、中核那些傢伙雖然很好抓，但機動隊最討厭被越平聯盯上。真的，非常麻煩所以乾脆不管他們，但一不管他們，馬上就搞起手牽手大遊行、癱瘓交通，一過去管制他們，就邊說一些惹人厭的話邊回復原狀，真的是南越的游擊隊啊，他們。搞出來的事都是很有想過的。」

即使是在各地區持續舉辦不起眼活動的越平聯，也有類似案例。在宮崎越平聯的通信中，刊載了一篇題名為〈遊行申請異聞〉的文章[469]：

這是為了遞交定期遊行申請而訪問宮崎警察署時的事。變得熟識的主管官員見到我問：「你們的遊行要持續到什麼時候？」「直到越戰結束……」「即使如此還是會繼續對吧？」「……」「不過你們的遊行應該是效果最好的吧。靜靜地走的遊行……。雖然也有大吼大叫吵吵鬧鬧的遊行……署內也常常在聊你們的遊行應該是最有效的喔。」我被一種奇異的感覺襲擊。……從這位主管官員的表情看來，沒有一絲揶揄的神色。……革新組織對越平聯很消極，有時候甚至接近冷淡，但是行政權力一方的末端，竟然給予好評。

六月十五日的遊行聚集了約七萬人，這遠遠超過警察的預測，在警察的調查中，只算越平聯的動員人數約在一萬四千人以上。根據當時的報導，警察是從定期遊行的人數來推測「動員力」，因此「以往越平聯的動員力是六百人程度，不知道什麼時候變得如此有力。」[470]

六月十五日前幾天，國家公安委員長表示「越平聯等蒼蠅般的東西」，並預言六月十五日的集會「大概只會有一萬數千人參加吧」，因此事後為自己的不察道歉。媒體也不懂聚集那麼多人的理由，將原因指向是市民對新左翼黨派的暴力鬥爭感到反感，因此聚集到沒有暴力鬥爭的六月十五日集會。

吉川日後批判，這正是受到「暴力遊行或秩序整齊的遊行」二分法的限制，只能以此分析事態，是媒體想像力貧乏所致。[471]

包括一九六九年六月十五日的遊行在內，這個時期越平聯運動擴大的理由，吉川在幾年後這麼說[472]：

其中一個理由是，既有的勞工工會和政黨僵化、不符合現狀，對此感到不滿的人很多的關係。而且這些既有的組織，對此毫無自覺。

例如越平聯稍微變大一點之後，原水禁事務局的人來找我，說是越平聯似乎發展得很好，為了讓原水禁發展，應該要如何與越南問題產生關聯，想針對這點請教意見。我聽到後非常吃驚，希望他能對這個問題本身的荒謬有點自覺，所以我回他，如果是問原水禁能做點什麼讓反越戰運動成功，我很樂於回答。如果是為了讓原水禁這個組織壯大，該如何介入越南問題，說難聽點就是想要利用越南問題的發想，這是不行的，為了某個目的所以才有運動或組織，如果是為了維持組織發展去想該如何利用問題，這是本末倒置。當時的工會和政黨都變成那個樣子了喔，不是那樣的運動則獲得了人們的期待，而越平聯剛好成為那樣的運動。

如前所述，小田批判既有的政黨「因為不想毀壞自己的組織，便不會去做刺激掌權者的行為」，而吉川則說：「若為這種群眾運動的持久性感到驕傲那就完了。光是想像越平聯創立十週年的慶祝宴會，就令人毛骨悚然。」在優先考慮組織存續和擴大的這一點，即使是以批評社共而浮上檯面的新左翼黨派也是大同小異。然而，越平聯一直以來維持著「運動體」而不是「組織」的發想，剛好符合時代的潮流。

六月十五日聚集了遠超出警察預測的人數，其原因應該不是警察所說的，所謂越平聯這個「組織」的動員能力，而是在經濟高度成長所造成的社會變動當中「找不到地方加入」的人們，無法見容於社共「整齊的遊行」或新左翼「超級過激的遊行」，為了尋求表現自我的「場」才聚集而來。

鶴見良行在一九六九年這麼說[473]：「國家權力也好、大眾媒體也好，再次因為『沒辦法想像越平聯的動員力』而感到吃驚。其實那很簡單，正是因為不是被組織強制動員，也沒有金錢的計算介入，人們在某一天參加遊行這種事，便得以完全出於自己的意志，也正是因為如此，那是非常好的解放式遊行。用『動員』之類的詞彙描述現代自發的行動者，只會令人感到違和。」

越平聯的擴大與「找尋黑幕」

由越平聯擔任核心主辦的集會，在各地的聚集人數都超出預期。一九六九年六月，作為六月活動的一環，小田實等人揭示三個口號：「粉碎安保」、「讓沖繩回到我們手裡」、「讓日本回到我們手裡」，開始全國巡迴演講。這場巡迴演講的反響很大，超過各地弱小的越平聯團體的預期，每一場的演講會場都人數爆滿，並在演講結束後舉行遊行。關於這次巡迴演講，小田當時這麼說[474]：

我們到任何一個在北海道的集會，主辦方異口同聲地說：「我們不知道這些人到底都從哪裡來的」。委託學生賣的入場券五十張，透過工會消化的有五十張，還有，透過過往「越平聯」的網絡賣掉的有五十張，這麼一來，幾乎擠不進去湧向會場的其餘五百人，到底是從哪裡、怎麼來的？……雖然人們是來了，但甚至稍微令人感到異常。

什麼時候開始變成這樣的呢？去年不管在哪裡召開集會，在找人參加方面，主辦單位可是費盡苦心。……很快地，來的人也不再只是年輕人，年紀更大的人也開始來參加。

小田說：「典型的例子是在六月十五日舉行的『反戰、反安保、沖繩鬥爭勝利六．一五統一行動』的遊行。」他是如此描寫從北海道各地前來參加集會的人：「雖然年輕世代的參加者很多，確實也有中年男子和老人。不過最多的還是十幾、二十幾歲的年輕人，其中最顯眼的是高中生吧，甚至還有穿著水手服的女孩，他們違反學校的『禁令』，參加集會後或是集會前的遊行。就算不說高中生，來參加遊行的人似乎大半都是第一次參加遊行。」[475]

一九六九年各地的越平聯團體增加更多，數量達到約三百六十個。但是，由於越平聯沒有會員制度也不需要成立手續，有很多是連東京越平聯事務局也沒掌握到的團體。

據小中陽太郎所說，山口縣有許多下述的案例[476]：「當地的女學生想要舉辦可以展現個人主體性的運動，因此想用沒有名字的遊行去向警察申請許可，警察則困惑地說，沒有名字的主辦人沒辦法受理，但是女學生說，我們想要舉辦沒有名字的遊行，努力向警察爭取，然後警察說：『那種運動就叫做越平聯啊。』之後，女學生寫信給東京越平聯事務局表示：『實在很不得已，只好稱為山口越平聯了。』」

很明顯地，這個案例是，在使用既有語言表現「主體性」遭遇困難時，作為一種確認「主體性」行為的名稱，活用了「越平聯」這個名號。在各地誕生的越平聯，有許多是像這樣以「沒有名稱」的東西為目標，在命名或認同上產生困難的東西。

當時的報導是這麼說的[477]：「在警視廳負責監視越平聯的一位老手刑警，試著收集全國〇〇越平聯的資料並製作組織圖，卻找到許多像是『一個人越平聯』、『明天再搞越平聯吧』、『越平聯孤獨人』、『LADY・越平聯』等把人當笨蛋似的名字，最後喪失繼續做下去的動力。」

而實際上，小田發表的「反安保」也不只是單純反對安保條約的意思。他在一九六九年初夏，於《週刊ANPO》第零號上寫的文章中，指出只要在安保條約下，日本國民必然會成為越戰的共犯，他接著做了如下論述：

「安保條約不只是在政治上不好，也是對我們『人類』的侮辱。」「最重要的是，我們要找回在安保條約底下失去的人，不只要找回來，還得在運動中創造出新的人，這種運動、整合這種人的行動，我將之稱為『ANPO』。」[478]此處的「ANPO」，或許已經和當時藉由「異化」或「主體性」來表現的事物幾乎相同。

對於越平聯的急速成長，社會上有各種反應。六月十五日之後，自民黨全國組織委員長的事務部長岡本雅生這麼說[479]：「不得不說我覺得越平聯此後將成為反對安保運動的主幹，雖然最初只是宣稱『給越南和平』、感覺單純的市民團體，觀察那之後的發展經過，似乎也不只是那樣。」「那是一個應該要高度警戒的團體，和其他過激的革命團體似乎也有聯繫，必須認真思考對策才行。」

新左翼黨派依舊對越平聯的評價很低。中核派全學聯的書記長說：「六・一五我們也辦了抗議遊行，聚集在越平聯的市民本身沒有力量，什麼都做不到，所以沒辦法給予評價。」[480]社學同的某位學生則評論道：「因為沒有暴力鬥爭的觀點，這樣下去恐怕只會回到單純的市民運動。」[481]

共產黨也一貫地給了低評價。六月十五日的遊行之後，共產黨統一戰線部副部長關幸夫說：「越平聯裡有與共產黨敵對的托洛斯基主義者和反戰青年委員會的成員，掌握核心的成員裡，也有原本在共產黨搞分派活動最後離開的人」，因此沒辦法與越平聯合作。[482]

社會黨則因六月十五日的盛況，對越平聯給了正面評價。當時的書記長江田三郎說：「我們也被迫思考，為了從現在的停滯重生，自我改革是必要的。」此外，青年局長大森保也說：「不假借既有政黨的力量，可以做到那種程度，必須對他們的動力給予高度評價。」「想呼籲作為友好團體與越平聯合作。」總評的國民運動部部長岩垂壽喜男也給了正面評價：「小田身為市民運動領導者非常了不起。」「我們今後的動員方式等，也必須向他們學習。」[483]

但是，社會黨實際上對於本體不明的越平聯抱有違和感。某位社會黨議員看到六月十五日參加集會的人們，在週刊雜誌的訪談中如此回應[484]：「來這裡的人，誰也不會去投票吧。不會投給我，也不會投給共產黨、公明黨，當然，更不可能投給自民黨、民社黨。他們是棄權的一群人吧。」這反應顯示了他們並沒有脫離優先擴大「組織」的想法。

另一方面，大眾媒體和圍觀的群眾中，也有錯誤地給予過高評價的人。大眾媒體甚至評價「小田實是昭和的坂本龍馬」[485]。六月十五日之後不久，訪問小田的記者問：「小田先生，就像明治維新前，促成薩長同盟的坂本龍馬那樣，您是否有打算整合目前的左翼陣營？」[486]

這個狀況，顯示了各路勢力沒有掌握到小田所說的「鵺一般的存在」的越平聯的「真面目」。當時某雜誌對越平聯的評論，或許反映了各路勢力的真心話[487]：「像水母一樣滑溜溜的，沒有地方可以抓，看起來沒有什麼組織樣子的團體竟然能召集那麼多人……。以過往的群眾運動的常識來說，只能說越平聯真的很像妖怪。」

為了掌握越平聯的「真面目」，據吉川的說法，警察與其他各路勢力「認為背後有類似領導層級，或暗地裡的黑幕似的存在，因此拚了命要找出來。」[488]舉例來說，像是以下的東西。

首先保守派的評論家認為，越平聯背後有來自蘇聯等社會主義國家的秘密資金援助。一九六九年時，一位評論家寫道[489]，越平聯的財政是以募款的資金來營運，其中也包括「在日外交官」的巨額款項，而且「越平聯相關人士頻繁進出東京狸穴的蘇聯大使館，不難想像在日大使館的捐款人，就是蘇聯大使館的相關人士。」

為了確保美軍逃兵的出國路線，吉川等人經常拜訪蘇聯大使館，這是事實，但是說有蘇聯的資金援助，這是沒有根據的空想。

也有保守派評論家主張越平聯「有無政府主義者潛入」。一九六九年的一篇評論寫道：「雖然像是皆叛社或越南反戰直接行動委員會等，擁有自己的組織的無政府主義者看起來沒有加入，但是據說其他的無政府主義者幾乎都參與其中。」「小田實與無政府主義者的有力領導人岩佐作太郎向來關係很好，小田也寫過『無政府主義禮讚』」[490]。

此外，警察也對東京越平聯的核心成員中有吉川勇一、武藤一羊、飯田桃、栗原幸夫等共勞黨黨員一事特別關注。一九六九年的雜誌文章寫道：「警察當局指出越平聯的領導群中有共勞黨員，將之視為『串連市民與過激的革命引爆勢力的觀察團體』，對越平聯保持警戒。」[491]

像這種越平聯名義上是市民團體，實際上是由共勞黨掌握的謠言，保守派的評論家也會提，其中一人是秋山篤彥，他在一九六九年的評論中寫道，越平聯是「假借市民運動之名的一種對市民社會的挑戰」，「背後有共產主義者的指導」，「飯田桃、吉川勇一、武藤一羊等共產主義勞動者黨的有力幹部都參加了該運動，他們手握大權。」[492]

越平聯被共勞黨支配的風評，也在喜歡「陰謀論」謠言的新左翼黨派年輕人之間流傳。前新左翼同情者、批評家絓秀實於二〇〇四年時說：「越平聯其實是『親蘇派』的共勞黨附屬團體」。從社學同轉到赤軍派的中野正夫也在二〇〇八年寫道：「儘管越平聯有各種耀眼的自稱『文化人』參與，姑且不論表面如何，實務和背後的戰術根底，是共勞黨掌握著大權。」[493]這些言論的來由之一似乎是如前所述，新左翼黨派相關人士對吉川的評價不佳的緣故。

實際上，共勞黨是弱小勢力，沒有操作越平聯的力量。二〇〇六年絓秀實在自己的著作中寫道，越平聯內部有共勞黨的支部，而該支部操縱著越平聯。關於這個支部，當時的共勞黨幹部在二〇〇六年的對談中這麼說[494]：「共勞黨並不是什麼可以組織支部的政黨，那種說法是過譽了。」

當時的共勞黨書記長白川真澄也在這次對談提到越平聯，他說：「沒有把越平聯當作一系列黨的群眾運動的想法。飯田桃、吉川勇一、武藤一羊、栗原等人是以個人身分參與的。」並且如此評論吉川：「雖然是黨的中央委員，但參加（共勞黨的）中央委員會時經常遲到，報告運動狀況的時候就途中離席，匆忙地回到越平聯的活動。」「他非常堅持要維持越平聯的自主性。」[495]結果這種對越平聯「黑幕」的找尋，到最後都是錯誤的推論。

某位記者在一九六九年時，針對越平聯可以聚集這麼多人的原因，有此陳述[496]：「各政黨垂涎的人數聚集在像這樣鬆散的團體，意味著既有政黨已經固著的政治意識形態沒辦法擄獲都市化的市民感情，人們厭惡政黨間的派系鬥爭，更不要說已經受夠了政黨任意地管束或指揮，才因此轉而參加越平聯吧。」恐怕這是在當時最正確的評價吧。

就這樣，從一九六九年前半到中期，越平聯迎來一個高峰期，但同時，如前所述，這也是「最艱難的」時期。

「反萬博」的咎責騷動

如前所述，一九六九年越平聯在數量上的膨脹，是因為這一年全共鬥與新左翼黨派的街頭抗爭不斷遭到鎮壓，無處可去的學生流入越平聯的遊行之故，這對於越平聯來說，則未必完全是一件好事。

依據小田實一九九五年時的回想，越平聯於一九六九年六月十五日遊行的這個時間點，可以說站上一個頂點，但當時已經感覺到危機。此時吉川被不當逮捕之後，當時人在遊行現場的作家柴田翔這麼寫道[497]：「遊行隊伍的殺氣增強，到警視廳抗議的聲音越來越大，大家都做好準備，等小田說要去警視廳，如果小田說了，數萬人的遊行隊伍將毫不猶豫地往警視廳前進，與警察發生衝突，那麼越平聯的運動，就會因此產生巨大的質變吧。」

但是小田並沒有下這個指令，遊行隊伍朝著解散地點前進。遊行後的總結集會中，不喜歡說大道理因此向來很少發言的小田，罕見地拿起麥克風。

根據小中陽太郎所述，小田說：「各位都知道，吉川被逮捕了。各位應該很生氣吧。但是，人類，在這種時候哭也好、叫也好，什麼都改變不了。今天的遊行，是一個巨大的成功。」「區區逮捕算什麼啊？這種時候，不是應該大家一起大笑嗎？」然後小田說：「來吧，準備好了嗎？笑吧！一起笑吧！」然後小田真的笑了：「啊哈哈、哈哈哈！」[498]

這雖然是他身為作家、重視幽默、具有小田風格的回應方式，但小田自己在一九九五年的回顧中說：「我必須說點什麼。」「被逼到牆角的結果，最後就只能那樣回應。」關於自己對當時狀況的認識，他是這麼寫的[499]：

每天很激烈的「校園鬥爭」，到了那個時候已經現出疲態，與此同時，在我看來，最初受「全學聯」，後來受「全共鬥」的學生們刺激，奮起的年輕勞動者們的「反戰青年委員會」運動也迎向衰退。……然而，即使這些運動衰退，也未見共產黨和社會黨，或者是「總評」等「舊左翼」的勢力擴增，「左翼」全體的勢力已經開始下降了。……

……確實相對來說，「越平聯」的運動勢力來到興盛時期，這本身並不帶來任何問題。隨著走在前面盛大喧鬧的「小孩的遊戲（學生運動）」氣勢衰落，應該在後面的「大人的遊戲」——搞不好就只是像遊戲那樣也說不定的運動，被推到前面來，變成直接面對權力的一方。是有那種感覺。證明這個狀況不只是一種感覺，而是現實問題的，正是吉川被逮捕一事。

越平聯的活動勢力增加，不過是新、舊左翼雙方衰退所帶來的相對性結果，而小田已經對此帶有危機感。

而越平聯內部年輕人與年長者的對立，一九六九年前全共鬥等的學生加入之後，變得更加嚴重，而且學生們在全共鬥運動中學到的風格，亦即對自己和他人進行倫理式的詰問那種嚴格主義，也被帶進越平聯。這個危機首次檯面化，是在一九六八年八月七日召開的「反萬博」。

這個「反萬博」，是一九六九年二月的全國懇談會中，由關西越平聯提案的企劃[500]，主旨是為了對抗政府意圖以國家事業的形式，在一九七〇年舉辦大阪萬國博覽會，藉此轉移民眾對安保條約修訂的注意力，對抗的方案是召開市民反戰博覽會[501]。另一方面，早期越平聯的協力者桑原武夫擔任了萬博主題委員會的副委員長，一九六七年在《紐約時報》意見廣告中題字的岡本太郎，則擔任主題展示製作人，兩人都處於萬博執行者的立場。

最初「反萬博」提案時，舉辦場地和展示內容都還沒決定。根據關西越平聯代表、桃山學院大學教授山田宗睦所說，最初「以南大阪越平聯為中心，借天王寺公園，打算頂多就限於關西規模舉辦」，結果在全國懇談會中獲得支持，發展為在全國各地募集展示和企劃的大型活動。[502]

關西越平聯的年輕人們盡了全力籌辦這個活動，二十七歲成為事務局副局長的木村滿彥甚至辭掉大學事務局的工作，成為無薪專任的副局長，會場在幾經波折之後，選在大阪城公園，預算規模也從最初預計的一百萬日圓膨脹為四百萬的規模[503]。

據柴田翔所說，木村等人主張的「反萬博」主旨如下[504]：「萬國博覽會，是人民缺席的狀況下，現代文明中的偽祭典。那裡沒有給無名人們的文化創造留下餘地，以『人類的和諧與進步』為目標的同時，卻無視現實中的不和諧與野蠻。意圖避開世界各地的貧困，人種之間的不和、歧視，原子彈、氫彈與人類的未來，越戰等現實問題，只談粉紅色的人類未來。」「我們，並不打算『粉碎』這種萬國博覽會，儘管同伴中可能有這類的個人意見，但反萬博的目標不是那樣，而是打贏那種偽萬博，是我們這種無名的人類的文化創造，而對於無名的人類來說，文化創造與反戰是一體兩面。」

「反萬博」有以下的企劃構想：[505]「不要單方面的強制推銷知識，沒有老師、學生或職員，換個說法，每個人都是老師、都是學生、也都是職員。」設立「反萬博市民大學」。以自主拍攝電影的方式，上映獨立專業作品如《加入自衛隊吧》、《反萬博紀錄片》等，並與電影作者討論。上演半職業劇團的戲劇作品或表演，打破「業餘和職業的分界」，「創造多產的混亂，那也是戲劇、這也是戲劇，讓大家吃一驚。」舉辦民謠集會，讓職業歌手也加入討論，共同創造出在遊行也能唱的歌曲。展示沖繩、自衛隊、基地問題的說明看板，展示海報，設置各國、各地區的帳篷館，舉行各新左翼黨派與各大學全共鬥的討論集會。總的來說，可以說是深化全共鬥運動的自主講座或「反大學」等理念的活動。

大約有一百五十人進行反萬博的準備。由於預算規模龐大，關西越平聯的年輕人連日在街頭募款，凌晨三點開始就在大阪四處張貼海報。柴田是如此描寫他們募款活動的樣貌[506]：

> 沒見過大阪中心、傍晚的梅田地下街的擁擠與活力的人，很難想像，那裡有種粗俗、忙碌、生命力。下班的男女老少同時聚集在那個地方，每天到了傍晚六點半左右，反萬博的募款活動就開始了。……十名年輕男女聚在一起，掛起長長的布條，開始彈奏吉他。
>
> ……吉他的聲音吸引幾個人停下腳步，很快地，一個人拿起麥克風，開始訴說關於反戰與反萬博，希望人們幫忙與募款，然後拿著號碼布條、連署用的紙和捐款袋的人們，一個個走進群

眾，直接和人們搭話。……

馬上回應募款的人並不多，反而都會先反問要求捐款的人：「為什麼要反對越南戰爭啊。不要插手別的國家的事啊。萬博和戰爭，沒什麼關係吧。」

對話就開始了，接著變成討論、再變成議論，周圍很快地就築起人牆。旁邊有圍觀的人插嘴，其他圍觀的人回答插嘴的人。……再加上流瀉出來的民謠歌曲，議論更加熱烈。從萬國博覽會、越戰，到政治、社會體制，最後甚至觸及人生觀。一位工人對募款的女學生激動地說：「我中學畢業後馬上就去做工了，你們這些學生懂什麼？」講到最後說：「沒錯，果然你說的沒錯。」捐了錢之後離去。人群圍起來的圈子，散了又聚、聚了又散，反萬博的運動者離開後仍舊持續下去，有時候持續到十一點左右還有人在。

木村這麼說：「赤手空拳、只靠自己，走進人群當中，所以非常辛苦，如果自己的想法有一點點不清楚的地方，馬上就會被駁倒。甚至也有年輕女孩哭著回來的。」

年輕的女學生運動者說：「一開始的時候，說到後來連自己在說什麼都搞不清楚了。被駁倒回來後，心底覺得很懊悔、非常懊悔，然後轉而覺得可惡，再更努力閱讀各種雜誌或書，更努力學習。但是，最初反對的人，聊著聊著就開始理解、最後掏錢捐款的時候，實在非常令人開心。」

募款活動結束後的閒聊，大家看起來著實非常開心。……應該沒有什麼團體能夠像這樣充滿生命力、開心地進行活動吧。

與一九六九年初夏的新宿西口民謠集會相同，不只是越平聯的年輕人，大都市的人們渴望溝通和討論的心情，亦可見於大阪。

到舉行反萬博的前一天，大阪城公園會場沒有任何帳篷或團體。據小中陽太郎：「一直到前一天，就連事務局也不知道辦不辦得成。」不過根據越平聯代表山田宗睦所說，前一天「傍晚，不斷有各部隊前來通宵作業，天亮的時候，反萬博就出現在那了。」[507]

實際舉辦的反萬博，確實非常多采多姿，儘管有些最初的構想沒能實現，但仍舊做了各式各樣的嘗試：奈良的漢生病復健團體為了訴求歧視漢生病的歷史與實際狀況，設立了帳篷館「癩家」，福岡越平聯將墜落在九州大學的美軍戰鬥轟炸機的部分殘骸偷偷帶進反萬博會場等。[508]

當時的《朝日新聞》大阪版（八月九日）對「反萬博」作出如下描寫[509]：「高中生放起紅色的風箏。『如風箏高飛，革命之日將近』。戴著頭盔的學生用迴旋踢把佐藤的人偶踢飛，一次十日圓，紙箱裡有七枚十圓硬幣。反萬博座裡，白雪公主的情色台詞讓觀眾笑歪了。穿著破爛衣服的瘋癲族四處遊蕩，少女打著太鼓跳舞，穿著塑膠拖鞋的男子放著煙火叫著。」「控訴公害的看板上寫著：『我們體內每天有六十到一百種的毒物侵入。』煤煙、瓦斯、有毒色素等。反基地鬥爭的板子上則有催淚瓦斯造成傷害的照片……。」

不過素人的學生與市民的展示或戲劇，從演藝的觀點來看大抵都非常粗糙。反萬博召集人之一的針生一郎當時如此寫道[510]：「我繞了會場一圈，感覺大致符合最初預測的擔憂與期待。用說明板展示的活動，包括關於三里塚鬥爭、大村收容所解放鬥爭、家永裁判訴訟等切實的題目在內，總的來說，看起來很陳舊寒酸。關於『反戰藝廊』的設置與營運，我自己也是接受諮詢的一人，但是收集而來的作品，除了古巴的反戰海報以外並不多，令人覺得那不如乾脆不要展。」

從東京來的小田也有同樣感想。這次企劃是由關西越平聯推動，小田是以「觀眾」的意識來參加。[511]小田看法是：「會場裡沒什麼值得『觀看』的東西——簡單地說，『觀賞物』實在太少。」「再怎麼無聊的東西，如果是『同伴間』共通的東西的話，那或許還找得到有趣的地方。如果以『參與者』的視角來看，『反萬博』的會場中確實有許多有趣的展示和說明看板，但是如果退一步從外部、從只是個『觀光客』的觀點來看，並沒有太多『觀賞物』。」儘管追求的是「新的文化創造」，「『反萬博』也好，在其背後的『越平聯』運動或『全共鬥』等其他運動也好，儘管都需要新的文化創造，卻沒有真的創造出什麼。」

另一方面，據針生所說：「創造反萬博的實體的，是遍布於會場的大眾討論的圈子。」[512]然而據小中陽太郎所說：「六九年這年，學生急於自我剖白，因此那些討論，經常是自我的心情告白以及渴求溝通的一體兩面。」[513]聚集在反萬博的學生們，就如同在全共鬥運動中批判大學與教授般，四處開始有對反萬博的責備與批判的討論。

據針生所說，認識的學生在會場內找到針生就說：「反萬博什麼的，到底是什麼東西？很懈怠啊。」同時就有十幾人組成隊伍開始抗議遊行，高呼口號：「自我批判反萬博這種沙龍式的氣氛吧！」此外，在日中友好商社的展示中，販賣《毛澤東語錄》和民藝品、食物等中國物產，被學生責備「日中友好協會把反萬博當作營利的場子」、「商品展售會與反戰運動的關係在哪？」在被迫自我批判的情況下，最後不得不縮小攤位空間。[514]

另外也發生了「熱狗論爭」。反萬博事務局為了減少赤字，在會場內設置飲食類的攤販，拜託入場者在這些攤販消費。但第一天就有一輛販賣熱狗的外部車輛進場，並有不錯的獲利。儘管事務局再三要求業者退場，業者卻不為所動。

接著第二天八月八日傍晚，不知為何來了七名制服員警意圖趕走業者。事務局叫來警察的謠言在入場者間傳開，事務局因而被迫自我批判。之後，八日夜晚的討論會中，達成透過自主警備趕走業者的結論，然而在隔天九日「市民大學」的討論中，以熱狗業者也是勞動者的邏輯，推翻了前一天達成的結論，造成騷動。[515]

而且在討論中，經常是缺乏秩序且意氣用事。據鶴見良行所說：「因為不是由主持人和議長安排議事的關係，許多議論都淪為旁枝末節的爭論，甚至到了一名參加者說：『昨天也說熱狗、今天也說熱狗，有點膩了。』」[516]

在這種議論中打頭陣的，是被日本大學趕走、在各地大學流浪的日大全共鬥成員。被大學驅逐的他們，成為更激進的小團體。據小中陽太郎所說，他們主張「熱狗小販也是勞動者，是誰奪走他們的生活權的？」「叫警察來對付熱狗小販，這是市民主義的極限。」[517]

儘管從東京來的吉川反駁：「市民的極限與熱狗小販的勞動權有什麼關係？」但日大全共鬥仍通宵持續責難。從東京來的小中陽太郎回想：「（事務局的）木村等人，廢寢忘食、眼睛充血，幾乎以肉體的極限在工作，那個時候比起那種議論，更應該給他們睡個好覺。沒能讓木村等人休息，我覺得自己非常沒用。」[518]

八月九日第三天下午兩點開始，在公園中央的大帳篷舉行由羽仁五郎等人擔任講師的「市民大學」，但是戴著頭盔的約三十名日大全共鬥成員，破壞帳篷左側侵入並開始責難事務局。事務局方面為了彌補赤字，向「市民大學」的入場者募款，但是根據小中所說，日大全共鬥主張「那就不是市民大學了，全共鬥運動就是為了消滅這種歧視才存在的。」演講因此中止，切換成大眾討論會，討論的結果，決議不收取入場募款，預料將有的數百萬圓赤字，基於參與者的自覺與責任，以志願捐款的方式補足。[519]

八月十日第四天中午，匯集北海道到沖繩的參加者，召開越平聯全國運動參與者會議，會中報告了「大泉市民集會」對朝霞美軍基地的反戰播音，千葉越平聯與法政越平聯的三里塚援農活動等[520]。但是，這天夜晚又發生了其他問題。

十一日最後一天，原定由在大阪御堂筋聚集在反萬博的人們發動「十萬人大遊行」，事務局的企劃案是「第一梯由學生、勞動者組成『堅強者』部隊，第二梯是『普通人部隊』，第三梯是『花部隊』——一視同仁地對市民和機動隊發送花朵，第四梯是以民謠為中心，邀請路人參加遊行的『相信接棒者不斷部隊』」，這是越平聯大規模遊行的慣例型態。然而，卻有人認為事務局的方案未經大眾討論，只是單方面強迫接受，因此議論徹夜沸騰。[521]十一日中午原定由羽仁五郎、井上清、小田實等人舉行「市民大學」，也遭中止，約一千人聚集在大帳篷，持續前一個晚上討論反萬博意義的大討論會。

根據小中與針生的紀錄，日大全共鬥的主張是[522]：「說穿了，擅自決定遊行到底是怎麼回事？先把反萬博的意義說清楚！」「這個會場是缺乏權力與緊張關係的擬解放區，我們必須粉碎這祭典般的熱鬧，把反萬博變成一個具有特定目標的戰鬥場。」「這是市民主義的極限。在把一切都掩蓋在自發性與統一性的名義下，市民運動已經來到極限。大學越平聯熱中於反戰反安保，但是對街壘鬥爭毫不關心，我們相信連帶是來自不惜武裝內鬥的討論。」

針對這個批判，吉川反駁道，越平聯喚醒了加害者意識，試圖守護平穩且豐裕的生活，「相較於六〇年代安保鬥爭的市民運動，已經創造出不同性質的運動，這點非常明顯」，「並不是市民主義的極限。」接著大學越平聯也反駁道：「事實上我們積極地介入許多校園鬥爭。」小田主張：「越平聯創立的時候，我們甚至沒有提到安保條約。四年後，我們談論安保與沖繩。這四年來都沒有退出的人，有運動的根底。」並說：「在不同階段的行動中，依據自己的意志與條件向前走是很重要的。」[523]

吉川在一九六九年四月主張，職場也是鬥爭現場，與勞工運動不同，如果市民運動追求「『求道者』式」的純粹性，那「會變成孤立且封閉的社團」、「是種自殺」，「每個月的遊行，也必須確保那是一個無論何時、任誰都能參加的場子。」[524]對於吉川來說，日大全共鬥的倫理主義，看起來就是「自殺」吧。而小田的想法是，對於像全共鬥這種「青年的『通過儀式』」，不想與他們有過多交集」，因此對於日大全共鬥的追問應該感到厭煩。

然而，在一九六九年的「造反」氣氛中，就連年長者也對小田和吉川採取同樣論調的批判。越平聯創始成員、「無聲之聲會」代表人高畠通敏是這麼主張的：[525]「反萬博是將名為反戰的商品冠上萬國博覽會的標題拿出來賣，意圖在被動的觀眾動員人數上取得成功，這陷入民青式的邏輯。」「事務局應該把所有參加者拉進來、導向為自主管理並且從中抽手。如果今天的遊行沒有將反萬博的理念是如何誕生的說清楚，無聲之聲會不會參加。」

另外，身為事務局長的關西越平聯山本健治也開始自我批判[526]：「為了吸引更多人參加，半廣告宣傳式地安排娛樂節目，到昨天為止是我們，現在則是小田、吉川，然後將這些包在越平聯的手工邏輯底下。」

雖然吉川和小田對長年的同志高畠的發言感到吃驚，但最讓小田受傷的，還是他一直以來信賴的鶴見俊輔的發言[527]：「越平聯施放了巨大的煙火，取得凝聚全國大眾的力量這一點也值得讚許。但是，如此一來，就會產生只要夠大就好那種對數量的信仰，如果對此不在運動內部預先準備解毒劑，會與既有左翼相同，衍生出支配與被支配的關係。小田是優秀的組織者，只要有小田的地方，就會有越平聯誕生，但是這種越平聯就如同中村錦之助的粉絲團一樣，力量薄弱。」

前述鶴見的話，是來自針生的紀錄，但依據鶴見良行，鶴見俊輔的發言是：「現在，越平聯擁有在全國動員一百萬人的力量吧。這種大眾主義是一種自我欺瞞、包含著一種惡。」[528]而小中的回憶錄中記載，鶴見發言的「主旨」是：「以小田為中心，聚集人潮、變成像為了鐵粉的明星似的並不好」[529]。細節雖然有所差異，但在鶴見一九六八年發表的文章中可以發現，諸如越平聯是名為小田實的明星「電影粉絲團似的」、「有群眾聚集在一張電影明星海報前的一面」等句子。[530]

小田和吉川對於議論感到厭煩。小田提案：「我會留在這裡繼續參與討論，但是應該有人是為了參加遊行才來的，這些人請出發。」吉川則說：「我會去遊行。但是，那並不是遊行或討論二選一，我會在遊行中思考這些討論。」爾後約五千人出發遊行。[531]

接著現場流傳起右翼分子襲擊的謠言。日大全共鬥於是喊著「頭盔！」「武鬥棒！」根據小中的形容，他們「朝氣蓬勃地」離開了帳篷。小田則讓人們解散，走到場外。日大全共鬥發現右翼襲擊只是謠傳後便回到帳篷，卻發現帳篷已空無一人，悔恨地說：「被小田背叛了」。[532]

然而，小田在這場討論中感到非常受傷。[533]根據一九九五年的回憶錄，連老同志高畠和鶴見俊輔都批判「小田、吉川」，對於「大家都只是想說自己和『越平聯』不同」，小田覺得「這已經不是『越平聯』。」

對於鶴見俊輔說越平聯靠著集結小田的粉絲，發展到能在全國動員一百萬人的規模，小田也感到違和。根據小田所說：「事實上，無論我走多少地方，越平聯也不可能那麼簡單就創立」，「幾乎都是與我的『全國巡迴』毫無關聯所成立的團體」，「再怎麼努力，全國聚集十萬人就算是很好的，這是我在那段時間跑遍日本各地的實際感受。」

根據小中的回憶錄，隔天小田對吉川說：「我覺得自己好像被人從後面拿短刀捅了一刀。說要向更多人宣傳，所以像是被拷問般、抹殺自我（指中斷作家活動的意思），跑遍全國各地。把這說成是給鐵粉的活動是什麼意思，我要退出越平聯了，你也退出吧。」吉川先是安慰了小田，並在那天深夜到鶴見俊輔位於京都的家開會，鶴見對「鐵粉」發言謝罪，事情才總算是得以了結[534]。根據吉川的回憶，「因為不想因為這種事結束（越平聯）」所以「拚了老命」。[535]

小田在一九六九年十二月的《週刊ANPO》投了一篇如下的文章：[536]

> 人類大致有以下兩種類型。
>
> 一是會在意差異的類型。無論是什麼樣的差異都不會放過，將之視為問題。反倒會藉由差異來思考、組織行動——的這種特質。
>
> 另一種是，比起差異，更加關注事物的同一性、同質性，也就是比起A與B之間的差異更關

注兩者相同處，並依此構成思考與行動的類型。……

「越平聯」（「給越南和平！市民聯合」）的運動，很顯然地是比起差異，更重視同一性的運動。……可以說是在承認人類有各種想法、性格、行動的方式的前提下而出發的運動。

這樣寫，可能聽起來像是敷衍、天真的人道主義運動。事實上，這種批判、指責的聲音至今已經聽過很多次。說是這種廉價的連帶應該要澈底破壞，廉價的依賴中長不出什麼好東西，這種運動快點消失吧。先拒絕，追求連帶、不要畏懼孤立，分離，然後結合……。

或許這些批判或指責的確有說中的時候，但大多時候，這些批判、指責，在我看起來反倒比較像一種對廉價連帶的依賴，也像一種天真的人道主義式的發言。

我之所以將同一性放在思考與行動的基礎，是因為我單方面地認為，人類本來就是完全不同的生物，一開始就是孤立的，對於自己是孤獨的存在，早就已經承認到幾近厭煩了。

小田在一九四五年八月十四日的大阪大空襲中，就曾被迫見識人類的醜惡。友人真繼伸彥形容文學青年時期的他是：「『過去受過致命性的創傷，變得不再可能採取行動的』懷疑主義者。」[537]因此，儘管小田是看到越南民眾飽受轟炸北越之苦而喚醒大阪空襲的記憶，才參加越平聯，但在那之前他完全與政治運動沒有瓜葛。對於這樣的小田而言，人類是醜惡的、彼此有分歧、是孤獨的，這些都再自然不過，因此，對於把那些強調得像是新發現似的，在他看起來反而很「天真」也不無道理。

「Old越平聯」批判

然而，在反萬博結束之後，越平聯內部的論爭並未平息。反萬博後的《越平聯新聞》刊登了年輕投稿者的批判越平聯文章，寫道：「越平聯的大眾主義，說不是大眾追隨主義，但實際上考慮『人數最重要』而採取行動時，與緊黏大眾主義沒有什麼差別不是嗎？」[538]同一期中，吉川勇一重複一貫的主張反駁道：「運動變得困難時，希望能更對外開放，確保多樣的活動參與，並排除不寬容、不妥協的狀況。」[539]

這樣的議論也出現在京都越平聯。京都越平聯的機關報《越南通信》一九六九年九月號中，以「越南通信編集長」的名義刊登了如下的〈公開質問狀〉[540]：

小田實先生

根據情報，反萬博時造反的結果，您將與吉川勇一分別辭去越平聯代表與事務局長的職務。

……

沒有異議、沒有異議，如果您不在越平聯就無法運作，那麼越平聯還是倒掉比較好。想辭的話就辭吧。……

越平聯成為一大勢力的結果，越來越無可避免的是小田天皇的神格化、組織僵化、越平聯概念的一意孤行，所謂小田天皇的神格化，是您（或東京越平聯）將越平聯變成個人所有物，或者作為反向動力，對您有過度的期待。……

Old越平聯

至今在哪做了些什麼啊?突然聚集了進步派知識分子,打著Old越平聯的名號,專注於籌錢之類的。「我出錢你閉嘴」的大原則很了不起,對你們來說,只要出錢就是越平聯運動了嗎?當然,你們自稱越平聯是你們的自由,就連定期遊行都不見人影的你們,用再怎麼美麗的辭藻高談「越平聯」或「運動」,就算拿得到稿費,也絕對沒辦法贏得採取行動的人們的信賴。無論再怎麼掛上Old越平聯的名號。……

京都的現狀是年輕人掌握著運動的主導權,你們絕對不可能將特權讓出來,年輕人激進的戰鬥,無疑就是為了跨越你們的想法。

此處所說的「Old越平聯」,是指為了發行《週刊ANPO》和籌措資金,在京都越平聯的相關人士中,由經濟較為寬裕的年長者於八月開的會議。

而寫下這篇〈公開質問狀〉的富田正勝,早在一九六八年十二月的《越南通信》中,撰文批判越平聯的穩健路線,內容是批判「鶴見、飯沼缺乏指導能力」、「自稱市民運動只不過是幻想」、「粉碎幻想共同體越平聯」等。[541]這個批判,是當時的全共鬥學生受到吉本隆明《共同幻想論》的刺激,開始喊出「解體大學幻想共同體」影響下的產物。

京都越平聯也出現贊同這種「Old越平聯」批判的年輕人。下一期《越南通信》刊登的〈把Old越平聯解體吧〉主張[542]:「號稱Old越平聯的各位!你們現在沒有戴頭盔、拿武鬥棒的勇氣和肉體了吧。」「各位的肉體已經老化,也請認識到,各位在有傳統的學問孕育下的精神也已經墮落了。如果害怕越平聯在七〇年安保中擔任主角的話，不要再自稱什麼Old越平聯，乾脆離開這個運動比較好。」「Old越平聯，說明白點只不過是懷念早期越平聯活動的懦弱的人。」

對於這些批判，首先是鶴見俊輔在《越南通信》上的投稿指出：「我認為在運動中，有自由表達意見的空氣，表示這個運動已經安定下來。」[543]但是鶴見表示對公開質問狀的旨趣無法贊同，包括越平聯在內的市民運動是「有錢出錢，有智慧的提供智慧」，如果不能肯認各種多樣的參與方式，運動沒辦法成立，並進一步反駁：「某天能參與遊行的人，不應該因此自認是反戰運動人士而對無法參與遊行的人抱有優越意識。」鶴見又說：「希望Young越平聯記住的是，我們年長者出的錢，也是用我們的勞動時間換取而來的。」[544]

當時的鶴見與小田，捐了年薪一半以上給越平聯，鶴見基於越平聯創立當時的承諾，不是參與京都越平聯，而是搭新幹線參與東京越平聯的定期遊行，因此鶴見在一九七〇年前後，「肉體和財政狀況都離破產」不遠[545]，對於鶴見來說，「只出錢不參加遊行」的批判是難以接受的。

吉川也在《越南通信》上投稿反駁[546]。吉川說，越平聯並非像既有政黨那樣，有決定好的職位和金字塔型的組織，他主張：「小田的『代表』也好，我的『事務局長』也好」，都只是一種綽號，並不是一種可以「辭職」的職位。

吉川接著說：「在反萬博的討論中，我、恐怕小田也感覺到的是，不知道越平聯運動的具體狀況，也不知道過去的脈絡，對著被塑造出來、或者自己塑造出來的虛像批評或攻擊的論調實在非常多。」而吉川接著反駁：「你的這次公開質問狀上，認為越平聯運動方面促進了『小田天皇的神格化』或『越平聯運動的一意孤行』等，抓著沒有立場辭職、或者是處於根本沒辦法辭職的立場的人說：

『對於決意辭職一事沒有異議』，這就更是產生了把我和小田推向既有的金字塔組織裡委員長或書記長立場的效果，我希望你能察覺這一點。」

接著吉川這麼說：「我認為越平聯運動是一個政治運動（而非政黨運動）。既不是『確立主體性的運動』，也不是『存在式的自我確認運動』，當然更不是『道德運動』。既然是政治運動，考慮運動的效果，以及在決定自己或自己的行動時，不只是從自己的關心或立場來思考，而是從權力與大眾媒體和一般大眾之間的權力關係做選擇。以激進的形式提出問題，如果問題能夠解決那再簡單不過了，但也並不是那麼一回事。」

在吉川這種老手運動家看來，「沒有拿起武鬥棒的勇氣和肉體了吧」的這種責難，只不過暴露了想確認自己「存在」的要求，不能說是「政治運動」。反萬博期間，日大全共鬥說：「主體的力量不是問題，只有實質的自我純粹性才是重要的。」這旨趣是主張從自己和他人的力量來思考戰術是不純粹的[547]，但是對吉川來說，這完全是「非政治的」主張。

在反萬博相關事件與論爭發生前後，吉川在《文藝春秋》上發表了〈用「玩耍」前進吧越平聯〉的談話。儘管標題是編輯部下的，但幾年後吉川寫下接受這個標題的理由[548]：

> 我想說的是，希望越平聯的運動可以避免被純粹化成為某種特定的運動，或者行動的型態被固定為特定形式，希望越平聯的運動能一直是一種具流動性、自由的運動、一種有多種可能性的運動。一九六九年夏天前後，有些年輕人……對於被國家權力強力鎮壓、被持續壓制感到強烈的焦躁感……

激進地提出問題，並將之固執、強硬地展現，撕破勾結與虛偽的面紗，引出根本的決斷，這種全共鬥方式，不只是當時的大學教授們，也給我們市民運動新鮮的衝擊，我們從那種方式學到許多東西。

但是，那種形式與越平聯打造的運動方式相較之下非常不同，比方說，那就與小田實提倡的越平聯運動「三原則（？）」：（一）開口提案的人要動手做；（二）不要對別人做的事說三道四（如果有這種空閒的話，請自己去做些什麼）；（三）喜歡的事不管是什麼就做——這種以尊重多樣性為特徵的方式有衝突。這個「原則」，當初被稱為「在手指這裡集合」原則，開口提案的人豎起手指，贊成的人把自己的手指疊在那隻手指上，不贊成的人只要別把手指停下來就好，並且也歡迎在別的地方豎起手指。然而，流入市民運動的那個異質形式，是會停下手指，但是停下來之後，可能會質疑「這手指是指什麼？」有時候甚至會把停下的手指當作粉碎的對象。

大學全共鬥開始崩壞，流出的無黨派運動者們來到越平聯運動，也見識到在市民運動中缺乏有效的「造反運動」。……「為了反戰的萬國博覽會」（反萬博）中舉行的突發式大討論會也是……提出了「從周圍的狀況和主體的力量來討論鬥爭的方向是錯誤的」這種極端的意見，要求思想不透過媒介轉移到行動，換句話說，因為缺乏組織論，這個思想便施不上力，就不是政治……理由。

在越平聯中，我決定對「太過度」採取反對姿態，這是我接受「用玩耍前進吧」當作標題的

吉川說，這篇談話〈用「玩耍」前進吧越平聯〉，「就連越平聯本部也有人有各種想法。」[549]實際

上，小田在一九六九年就說過：「我不是馬克思主義者，而是實用主義者，真要說應該是虛無主義者」，小中陽太郎說：「我想（越平聯是）文化運動，是追求人類可能性的運動，改變政治不太是個問題，可以說是一個靠手作讓人類復活的運動。」[550]

然而吉川認為，越平聯是「政治運動（而非政黨運動），既不是『確立主體性的運動』，也不是『存在式的自我確認運動』，當然更不是『道德運動』。」因此，他一貫以來的主張是，無視「周圍客觀情勢與各個勢力的動向」，只重視主觀純粹性的運動是沒有意義的。[551]幾年後吉川說：「我沒辦法支持那種，不考慮政治效果，只是在與機動隊的衝突中找尋生命意義的人」，可見他終究還是認為越平聯是「政治運動」。[552]

然而現實是，誠如在第一次羽田鬥爭中舉行的煽動演說「展現我們的存在」那樣，當時年輕人們的反叛，「確立主體性的運動」或「存在式的自我確認運動」的面向很強，流入越平聯的學生，可以說沒什麼兩樣。

例如前述寫下〈把Old越平聯解體吧〉這篇文章的馬場俊明，在同時期的《越南通信》也投了一篇名為〈作為自我解放的遊行〉的文章，根據這篇文章：「所謂於我存在的『抗議遊行』是指對生之飢渴的內在吶喊。」[553]。對於這種年輕人而言，不管有沒有政治效果，解放自己的「內在吶喊」才是遊行的目的，為此武鬥棒和頭盔都是不可或缺的。

根據吉川所說：「後來飯沼過世後，在京都有他的告別式，許多以前批判飯沼、當時的越平聯年輕人都來參加，他們異口同聲地說，現在回頭想想自己做了很糟糕的事，飯沼說的是對的。這不只是在京都越平聯，在任何地方的越平聯都一樣。」[554]但是他們在熱中於「自我確認運動」的年輕時期，並不期望採取那種姿態。

從高昂到停滯

一九六九年秋天，十月十日是山崎博昭追悼紀念，十月二十一日是國際反戰日，十一月十六日是阻止佐藤首相訪美鬥爭等，東京舉行了許多大規模的集會和抗議。

十月十日的集會，和六月十五日一樣，越平聯與六月行動執行委員會擔任中介角色，各個新左翼黨派與反戰青年委員會、市民團體等在明治公園集結。參加的團體數是有史以來最高紀錄，達到四百零一個團體，參加人數也超越六月十五日的集會（主辦單位宣布的數字是十萬人，警方的數字則是兩萬兩千人），舉行了一場溫和的集會與遊行。[555]各個新左翼黨派也因為十月二十一日預定發動暴力鬥爭的關係，這天以無暴力的方式參加。

然而，正因為參加人數與團體數超過六月十五日，內部的狀況反而更糟糕。六月行動委員會為了與各個新左翼黨派協調而四處奔走，各黨派間的內鬥比起六月更加嚴重，特別是革馬派與赤軍派申請加入主辦團體時，其他派系強硬地主張要排除這兩個黨派。吉川勇一與福富節男，為了這些事經常不得不徹夜交涉。[556]

在他們奔走之下，實現了讓革馬派和赤軍派加入一事。[557]但根據民謠游擊隊的成員堀田卓所說：「在準備階段時，去年六一五與今年六一五基礎的共同行動原則早已崩壞。」而雙十集會執行委員會委員會「因黨派利益殘酷地崩壞，自始自終都與各黨派之間的不信任感與意識形態露骨地衝突。」[558]

而全國全共鬥與各大學的全共鬥早已經依不同的派系各自組織化，而且警察的鎮壓強烈，如同在第十三章所述，在集會地點的明治公園，警方對入場者施予嚴格的隨身物品檢查，就連想拍下警察的不法搜索，都會被機動隊員毆打。

當天集會後也舉辦了遊行，不過，警察的鎮壓比起六月更加激烈，這也如第十三章所述，遊行隊伍受到一列最多五人的限制，機動隊空手痛毆全國全共鬥的隊列，便衣刑警則確認長相，「警察的指揮車也只是喊著：『對警官動手將會以妨礙公務嫌疑檢舉』。」[559]結果是十月十日的集會與遊行，並未帶給參與者如同六月十五日的高昂感受。

十月二十一日越平聯的遊行從清水谷公園的集會開始，儘管東京街頭是空無一人的戒嚴令狀態，除了大學越平聯約六千人之外，也有許多市民到場，共一萬五千人擠滿了清水谷公園。集會時吉川請第一次參與越平聯遊行和集會的人舉手，結果約有一成的參與者舉手。[560]

山口文憲當時這麼記載：[561]「參與者當中應該也有一些是來自被認為會採取激烈行動的學生各黨派、反戰青年委員會等，但實際上很多個人來參加，清楚地訴說著在今天這個國際反戰日的集會上，尋求一個表達自己反戰反安保的意志與行動的地方，又或者是與低迷的既有革新陣營訣別。」可以說在鎮壓變得更為嚴峻的狀況中，既有的言語和行動都已經不能表現自己的意志，「找不到地方加入的人」反而增加了。

這天的遊行，機動隊全都出動戒備新左翼黨派，反而沒有太多對越平聯的控管，隊伍在小雨中平安抵達飯田橋車站鐵橋下的解散地點，然而吉川勇一在那被三名女學生盯上。吉川如此記述當時的狀況：[562]

十月二十一日的越平聯遊行抵達解散地點飯田橋車站後不久，在宣傳國電停駛、引導民眾改搭地下鐵的宣傳車旁，我被三名年輕女性包圍。

她們一開始問：「是在這裡解散嗎？」「對。」「為什麼？」「什麼為什麼……這裡就是原先預定的解散地點啊。」……她們的主張是這樣的——越平聯聚集了這麼多人，該不會認為只要遊行就夠了吧？你以為今天是什麼日子？與國家權力的對決，只是遊行卻一點衝突都沒有就解散，這是犯罪。在新宿（新左翼黨派等）夥伴奮戰的時候，為什麼不呼籲大家過去那裡？——。

三、兩句言語往來後，我很快就被當成背叛者，越平聯則被說成是欺瞞的運動體。遊行隊伍陸續抵達，在解散地點的喧鬧中，不是個冷靜議論的環境，「我錯看越平聯了，我不會再相信你，也不會把你當一回事。」她們說完就轉身離開，她們那被極盡憎恨與侮辱的表情扭曲的美麗臉龐，我始終無法忘懷。

一九六九年四月二十八日的遊行中，越平聯的遊行隊伍拿著花束走過機動隊與新左翼黨派衝突的現場，但那是事先申請、獲得許可的合法遊行路線，機動隊也不能妨礙隊伍前進。但是十月二十一日的遊行，隊伍裡有許多老人、中高齡女性，如果把隊伍導向計畫之外的路徑，走向新左翼黨派與機動隊亂鬥的新宿，可以預見那只會造成無益的流血衝突與許多參與者遭到逮捕。

吉川承認：「她們很認真、很純粹，所以絕不懷疑她們的憤怒。」但是「如果十月二十一日的越平聯遊行硬是採取和機動隊起衝突的手段，那才是（對參加者的）背叛，也是犯罪。」[563] 吉川將越平聯視為「政治運動」，注重行動的政治效果，對他來說這是理所當然的結論，但是對於參加越平聯遊行的年輕人來說，他們將遊行視為「存在式的自我確認運動」，追求「純粹性」的人並不在少數。

另一方面，目擊吉川與女孩們應對的新聞記者上之鄉利昭則認為：「吉川先生做得好啊！」據上之鄉所說，吉川在解散地點拿起麥克風通知群眾：「如同各位所知，新宿陷入大混亂，導致中央線停駛，但是地下鐵仍正常運行，如果走到高田馬場，西武新宿線也仍正常運行，要往新宿方向回去的人們，請利用這些路線。」[564]換句話說，吉川雖然沒有將遊行隊伍引導到新宿，但是卻告訴想去新宿的人要怎麼去。

上之鄉目擊這一切，覺得「這就是越平聯啊！」換言之，「去新宿也只是去被逮捕，明知道會輸的戰役，不要參加比較好」的這個判斷，「對於是大人的吉川來說是可行的。」但是「聽見廣播時時刻刻傳過來的新宿現況，那三名女性的心情肯定是坐立難安吧。她們無疑很快就會在新宿現身，藉由投身和機動隊衝突的漩渦，追求自身的精神淨化。」這種「身為了解自身極限的大人才有的壞心眼與出色的駕馭手段，加上讓那些被寵幸的孩子在掌中天真地玩耍」的組合，正是所謂的越平聯。[565]

只不過，吉川在一九九一年的著作中寫著這件事讓他心情複雜[566]，也許並不是什麼「壞心眼與出色的駕馭手段」。但是，像這樣年長者與年輕人之間偶爾對立，卻也相互合作，正是越平聯的特色。

越平聯的遊行就那樣在飯田橋解散，並有不少年輕人往新宿前進。但是有人突然從學生群體的隊伍拋出火焰瓶，鐵橋下都電修理用的木造車輛遭到燒毀。主張非暴力的越平聯學生不可能有人準備火焰瓶，因此吉川覺得很不可思議，不過他在日後詢問的結果，據說是某黨派下了如下的命令[567]。

這一天，某黨派的部隊在築地與機動隊爆發衝突後四散，接到聯絡的黨派幹部，命令他們混入在飯田橋的越平聯遊行隊伍並進行武力鬥爭，投擲火焰瓶就是這個命令的結果，而這個黨派是吉川所屬的共勞黨。當時的共勞黨書記白川真澄承認是他和飯田桃下的指令[568]。

吉川在一九九一年的著作中沒有寫出指令是共勞黨所下，只寫著：「憤怒，隨即感到失望。」另一方面，白川則說：「事後得知此事的吉川非常憤怒，在之後的中央委員會上，抗議這種指示踐踏了群眾運動的自主性。」[569]應該是吉川過去批判共產黨介入禁止原子彈氫彈運動而遭到除名的經驗導致他的「憤怒」吧。前述「我認為自己的任務是避免越平聯被共勞黨介入」的說法，顯然是他的真心話。

十一月八日，《週刊ANPO》在全國店面上架，據小田所說，出版約發行十三萬本。[570]從越平聯的年輕人，乃至大江健三郎等知名人士都免費提供稿件。

十一月十六日，阻止佐藤首相訪美鬥爭之日，以越平聯為中心的六月行動委員會向公安委員會申請在日比谷野外音樂堂的集會，以及走到東京車站的遊行。然而，申請被駁回，六月行動委員會對此不服，向東京地方法院提出告訴。雖然東京地方法院決議取消申請駁回，但佐藤首相卻提出異議，推翻地方法院的決議。越平聯與六月行動委員會，在日比谷的集會結束以後，由個人與團體自主判斷是否參與之後的行動，約三千人發動了從銀座走到東京車站的非暴力遊行。[571]

而京都越平聯則從十四日展開非暴力靜坐，在十六日發動約一千五百人的遊行。[572]札幌越平聯則從十一月五日到十五日每天進行遊行，雖然「大家都相當疲憊」，但在三十日還是舉行對長沼飛彈基地的抗議遊行。[573]

然而，秋天的新左翼黨派街頭鬥爭，以完敗收場。且這個秋天，也給越平聯帶來衝擊：應該是己方的「市民」卻變成義警登場。武藤一羊在一九六九年十二月《週刊ANPO》的投稿中寫道：「國家權力不允許政治中立的『和平的市民』。」「市民分裂成義警市民與越平聯市民。」[574]而警方則創造了

「一般市民」這個詞，以「越平聯正在遊行，請一般市民過來這邊。」的方式進行控管。[575]

「市民」分裂的同時，在全共鬥運動和「十一月決戰」中澈底挫敗的大學生，就像是退流行似地不再參與遊行和集會。據吉川所說，一九六九年十二月六日越平聯舉行定期遊行時，約有三千名參與者，儘管剛好是高中生盛行高中鬥爭的時期所以人數有所增加，卻看得見「大學生的參與人數驟減。」[576]

就這樣，越平聯藉由學生反叛的能量流入而擴張，同時度過陷入危機的一九六九年。那之後的越平聯，在年輕人反叛的退潮以及赤軍派等武裝鬥爭抬頭的狀況下，朝著摸索新道路的方向前進。

一個季節的結束

一九七〇年一月三十一日到二月一日，越平聯在東京舉辦全國懇談會，來自二十七個都道府縣、一百一十九個團體約兩百五十人參加，是規模最大的一次懇談會，儘管會中的報告與討論很有活力，但各地團體面臨的問題卻不少。

來自各地越平聯的反應，大致如下：[577]「人數減少了」、「很難普及到市民之間」、「參與運動的人減少因此瀕臨解散」（太田越平聯）、「學生很多的關係，每一年參與的成員都會改變」（旭川越平聯）、「雖然也有民謠，但還是有衰退的氣息。對高中生的鎮壓非常嚴格」（鹿兒島越平聯）、「公安的間諜在討論時發表挑釁言論，意圖造成混亂」（福岡越平聯）、「新左翼黨派很頻繁地挖角」（神戶行動委員會）。

此外，大學越平聯的勢力也有點弱化，也有人指出「各大學越平聯是傾向只靠一、兩位個性鮮明的運動者維持，屢屢反覆於消滅和創立之間的狀態。」（中大越平聯）。此外，也有一直以來都有的報告：「很多大學生、高中生參加，不能掌握市民。」（盛岡越平聯）、「高中生、重考生、中學生、大學生（很多的關係）平均年齡在十七歲左右。」（埼玉越平聯）。另一方面，儘管與一九六八至六九年相較之下，大學生參與度下降、定期遊行的人數減少，也有年長的市民表示：「想再辦一次以前那種寒酸的遊行啊。」[578]

另外越來越明顯的是，各地的越平聯開始獨立舉辦活動，以及獨立舉辦活動的副團體有增加的傾向。「大泉市民集會」在朝霞美軍基地用手持麥克風進行反戰廣播，千葉越平聯則投入三里塚鬥爭，京都越平聯成立了許多舉辦活動的副團，例如舉辦自主講座的「橋下大學」、「反戰祇園祭」、「大久保自衛隊鬥爭」、「越南留學生後援會」等，有報告指出，「京都越平聯」是由京都內十五個團體的聯合所組成。[579]

另一方面，警察和學校的鎮壓與取締則更為嚴格。沒有搜索票就調查花束內部，刑警拍下高中生遊行隊伍每一個人的臉部，要求遊行隊伍「自願交出」拍攝警察的底片，拒絕的話就依「妨礙公務」逮捕等已經是家常便飯。此外在各地區也有這類案例：青森某高中校長命令燒毀圖書室裡小田和小中合著的《勸反戰》，在鹿兒島有「女高中生投稿說，越平聯運動不是普通的政治運動，希望可以開放參加，校方甚至透過筆跡鑑定找出女學生，要求她寫悔過書。」[580]

在這個狀況下，接續著一九六八年與一九六九年，為了一九七〇年四月二十八日的沖繩日，六月行動委員會號召各團體，與全國全共鬥和全國反戰等團體組成執行委員會。然而，新左翼黨派之間的對立嚴重，為了協調固執地要求加入主辦團體的革馬派，與要求排除革馬派的其他新左翼黨派，就已經幾乎耗盡所有能量。根據吉川的日記，革馬派再三提出申請書、挑起議論，一再造成通宵討論的狀況。他的日記寫著：「去年秋天以來，革馬派與其他各派的對立加劇，幾乎到了不可能討論、無法解決的徵兆。」「市民團體方面則已經對內鬥感到厭煩，目前不願意居中協調。」[581]

中核派最後主張，如果要讓革馬派參加集會的話，將動用武力阻止，婦人民主俱樂部等則表明：「無論如何都不能認可這種行為。」這個議題導致執行委員會面臨分崩離析的結果。四月二十八日當天，六月行動委員會在下午舉行緊急召集人會議，決議如果為了阻止部分團體而採取暴力行動，將退出主辦團體，只參與遊行。[582]

二十八日傍晚六點左右，據警視廳的調查，明治公園會場聚集了約一萬七千人（其中市民團體約佔八千人）。在集會開場後沒多久，以中核派為首的其他黨派，在公園入口以武力阻止打算參加集會的革馬派，在這個階段，如同事前的決議，六月行動委員會宣布退出主辦團體。[583]

雖然六月行動委員會退出主辦團體，但遊行仍勉強進行下去，不過即使這是沒有暴力鬥爭的遊行，依舊受到機動隊的強力鎮壓。

進到安保條約自動延長的一九七〇年六月，如後所述，在小田實的提案下，從一日開始進行「每日遊行」，高峰的六月十四日（十五日是平日的關係），六月行動委員會召集各個團體，組成執行委員會，但因為新左翼黨派之間的對立嚴重，協調上遭遇困難。

吉川的日記如此記載[584]：儘管在五月二十四日召開了六月行動委員會的總會，「邀請（全國）全共鬥、全國反戰、中核、ＭＬ派加上革馬等各組織的代表，聽取各團體的意見與提案。」「市民運動的參加者並不容易理解黨派邏輯，擅自攻擊其他黨派的聲音，只是在會場上被恥笑。」「可想見會比四．二八更加困難。」據小中的回憶，為了協調主張加入主辦團體的各個新左翼黨派的意見，採用「六月行動委、全國反戰、全國全共鬥並非主辦單位，而是事務局團體」的形式，才因此平息紛爭，解決革馬派加入的問題。[585]

主辦單位宣布六月十四日聚集在代代木公園的人數是七萬二千人，超過去年的數字，[586]參加者以年輕人居多，據當時的報導，「反代代木的各派系、戴著頭盔的反戰青年委員會的人很多，但也有相當多個人或長髮的年輕男女。」然而，這裡也有「過激」的行動較有人氣的傾向，會場裡有一幕是，電車工會青年部戴著白色頭盔，用之字形遊行的方式進到會場的時候，「坐在草地的女性站起來大喊『好帥！』」「場子裡同時響起掌聲。」[587]

這場集會上也有差點要發生內鬥的瞬間：革馬派集結的足球場上，共產同叛旗派用竹竿侵入隊伍前端，此時「市民團體約五百人一起闖入兩者之間，喊起『停止內鬥』的口號。」吉川在當天的日記寫著：「空手堵在竹竿前面的市民團體，他們的行為令人感動。」[588]久野收也寫著：「我在遊行中經常看見那些用自己的身體衝撞來阻止內鬥的人們，當事者的苦惱和辛勞，參與者的我們也能理解。」[589]另一方面，小田則回憶：「那真的是空虛的體驗．當他們那麼做的時候，標榜『反史達林主義』的各黨派，實則極度『史達林主義』。」[590]

不過，越平聯也不得不考慮應對強化鎮壓的警察。當時的《越平聯新聞》上，在號召參與六月十四日遊行的同時，為了做好對暴力控管和逮捕的準備，「越平聯救援對策部」列舉了如下的注意事項。[591]

「定期車票、身分證、名片、電話號碼等紙片，購物的收據，繡了姓名的衣服等，『無論是自己的或別人的，不要攜帶任何有姓名或地址的東西！』」「和旁邊的人組好隊伍，注意絕對不要離開隊列。」「保持三到四人以上團體，避免落單。遇上公權力的恐嚇或私刑時，保護彼此並站在目擊證人的立場。」「被逮捕的話，由於拘留期間是從三天到二十三天不等的長時間，事前先找好可以幫忙提交休假申請的人。」如同在第十四章所述，一九七〇年時，即使是非暴力遊行，也已經不再是可以輕鬆參加的狀態。

這天的遊行裡也可見到參加者過頭的應對。在集會場地的代代木公園裡，遊行參加者發現便衣刑警，並毆打便衣刑警的時候，越平聯救援對策部的成員介入制止，並將他們扛到六月行動委員會的救援對策車。戴著頭盔的學生們，嘴上怒吼著：「他們是敵人啊！」用旗竿敲打、包圍車子，車子因此無法移動。[592]

在遊行解散地點的日比谷公園，也有市民被誤認為便衣刑警而被施暴。戴著頭盔的學生們逼迫該市民：「拿出你的身分證！」「打電話回你家確認！」然而，這位市民表示，他按照事前注意事項，沒有攜帶身分證明文件，妻子和女兒也都因為參加遊行而不在家。情緒高亢的學生高喊：「打下去！」開始動手毆打這位市民，一直打到大學越平聯和東大全共鬥的運動者出手相救才停手，此時肋骨已經被打斷。日後，小田、吉川、福富等人去醫院慰問，這位市民的太太忍不住說：「如果是被機動隊打的話，心情上還比較放得下呢。」[593]

學生對警察的憎恨，甚至高漲到懷疑遊行參與者並動用暴力的程度，而這類事件的其中一個原因是從一九六八年前後以來，越平聯的遊行變成以學生為主流。某位中年男性對吉川這麼說：[594]「參加越平聯的遊行或集會，學生佔壓倒性多數，感覺像我這樣的人好像走錯地方似的。……穿著西裝的中年男子來參加遊行，在年輕人眼中就是便衣（刑警）。」

關於這次的毆打事件，吉川勇一如此寫道：[595]「這是誰都能參加、開放的遊行。越平聯的遊行向來如此。在遊行中對人們的信賴，是我們的力量的基礎。隔壁的人是不是便衣刑警？一旦這麼想，對遊行中的人們的看法就會改變，這是非常可怕的事。」「這絕不是說：越平聯的遊行很弱，所以不要做群體圍攻便衣這種危險的事。畢竟市民團體可是擁有徒手空拳闖進內鬥場面的勇氣。」

然而，這場一九七〇年六月十四日的遊行，是六月行動委員會與新左翼黨派以及主導新左翼黨派的全國全共鬥、全國反戰共同舉辦的最後一次遊行。據六月行動委員會幹事之一的福富節男的回憶，在新左翼黨派鬥爭越來越激烈的情況下，「市民方面對於把力氣花在協調上，已經不感興趣。」[596]

六月十四日遊行後不到兩個月，一九七〇年八月四日，中核派對革馬派運動者的集體私刑，造成首次的內鬥殺人。爾後兩派之間的內鬥交戰，如同在第十四章所述，演變為全面戰爭。此外，赤軍派在三月發動了「淀號」劫機事件，一部分的新左翼黨派不斷朝武裝鬥爭邁進。

內鬥殺人事件後的《越平聯新聞》上，刊載了這類的讀者投稿：「不要與滿口喊著『否定自我』、只知道彰顯自己的傢伙們共鬥！不要與沒有任何理論性根據、靠著激昂的情緒搞出恐怖攻擊、私刑的那群新左翼黨派共鬥！」「如果市民團體沒辦法到每一場內鬥現場阻止的話，我們應該怎麼辦？」[597]在這種情況下，已經不可能由市民運動來協調。

另外，六月行動委員會的共同行動原則：自發性與多樣性，也逐漸空洞化。據福富的回憶，一九七〇年六月十四日這個階段，革馬派也好、其他新左翼黨派也好，有將六月行動委員會的共同行動原則「視為只是『表面的方針』的傾向。」[598]隨後在六月二十三日安保條約自動延長的這天，聚集在六月行動委員會的市民團體、全國全共鬥和全國反戰、革馬派、社共等，分為四個場子舉行集會與遊行。[599]（隔年一九七一年六月，六月行動委員會放棄和新左翼黨派與全國全共鬥等團體共鬥。）

另一方面，小田從六月一日開始發起名為「粉碎安保」的「每日遊行」，基於「誰提誰做」原則，除了去大阪出差的三天以外，他鎮日都參與其中。小田從粉碎「安保」是「人類復活」的主張出發，為了邀請人們參加每日遊行，「寫明信片給各地的熟人、知己，甚至是不認識的人。」[600]

這個時期，美軍為了挽回越戰的敗象，重新展開此前暫時中止的轟炸北越行動。美軍還進一步進攻被視為是解放戰線基地的柬埔寨，越戰出現了再次激化的徵兆。

然而，前一年的「十一月決戰」澈底潰敗的新左翼黨派，認定沒有阻止安保延長的希望，媒體也幾乎不再談論安保的話題。小田在一九七〇年四月號的《週刊ANPO》中寫了一篇名為〈誰說安保結束?〉的文章，批判「人們說『安保』已經結束」、「新聞寫著：學生運動已經喪失氣勢，高峰已經過了」的風潮，主張要對抗「安保」。[601]

小田的「每日遊行」並不像吉川等那樣採取與各種團體共鬥的形式，而是越平聯獨自進行。關於動機，小田在一九九五年的回憶錄中這麼寫著：[602]

「我向來覺得非常不舒服的是，『越平聯』的年輕人們，不，有時候是宣稱自己是越平聯的年輕人們……用謾罵、侮辱的言語將『民青』說成『粉碎民狗』的時候。那不是『越平聯』。」「『越平聯』的運動已經不僅僅是普通的市民偶爾響應、輕鬆地跟著遊行隊伍前進的走路運動，在人們的眼中看來，『越平聯』已經變成某種死板且非常『激進』的『新左翼』政治團體。」

此外，「我發起『反安保每日遊行』，是打算創造『反安保』的『人類漩渦』，不，是抱著那樣的心願，另外則是我也不想以『新左翼』當作這『漩渦』的中心，那樣是不會有新的市民加入的，沒有市民加入的『漩渦』，絕對不可能大到足以勝過『安保』。這個『反安保每日遊行』不是『共鬥』，純粹是『越平聯』的抗議行進，我當時期望那能形成『人類漩渦』。」

如前所述，小田在反萬博被聲討的時候，認為「這樣不是越平聯」，而在一九九五年時回憶起在「『越平聯』運動的後半」的「重新出發」。小田不喜歡因為一點小事就內鬥或批鬥其他派系的新左翼黨派，也不喜歡受到影響的越平聯年輕人；在小田的認識裡，這種和「新左翼」越來越像的「越平聯」，已經不是「越平聯」，而是「普通的市民」沒辦法參加的團體。換句話說，「每日遊行」或許是小田意圖回歸越平聯初衷的行動。

第一次遊行在六月十四日，參加人數約一百五十人，而且以戴著頭盔的學生居多。很快地人數也以一天一百人的速度增加，到了六月十三日約有三千人，其中許多是沒戴頭盔的年輕人和市民[603]。六月十四日，如前所述舉辦了七萬人的集會與遊行，確定安保延長的六月二十三日，四個不同系統的遊行合計約十三萬人，即使只算聚集在越平聯的人，也達到約一萬四千人。[604]

然而，反叛的季節也即將結束。六月二十三日的遊行分散成四個地方，據當時的報導所說，新左翼黨派等團體「依舊從事扔火焰瓶、石頭等暴力行動。受其影響，越平聯、社共共鬥的市民遊行只能十分緩慢地行進，結果有許多人趕不上最後一班電車，造成在解散地點的新橋有五千人無法動彈的騷動。」[605]

在越平聯內部也產生分裂。許多東京都內大學越平聯的學生都戴著頭盔參與全國全共鬥的遊行。[606]根據當時的報導，越平聯系統的遊行大部分是「來自東京周邊的大學、高中，不關心政治的學生們。」[607]

小田提倡的「每日遊行」，雖然參加人數增加，但並不足以實現他的「人類漩渦」的夢想。認同過激行動的學生們，對於溫和的遊行只是冷笑道：「是什麼笨蛋才會參加這種半死不活的遊行？」「群眾運動？對敵人來說根本不痛不癢。」[608]

強調個人自發性的越平聯遊行，也出現了參加者自發性低下的狀況。小田是如此評價當時的遊行：「看最近的遊行，因為全都戴著頭盔，很多根本搞不清楚到底是為了什麼遊行（遊行並不只是為了與機動隊起衝突）。就算說這樣不行，如果只是說那請帶著標語來參加，那些生在繁榮時代的『現在的年輕人們』又聽不進去。」因此在「反安保每日遊行」，越平聯必須事先製作標語發給參加者。[609]

結果，《美日安保條約》若無其事地自動延長，越平聯的「每日遊行」也在七月二日結束。《週刊ANPO》也在一九七〇年六月十四日號（第十五期）後停刊。據小田的回想，儘管小田和越平聯十分努力，但《週刊ANPO》第一期發行十三萬本已經是最高紀錄，「之後很遺憾地急速減少。」[610]

到了一九七〇年，全共鬥運動的熱潮冷卻下來，多數大學生參加越平聯定期遊行的現象也逐漸退潮。鶴見俊輔在《週刊ANPO》最後一期的投稿寫道[611]，越平聯曾經有「過去兩國開放河川、施放煙火般，聚集觀眾和引發群眾騷動的能力。」但「那也來到結束的時候了吧。」「由我們親手出版的這本週刊的結束，標示了一個時期的結束。」恐怕所有越平聯的核心成員都有相同的感受吧。

分散的越平聯

在這種情況下，一九七〇年九月十四日和十五日召開越平聯全國懇談會，參加團體與人數都比上一次少，不過，一九七〇年一月的全國懇談會已經很明顯的現象——亦即各地的越平聯都展開獨自的活動——到了這場懇談會，更為顯著了。

《越平聯新聞》的版面也反映了這個狀況，刊載越來越多與越戰和安保沒有直接關係的文章，例如支援因一九六九年九月在佐渡自衛隊基地發反戰小冊子而遭到起訴的「反戰自衛官」小西誠的活動，投入水俣病訴訟和川崎公害、岩國和三澤美軍基地的反戰運動，在日朝鮮人、中國人等在日外國人歧視問題與入管法問題等。[612]失去安保這個重心以後，一九七〇年六月以後的年輕人們分散到歧視和公害、三里塚、女性解放等運動，越平聯也有相同的趨勢。

參加全國懇談會的阿部裕，在投稿到《越平聯新聞》的文章中寫道[613]，為了了解「在那個六月（的高峰）以後的越平聯活動」而參加了全國懇談會，但「非常明顯的是，運動的中心在地理位置上往各地方擴散、移動，行動型態上開始朝分門別類、實踐活動專業化的方向發展。」「三澤、新潟、朝霞、成田、橫須賀、岩國、福岡等地更有針對自衛隊的反軍事、叛軍、反基地、美軍解體等運動，也有對沖繩、入國管理、公害等不同專業進行活動。」

此外根據阿部所說：「在我的記憶中，除了《週刊ANPO》以外，整場會議都沒有聽到安保這個詞。」懇談會給人的印象是「簡單地說就是安保鬥爭、反戰運動在此開枝散葉的過程。」接著他表達了他的擔憂：在運動朝著專業分化發展的狀況下，形成缺乏該運動知識的人沒辦法加入討論的氣氛，

「即便是稍微靠過來一下的ＯＬ都能參與話題的氣氛，那種越平聯獨特的、特異的一面，不正在消失嗎？也許那種東西已經不再能發揮作用了吧。」

古山洋三將參加全國懇談會的感想寫成以〈「轉機」來了嗎？越平聯〉為題的文章，投稿到《越平聯新聞》。[614]他指出，一九七〇年六月的安保鬥爭結束後，小田、武藤、古山等人弄壞身體，「除了超人吉川勇一和反常的青年鶴見良行之外，『神樂坂』的『老人』們」處於疲勞困頓的狀態，各個不同地區的越平聯「執拗地追求個別的課題，透過這件事，越平聯正面臨現在不見得找得到解決方式的問題。」

古山舉了兩個各地越平聯不斷地往個別課題分散的問題點。第一，他在一月的全國懇談會中提案：「每一個人都擁有個別課題」以及「每一個越平聯都集中在一個中心課題」，但是已經沒辦法透過共通課題串連全國的越平聯。第二是，如果是三里塚，在三里塚這個課題的鬥爭中，與同樣關注這個課題的其他黨派之間的關係成為一個問題，有部分已經「出現類似內鬥的對立的越平聯，也有受到某新左翼黨派暴力鬥爭攻擊的越平聯。」

心思澈底放在運動的前進上的吉川，收到在懇談會上各地越平聯的活動報告後說：「感覺越平聯正朝著至今沒人踏入過的領域突進」。然而，長期參與越平聯活動的年輕世代者井上澄夫，在《越平聯新聞》上寫了一篇名為〈該怎麼做才好呢〉的文章，他認為「吉川的發言『過度梳理語言，沒有呈現出我們擁有的那種更加泥淖般的東西。』」[615]

「昭和一位數」世代的越平聯年長者們，思考以戰爭記憶為主軸、回歸運動的原點，在一九七〇年秋天設立「生於滿洲事變前後的人之會」，在發生滿洲事變的九月十八日舉行集會。[616]會場在豐島公會堂，約有一千三百名參加者塞滿整個會場。[617]然而，許多越平聯的成員已經沒辦法回歸以戰爭記憶為主軸的運動，從一九七〇年到一九七一年，越平聯一方面更加活躍，一方面向心力也不斷下降。

從活躍的角度來看，各地越平聯不斷推廣各自的活動。東京練馬的「大泉市民集會」對著朝霞美軍基地用擴音器播放良心拒絕徵兵與呼籲不服從行動，同時也發放傳單，甚至連美軍都有士兵產生共鳴地喊著「繼續播放啊！」「很好！很好！」[618]

JATEC則是如前所述，從協助逃兵活動，轉而鼓吹在軍隊內良心拒服兵役或不服從運動，並提供法律支援的活動方向。一九七〇年六月JATEC的機關報《逃兵通信》上，成員如此描述轉換方針的旨趣：「現狀是逃往國外的路線大致遭到關閉，有些士兵在我們的庇護下渡過相當長的一段時間。」「像這樣的士兵，每一週都不斷地改變居留地，而且這狀況長時間持續下去，對他們來說並不是人道的生活方式，而且在這段期間也有我們彼此互相傷害的嚴重問題。」因此今後「只接受在必要的時候願意堂堂正正地報上自己的姓名，明白表示自己就是逃兵，而且是即使被逮捕也在所不惜的士兵。」「目前以『即使在軍隊中也有許多你做得到的方法。盡可能不要脫離軍隊』的方式進行。」[619]依照這個旨趣，《逃兵通信》於一九七一年一月號停刊，轉而援助軍隊內部的反戰活動。

這些被稱為「美軍解體」運動。越平聯的年輕成員於一九七〇年十月在三澤設立反戰小酒館「OWL」（「貓頭鷹」）。從擅自離隊的英文AWOL而來），美軍可以在這邊聽到最新的搖滾樂曲，邊讀反戰小冊子。[620]小酒館的員工自稱「美軍解體作業員」，由於在地區城鎮裡鮮少有這種反主流文化咖啡廳，因此聚集了許多美軍、工會人士與大學生、高中生。一九七一年十二月，邀請著名的反戰女演員珍・芳達（Jane Fonda），在三澤市民會館舉行和平集會，聚集了約五百名美軍士兵與家人，以及在地人約三百人，這天晚上，超過一百名客人擠滿了反戰小酒館。[621]

岩國也有反戰小酒館「ＨＯＢＢＩＴ」開張，從美國來日本的諮商師，接受來自美軍士兵關於人權問題和反戰運動的諮商。像是在呼應這些行動似的，在三澤、板付、岩國、橫田、沖繩等地，美軍內部也出現私下印製反戰報紙的士兵，一九七〇年十月時，由在日美軍士兵製作的反戰報紙達到了七種。[622]

此外，新潟與東京越平聯的運動人士，也發動支援自衛隊「反戰自衛官」小西誠下士訴訟的運動。[623]透過反戰自衛官與市民的合作，軍隊內部也從一九七〇年五月開始，發行反戰小冊子《稍息》，小冊子寫著宣言：「我們入伍時，我們的生命可以寄託給政府到什麼程度？難道我們有承諾要和美軍一同出動到朝鮮進到槍林彈雨之下嗎？又或者我們有承諾以『治安出動』為名，讓我們的弟兄、父親、母親被戰車碾過、被步槍攻擊嗎？」[624]這被視為「自衛隊解體」運動的起點。

此外，埼玉越平聯也在一九七〇年十一月開了反戰小酒館「ＣＩＴＡＤＥＬ」（「城堡」）。他們認為：「說是地域性運動，其實也只不過是把在東京進行的〇〇鬥爭拿來搞了迷你版罷了」，因此推派埼玉越平聯的核心人物小澤遼子參選浦和市議會選舉，儘管是無黨派參選人，但草根式的競選奏效了，加上原本都是年輕人的埼玉越平聯，有「市民、也就是成年人加入」的關係，小澤以最高票當選。[625]

另外，東京越平聯也展開了對軍需產業的「一股股東運動」，這個運動是源自美國律師拉爾夫・納德（Ralph Nader），市民運動人士購買一股的股票，藉此出席股東大會，在會議上追究企業的責任。

日本也曾經有水俣病患者團體發起運動，成為造成水銀汙染的窒素株式會社「一股股東」，在股東大會上追究經營階層的責任。越平聯則是在一九七〇年五月，小田實在大阪的演講中，提案針對日本軍需企業領頭羊的三菱重工發動一股股票運動，即使吉川吃了一驚，卻也認為「這不得不做」，因此在九月十八日滿洲事變紀念日的集會上正式提案，隔年一九七一年五月，越平聯的一股股東成功進到三菱重工的股東大會。[626]

然而這類運動也不盡然都很順利。岩國的反戰小酒館「HOBBIT」受到來自日本警察與美軍的澈底妨礙，一九七二年時不實指控小酒館是將槍械交給聯合赤軍與解放巴勒斯坦人民陣線（PFLP）的轉運站，因而派員入內搜索。[627]這個事件被媒體報導出來以後，美軍禁止士兵進入「HOBBIT」。埼玉的「CITADEL」則在一九七一年十二月，因原因不明的火災燒毀。埼玉越平聯感嘆，CITADEL「不是反體制氣氛的小酒館，而是埼玉縣萌發的新的文化據點，也是所有反體制運動的據點啊！」[628]

三澤「OWL」的活動也不能說是順利。當時是雜誌記者的川本三郎到「OWL」採訪，也在店裡幫忙，他如此回想：[629]

> OWL從傍晚開始營業，營業時間從四點到十二點，日落以後美軍士兵從基地出來，到店裡喝酒。
>
> 「不要戰爭」、「快點把危險的玩具丟掉！」、「死亡就在眼前」——牆壁上貼滿類似這類標語的海報。簡直像大學街壘裡的氣氛。
>
> 來店裡的美軍比想像得還多，但是那與其說是因為OWL是反戰運動的據點，倒不如說是因

為這間店在三澤的酒吧中，是少數擁有美式反主流文化氣氛的地方。許多美軍士兵都說：「來到這裡，會想起自己學生時代待的宿舍。」

美軍士兵都很年輕。……很多是美國中西部貧窮白人的小孩。也有黑人，也有出身印第安人中名為祖尼人的青年。

比起搖滾樂，他們更喜歡帶有土氣的鄉村音樂。……如果不小心放了「胡士托」的唱片，甚至有些士兵會憤怒地說：「別放那種音樂！」我到了這個時候才認識到，依據階層不同、音樂的品味也不一樣。

士兵只要喝了酒就會變得無精打采，大家對越戰已經感到厭煩，滿腦子只想著退伍那天到來，所以也沒有人有體力搞反戰運動，來ＯＷＬ只是為了發洩「厭戰」的心情而已。試著對他們說：「那麼討厭戰爭的話，脫離軍隊不就好了嗎？」他們也只是說一句：「Maybe（也許吧）[iii]」後就什麼都不說了。

據川本所說，經營ＯＷＬ的兩名年輕運動者，在關店的時候不小心說出：「我們在做的，難道不就只是拿和平當下酒菜、給士兵們配酒喝而已嗎？」川本寫道：「ＯＷＬ在三澤這個城鎮內也是格格不入。人們只覺得這地方是從遠方來到這裡的年輕人們吵鬧喧嘩的地方。」[630]

實際上在仰賴基地經濟的三澤，不只是沒辦法向人們募款維持反戰咖啡廳的營運，員工甚至「被路上的小學生指著說：『紅的』，反對反戰運動的人們還會踢店門，甚至縱火。」ＯＷＬ在資金運轉上出現困難。縣警和公安「檢查所有進出店裡的美軍乃至日本人。」[631]

對反戰自衛官小西誠的支援活動也算不上順利，越平聯原本期待在小西之後會有更多反戰自衛官出現，但這件事並沒有發生。

其他成為問題的部分，如果借用某越平聯運動者的說法：「『新左翼黨派』這群人立即就會像禿鷹一樣聚集到這類行動，不斷地利用，直到榨乾為止。」[632]失去安保這個鬥爭目標的新左翼，群聚到三里塚、水俣、沖繩等發生問題的地方，意圖藉由「支援」的名義擴大自家派系的勢力。小西也很快地被中核派吸收，據吉川所說，前來支援訴訟的越平聯相關人士，不只被中核派運動者、也被小西本人說：「絕口不提粉碎革馬的人，沒有資格支援小西。」（爾後小西脫離中核派）[633]

對三菱重工發起的一股股東運動，狀況更加嚴峻。許多年長的幹部因疲勞導致健康狀況不佳，吉川只能「孤軍奮戰」。[634]而且越平聯的一股股東們雖然成功進到一九七一年五月與十一月的三菱重工股東大會兩次，卻被職業股東和黑道集團毆打、趕出會場，十一月甚至有四十餘人受傷。據吉川的回想，職業股東們對著越平聯成員大罵：「越平聯這些朝鮮混蛋！」[635]爾後，政府修改株式會社法，取消持有一股的股東出席股東大會的權利，這個運動便不再可能實行。

再者，也不只是各地區的越平聯，東京越平聯的運動者也以不同的專業、投入個別主題的運動，漸漸地與想要參與其他活動的人，或者素人市民、學生之間的溝通就變得更加困難。

小中陽太郎把當時的越平聯寫成小說《FUCK》，被認為是以鶴見良行與小中陽太郎為原型的小說人物有這麼一段對話[636]：「三菱反軍鬥爭、美軍解體、自衛隊鬥爭等，在事情的性質上，別無選擇

iii　譯註：英文依照原文標記。

地會個別化發展，我覺得那非常好。只不過，越是個別化，參與該運動的人就會越來越激進，然後運動的內容就越來越不能為旁人理解。」「本來越平聯的運動是只要有反對越戰的想法，誰都可以加入的市民運動，但發展到今天，實際上已經成為專職運動者的運動，要如何填補這個鴻溝，可是個大問題。」

在各地方的越平聯也有相同狀況。京都越平聯從以前就已經分成許多不同的團體，飯沼二郎在一九七二年二月這麼寫道：[637]「以前有所謂京都越平聯的存在，只要加入，就可以找到自己喜歡的運動的場所和夥伴。然而，現在已經沒有那種東西了。因此，即使想要在京都這塊土地上新加入市民運動，也不太清楚在哪裡有什麼樣的活動。如果以前的京都越平聯是像『百貨公司』的話，現在的團體則是『專賣店』。」

一九七一年一月，越平聯召開全國懇談會。越平聯將這種在經濟富庶的狀況下，遭到警察鎮壓與軍需產業繁榮的日本狀況，悖論式地形容為「民主法西斯主義」、「和平軍國主義」、「通殺的福利主義」。[638]不過，從各地區的運動報告可以發現，運動的個別化與專業化更進一步發展。飯沼二郎公開聲明說，運動者們現在已經各自投入個別議題，「京都越平聯已經解體。」[639]報導全國懇談會樣貌的《越平聯新聞》編者後記寫道：「最近的越平聯運動，運動內容似乎與以前大不相同。運動極度細分、專門化，變得非常困難。我想今後這個傾向會越來越顯著吧。」[640]

針對這個狀況，小田在集會中如此發言：[641]「我們，再一次，回到市民，走進巷弄，進入家庭吧。人們說，去年一整年，運動變得個別化、專業化，因此市民不再來參加。我姑且明白地說，這是個很難解決的問題，但我個人希望貫徹在越平聯的素人角色。」然而，最終並沒有具體找到運動的集結主軸。

「冷物」論爭

「『冷物』論爭」便在這種狀況下發生。這個將越平聯逼到幾近解體的事件，越平聯相關人士都留下很深刻的印象。

事件起於一九七一年三月七日，有十幾人的團體到東京神樂坂的越平聯事務所，聲討小田寫的小說《冷物》是歧視性小說。應對的吉川與武藤一羊被強烈聲討，據說吉川甚至遭到毆打。接著在兩天後，有人提出抗議，要求越平聯回答是否承認《冷物》是歧視性小說。[642]爾後，越平聯內部發生長達兩個月的大論戰，據小中陽太郎所說，這場騷動甚至發展成「身為越平聯Old部隊的我們，感覺到這就是決定越平聯存亡的時刻。」[643]

小田的小說《冷物》刊載於《文藝》雜誌一九六九年七月號，據小田自己摘要的小說概要，故事描寫「偷渡進日本而不得不在暗處行動的朝鮮人」的姿態，「和朝鮮人結婚後被家人斷絕親子關係的日本女性」卻遭到朝鮮人丈夫毆打的場面，想要安慰這位女性的超市主任說，她的遭遇比起部落歧視算好的場面等，試圖描寫歧視的重層性。小田本人意圖真誠地面對歧視問題，因此得知他的小說被當作「歧視性小說」批評時感到很驚訝。[644]

前來聲討的是名為「關西部落研究會」的團體，這個關西部落研強烈受到聲討部落歧視的新左翼影響，針對證據薄弱卻將部落出身者判處死刑的「狹山判決」，主張對此進行「武力聲討」，而佔據浦和地方法院的五名中核派運動者都隸屬該團體也為人所知。[645]一九七〇年七月華青鬥的新左翼批判以後，在高漲的新左翼聲討歧視運動中，此團體佔據一角。

據吉川所說，關西部落研從一九七〇年六月後開始聲討關西越平聯與神戶越平聯。被關西部落研聲討的關西越平聯，承認「與作者的意圖不同，這是歧視在日朝鮮人與被歧視部落出身者的歧視性小說。」「這是一本表現出我們自身的歧視意識的小說。」並在一九七〇年底提出公開質問狀，要求從當時正在刊行的「《小田實工作全集》將之（《冷物》）刪除。」[646]

然而，小田對此作出下列三點回應：（一）自己讀完後不認為《冷物》是歧視性小說，反而是舉發歧視的小說。（二）關西越平聯如果斷定這是一本歧視性小說，必須提出具體證據。（三）越平聯是重視不同思想與自主性的運動體，因此沒辦法提出「組織」的官方見解。接著在一九七一年一月，前來參加全國懇談會的關西越平聯成員與小田對話，關西越平聯最後中止在懇談會發公開質問狀，並表示：「大家一起讀這本小說、一起思考吧。」[647]

看起來越平聯內部的議論似乎到此告一段落，但憤恨不平的關西部落研，到了三月，帶著一名住在關西的在日朝鮮人，又來聲討東京越平聯。

小田指出，這次聲討距離小說發表在雜誌上都過了一年半，他推測：[648]「這很明顯其中參雜著政治意圖，是不知道哪裡的黨派或『新左翼』的政治意圖。可以說是不希望看到『越平聯』力量增長的人們的意圖。若非如此，這些議論應該更早、在小說發表後馬上就出現才對。他們終於找到可以給『越平聯』難看的好材料。那種議論裡肯定含有那些不懷好意的成分。事實上，在關西各地，許多『越平聯』都開始被那個黨派找麻煩。」

小田是如此回想關西部落研鬪進東京越平聯事務所，以及吉川等人遭到毆打的事：[649]「那個時候常有，不，是流行的議論，認為被壓迫者只能透過暴力行為來表達意見。我不贊成那種說法，縱使那種說法有正當性，但這個情況，絕對不是可以允許那種說法的情況。」「有好幾個地方都是假的。其中一個是，隨著《冷物》是『歧視性文章』的議論像謠言一樣擴散開來後，出現一些連讀都沒讀過、卻把那種意見掛在嘴邊的人。」

無從確認小田的推測是否妥當。小說發表後的時間差，可以解釋成這是一九七〇年後半，人們在華青鬥的告發下才開始關注歧視問題。然而以這次聲討為契機，發生了對越平聯幹部來說意料之外的事：東京越平聯的年輕人，對幹部們「造反」，要求回應聲討的要求。

神樂坂的越平聯事務所，三月二十三日以來連日都有越平聯年輕運動者對年長者的聲討。小田因生病療養不在事務所，但根據吉川在《越平聯新聞》寫的文章：「過去三個月的初期討論，包括我在內，越平聯的三十歲、四十歲世代的人們，受到來自十幾、二十歲的人們相當激烈的批判。」[650]

在議論期間，《越平聯新聞》也停止發行，這是第一次出現這種情況。據小中陽太郎的回憶，「越平聯Young造反部隊的要求」是「在《越平聯新聞》上發表（越平聯的）統一見解！」「如果做不到，就不應該發行《越平聯新聞》。」[651]

據小中所說，議論是這樣進行的：年輕人們「堅決反對吉川等越平聯幹事們採取保護自己、保護運動、代理主義式的對應方式。」小中對此的摘要是：「所謂保護自己是指：『不是我寫的』的態度，保護運動是指：『運動沒辦法為其中一人所寫的小說負責』，代理主義式是指：換句話說，吉川一個人代替大家想辦法解決這件事。」[652]

針對這種批評，即使年長者能提出個人意見，也會以「不能以越平聯的立場下決定，那是捨棄個人原理的做法」的方式回應，主張不能發表組織的統一見解。[653]然而根據小中，年輕人做了如下的反駁：[654]

「你們這難道不是對內與對外有兩種說法嗎？」

「對內就說越平聯不是組織，是運動，是源於個人自發性的運動。但是對外，越平聯可是有一個固定型態的。」

「吉川等人一方面說個人原理、個人的自發性，但是，那只是在市民社會中能享有市民自由的人才擁有的東西。（像在日朝鮮人和被歧視的部落出身者那樣）被排除在那之外的人、被捨棄的人，到底要他們怎麼做？」

「說個人意見的話沒關係，就是低劣的小資產階級主義。」

「越平聯的個人主義，就是布爾喬亞個人主義，是保護運動式的個人主義，是身為小資產階級的加害者，在此有低劣的機能分化，問題是，自己的存在的結構性變化，換句話說，必須無產階級式地組織運動。」

在全共鬥運動和新左翼黨派裡經常可以看到這種表達方式。小中說：「眼前的年輕人，突然就帶著黨派性質，簡直就像他自己就是被歧視的人似地對我們步步進逼。我雖然對於被逼並不感到意外，但逼迫而來的年輕人，是在我們越平聯理念下成長的人們，這件事讓我很驚訝。」[655]吉川也在幾年後回想：「那真是令人吃驚。直到《冷物》論爭之前，全共鬥的學生把教官拿出來鬥的這種聲討方式，幾乎從來沒有發生過啊。」[656]

年長者們很實際地應對了這些批判。據小中所說，福富節男說：「不是停掉《越平聯新聞》就可以證明的吧。比起那個，還有其他更需要思考的重要問題。」高橋武智主張：「可以理解這個問題的重要性，但是，因為這樣就要停止準備四月即將到來的印度支那反戰春季大反抗（當時計畫中的運動）嗎？這樣就要停掉報紙嗎？」在「海神會」一路看著年輕人與年長者對立的古山洋三說：「我拒絕討論這件事。我也拒絕在此對小田的小說下評價。這種事做下去，越平聯就不再是越平聯了。」[657]

小田在回憶錄這麼寫著：[658]「當時流行『自我否定』、『造反』，本來應該只與自身的狀態有關的『自我否定』原理，變成『在自我否定自身的狀態後』用來擊倒對方的『造反』工具，這種廉價且醜陋的事，以許多不同形式出現在各種運動當中。」小田對於「當時流行大聲嚷嚷『在自我內部的歧視』的風潮，感到十分厭煩。

吉川也在討論後，投稿到《越平聯新聞》上寫著：「在這場討論中，聽了年輕人們的批判，會發現有一種傾向是，好像只要多補一句『我也有對自我進行批判』，儼然就覺得自己可以站在在日朝鮮人和被歧視的部落民的立場，開始對其他人進行告發和聲討。」並引用田川健三的論文的句子：「談越多歧視問題、越接近問題，就越覺得自己是正義的夥伴，因此會有一股痛快的感覺。」「在強調『如果無視我是加害者就什麼都沒辦法談的這種抑鬱』的痛快感中埋沒。」[659]

在小田和吉川眼中，固然歧視問題很重要，但年輕人要不只是利用這個議題作為「造反」的工具，要不就只是沉醉在「自我否定」的「痛快感」中而已。只不過，年輕人們並不同意這種「大人」的判斷。

接踵而來的問題是，共勞黨與越平聯的關係也被波及。三月底，小中接到來自中堅年輕人井上澄夫的電話。據井上所言，各新左翼黨派聯合的「支持狹山訴訟共鬥會議」上，共勞黨的代表發言表示：「在越平聯內部的共勞黨神樂坂基層組織正在推動整風運動，為了改善越平聯的體質身先士卒。」吉川則回答：「神樂坂共勞黨基層組織什麼的，事實上並不存在。」「無論如何，儘速調查看看。」[660]

據吉川的報告，共勞黨的運動者雖然出席了共鬥會議，在會上只說了：「回到黨部裡再檢討。」「個人並不認為小田的小說是歧視性小說。」但謠言被誇大，過去就存在的偏見——「越平聯是共勞黨的外緣組織」被強化，廣泛傳播出去。小中日後將這場論爭寫成名為《FUCK》的小說發表，但是考慮到「如果說共勞黨劫持越平聯，警察和所有政治派系都會很高興吧」，因此十分慎重地描寫這個部分。[661]

然而當三月的聲討風暴結束、進到四月，年輕人的態度開始有所轉變。據小中所說，四月五日針對這個問題進行第六次的討論，年輕人們傾吐如下的心聲[662]：「我們在越平聯裡，也想要擁有像黨派運動裡所有的那種牢靠的信賴感，透過批判改善運動，一種讓彼此之間的信賴更為穩固的裝置，不也是必要的嗎？」

四月十二日，因病療養而缺席的小田，帶著對這個問題提出見解的長篇文章〈那封信〉，來到越平聯事務所。針對主要由年輕人發表的《冷物》見解，小田喝斥道：「文章缺乏熱情，作者缺乏責任感，沒有表達自己想做什麼事，不是嗎？這才真的是放棄越平聯的原理，不是嗎？」並且他提議：「如果彼此在想法上都有錯誤，如果大家都覺得那不再是能一起努力的事，那就解散『越平聯』吧，各自靠自己的力量重新組織吧。」[663]

然而年輕人的反應，並不是反駁小田，而是傾吐心聲。小中是如此回想當時的狀況：[664]

對此，年輕人說自己與被稱為越平聯幹事的人們之間，幾乎沒有交流，特別是在那段時間實際營運越平聯事務所的三菱一股運動的岡山，在集會的場合之外，是第二次在事務所與小田碰面。這讓我們大吃一驚，是不是就連越平聯都變得太大了？

雖然可以理解年輕人們的心情，但像這樣用吐露情感的方式結束，不免令人覺得，這作為那些三月夜晚的後續也未免太可憐。就在這個時候，穿著拖鞋的中年人鶴見良行站了起來。

「你們，這不會太窩囊了嗎？之前那個氣勢到哪去了？還有更多想說的才對吧？就只是想說我們很寂寞而已嗎？也太可憐吧？」

說著說著，激動的感情就湧了上來，這位知名的、冷靜的國際問題評論家，哽咽得無法言語。

「來吧，說話啊，就是現在，快點批判啊！」

鶴見良行身為四十歲世代的國際文化會館企劃部長，總是穿著拖鞋或帆布鞋到越平聯事務所，輕鬆地向年輕人搭話：「嘿，MEGUMI還好嗎？」的人物。[665]如前所述，他也感覺得到年輕人的「現代的不幸」，也因此他也很失望吧。據小中所說，鶴見說：「與其說年輕人不爭氣，不如說想到竟然為了這種事熬了好幾天的夜，不免覺得很愚蠢。」[666]

年輕人的「寂寞」的理由，並不只是因為越平聯的巨大化。在越來越專業化的越平聯裡，年輕人十分渴望溝通。據小中的回想，許多參加這場論爭的年輕人「參與美軍解體運動、自衛隊反對運動等個別的鬥爭，平常很少到越平聯事務所。」[667]

如前所述，當小中在「反萬博」受到來自日大全共鬥的年輕人挑戰時，寫下「那種討論，往往流於告白自己的心情，也是溝通慾望的一體兩面」的句子。前面引用的年輕人的話：「我們在越平聯裡，也想要擁有像黨派運動裡所有的那種牢靠的信賴感，透過批判改善運動」，顯露出一種對溝通的渴望、一種對年長者的求愛行為。

這場論爭，也可以說是越平聯內部的非暴力鬥爭，如前所述，在反萬博的時候，日大全共鬥說：「我們相信連帶是來自不惜武裝內鬥的討論。」當時的學生受到新左翼黨派的吸引、武裝內鬥和聲討橫行、在全共鬥運動中流行鬥教官，部分也是因為想要「牢靠的信賴感」的「對溝通的渴望」吧。

然而，將越平聯視為「政治運動」的吉川，並沒有如此解釋這場論爭。吉川在幾年後，被問到在越平聯分散化的狀況下，《冷物》論爭是不是年輕人們求愛行動的結果時，他這麼回答：[668]「我自己倒是沒有察覺呢。每個團體都投入各自的課題時，我和小田不可能全部參與。如果說那場《冷物》騷動是一種求愛行動，那或許也說得通。但是，如果真的是那樣的話，那我不禁覺得年輕人很窩囊。」《越平聯新聞》一九七一年九月號臨時增刊、製作這個問題的特輯，最後這個問題暫且就算告一段落。

另一方面，小田反對《冷物》停止出版，提議把批評的文章收錄進來後出版，然而，關西部落研並沒有回應，隨即就如同許多這個時期泡沫化的新左翼團體一樣，自然而然就消滅了。小田不得已，只好將自己的總結文章〈那封信〉，加上部落解放同盟成員之一、作家土方鐵的批評文章一起收錄後出版《冷物》。[669]

至此，「《冷物》論爭」告一段落。然而，在這種情況的背後，越平聯卻變得越來越龐大、專業化和個別化。而且看不到相應的對策。

「如果麥子不死」

越平聯在一九七一年以後也持續活動，在原本的美軍解體、自衛隊解體、三菱股東運動、在日問題、入管問題、沖繩問題之外，也對日本企業到第三世界國家發展提出問題，並發動對經團聯的抗議遊行。針對神奈川的相模原補給場修復在越南受損的戰車後再次送出一事，有年輕人挺身到履帶輸送車前，以非暴力的方式阻止運送。[670]然而，以一九七二年二月的聯合赤軍事件為契機，新左翼運動整體沉寂下來，在這個狀況下，很難說是熱烈的運動。

例如，一九七二年十月，三澤的ＯＷＬ停止營業。三澤市某市民說：「因為（聯合赤軍）事件的關係，日本的反戰運動急速走下坡。ＯＷＬ也正面受到事件的波及。」聯合赤軍事件之後，一九七二年六月十七日，邀請小田和小澤遼子來舉辦演講，在一九七一年十二月聚集了八百人的三澤市民會館，最後只來了約八十人。ＯＷＬ的顧客也急速減少，實質上的經營者原田隆二回想：「缺乏經營資金，甚至必須到天森射擊場撿彈殼（賣給廢鐵回收商）。一個月三萬日圓的房租，存了十三個月……」「（最後那段期間）孤獨、飢餓、寒冷。」[671]

一度達到四百個團體的各地、各大學越平聯，許多也自然消滅了。關於大學越平聯，小中在一九七三年如此寫道：[672]「不得不承認確實有無黨派團體常見的缺點：缺乏持續性。至今仍殘存的大學越平聯，要不是像法政越平聯那樣投入在個別的議題（三里塚和相模原），要不就是強烈主張市民運動的團體，大型集團的功能看起來似乎已經結束了。」

一度參加越平聯的年輕人也都離開了。一九七二年三月的全國懇談會後，從岩國「HOBBIT」來的參加者，在京都越平聯的《越南通信》上寫道：[673]「在眾多的越平聯團體中，至今仍能持續下去的都是有大人在的團體。京都不也是如此嗎？即使如此，學生時期簡直就像把自己的生命都拋在運動上似地、曾經非常活躍的你，就業、結婚之後都怎麼了？」

專業化與分散化的傾向也沒有停止。《越平聯新聞》的發行與定期遊行，藉由在共用事務所，處於還能勉強維持聯繫的狀態。

為了打破這個狀況，分解成十個以上的團體的京都越平聯，在一九七一年四月二十八日，針對沖繩問題發動共同遊行。但是，執行委員會的成員在《越南通信》上如此記載結果：許多參加的團體忙於個別的課題的關係，「最後都固定由沒有個別課題的學生越平聯團體來調整共同行動。」「結果是，四・二八執行委員會在實務上的功能都集中在特定的團體和個人上。」「最初打算讓四・二八執委運動橫向展開的意圖也沒能實現。」這篇文章，最後以批判各個團體是「只重視自己課題的新左翼黨派主義」作結。[674]

東京六月行動委員會發起、集結市民團體的遊行也開始出現弊病。曾經是六月行動委員會的核心成員福富節男在一九七一年十月如此陳述：[675]

在那之後，來參加六行委行動的人們之間漸漸有種慣性，某種重要的緊張感逐漸變淡，只要決定在某一天發起共同行動，大家的腦中就有個大概的計畫和劇本，甚至不需要再另外做準備。

即使沒有事前申請要參加，只要活動當天到場就夠了，所以實際上參加的團體遠比事前申請要參加的團體還多，而再次確認共同行動原則之類的事，僅在當天現場是沒辦法做到的。

再加上能參加執行委員會、負責準備階段和遊行各個環節的團體越來越少，常常都是固定幾個團體……。

參加共同行動的團體，缺乏對共同行動的「熱忱」，把他們「編進」主線的活動也逐漸減少，平常以獨特方式展開自己的活動的團體，對於共同行動也沒有太多期待等，個別化現象日益嚴重。

這種個別化現象的加深與追求共同活動的可能性，今後將是反戰市民運動的一大課題。

不只在越平聯內部，各地的市民團體也喪失「安保」這個共同課題，朝個別化的方向發展。集結越來越困難，即使發動形式上是共鬥的遊行，實際的內容也越來越匱乏。

另外，一九七〇年的「反安保每日遊行」中，遊行參與者的自發性也越來越低下。一九七二年六月的六月行動委員會主辦的市民遊行，設置了讓參加者自由書寫的白色空間，並發給參加者紙板和各種顏色的麥克筆，[676]結果並不如主辦方所期待，大多數的參加者只是不知所措，沒有上前寫下什麼的樣子。

急躁的山口文憲逼問一位年輕人：「等等，你是來參加抗議遊行，卻沒有什麼想說的話嗎？」那位年輕人「一臉害羞、扭扭捏捏的，在監視和被強迫下，總算寫了點什麼。他用細小的字體寫著：『粉碎安保，鬥爭勝利』嗚呼！」就算被強迫也只寫得出被用爛的套句，山口感嘆道：「看最近遊行的照片，能留下印象的標語板子和布條，全都是越平聯事務所製作的。」「基於每一個人的創意與自發性的行動，到底發生什麼事了啊。」

全共鬥風潮過了以後，許多主張戰鬥的學生也到企業就業，小中陽太郎記下從吉川聽來的故事：[677]

七二年某天，吉川勇一到警視廳遞交遊行申請，和警備課長聊了一下，傳話的警官進來，對課長說：

「報社負責警察線的記者現在來打招呼，說是前日大全共鬥的成員，過去給大家添麻煩了，所以來打個招呼。」

他隨後進來，看到這位記者的臉，發現是曾經（在反萬博大討論會的時候）戰鬥意志最高昂的N。N比吉川更驚訝，表情看起來有點尷尬。

吉川想：「就業成為新聞記者當然是個人自由，但說什麼『給各位添了各種麻煩』到底是什麼意思啊。……」

據小田所說，N所任職的報社是「在學生們之間也被視為是最反動的」「S報社。」[678]小中寫著：「聽到這件事的時候，不知道為什麼有點令人感到寂寞。」[679]讓小田來說的話，追求「自我否定」或「造反」的結果，最後就只能「自殺」或「一百八十度大轉向」，而這或許也可以視為證成他想法的一個案例吧。

另一方面，到了一九七二年末，越南和平協定即將簽訂，美軍撤退的方向也逐漸明確，東京越平聯過去曾宣示過如果越戰結束就解散。吉川在一九七二年十二月這麼說：[680]「如果越南能和平，那我覺得越平聯就如同過去所說的那樣，解散比較好。」「因為有個目的，所以創立適合的運動或組織，儘管沒有人承認相反的程序，但實際上往往都是顛倒過來，有太多組織都是抱著：『為了維持、發展這個組織，應該如何參與越南問題？』發想在運作，而這會讓運動腐敗。」

對於在共產黨深刻體驗過組織優先主義弊害的吉川而言，這段話也是真心話吧。但是，在運動個別化日益增強的狀況下，從客觀的角度來說，失去最後一個共同課題「反越戰」的話，越平聯顯然也沒辦法繼續維持原本的型態。

對於吉川的意見，也有反對的聲音。原本就是「獨立黨派」的法政大學越平聯，發了如下主張的傳單：「吉川一派透過資產階級媒體的記者會，表示簽訂和平協定是全面勝利，目標已達成之故，將解散越平聯，這是公然放棄鬥爭與宣示從戰線逃亡。我們法大越平聯，在此宣言將堅決澈底聲討、粉碎吉川一派的策動。」[681]

但是吉川並沒有主張只要簽訂和平協定，問題就得到解決。[682]在前述的文章中，吉川也說：「即使簽訂越南和平協定，當然並不代表安保或基地就會消失，也不代表至今參與反戰市民運動的許多人們，就因此不再關心政治。」「新的市民運動需要的不是七年又八個月前成立的越平聯，需要的是新的架構。」他恐怕是看到狀況的變化，因此認為需要「新的架構」吧。吉川在幾年後也回想：「當時的氣氛是：重新出發吧，接著也要繼續做下去！」「並沒有特別意識要不要有組織。」

接著在一九七三年一月，越南和平協定於巴黎簽署，確定美軍將從越南撤退。京都越平聯在一九七三年四月舉辦「接著也要繼續做下去啊！解散集會」後解散。東京越平聯也在一九七四年一月舉辦「危機中的重新出發」解散儀式。各地越平聯的應對方式，交由各地團體自行處理，也有像福岡越平聯那樣，因為反對解散，在那之後也以越平聯的名義繼續活動。

對於越平聯解散感到可惜的聲音不少。吉川寫道，他常常聽到這樣的意見：「你不覺得可惜嗎？」「問題還沒有解決吧！」[683] 山口文憲在一九七三年的座談會提到，姑且不論從越平聯早期就參與其中的成員，只知道越平聯繁盛時期的年輕人們也有這樣的反應：「全國全共鬥已經消滅，全國反戰也解散，總會思考讓越平聯留下來的方式，例如就算只有《越平聯新聞》也好，高中生或重考生等的年輕人們，我們至今從來沒有想過越平聯會解散。」[684]

然而，長期參與越平聯活動的人們，反應意外地冷靜。一九七三年五月舉辦了「給越南和平！市民會議」，取代全國懇談會，已經解散的京都越平聯的一位參與者這麼說：[685]「京都越平聯的實體，是許多各自獨立、自主、個別化團體的聯合，這些獨立的團體，即使京都越平聯解散、結束，也都會持續活動下去。」

一九七三年二月的座談會上，鶴見良行說，各地的越平聯「大多數都有自己投入其中的個別議題，這些議題，並不一定會隨著越戰結束而消失。」「我們的運動是以越戰這個框架運作過來，如果能以越南人民可以接受的方式實現越南和平，那就算解散也沒關係。」電影評論家松田政男問：「解散的意思是指，解散幹事會，而且東京的事務所也會消失嗎？」，鶴見良行答道：「就是那樣。」[686]

他們的想法是，即使越平聯這個框架消失了，如種子般撒在全國各地的市民運動，也會繼續活動下去吧。久野收在一九七三年七月，寫了一篇以「如果麥子不死」為副標題、總結越平聯的文章。在這篇文章中，久野高度評價越平聯，創造了一種重視個人自主性、以非暴力的方式避免武裝內鬥的新運動形式，並以此作結：「總之越平聯在帶著各種問題的狀況下，依舊執行了非常好的運動，『一粒麥子不死，就只是一粒麥子，若是死了，就會結出許多麥子。』雖然很平凡，但如果能重新出發的話，我想以這段話作為餞別禮。」[687]

一九七四年一月的東京越平聯解散儀式上，吉川說，在越平聯重視個人自主性的前提之上，「一路參與越平聯的人，應該沒有人會問：沒有越平聯的話，我該怎麼辦？」[688]小田為了追求下一個行動，動身前往海外，沒有參加解散儀式，但他留了言，表示今後想進行以亞洲、非洲為視野的運動。鶴見良行等人，爾後將把這段話具體實現。

要如何評價越平聯的軌跡並不容易，以戰爭體驗者的記憶為出發點的這個運動，碰上年輕人的反叛季節，某種意義上有了意想不到的發展，如果沒有遇上年輕人的反叛，越平聯也有可能只是一個少數年長者的運動，在幾年內就消失了吧。

與以往的金字塔型黨組織不同，基於自主性的運動體原理，在當時是劃時代的創舉。但如同在結論中所述，這就如同全共鬥一樣，在高度資本主義社會下，某種意義上也是必然的風格。而自主性與多樣性，最後演變成專業化與個別化，越平聯這個框架則漸漸失效。如同在第十四章所述，進到一九七〇年代，運動的核心從大型新左翼黨派轉移到十幾人的小團體，並不只發生於越平聯內，而是「那個時代」後半的普遍傾向。而在那之後，投身於個別議題的市民運動團體增加，基於全體構想的集結越來越困難，這個傾向也持續到七〇年代以後。

也許還不到一九七三年越平聯的人們夢想的程度，但越平聯確實在各地撒下市民運動的種子。而在六〇年代末年輕人們的反叛中，年輕人與年長者在這個運動中既對立也相互扶持，凝聚了「找不到地方加入的人」發不出聲的願望，而成為無與倫比的存在。當人們思考「一九六八年」與日本社會運動時，即使時至今日，也能從蘊含許多教訓與智慧的越平聯軌跡中獲益良多。

註釋

第十二章　高中鬥爭

1 相較於大學內的全共鬥運動，關於高中鬥爭的研究並不多。與高中鬥爭同時期出版的著作有，也研究了大學生運動的教育學者鈴木博雄所執筆的前揭（第一章）《高校生運動》。本書有著鈴木擅長的廣泛調查，對概括了解一九六八年為止的高中生運動提供了參考，然而本書出版於一九六九年十一月，沒有記錄到一九六九年後半高中鬥爭全盛期，因此很難說是有著完整學術分析的著作。北澤彌吉郎的《東京の高校紛争》（第一法規，一九七一年），雖詳細描述了東京的高中鬥爭的情況，但仍是從基於「正確」的指導方針與學校營運能解決問題的立場上書寫的研究書。後續還有柿沼昌芳、永野恒雄、田久保清志合著的《高校紛争》（批評社，一九九六年），清楚說明了高中鬥爭並非如同時期人所言只發生在升學名校、也指出了從一九六七年左右開始，高中鬥爭中也出現了不帶有政治主張而自然形成的先例等實情。這個情況，與被視為大學鬥爭中不帶有政治主張而自然生成之先例的一九六五年慶大鬥爭相似。然而，包括此著作在內，上述的書籍基本上都是以教育學的觀點來看待高中鬥爭，而非如本書一樣，採取在整體社會變動之中定位高中鬥爭的研究取徑。

2 東島克己〈高校生も七〇年闘争へ進軍を始めた！！〉（《二〇世紀》一九六九年二月號）頁三三。

3 重引鈴木前揭《高校生運動》頁一七〇、一七一。

4 東島前揭〈高校生も七〇年闘争へ進軍を始めた！！〉頁三三。

5 同上論文頁三〇—三三。

6 鈴木前揭《高校生運動》頁一七二。

7 東島克己〈高校生の〝全学連予備軍〞〉（《二〇世紀》一九六八年八月號）頁五七。

8 同上論文頁五七。

9 川合、竹内前揭（第一章）〈高校生政治参加の光と影〉頁二二九、二三〇、二二五。這篇論文中提到，關於二月十一日的集會，反戰高協以佐世保鬥爭後沒有立即做好準備為由，堅持集會要在十八日舉辦，而不參加十一日的活動，然而，前揭東島的文章〈高中生的「全學聯預備軍」〉（〈高校生の〝全学連予備軍〞〉）中卻提到，反戰高協也參加了十一日的集會。另外，在前揭鈴木的《高中生運動》中提到的則是十八日當天舉辦了全都高中生集會（頁一一），不知道哪個說法才正確，事實關係並不明確。無論如何，雖存在著細微的問題，總之本文先根據東島的論點來描述。而竹內靜子以《反戰派高校生》（三一書房，一九七〇年）為起點，對於當時的學生運動撰寫了多本著作，但有點讓人感覺過於認同當時年輕人們的反叛。

10 東島前揭〈高校生も七〇年闘争への進軍を始めた〉頁二二七。〈高校生もヘルメットをかぶった〉（《サンデー毎日》一九六八年十一月三日號）頁一三九。

11 四方田前揭《ハイスクール一九六八》（第一章）頁一四七—一

四八。在初出的《新潮》雜誌二〇〇三年九月號頁一九二提到，這位舞踏家是山田せつ子。
12 引用自前掲〈高校生もヘルメットをかぶった〉頁一三六、一三七。
13 鈴木前掲《高校生運動》頁一七三。
14 同上書頁一七三。
15 以下關於「L君」的事例與引用來自於川合、竹内前掲〈高校生政治参加の光と影〉頁二二四—二二五。
16 重引鈴木前掲《高校生運動》頁八三—八四。
17 以下引用自白川前掲（第一章）〈私は〝闘う全高連〞の少女リーダー〉頁八五—八七、八八—九〇、九一。
18 〈誤解された運動、高校生と政治活動〉（初出《静岡県立高校新聞》一九六八年十二月二十三日號，收錄於平栗編著前掲〔第一章〕《高校生は反逆する》）頁五〇、五一。
19 鈴木前掲《高校生運動》頁二七〇。
20 平栗清司〈高校生の〝卒業式闘争〞〉（《朝日ジャーナル》一九六九年三月三十日號）頁九。
21 鈴木前掲《高校生運動》頁一二。
22 重引同上書頁二三九。
23 以下敘述依據柿沼、永野、田久保前掲《高校紛争》頁二八。
24 引用自同上書頁三二—三三。
25 北村前掲（第二章）〈アナーキーへの志向〉頁七七—七八。
26 重引鈴木前掲《高校生運動》頁一一三。
27 同上書頁八八。
28 〈これでいいのか！　高校生活〉（初出《瑞稜》一九六九年三月一日第十五號，收錄於平栗編著前掲《高校生は反逆する》）頁二四一。
29 鈴木前掲《高校生運動》頁九〇、八九。
30 兩者皆重引同上書頁二九—三〇。
31 〈ヘルメット高校生（下）〉（《朝日新聞》一九六九年二月十七日夕刊）。
32 〈無題〉（初出《東京都立両国高校新聞》一九六八年三月二十五日號，收錄於平栗編著前掲《高校生は反逆する》）頁一二五—一二六。
33 平井玄〈《東京全共闘少年》論〉（《批評精神》第五號，一九八三年）頁一四二。
34 柿沼、永野、田久保前掲《高校紛争》頁二〇七。
35 〈新しい日常性の創造を〉（初出《愛知県立旭丘高校新聞》一九六八年七月十七日號，收錄於平栗編著前掲《高校生は反逆する》）頁五二—五三。
36 高橋源一郎〈民主主義の暴力〉（初出灘高中・灘中學學生會誌《鬼火》一九六八年號，收錄於平栗編著前掲《高校生は反逆する》）頁五八、六三—六四。本篇文章後續被收錄在《文藝》二〇〇六年夏刊之中，合併收錄了内田樹對高橋的訪談内容。
37 以下有關《新G高新聞》的内容引用自平栗編著前掲《高校生は反逆する》頁一九五—一九六、一九九—二〇〇。
38 二上前掲（第八章）〈〝殺すな！〞ということ〉頁一六。
39 〈平塚江南高校の場合〉（《ベ平連ニュース》一九六九年九月號〔第四十八號〕）前掲（第一章）復刻版頁二六六。
40 以下的敘述根據平栗編著前掲《高校生は反逆する》頁九八。

41 柿沼、永野、田久保前掲《高校紛争》頁三〇、三一。

42 引用自平栗編著前掲《高校生は反逆する》頁九八。由於部分高中出現了兩種以上重複的抗議型態，以抗議型態統計的話，合計超過八十八所學校。

43 北澤前掲《東京の高校紛争》頁二八。

44 平栗前掲〈高校生の〝卒業式闘争〞〉頁五。

45 同上論文頁六。

46 重引鈴木前掲《高校生運動》頁四九—五〇。引用處減少換行。

47 收錄於平栗編著前掲〈高校生は反逆する〉頁一一七—一一九。引用處增加換行。

48 收錄於同上書，頁一二〇—一二四。引用處增加換行。

49 平栗前掲〈高校生の〝卒業式闘争〞〉頁八。

50 同上論文頁八。

51 同上論文頁八。

52 平栗編著前掲《高校生は反逆する》頁九九—一〇二。引用處減少換行。

53 今井秦彦〈都高卒業式の闘い〉（收錄於《世界は業火につつまれねばならない》しいら書房，一九六九年）頁七一。

54 平栗前掲〈高校生の〝卒業式闘争〞〉頁七。

55 柿沼、永野、田久保前掲《高校紛争》頁四一，四二。

56 以下關於城北高中的事例與引用，出自同上書頁五〇，五一。

57 鈴木前掲《高校生運動》頁一九三。

58 北澤前掲《東京の高校紛争》頁二七。

59 以下關於發生在市岡高中的紛争之敘述，引用自鈴木前掲《高校生運動》二一五—頁二二八，以及柿沼、永野、田久保前掲《高校紛争》頁二七—四〇。然而，柿沼等人的敘述內容也是依據鈴木的著作，因此實際上兩者之間並無太大差異。

60 重引鈴木前掲《高校生運動》頁二二三，二二二。

61 新宿高中的事件經過出自〈ヘルメット高校生（上）〉（《朝日新聞》一九六九年二月十四日夕刊）。

62 同上記事。

63 北澤前掲《東京の高校紛争》頁三一—三二。

64 同上書頁四三—四四。高沢、佐長、松村編著前掲（第三章）《戦後革命運動事典》頁八九。

65 大河原前掲（第一章）〈六〇年代を生きた教師の痛苦〉頁一三九。

66 以下掛川西高中的事例與引用，出自柿沼、永野、田久保前掲《高校紛争》頁五三—五五。

67 日置前掲（第一章）〈造反する高校生と教師の亀裂〉頁二〇二。

68 同上論文頁二〇一。

69 掛川西高中反戦會議〈九・一〇反戦会議登校〉（一九六九年九月十一日，收錄於平栗編著前掲《高校生は反逆する》）頁三三。

70 掛川西高校志願者〈西高生よ、目覚めよ！そして強くなれ！〉（一九六九年九月六日、收錄於平栗編著前掲《高校生は反逆する》）頁三五—三六。

71 柿沼、永野、田久保前掲《高校紛争》頁五五。

72 日置前掲〈造反する高校生と教師の亀裂〉頁二〇一。

73 都立青山高中全共鬥會議〈青山高校闘争中間総括〉（一九六九年十月十日，收錄於平栗編著前掲《高校生は反逆する》頁二二—二三。）而在日置前掲〈造反高中生與教師的龜裂〉（造反する高校生と教師の亀裂）頁二〇一中提到，除了文中的五項問題之外，另加上「文化祭由學生完全自主管理」的訴求而成為「六項訴求」，但本文中先根據原典中學生方的文書記錄。

74 以下的事實經過出自柿沼、永野、田久保前掲《高校紛争》頁五八—五九。

75 日置前掲〈造反する高校生と教師の亀裂〉頁一九九。豐田前掲〈第一章〉〈上昇志向の喪失〉頁一一四、一一五。

76 豐田前掲〈上昇志向の喪失〉頁一一五。

77 前掲〈第二章〉〈高校生座談会　紛争はぼくらの〝お祭り〟だ〉頁一九三。

78 日置前掲〈造反する高校生と教師の亀裂〉頁二〇三。

79 〈青山高校紛争の奇妙な処分〉（《週刊読売》一九六九年十一月十四日號）。重引柿沼、永野、田久保前掲《高校紛争》頁五九—六〇。

80 日置前掲〈造反する高校生と教師の亀裂〉頁一九八。

81 同上論文頁一九九—二〇〇。

82 同上論文頁二〇三—二〇四。

83 同上論文頁二〇四。

84 都立青山高中全共鬥會議前掲〈青山高校闘争中間総括〉頁一九。

85 同上文〈中間総括〉頁二五。

86 豐田前掲〈上昇志向の喪失〉頁一一四。

87 前掲〈青山高校闘争中間総括〉頁二一。

88 吉田一郎（青山高中三年級）〈作られつつある報告〉（收錄於前掲《世界は業火につつまれねばならない》）頁八一。

89 都立青山高中全共鬥會議前掲〈青山高校闘争中間総括〉頁二七。

90 同上〈中間総括〉頁三一，三〇。

91 豐田前掲〈上昇志向の喪失〉頁一一五。

92 前掲〈高校生座談会　紛争はぼくらの〝お祭り〟だ〉頁一九四。

93 山口文憲〈あすに引継ぐものはなにか〉（《朝日ジャーナル》一九六九年十月二十六日號）頁一二。

94 編輯部〈〝非常態勢〟下の一〇・二一反戦デー〉（《朝日ジャーナル》一九六九年十一月二日號）頁五。

95 北澤前掲《東京の高校紛争》頁二—三。

96 平栗編著前掲《高校生は反逆する》頁一一〇—一一一。

97 柿沼、永野、田久保前掲《高校紛争》頁六〇。

98 以下都立大附屬高中的案例出自北澤前掲《東京の高校紛争》頁三五—三七。

99 以下九段高中的案例出自北澤前掲《東京の高校紛争》頁三九—四一。

100 前掲〈高校生座談会　紛争はぼくらの〝お祭り〟だ〉頁一九五。

101 北澤前掲《東京の高校紛争》頁四六、四七。

102 赤塚行雄主持〈高校教員座談会　受験体制のひずみのなかで〉（《文藝春秋》一九七〇年二月號）頁一八三、一七九。雖然未註明，但普遍認為這是駒場高中的事例。

103 同上座談會頁一八二。

104 北澤前掲《東京の高校紛争》頁四五。
105 赤塚主持前掲〈高校教員座談会　受験体制のひずみのなかで〉頁一七九。
106 北澤前掲《東京の高校紛争》頁四六、五〇、五一。
107 以下日比谷高中的案例出自北澤前掲《東京の高校紛争》頁四一，以及庄司構成前掲座談會（第四章）〈ゲバルトちゃん気をつけて〉頁二二四。
108 平井前掲〈〈東京全共闘少年〉論〉頁一四三。
109 四方田前掲《ハイスクール一九六八》頁一四八。
110 北澤前掲《東京の高校紛争》頁四三—四四、四五。
111 赤塚主持前掲〈高校教員座談会　受験体制のひずみのなかで〉頁一七九。
112 四方田前掲《ハイスクール一九六八》頁一四五、一五四。
113 同上書頁一五八。
114 同上書頁一五七。
115 北澤前掲《東京の高校紛争》頁七八—七九。
116 赤塚主持前掲〈高校教員座談会　受験体制のひずみのなかで〉頁一八〇。
117 〈オレたちは不満だ〉（《朝日ジャーナル》一九七〇年二月十五日號）頁一三。
118 前掲〈高校生座談会　紛争はぼくらの〝お祭り〟だ〉頁一九三、一九四。庄司構成前掲〈ゲバルトちゃん気をつけて〉頁二二八、二二六、二二五。
119 前掲〈高校生座談会　紛争はぼくらの〝お祭り〟だ〉頁一九四。
120 四方田前掲《ハイスクール一九六八》頁一五五。
121 庄司構成前掲〈ゲバルトちゃん気をつけて〉頁二二八。
122 前掲〈オレたちは不満だ〉頁一三—一四。
123 吉田前掲〈作られつつある報告〉頁八三，横田美津子〈わが志は日常性の呪縛を告発する〉（二文皆收錄於前掲《世界は業火につつまれねばならない》）頁九九。
124 前掲〈高校生座談会　紛争はぼくらの〝お祭り〟だ〉頁一九三。赤塚主持前掲〈高校教員座談会　受験体制のひずみのなかで〉頁一七八。
125 以下的高中生的類型結構，出自豐田前掲〈上昇志向の喪失〉頁一一五、一一七。
126 赤塚主持前掲〈高校教員座談会　受験体制のひずみのなかで〉頁一八一。
127 同上座談會頁一八五。
128 前掲〈オレたちは不満だ〉頁一二。
129 赤塚主持前掲〈高校教員座談会　受験体制のひずみのなかで〉頁一八一。
130 北澤前掲《東京の高校紛争》頁九九。
131 柿沼・永野・田久保前掲《高校紛争》頁五七。
132 北澤前掲《東京の高校紛争》頁七九。
133 同上書頁六三—六五。
134 赤塚主持前掲〈高校教員座談会　受験体制のひずみのなかで〉頁一八九。
135 同上座談會頁一八七。
136 庄司構成前掲〈ゲバルトちゃん気をつけて〉頁二二二。

137 豐田前揭〈上昇志向の喪失〉頁一一七。
138 四方田前揭《ハイスクール一九六八》頁一七〇。
139 前揭〈オレたちは不満だ〉頁一三。
140 柿沼、永野、田久保前揭《高校紛争》頁六五。
141 加藤前揭（第一章）《連合赤軍　少年A》頁四四、八五。
142 柿沼、永野、田久保前揭《高校紛争》頁六七—六八。
143 豐田前揭〈上昇志向の喪失〉頁一一五。

第十三章　從一九六八年到六九年

1 幾乎沒有關於這時期的全共鬥運動及街頭鬥爭的研究。概觀性的論述在本書序章及各個章節的註解中，以新左翼運動概述史之類的方式提及，但大多只停留在羅列事實關係的階段。而本章的記述中也引述了回憶錄之類的內容，但各自的經歷會因時間、地區、學年、所屬大學的狀況等有所不同，並沒有找到能概觀整體的東西。
2 立花前揭（第三章）《中核VS革マル》上卷頁一一三。
3 猪野前揭（第八章）〈全学連のこの意外なスポンサーたち〉頁五四。
4 筱崎良夫〈三派全学連のスポンサー〉（《二十世紀》一九六八年八月號）頁四四。
5 大野前揭（第八章）〈激化一途の学生運動〉頁七五。
6 中島誠〈〝全学連〟はなぜ殴りあう〉（《朝日ジャーナル》一九六八年八月十二日號）頁一五。
7 野中武彦〈燃えるスチューデント・パワー〉（《二十世紀》六八年九月號）頁四三。
8 前揭（第八章）〈三派全学連の新しい暴れ方〉頁一三三。
9 同上記事頁一三二、一三六。
10 野中前揭〈燃えるスチューデント・パワー〉頁四五。
11 前揭〈三派全学連の新しい暴れ方〉頁一三四。
12 前揭（第八章）〈七〇年へむけてゲリラ化する学生戦線〉頁八九。
13 松岡繁〈三派全学連、その激情と分裂〉（《時》六八年九月號）頁一二五、一二六。
14 同上論文頁一二六。
15 同上論文頁一二九、一三〇。前揭〈七〇年へむけてゲリラ化する学生戦線〉頁八五。
16 前揭〈七〇年へむけてゲリラ化する学生戦線〉頁八五。
17 藏田計成〈かくて反戦青年委員会も……〉（《現代の眼》一九六九年三月號）頁一七三。
18 中島誠〈学生への直言〉（《朝日ジャーナル》一九六八年十月六日號）頁二四。
19 新村正史〈十月反戦行動と七〇年闘争〉（《世界》一九六八年十二月號）頁二〇一。
20 山田富士夫〈学生運動の現状と展望〉（《経営者》一九六八年九月號）頁一一。
21 荒前揭（第二章）《破天荒伝》頁八五。
22 以下關於十月八日的情況描述出自〈ドキュメント構成　新宿・十月二十一日〉（《中央公論》一九六八年一二月號）頁二一五—二一六。
23 以下關於三上的回想出自前揭（序章）《一九六〇年代論II》頁

一五八。

24 〈暴力学生集団を告発する〉（《月刊時事》一九六八年一二月號）頁一四五。前掲〈ドキュメント構成　新宿・十月二十一日〉頁二一九。

25 荒前掲《破天荒伝》頁八五。

26 前掲〈ドキュメント構成　新宿・十月二十一日〉頁二二〇，新村前掲〈十月反戦行動と七〇年闘争〉頁二〇二。

27 以下社學同在十月二十一日的行動與引用出自〈ドキュメント構成　新宿・十月二十一日〉頁二一八、二一九。

28 荒前掲《破天荒伝》頁八六。

29 前掲（第一章）〈全学連女性闘士二十五人の愛情報告〉頁一七。

30 中野前掲（第四章）《ゲバルト時代》頁一三二—一三三。根據中野的紀錄，在十月二十一日這天聚集的，以社學同及社青同解放派為中心的反帝全學聯約一千兩百人，從中大到明治公園集合後，再朝著防衛廳前進（頁一三二）。然而，前掲〈ドキュメント構成　新宿・十月二十一日〉則指出，社學同約有八百人在中大集合後直接前往防衛廳，社青同解放派（反帝學評）約一千五百人在早大召開集會後，先參加了在明治公園的總評・中央勞聯的集會，之後才前往國會（頁二一七、二二〇）。這類型的事件紀錄在人數上常有不同，但因為中野的回憶錄裡錯誤稍多，而且並沒有社學同與社青同解放派從中大到防衛廳都以反帝全學聯共同行動這樣的事實（社青同解放派前往國會一事在各項資料中一致），因此整體上採用後者的記述。

31 前掲〈ドキュメント構成　新宿・十月二十一日〉頁二二〇。

32 佐長史郎〈一〇・二一国際反戦闘争〉（《流動》一九七八年十一月號）頁一一三。

33 同上論文頁一一三。前掲〈ドキュメント構成　新宿・十月二十一日〉頁二二二—二二三。

34 竹內靜子〈国際反戦デーの新宿〉（《エコノミスト》一九六八年十一月五日號）頁四二。

35 〈ドキュメント　新宿全学連攻防戦〉（《週刊言論》一九六八年十一月六日號）頁七七。竹內前掲〈国際反戦デーの新宿〉頁四二。

36 佐長前掲〈一〇・二一国際反戦闘争〉頁一一二—一一三。前掲〈ドキュメント　新宿全学連攻防戦〉頁七八。

37 新村前掲〈十月反戦行動と七〇年闘争〉頁二〇四。

38 同上論文頁二〇四。

39 同上論文頁二〇四。佐長前掲〈一〇・二一国際反戦闘争〉頁一一三。

40 佐長前掲〈一〇・二一国際反戦闘争〉頁一一四。

41 前掲〈ドキュメント構成　新宿・十月二十一日〉頁二二四。新村前掲〈十月反戦行動と七〇年闘争〉頁二〇四。

42 天野道映等〈若い力が演じた新宿ハプニング〉（《朝日ジャーナル》一九六八年十一月三日號）頁一三。

43 同上記事頁八。前掲〈ドキュメント構成　新宿・十月二十一日〉頁二二四。

44 前掲〈ドキュメント構成　新宿・十月二十一日〉頁二二四、二二五。天野等前掲〈若い力が演じた新宿ハプニング〉頁八。

45 天野等前掲〈若い力が演じた新宿ハプニング〉頁八。佐長前掲〈一〇・二一国際反戦闘争〉頁一一四、一一五。

46 天野等前掲〈若い力が演じた新宿ハプニング〉頁一四。
47 前掲〈ドキュメント構成　新宿・十月二十一日〉頁二二四。天野等前掲〈若い力が演じた新宿ハプニング〉頁一〇。竹内前掲〈国際反戦デーの新宿〉頁四一。
48 前掲〈ドキュメント　新宿全学連攻防戦〉頁七九。
49 いいだもも、大野明男〈群集五万人の不気味な挑戦〉（《現代の眼》一九六八年十二月號）頁一五九。
50 中島誠〈見たこと考えたこと〉（《週刊言論》一九六八年十一月六日號）頁七六、七七。
51 天野等前掲〈若い力が演じた新宿ハプニング〉頁九。
52 同上記事頁八。
53 鈴木前掲（第十章）〈新宿騒乱——民主主義の警鐘〉頁一三八。
54 前掲〈ドキュメント構成　新宿・十月二十一日〉頁二二八。
55 天野等前掲〈若い力が演じた新宿ハプニング〉頁八、五。
56 前掲〈ドキュメント構成　新宿・十月二十一日〉頁二二八。
57 同上記事頁二二七。
58 前掲〈ドキュメント　新宿全学連攻防戦〉頁八〇。
59 天野等前掲〈若い力が演じた新宿ハプニング〉頁六。
60 前掲〈ドキュメント構成　新宿・十月二十一日〉頁二二六。
前掲〈ドキュメント　新宿全学連攻防戦〉頁八〇。
61 前掲〈全学連女性闘士二十五人の愛情報告〉頁一一七。
62 前掲〈ドキュメント構成　新宿・十月二十一日〉頁二二七。佐長前掲〈一〇・二一国際反戦闘争〉頁一一六。
63 引用自日本馬克思・列寧主義者同盟中央委員會《赤光》（一九六八年十月二十四日號外）。
64 東大反帝學生評議會〈本日騒乱罪適用粉砕明治百年祭粉砕全都政治集会〉（收錄於前掲〔序章〕《東大鬪争資料集》第六巻，一九六八年十月二十二日傳單）。
65 東大鬥争全學共鬥會議〈全学総決起集会に起て！〉（《共闘会議ニュース》第十二號，收錄於前掲《東大鬪争資料集》第六巻，一九六八年十月二十五日）。
66 前掲〈ドキュメント構成　新宿・十月二十一日〉頁二二七。
67 前掲（第九章）〈大学・学生問題と治安対策〉頁九四。
68 前掲〈ドキュメント構成　新宿・十月二十一日〉頁二二七。
69 農藝化學科民主化研究會〈東大の徹底的民主化のために〉（收錄於前掲《東大鬪争資料集》第六巻，一九六八年十月二十三日傳單）。
70 春野響子〈警察当局は手ぬるかった〉，岩井章〈一般の反発買った学生〉（兩者皆出自《読売新聞》一九六八年十月二十二日朝刊）。
71 藏田前掲〈かくて反戦青年委員会も……〉頁一七一。
72 久坂文夫〈街頭から根拠地へ〉（《朝日ジャーナル》一九六九年一月十二日號）頁一一一。
73 竹内前掲〈国際反戦デーの新宿〉頁四四。
74 大宅、大野、草柳、いいだ前掲（第一章）〈全学連一〇・二一付近総まくり〉頁二七。
75 中島前掲〈見たこと考えたこと〉頁七七。中島誠〈新宿一〇・二一　全国民的闘争を〉（《朝日ジャーナル》一九六八年十一月三日號）頁一一。
76 小田實〈ふたたびベトナム反戦を〉（初出《世界》一九六八年

十二月號，收錄於前揭（第一章）《資料・「ベ平連」運動》上卷。河出書房新社同時出版了本書的上、中、下卷。頁四六九—四七〇。

77 小田實《「ベ平連」・回顧録でない回顧》（第三書館，一九九五年）頁三六二。

78 以下「暴走族」周圍群眾的描述出自佐藤郁哉《暴走族のエスノグラフィー》（新曜社，一九八四年）頁七—八。

79 鈴木前揭〈新宿騷乱——民主主義への警鐘〉頁一三七。

80 赤塚行雄〈新語・流行語で大学騒動を分析する〉（《週刊読売》一九六八年十九日號）頁一一四。

81 宮崎前揭（第一章）《突破者》上卷頁二二〇。

82 石黑國男〈反日共系学生諸君に望む〉（《朝日ジャーナル》一九六八年十二月二十二日）頁一二一—一二二。

83 大野、增山前揭（第十章）〈日本共産党の東大闘争戦略〉頁一一五。

84 粟津則雄〈現代の偶像四　吉本隆明〉（《朝日ジャーナル》一九六八年九月二十九日號）頁八〇。

85 全學助手共鬥會議前揭（第十章）〈東大闘争の決定的局面を闘いぬけ!〉頁二四〇。

86 真繼伸彥〈全共闘運動が問いかけたもの〉（《朝日ジャーナル》一九七一年四月二十三日號）頁一二—一三。

87 川本前揭《マイ・バック・ページ》（第一章）頁四七—四九。

88 〈振り袖をヘルメットに着替えた女子大生〉（《女性自身》一九六八年三月二十五日號）頁三六。

89 NHK取材班前揭（第一章）〈東大全共闘〉頁三五七。

90 長洲前揭（第四章）〈父よ、母よ、わがゲバ・ヘルの青春に悔いなし〉頁二〇七—二〇八。

91 番場前揭（第四章）〈全共闘運動の突破口としての『性差研』創設〉頁一一四—一一五。

92 川本前揭《マイ・バック・ページ》頁一七。

93 同上書頁一七。

94 前揭（第二章）〈東大・日大闘争に連帯し早稲田に叛逆のバリケードを!〉頁二二八、二二六。

95 〈六〇年代学生運動・極私的詳細年表〉（收錄於神津前揭〔第四章〕《極私的全共闘史　中大一九六五—六八》）頁二七六。

96 井上前揭（第八章）〈自主講座　反公害輸出の闘い〉頁一四二。津村作為訪談人發言。津村前揭（第四章）〈全共闘経験における『身体性の政治』〉頁八七。津村喬〈異化する身体の経験〉（收錄於津村編著前揭〔第四章〕《全共闘——持続と転形》）頁六一。

97 龜和田武、柴田翔、島田雅彥、筑紫哲也〈たしかにあそこで何かが変わった〉（收錄於筑紫編前揭〔第二章〕《全共闘——それは何だったのか》）頁一五三、一五四。

98 本文以及下文關於一橋鬥爭的經過及引用，出自井上前揭〈自主講座　反公害輸出の闘い〉頁一三九—一四〇。

　井上澄夫雖然是越平聯的運動者，但對全共鬥運動卻沒有太大的關心。如後續第十五章提到的，越平聯事務局長的吉川勇一認為，越平聯是一種「政治運動」（而非政黨運動），「既不是『確立主體性的運動』，也不是『存在式的自我確認運動』，當然更不是『道德運動』。」因此對全共鬥運動的「自我確認運動」式的作法抱持批判。井上也具有類似的想法，他對東大全共鬥的「自我否定」所代表的「全共鬥式的，換句話說，對內在深挖硬扯的思考模式」以及「如經文一般的演說之類的，艱澀難解的內部語言用法」抱有違和感，更認為「做那樣的事，世界會有改變嗎？」「所謂政治……才不是那樣的東西。」「就算使用內部語言雜亂無章地討論，也不會講出什麼像樣的東西」。

然而，以新左翼黨派為首的部分學生佔據一橋大學本館後，一橋大學睽違十年達成了規定出席人數而成立了學生大會，民青此時提案解除街壘。為了與其對抗，罷課實行委員會一方，以一橋大學越平聯代表井上的名義，祭出反對解除的提案，這在慶典氛圍的學生大會底下通過了。

因此，井上成為了一橋大學全學鬥的代表。然而，具有現實性政治感覺的他回憶道，因為「根本不認為學生罷課可以粉碎大學立法」，也就完全不覺得街壘封鎖是件好事，認為以自己的名字提案這件事真是「太糟糕了」。然而，井上帶著「在能持續做下去的範圍內繼續試試看吧，反正已經知道最後會變成什麼樣子了」的想法而接下了代表的位子（上述內容出自井上前揭〈自主講座　反公害輸出の闘い〉）。

99 植垣前揭（第二章）《兵士たちの連合赤軍》頁六五、六七—六八。

100 下述關於立教大學鬥爭的引用，出自松浦高嶺、速水敏彥、高橋秀《学生反乱——一九六九立教大学文学部》（刀水書房，二〇〇五年）頁二七、三四、九六、五四、九八、一二五、一一六、一一七。

101 佐伯洋子〈思想集団エス・イー・エックス　紹介〉（收錄於溝口明代、佐伯洋子、三木草子《資料　日本ウーマン・リブ史Ⅰ》松香堂書店，一九九二年）頁一六九。

102 米津知子〈バリケードをくぐって〉（收錄於〔第一章〕《全共闘からリブへ》）頁一一二。

103 上記關於桃山學院大學鬥爭的敘述及引用，出自真繼伸彥〈全共闘運動私論〉（《文藝》一九七〇年五月號）頁一九一。

104 小阪前揭（第一章）《思想としての全共闘世代》頁一〇一—一〇二。

105 〈京大、立命館にみる新しい問題提起〉（《朝日ジャーナル》一九六九年三月二日號）頁八。

106 〈『入試強行』と対決する京大生〉（《朝日ジャーナル》一九六九年三月十六日號）頁一一二。

107 〈〝大学解体〟としての反大学運動〉（《朝日ジャーナル》一九六九年五月十八日號）頁一七。

108 京大全學共鬥會議〈京都反大学運動に結集し、全共闘の怒濤の進撃を、再開せよ！！〉（初出《STRUGGLE》No.六，一九六九年四月十一日。收錄於高澤、藏田編前揭〔第三章〕《新左翼理論全史》）頁四二〇。

109 西川前揭（第十一章）〈全共闘運動のゆくえ〉頁一八二。

110 安東、上野前揭（第十一章）〈学生運動五年の軌跡〉頁二一三。

111 參考京大新聞社編、京大全共鬥協力《京大闘争》（三一書房，一九六九年）。

112 渡邊文惠〈学生運動からウーマン・リブへ〉（收錄於前揭《全共闘からリブへ》）頁一三一。

113 荒前掲《破天荒伝》頁一〇七。

114 田村、雛元、余村前掲（第九章）〈体験から何を展望するか〉頁一三六、一三四。

115 安東、上野前掲〈学生運動五年の軌跡〉頁二一九。

116 植垣前掲《兵士たちの連合赤軍》頁六〇。

117 米津前掲〈バリケードをくぐって〉頁一二一。

118 同上論文頁一二〇。

119 植垣前掲《兵士たちの連合赤軍》頁七一。田邊良則〈自主解除寸前機動隊が突入〉（《朝日新聞》二〇〇六年八月二十一日）。

120 下述植垣的回憶出自植垣前掲《兵士たちの連合赤軍》頁二〇、二四、二五、二六、三二、三三、三四。

121 東大全學解放戰線〈帝国主義大学解体と学園闘争の戦略的課題＝二重権力の創出〉（初出《プロレタリア権力》一九六八年十二月二十日，收錄於高澤、藏田編前掲《新左翼理論全史》）頁四〇三。

122 京大全學共鬥會議（瀧田修）前掲〈京都反大学運動に結集し、全共闘の怒濤の進撃を、再開せよ！！〉頁四二三。

123 鶴見、上野、小熊前掲（第三章）《戦争が遺したもの》頁三二三。

124 布施前掲（第四章）《時間戦いました》頁一一六。

125 同上書頁一一三。

126 吉野、藤田前掲（第十一章）〈戦後民主主義の原理を考える〉頁一一。

127 同上對談頁一二。

128 なだ主持前掲（第十章）〈反代々木と代々木が本誌で決闘！〉頁三五。

129 長洲前掲〈父よ、母よ、わがゲバ・ヘルの青春に悔いなし〉頁二一二。

130 同上論文頁二一三。

131 堀江節子〈『女子大生』・『入管闘争』〉（收錄於前掲《全共闘からリブへ》）頁一一八。

132 長洲前掲〈父よ、母よ、わがゲバ・ヘルの青春に悔いなし〉頁二一一。

133 村上恭子〈自己否定はつらい　癒しの道へ〉（收錄於前掲《全共闘からリブへ》）頁一一〇。

134 森岡良次郎〈情報は溢れてるけど、ほんとうに知りたいことはなかなか伝わってこない〉（收錄於鈴木前掲〔第四章〕《男たちは変わったか？》）頁一七八。

135 似乎原本就有不少同時代的年輕人對「自我否定」口號感到疑惑。後續第十七章中的田中美津就寫下了「事到如今我才發覺，所謂的東大生，是因為他們本就擁有能夠自我肯定的部分，才得以激進地提出『自我否定的理論』」、「已經認為自己沒有價值的人，還能叫他更加地否定自我嗎」（田中前掲〔第二章〕《いのちの女たちへ》頁五一）。

除此之外，秋田明大也在被捕後的筆記中寫了以下內容：「現在才發現『自我否定——』真是句罪孽深重的話。與此相比，『自我肯定』要好多了。那些說著『自我否定』的人，不如去對神祈禱還比較好。」（秋田明大〈夕焼け、海、そしてぼく〉《朝日ジャーナル》一九七一年四月二十三日號，頁二二）。

從完全不同的立場出發，丸山真男在東大門爭結束不久後的筆記裡，寫下了這樣的內容：「現在流行的『自我否定』，指的不過就是，對昨天以前的自我的否定（也就是解除昨天以前的自己的責任），以及對當下瞬間的自己的絕對肯定罷了（若非如此，怎麼會對他人進行法利賽人般的聲討呢！）」（丸山前揭〔第十章〕《自己内対話》頁二三三）。

136 重引最首前揭（第十章）〈自己否定は持続する〉頁一二二。

137 今井前揭（第十一章）〈安田講堂・下獄・そして今〉頁一七九。今井在這篇手記的一八〇頁裡也寫著「可以想像，對一味被擴大『虛像』的秋田明大和山本義隆來說，儘管那只是〔藉由大眾媒體〕被動的，也已經成為巨大的煩惱原因了」。

138 森前揭（第二章）〈『男並み女』からリブへ〉頁一六八。

139 同上論文頁一六五。

140 前揭〈"大学解体"としての反大学運動〉頁一九。關於日大裡的「反大學」思想，參考清宮誠、福富節男〈『反大学』の思想——日大闘争が提起しているもの〉（《情況》一九六九年三月臨時增刊號）。

141 長沼節夫〈京都大学——落ちた偶像〉（《現代の眼》一九七〇年五月號）頁二〇八。

142 竹內洋《学歴貴族の栄光と挫折》（中央公論社，一九九九年）頁三〇八。據聞，對大多數年長的教授來說，不只是大眾團體交涉中學生們的粗暴言論，塗鴉等等也同樣讓他們感到困擾。時任青山學院女子短大教授的清水英夫，在六九年的評論裡提到：「我任教的青山學院也發生了大學紛爭，想當然耳，相當於教會學校象徵的禮拜堂的牆壁上被畫上大大的塗鴉，寫著：Got ist tot. Gewalt ist unsere Hoffnung！就算只是個小玩笑，這也是難以忽視的惡意行為，但據說這句話不該翻譯成『神已死。暴力是我們的希望』，而應該要翻成『神早掛ㄌ，暴力才ㄕ希望Y』才對。事情發展到這種地步，讓我甚至對於對話都感到完全的絕望。」（清水前揭〔第十一章〕〈加藤代行の論理と心理〉頁一二六）。

143 竹内前揭《学歴貴族の栄光と挫折》頁三〇九—三一〇。

144 天野惠一〈『戦後』批判の運動と論理〉（初出《流動》一九八〇年四月號，《労働・消費・社会運動》，收錄於小倉利丸編《コメンタール　戦後五十年》第六卷，社会評論社，一九九五年）頁二三七。

145 兵頭正俊《全共闘記〈その三〉二十歳》（鋒刃社，一九七九年）頁三一—三二。

146 松浦、速水、高橋前揭《学生反乱——一九六九立教大学文學部》頁一二八、一五五。

147 村上前揭〈自己否定はつらい　癒しの道へ〉頁一一〇—一一一。

148 松浦、速水、高橋前揭《学生反乱——一九六九立教大学文學部》頁一五六。

149 二・七反戰集會社會反戰連合（準）〈ぼくはぼくの言葉で語りたい〉（收錄於津村編前揭《全共闘——持続と転形》）頁八二。

150 以下早大反戰連合成員們的意見出自〈大学紛争の新しい目〉（《サンデー毎日》一九六九年六月八日號）頁二〇、二一。

151 隈本徹〈ナンセンス・ドジカル宣言〉（《現代の眼》一九六九年七月號）頁四一。

152 〈私はアラブ・ゲリラと結婚します!〉(《女性セブン》一九七一年十月六日號)頁一九三。

153 前揭〈大学紛争の新しい目〉頁二〇。

154 村上前揭「自己否定はつらい　癒しの道へ」頁一一〇、一一一。

155 上述關於東京女子大鬥争的經過出自堀江前揭〈『女子大生』・『入管闘争』〉頁一一七—一一九,村上前揭〈自己否定はつらい　癒しの道へ〉頁一一一。

156 津村喬《われらの内なる差別》(三一書房,一九七〇年)頁一二、一三。

157 松浦、速水、高橋前揭《学生反乱——一九六九立教大学文學部》頁七八—八〇。

158 井上前揭〈自主講座　反公害輸出の闘い〉頁一四二、一四三。

159 長谷前揭(第二章)〈全共闘で学んだこと〉頁一〇七。

160 植垣前揭《兵士たちの連合赤軍》頁七一—七三。

161 同上書頁七四、七五—七六。

162 同上書頁七五。

163 同上書頁七五、七九。

164 立川洋三《解体白書をもう一度》(東洋出版,二〇〇五年)頁八四。

165 真繼伸彥〈バリ封鎖の自己崩壊を惜しむ〉(《朝日ジャーナル》一九七〇年二月一日號)頁五三。

166 牧野剛《三十年後の「大学解体」》(ウェイツ,二〇〇二年)頁七一。

167 桃山學院大學的事件經過,參考真繼前揭〈バリ封鎖の自己崩壊を惜しむ〉。

168 前揭〈『入試強行』と対決する京大生〉頁一一一。

169 〈八人と一〇人の意義〉(《朝日ジャーナル》一九六九年十月五日號)頁一七。

170 同上記事頁一七。

171 奥田、岡本、上柳前揭(第二章)〈京都大学の紛争〉頁二一一。

172 〈和光大で封鎖解除〉(《朝日新聞》一九六九年十月二十一日)。

173 真繼前揭〈全共闘運動が問いかけたもの〉頁一七。

174 同上論文頁一七。

175 下述明治大學鬥争的相關引用,出自明治大學文學部五〇年史編纂準備委員會編《資料　文学部の軌跡と大学紛争》(明治大学文学部,一九八二年)頁一五七、一五九、一六五—一六六、二二六。

176 同上書頁二二八。

177 小野田前揭(第三章)〈全共闘世代への違和と共感〉頁一七七、一七八、一八四、一八五。

178 立教大學文學部學生座談會〈私たちは文学部闘争をどう受けとめているか〉(收錄於松浦、速水、高橋前揭《学生反乱——一九六九立教大学文学部》)頁一一二。

179 中岡哲郎主持〈ゲバ棒から就職への道程——獲得したものをどう活かす〉(《朝日ジャーナル》一九六九年四月六日號)頁一〇、七、九。

180 同上座談會頁六。

181 下述中岡與中島的發言出自中岡哲郎、中島誠〈知識人としての全共闘運動〉（《朝日ジャーナル》一九六九年四月二十七日號）頁一一、一五。

182 野口修〈一段と寒い冬〉、匿名希望〈夕闇の中の落城〉（皆出自《朝日ジャーナル》一九六九年十一月三十日號）頁一一七。

183 前掲《資料　文学部の軌跡と大学紛争》頁二五三—二五四。

184 牧野前掲《三十年後の「大学解体」》頁二〇。

185 前掲〈振り袖をヘルメットに着替えた女子大生〉頁三七。

186 天野前掲（第二章）《「無党派（ノンセクト）」という党派性》頁五八。

187 新井裕、宮崎吉政〈暴発する学生運動〉（《講演》六九年九月十五日號）頁二三—二四。

188 下述小田的引用出自小田前掲《「ベ平連」・回顧録でない回顧》頁五八三、五八五。

189 秋田前掲（第九章）〈秋田日大全共闘議長の獄中日記〉頁三八。

190 前掲（第十章）〈時評　東大はどこへゆく〉頁四九。

191 井上前掲〈自主講座　反公害輸出の闘い〉頁一四二。

192 むのたけじ〈村から大学を見ると〉（《世界》一九七二年二月號）頁一三六。

193 東大全共鬥／全鬥連／水谷宏編前掲（第十章）《全国全共闘》頁一三。

194 前掲〈六〇年代学生運動・極私的詳細年表〉頁二八〇。依據這份年表，聚集的有一百七十八位「全共鬥組織」代表，大學數則有四十六校。

195 飛鳥井雅道〈全共闘運動からの転出〉（《現代の眼》一九七一年十月號）頁一〇五。

196 〈ドキュメント　十一月決戦を計画する全国全共闘の内幕〉（《週刊言論》一九六九年九月十七日號）頁一〇二。

197 〈全国全共闘は何をねらっている?〉（《サンデー毎日》一九六九年九月二一號）頁二九、二七。

198 西川前掲〈全共闘運動のゆくえ〉頁一七九。

199 前掲〈全国全共闘は何をねらっている?〉頁二七。編輯部〈警備モーレツ、モラル低下〉（《朝日ジャーナル》一九六九年九月二十一日號）頁一〇一。

200 前掲〈ドキュメント　十一月決戦を計画する全国全共闘の内幕〉頁一〇〇。

201 〈『十一月』にかける新左翼の表情〉（《朝日ジャーナル》一九六九年十月二十六日號）頁七。

202 前掲〈全国全共闘は何をねらっている?〉頁二九。

203 酒井武史、前田秀男〈七〇年大学反乱の基礎〉（《朝日ジャーナル》一九七〇年一月十八日號）頁三四。

204 平栗編著前掲（第一章）《高校生は反逆する》頁一六。

205 吉川前掲（第四章）〈国境をこえた『個人原理』〉頁二五八。

206 栗原幸夫《革命幻談　つい昨日の話》（社會評論社，一九九〇年）頁一八三—一八四。

207 真繼前掲〈バリ封鎖の自己崩壊を惜しむ〉頁五六。

208 中島活雄〈戦いすんで年明けて〉（初出《チャペル・ニュース》一九七〇年五月號，收錄於松浦、速水、高橋前掲《学生反乱——一九六九立教大学文学部》）頁一四一。

209 下述沖縄的施政權及土地接收、復歸運動的興起等標題，參考小熊英二《〈日本人〉の境界》（新曜社，一九九八年）第Ⅳ部。

210 前掲「六〇年代学生運動・極私的詳細年表」頁二五六、二五九。
211 〈ルポ　東京・大阪・長崎〉（《朝日ジャーナル》一九六九年五月一一日號）頁一五。
212 中島誠〈全共闘運動はどこへ行く！？〉（《週刊言論》一九六九年五月十四日號）頁二四。
213 〈〝完全裝備〞に挑んだ反代々木系〉（《週刊朝日》一九六九年五月九日號）頁二四。
214 同上記事頁二四。
215 同上記事頁二四。
216 前揭〈ルポ　東京・大阪・長崎〉頁一二。
217 同上記事頁一六。
218 小阪前揭《思想としての全共闘世代》頁一〇一。
219 前揭〈〝完全裝備〞に挑んだ反代々木系〉頁二二。
220 前揭（第四章）〈女闘士は口が堅かった！〉頁二八。
221 〈女子留置場　四・二八逮捕女子大生の告白〉（《週刊プレイボーイ》一九六九年六月三日號）頁三〇。
222 秦野章〈全学連は〝アワ〞だ〉（《現代》一九六九年七月號）頁九八。
223 前揭〈女子留置場　四・二八逮捕女子大生の告白〉頁三二。
224 同上記事頁三三。
225 前揭〈ルポ　東京・大阪・長崎〉頁一七。前揭〈〝完全裝備〞に挑んだ反代々木系〉頁二三。
226 安東、上原、岡留、高野、宮崎、筑紫前揭（第六章）〈いまだ総括されず〉頁二〇八。
227 前揭〈〝完全裝備〞に挑んだ反代々木系〉頁二六。
228 同上記事頁二五。
229 中島前揭〈全共闘運動はどこへ行く！？〉頁二五。
230 〈全学連に告ぐぼくのゲバルト提案〉（《週刊プレイボーイ》一九六八年十一月五日號）頁三一。
231 秋田前揭〈秋田日大全共闘議長の獄中日記〉頁三八。
232 秦野前揭〈全学連は〝アワ〞だ〉頁一〇二、一〇三、一〇四。
233 前揭〈女闘士は口が堅かった！〉頁二九。
234 天野道映〈六・一五　べ平連と旧三派の統一行動〉（《朝日ジャーナル》一九六九年六月二十九日號）頁一〇六。
235 山口前揭（第十二章）〈あすに引継ぐものはなにか〉頁一一。前揭〈『十一月』にかける新左翼の表情〉頁五。
236 堀田卓〈十・十から七〇年へ〉（《べ平連ニュース》一九六九年十一月號〔第五〇號〕）前揭（第一章）復刻版頁二七八。
237 山田孝〈中大闘争の再スタートへ〉（《朝日ジャーナル》一九六九年十月二十六日號）頁一三。
238 重引井上正治〈まなじりを決する警備警察〉（《朝日ジャーナル》一九六九年十月二十六日號）頁一七。
239 白川阿貴〈告発のカメラを抱いて〉（《朝日ジャーナル》一九六九年十月二十六日號）頁一六。
240 日本弁護士連合會〈警察官不当検問について〉（一九七〇年六月二十三日，收錄於前揭《資料・「べ平連」運動》下卷）頁一九六。
241 山口前揭〈あすに引継ぐものはなにか〉頁一二。
242 前揭〈『十一月』にかける新左翼の表情〉頁九、七。
243 木村ひろし〈組合幹部の強圧に抗して〉（《朝日ジャーナル》

一九六九年十月二十六日號）頁一四。
244 山口前掲〈あすに引継ぐものはなにか〉頁一二。
245 同上論文頁一三。
246 前掲〈『十一月』にかける新左翼の表情〉頁八。
247 井上前掲〈まなじりを決する警備警察〉頁一七。
248 山口前掲〈あすに引継ぐものはなにか〉頁一二。
249 同上論文頁一三。
250 前掲〈『十一月』にかける新左翼の表情〉頁九。
251 真繼前掲〈バリ封鎖の自己崩壊を惜しむ〉頁一六。
252 編集部前掲（第十二章）〈〝非常事態〟下の十・二一反戦デー〉頁四。以下關於一九六九年十月二十一日當日的敘述中未註記的內容也來自同篇文章。
253 山口文憲〈わたしの見た十月二十一日〉（《ベ平連ニュース》一九六九年十一月號〔第五〇號〕）復刻版頁二七九。
254 編集部〈『阻止』と『抗議』のはざまに〉（《朝日ジャーナル》一九六九年十一月三十日號）頁七。
255 前掲〈〝非常事態〟下の十・二一反戦デー〉頁四。
256 編集部〈シコシコの秋〉（《朝日ジャーナル》一九六九年十一月二十三日號）頁三。平栗編著前掲《高校生は反逆する》頁一四。
257 前掲〈〝非常事態〟下の十・二一反戦デー〉頁七。
258 平栗編著前掲《高校生は反逆する》頁一四。
259 立花前掲（第一章）〈一流企業に反戦女性が急増している〉頁一〇四。
260 同上論文頁一〇四。
261 植垣前掲《兵士たちの連合赤軍》頁八四—八五。
262 同上書頁八八。
263 立花前掲〈一流企業に反戦女性が急増している〉頁一〇四、一〇五。
264 同上論文頁一〇五。
265 同上論文頁一〇六。
266 前掲〈〝非常事態〟下の十・二一反戦デー〉頁五。
267 見田宗介〈ファシズム断章〉（收錄於《現代日本の心情と論理》筑摩書房，一九七一年，初出一九七〇年一月）頁一五五—一五六。
268 前掲〈〝非常事態〟下の十・二一反戦デー〉頁六。
269 同上記事頁七。
270 同上記事頁七。
271 中田恭介〈『十一月決戦』を呼號する急進派集団〉（《時の課題》一九六九年十一月號）頁一三〇。
272 前掲〈『阻止』と『抗議』のはざまに〉頁七。
273 同上記事頁六。
274 同上記事頁五—六。
275 立花前掲《中核VS革マル》上巻頁一四六。
276 同上書頁一四七。
277 前掲〈『阻止』と『抗議』のはざまに〉頁六。
278 重引見田前掲〈ファシズム断章〉頁一五五。
279 前掲〈『阻止』と『抗議』のはざまに〉頁七。
280 同上記事頁九。
281 同上記事頁十。

282 庄司洸〈ささやかな決意〉（《ベ平連ニュース》一九七一年九月臨時增刊號，收錄於前揭《資料・「ベ平連」運動》下巻）頁一六。

283 樋口篤三〈革命戦略と革命モラル〉收錄於渡邊一衛・鹽川喜信・大藪龍介編《新左翼運動四〇年の光と影》（新泉社，一九九九年）頁二〇三—二〇四。

284 山口文憲〈『十一月』決戦雑感〉（《ベ平連ニュース》一九六九年十二月號〔第五一號〕）復刻版頁二八七。

285 同上論文復刻版頁二八七。

286 中島誠〈暴力学生を非難する回覧板〉（《朝日ジャーナル》一九六九年十一月三十日號）頁一一八。

287 參考樺嶋正法〈岡大生糟谷君の死〉（《朝日ジャーナル》一九六九年十二月二十一日號）。

288 小西誠〈革共同両派の内ゲバの歴史・理論と実態〉（いいだもも、生田あい、栗木安延、來栖宗孝、小西誠『検証　内ゲバ』社会批評社，二〇〇一年）頁二三—二五。

289 吉川勇一〈安保日録（抄）〉（初出《図書新聞》一九六九年十二月，收錄於前揭《資料・「ベ平連」運動》中巻）頁二三七。準備會在十一月二十九日舉行。

290 〈いずれかの街頭でまた〉（《朝日ジャーナル》一九六九年十一月三十日號）頁九七。

291 前揭〈『阻止』と『抗議』のはざまに〉頁五。

292 匿名希望〈再び『いなか大学』に〉（《朝日ジャーナル》一九六九年十二月二十一日號）頁一二一。

293 編集部〈秋季政治決戦＝新左翼の『総括』〉（《朝日ジャーナル》一九六九年十二月二十八日號）頁四三。

294 同上論文頁四三。

295 同上論文頁四七、四三。

296 酒井、前田前揭〈七〇年大学反乱の基礎〉頁三六。

297 編集部〈四・二八沖縄デーの混迷〉（《朝日ジャーナル》一九七〇年五月十日號）頁九。

298 岩瀬政夫《水俣巡礼——青春グラフィティ七〇〜七二》（現代書館，一九九九年）頁一八—一九。

299 同上書頁一九—二〇。

300 前揭〈『十一月』にかける新左翼の表情〉頁七。

301 重引前揭〈秋季政治決戦＝新左翼の『総括』〉頁四五。

第Ⅳ部

第十四章　一九七〇年的典範轉移

1 關於這個時期發生的典範轉移，並沒有找到一併分析背景的先行研究。絓秀実《一九六八年》（ちくま新書，二〇〇六年）認為，透過華青鬥的「七・七批判」，運動得到了歧視論的觀點，絓認為這是日本「一九六八年」中應該關注的點而加以重視。然而，絓並未關注到，這是在安保條約自動延長後，失去鬥爭課題時期的產物，以及，階級鬥爭隨著經濟高度成長的進展而喪失現實感等面向。

2 松下圭一〈忘れられた抵抗権〉（初出《中央公論》一九五八年九月號，收錄《現代政治の条件》中央公論社，一九五九年）頁一八七。

3 參考小熊前揭（第一章）《〈民主〉と〈愛国〉》第四章。森戶的發言參考同書頁一六六。

4 以下關於憲法擁護運動的興起，參考同上書第十一章的頁四八九—四九〇。

5 丸山眞男〈增補版への後記〉《增補版　現代政治の思想と行動》（未来社，一九六四年）後記、《丸山真男集》（岩波書店，一九九五—九七年）第九卷頁一八三。

6 松下前揭〈忘れられた抵抗権〉頁一八七。

7 丸山前揭〈增補版への後記〉頁一八三。

8 盧梭《社会契約論》（收錄於《ルソー》，《世界の名著》第三十六卷，中央公論社，一九七八年）頁三一二。

9 列寧《国家と革命》（大月文庫，一九五二年初版，一九六五年新譯）頁六三、六一。

10 日本共產黨中央常任委員會憲法委員會〈新憲法草案の発表に際して〉（《前衛》第一卷七號，一九四六年六月）頁二、三。

11 眾議院議事速記錄第三十五號〈帝国憲法改正案〉（一九四六年八月二十五日，收錄於《帝国議会衆議院議事速記録》第八十三卷，東京大学出版会，一九八五年）頁五一四。

12 〈岸退陣と総選挙を要求す〉（《朝日新聞》一九六〇年五月二十一日）。

13 以下對於西部的引用內容來自西部前揭（第三章）《六〇年安保》頁二四、二〇—二一、二三。

14 重引梅本前揭（第九章）〈民主主義と暴力と前衛〉頁一二九。

15 西部前揭《六〇年安保》頁二七。

16 河上徹太郎等《近代の超克》（初版創元社，一九四三年。復刻版出自冨山房百科文庫，一九七〇年）。

17 高坂正顯・西谷啟治・高山岩男・鈴木成高《世界史的立場と日本》（中央公論社，一九四三年）頁三三八—三五四。引用文出自頁三五四。

18 前揭《丸山真男集》第三卷頁三。

19 同上書頁四。

20 堀田善衛、伊藤整、竹內好、平野謙、花田清輝〈日本の近代と国民文学〉（《新日本文学》一九五三年十二月號）頁一五二。

21 土井正興〈クリーム色の表紙の思い出〉（《歴史学研究　戦後第I期復刻版》月報四，青木書店，一九八七年）頁四。

22 小田前揭（第十三章）《「ベ平連」・回顧録でない回顧》頁八。

23 谷川雁〈定型の超克〉（收錄於前揭〔第三章〕《民主主義の神話》）頁三七。

24 吉本隆明〈擬制の終焉〉（初出前揭《民主主義の神話》，收錄於《吉本隆明全著作集》勁草書房，一九六八—七八年，第十三卷）頁四七。

25 同上論文頁六六、六七。

26 埴谷雄高〈自己権力への幻想〉（收錄於前揭《民主主義の神話》）頁八一。

27 森本和夫〈六月行動の政治と文学〉（收錄於前揭《民主主義の神話》）頁一〇五、一〇七、一〇九。

28 以下的引用文出自黑田寬一〈党物神崇拝の崩壊〉（前揭《民主主義の神話》收錄於）頁一七五、二〇三、二〇九、一七七、二二四、二〇一、二〇七、二二〇、二一四、二二三、一九四、一九六、一九九。

29 小阪前掲（第一章）《思想としての全共闘世代》頁二二。

30 瀧田修〈ならずものこそ素晴らしい〉（初出《構造》一九七〇年九月號，收錄於瀧田修《ならずもの暴力宣言》芳賀書店，一九七一年）頁二二七、二二九—二三〇。

31 以下內容出自見田前掲（第一章）〈日本の高校生は紅衛兵をどう見るか〉頁二〇七、二〇四、二〇六、二〇八。

32 山田宗睦《危険な思想家》（光文社，一九六五年）。

33 石田雄、日高六郎、福田歡一、藤田省三〈戦後民主主義の危機と知識人の責任〉（《世界》一九六六年一月號）。

34 以下內容出自淺田光輝〈市民の反戦の論理〉（《文藝》一九六六年十月號）頁二九五、二九六。

35 淺田光輝〈暴力と非暴力の論理〉（《文藝》一九六七年十二月號）頁一五五、一五七。

36 丸山眞男〈追記および補注〉（初出《現代政治の思想と行動》，未来社，一九五六—一九五七年，收錄於前掲《丸山真男集》第七卷）頁二九三。

37 以下丸山的引用內容，出自丸山真男等〈民主主義の名におけるファシズム〉（初出《世界》一九五三年十月號），後續出版的前掲《現代政治の思想と行動》的「追記以及補注」中再次收錄了丸山發言的部分。本文的引用出自再收錄的頁五二四、五二五。

38 以下的引用出自武藤一羊〈『ベ平連』運動の思想〉（《思想の科学》一九六七年一月號，收錄於前掲（第十三章）《資料・「ベ平連」運動》上卷）頁一六三、一六四、一六五、一六五—一六六、一六七、一六八—一六九。

39 鶴見良行〈新しい世界と思想の要請〉（初出《世界》一九六六年十月號，收錄於前掲《資料・「ベ平連」運動》上卷）頁一三一。

40 同上論文頁一三〇—一三一。

41 以下內容出自武藤前掲〈『ベ平連』運動の思想〉頁一六九、一六七。

42 共產主義者同盟〈反帝闘争をプロレタリア日本革命へ〉（初出《戦旗》一四一、一四二合併號，一九六八年八月五日，收錄於高澤、蔵田編前掲〔第三章〕《新左翼理論全史》）頁三三三。

43 小阪前掲（第一章）《思想としての全共闘世代》頁一〇六。

44 這個企劃最初是新潮社在一九六九年六月時出版，而後在二〇〇〇年時由角川文庫再次刊載。另外，當時參加者的座談會內容，則出版為《三島由紀夫VS東大全共闘——一九六九—二〇〇〇》（藤原書店，二〇〇〇年）。

45 前掲《三島由紀夫VS東大全共闘——一九六九—二〇〇〇》頁四一。「焚祭委員會」的組成經過，出自小阪前掲《思想としての全共闘世代》頁一〇五，以及前掲《三島由紀夫VS東大全共闘——一九六九—二〇〇〇》頁二八—二九。根據同書二八頁小阪的回憶，三島在被找來東大以前，就已經和新潮社決定了出版一事，對此「焚祭委員會」並不知情。

46 前掲（第十章）〈われわれは、なぜ、安田講堂を占拠するか〉頁七。前掲（第十章）〈安田講堂占拠から〝大学革命〟へ〉頁一〇九、一〇七。

47 東大全學改憲阻止學生會議〈闘争の本質の再把握のために〉（前掲〔序章〕收錄於《東大闘争資料集》第十二卷，一九六八年九月七日）。

48 羽仁、秋田前揭（第二章）〈日大闘争の本質〉頁二九二。

49 前揭（第九章）座談會〈權威と腐敗に抗して〉頁一九〇。

50 池田前揭（第十一章）〈大衆団交をめぐる潮流〉頁一三八。酒井角三郎〈エゴイズムのための血祭り〉（《朝日ジャーナル》一九六九年二月二日號）頁一四。

51 筑波常治〈大学当局はなぜ弱腰なのか〉（《文藝春秋》一九六八年八月號）頁一〇四、一〇五。

52 然而，以一九六七年十月退出中核派的小野田襄二為中心發行的小雜誌《去到遠方》（《遠くまで行くんだ》編集委員会発行，一九六八年十月）在創刊號的序文〈我們的出發時〉（大多認為是由小野田執筆）的第十五頁中可以看到以下的語句：「民主主義絕不是一個優於天皇制的制度。」「戰後民主主義作為一種思想的低下之處就在於，在我們之中缺少了激情。」小野田強烈受到吉本隆明的影響，而在吉本一九六四年的論文〈日本的民族主義〉裡則定位，十五年戰爭之所以能進行，是因天皇制吸收民眾熱情中的能量讓戰爭持續，外來思想的馬克思主義則並未能吸收大眾的熱情。

上述小野田的「戰後民主主義」批判，可以視為吉本這種論述的應用。雖然這也屬於年輕左派對「戰後民主主義」的批判，但與一九六九年以後全共鬥派學生提出的，「戰後民主主義」與戰後一貫而來的革命無關、只不過是以謳歌「和平」來隱匿現存體制矛盾的「遮羞布」一類的批判並不相同。因此，我判斷將這篇文章作為後續的「戰後民主主義」批判的先驅案例並不適當。

53 以下引述座談會的內容出自鈴木、瀨戶、岡安、小澤、後藤、小林前揭（第十一章）〈東大闘争一・一八以後〉頁七七、七九。

54 山本前揭（第十章）〈いま、こう考える〉頁二二九，以及前揭（第十章）〈生きのびた知性〉頁七〇。

55 中島前揭（第十一章）〈収拾の論理と鎮圧の論理〉頁五六。

56 前揭《吉本隆明全著作集》續一〇卷頁一三。吉本隆明〈大学共同幻想論〉（初出《情況》一九六九年三月號，收錄於前揭〔第二章〕《全共闘を読む》）頁一三二。然而，十七日的演講內容有可能在事後被修正。

57 重尾隆四〈更に廃墟へ！！〉（《遠くまで行くんだ》第三號，發行年月日不明確，推測是一九六九年的後半）頁八。

58 秋田明大、佐久間順三、清水多吉、山本義隆前揭（第九章）〈反大学——日大・東大闘争の理念をめぐって〉（初出《情況》一九六九年二月號，收錄於山本前揭《知性の叛乱》）頁二八九。

59 〈価値観の動揺〉（《朝日ジャーナル》一九六九年三月二十三日號）頁三。

60 以下小阪的回憶內容出自小阪前揭《思想としての全共闘世代》頁一六。

61 酒井前揭〈エゴイズムのための血祭り〉頁一四。

62 大野前揭（第二章）《全学連》頁二九五、三〇五。

63 以下關於早大運動者們的發言，以及大野力的感想出自大野前揭（第六章）〈学生運動家の存在価値〉頁一二四。

64 同上論文頁一三五。

65 以下大野的報告以及研討會內容的引述，出自大野明男、久能

昭、佃實夫、鶴見俊輔、見田宗介〈《戦後民主主義》をめぐって〉（《思想の科学　会報》六十三號，一九六九年八月）頁一—三。
66 八木前揭（第四章）〈世間と隔絶する学生たち〉。
67 西部前揭《六〇年安保》頁二一。
68 以下關於黑子的引述出自黑子恒夫〈コミュニケーションの断絶〉（《思想の科学　会報》第六十三號，一九六九年八月）頁三二—三四。
69 丸山前揭（第十章）《自己内対話》頁一八五—一八六。
70 大野、久能、佃、鶴見、見田前揭〈『戦後民主主義』をめぐって〉頁六。
71 天野前揭（第十三章）〈『戦後』批判の運動と論理〉頁二三七。
72 渡辺一衛〈新左翼、何が問題だったのか〉（收錄於渡邊、鹽川、大藪編前揭〔第十三章〕《新左翼運動四〇年の光と影》）頁一七一—一七二。
73 同上論文頁一七三、一七四。
74 同上論文頁一六七、一六五。
75 龜和田、柴田、島田、筑紫前揭（第十三章）〈たしかにあそこで何かが変った〉頁一七五—一七六。
76 以下關於中岡的引述出自中岡前揭（第三章）《現代における思想と行動》頁一六〇—一六一。
77 保阪正康《「きけわだつみのこえ」の戦後史》（文藝春秋，一九九九年）頁一五—一七、四五。以《聽海神的聲音》為首的題材是如何象徵化戰後日本的「和平」，又是如何與國族認同相互連結等，可以參閱福間良明《「反戦」のメディア史》（世界思想社，二〇〇六年），書中關於「海神像」的破壞有略有提及。
78 保阪前揭《「きけわだつみのこえ」の戦後史》頁五一—五二。
79 同上書頁五三—五四。
80 同上書頁五四。
81 同上書頁五八。
82 吉川前揭（第三章）《市民運動の宿題》頁五八。
83 保阪前揭《「きけわだつみのこえ」の戦後史》頁六六。
84 同上書頁六五。
85 同上書頁六六—六七。
86 同上書頁一六、五一、五二。
87 吉川前揭《市民運動の宿題》頁三八。
88 保阪前揭《「きけわだつみのこえ」の戦後史》頁五〇。
89 同上書頁五六。
90 同上書頁五七。
91 同上書頁六八。
92 同上書頁七三。
93 同上書頁七四。
94 小野田前揭（第三章）《革命的左翼という擬制》頁一〇四。
95 古山洋三〈わだつみの実像と虚像〉（《朝日ジャーナル》一九七〇年二月二十八日號）頁三一。
96 〈平和と民主主義のシンボル——『わだつみ像』がにくい！？〉（《朝日新聞》一九六九年五月二十日夕刊）。
97 〈戦没学生に声あらば……〉（《朝日新聞》一九六九年五月二十一日社說）

98 前掲〈平和と民主主義のシンボル——『わだつみ像』がにくい！？〉
99 保阪前掲《「きけわだつみのこえ」の戦後史》頁一〇三。
100 同上書頁一一四、一一五。
101 同上書頁一〇四、一〇五。
102 同上書頁六六。
103 小野田襄二〈戦後日本における革命の根拠〉（《遠くまで行くんだ》第四號，沒有記載發行的年月日，但可推測是在一九七〇年出版）頁四〇。
104 日高六郎〈戦争体験と戦後体験〉（《世界》一九五六年八月號）頁五〇。
105 小野田前掲《革命的左翼という擬制》頁一〇三、一〇四。
106 保阪前掲《「きけわだつみのこえ」の戦後史》頁八五。
107 以下關於安田的引述出自安田武〈戦争責任をどう受けとめるか〉（初出《東京新聞》一九六八年七月二十六日、二十七日，收錄於安田武《拒絶の思想》文和書房，初版一九七三年，新裝版一九七九年）新裝版頁六九—七三。以下本書中的引述出自新裝版。
108 保阪前掲《「きけわだつみのこえ」の戦後史》頁一〇八、一一二。
109 同上書頁一〇九、一一三。
110 前掲（第十一章）〈東大〝教官決起大会〞腰くだけ〉。
111 平井啓之、內海愛子、小田原紀雄、天野恵一〈象徴天皇制をどう撃つか〉（《インパクション》第六十號，一九八九年十月）。重引天野前掲（第二章）《「無党派(ノンセクト)」という党派性》頁三〇一。
112 多田道太郎、鶴見俊輔、橋本峰雄〈戦中・戦後をこえるもの〉（《展望》一九六九年八月號）頁三九、三七。
113 田中仁彦〈戦没学生は二度死ぬ〉（《朝日ジャーナル》一九六九年六月八日號）頁一〇七。
114 鶴見、上野、小熊前掲（第三章）《戦争が遺したもの》頁三五五。
115 吉川前掲（第四章）〈国境をこえた『個人原理』〉頁二六〇。
116 安田武、木村勝造、下橋邦彦〈戦後の民主主義と教育思想〉（《現代の理論》一九六九年九月號）頁七三、七五、七六。
117 安田武〈戦争体験と『わだつみ会』〉（初出《京都大学新聞》一九六五年十月四日號，收錄於安田前掲《拒絶の思想》）頁七六。
118 安田武〈わだつみ像の破壊〉（初出《毎日新聞》一九六九年六月十六日。收錄於安田武《人間の再建》筑摩書房、一九六九年）頁一〇八。安田武〈『昭和元禄』の青春〉（初出《明治大学新聞》一九六九年一月二日號，收錄於安田前掲《拒絶の思想》）頁一三五—一三六。最後的引述內容雖是銅像被破壞之前的文章，但我認為其依循著安田的思想而引用。
119 鮎原輪〈死者たちの復権〉（《朝日ジャーナル》一九七〇年二月八日號）頁四〇、四一。
120 師岡佑行〈偽りの『反戦・平和』の告発〉（初出《情況》一九六九年七月號，收錄於前掲《全共闘を読む》）頁一九六—二〇〇。
121 天野前掲《「無党派(ノンセクト)」という党派性》頁三一三。

122 同上書頁三一一、三一三—三一四。

123 保阪前揭《「きけわだつみのこえ」の戦後史》頁一一四。

124 安倍能成〈全面講和論者は単独講和締結に関してどう考えどう処するか——世界とアジアと日本との平和の立場から〉(《世界》一九五一年十月號)頁六六。

125 金斗鎔〈日本における朝鮮人問題〉(《前衛》復刊第一號，一九四六年二月)。憲法草案中禁止民族歧視的規定參考日本共產黨中央委員會憲法委員會前揭〈新憲法草案の発表に際して〉第八、第四十七條。

126 金斗鎔〈朝鮮人運動の正しい発展のために〉(《前》第五號，一九四七年五月)頁一九、二〇。津村前揭(第十三章)《われらの内なる差別》頁一三四中，只引用了這篇論文「站在朝鮮人的立場上試著看待日本的革命運動」為一種「民族主義的偏向」的部分，便把這當作對朝鮮人聯盟的批判，更沒有指出論文的作者為朝鮮人(頁一三四)。這可以被解讀為日本共產黨全盤否定在日朝鮮人以獨立的立場進行活動。如本文中也所提到的，金氏的論文雖然對於朝鮮人聯盟成為「老大」獲取利益與權力的場所一事持有部分批判意見，但肯定黨外朝鮮人以獨立的立場進行群眾運動。在此前提下，認為日本共產黨的朝鮮人黨員「站在朝鮮人的立場上試著看待日本的革命運動」是一種「民族主義的偏向」，也同時批判著日本人黨員的「民族主義的偏向」。筆者認為，津村的引用及批判，僅單方面以結果斷定了和金氏同樣是朝鮮人的黨員們的複雜立場，是全共鬥派學生受到批判日本共產黨氛圍的潛移默化下的「全共鬥傾向」產物。

127 信貴辰喜〈学生革命家の言語感覚〉(《文藝春秋》一九六七年十二月號)頁一三〇。

128 前揭(第十章)學生對抗教育課程委員會、全學鬥爭委員會自主講座局〈明日より対抗ゼミ開始　対抗カリキュラムへと全面化せよ！〉。

129 宮崎前揭(第一章)《突破者》上卷頁一二六。

130 同上書頁一二六、一二五。

131 全學連書記局〈日韓会談の粉砕をめざして四・二八全学連第一波統一行動をかちとれ！〉(收錄於《資料・戦後日本学生運動》第六卷，三一書房，一九六九年)頁四〇七、四〇八。

132 三上前揭(序章)《一九六〇年代論II》頁二五、二四。

133 以下關於沖繩學生的運動軌跡出自金城朝夫《沖縄処分》(三一書房，一九七三年)頁一二五—一二六。

134 同上書頁一二六、六三。

135 以下關於金東希事件的敘述出自〈朝鮮青年金東希氏を守ろう〉(一九六七年三月四日的越平聯抗議行動中散發的傳單，收錄於前揭《資料・「ベ平連」運動》上卷)頁一九四—一九五。

136 引用鶴見的內容與抗議行動的經過，參考鶴見俊輔〈なぜ、ベ平連は大村収容所撤去を要求するか〉(初出《アサヒグラフ》一九六九年四月二十五日號，收錄於前揭〔第十三章〕《資料・「ベ平連」運動》中卷)。引用頁三七、三八。

137 鶴見俊輔〈戦争と日本人〉(初出《朝日ジャーナル》一九六八年八月十八日號，收錄於《鶴見俊輔著作集》第五卷，筑摩書房，一九七六年)頁一三五、一三六、一四〇、一三九、一四一。

138 參考金井佳子〈武装米兵と相対したこころ〉(初出《朝日ジャ

ーナル》一九六八年六月九日號，收錄於前揭《資料・「ベ平連」運動》上卷）。

139 參考越平聯〈アメリカ大使館への抗議文〉以及〈抗議声明〉（兩者皆收錄於一九六八年八月，前揭《資料・〈ベ平連」運動》上卷〉。

140 小田前揭（第一章）〈平和への具体的提言〉頁一〇八。

141 八・一五紀念專題討論〈『私と戦後民主主義』〉（《朝日ジャーナル》一九六九年八月三十一日號）頁五、六。

142 同上討論頁六、八、二〇、一〇。

143 同上討論頁一六。

144 仲里効、小熊英二〈沖縄——視線と自画像の相克〉（《Inter Communication》第四十六號，二〇〇三年秋）頁三一。

145 同上對談頁三二。

146 前揭〈『私と戦後民主主義』〉頁一三、二一、一六、一七。

147 下橋邦彥、市川正昭〈戦後教育運動における民主主義の再検討〉（《現代の理論》一九六九年九月號）頁五七、六七。

148 津村前揭《われらの内なる差別》頁一〇四、九四、一〇三。

149 同上書頁一〇五—一〇六。

150 同上書頁一〇二。

151 宇井純〈天皇制の裏返しのレプリカ〉（收錄於渡邊、鹽川、大藪編前揭《新左翼運動四〇年の光と影》）頁三〇一。

152 津村前揭《われらの内なる差別》頁一〇八。

153 絓前揭《一九六八年》頁一五六—一五七。

154 津村前揭《われらの内なる差別》頁一一〇—一一一。

155 同上書頁一〇八—一〇九。

156 重尾前揭〈更に廃墟へ！！〉頁八。

157 津村前揭《われらの内なる差別》頁一一。

158 同上書頁一二。

159 前揭（第十三章）〈大学紛争の新しい目〉頁二〇、二一。

160 同上記事頁一八、一九。根據荒前揭（第二章）《破天荒伝》頁八五—八六，因體格高大而被暱稱為「科學怪人高島」的是革馬派學生組織馬學同的委員長，不久後因為革馬派內部的論爭而自殺了。

161 森宣雄《台湾／日本——連鎖するコロニアリズム》（インパクト出版会，二〇〇一年）頁一八三。

162 津村前揭《われらの内なる差別》頁一二一—一二三。

163 同上書頁一二—一四。

164 見田前揭（第十章）〈失われた言葉を求めて〉頁六五。

165 〈七・七（盧溝橋『事件』）三一周年早大宣言〉（收錄於今村前揭（第二章）《魂にふれる革命》）。津村在前揭《我們內在的歧視》二七頁提到，早大海神會與日中友好協會（正統）雖然在參加團體中列名於聲明的最後面，但實際上是聲明的核心。並且，提出這份聲明的時間在《我們內在的歧視》二七頁裡記做「六八年的五月」，然而宣言文末的日期卻是「一九六八年六月二十一日」。總之在本文中，選擇使用標記了正式日期的後者，而非有可能出現記憶誤差的回憶文《我們內在的歧視》的敘述。

166 善鄰會館事件的詳情可以從以下網頁獲得資訊〈善隣学生会館事件の真相を探る〉（http://home.a00.itscom.met/konansft/zenrin/index.html）。

167 津村前揭《われらの内なる差別》頁二五。

168 津村前揭《魂にふれる革命》頁二〇三。

169 前揭〈七・七(盧溝橋『事件』)三一周年早大宣言〉頁二〇四—二〇五。

170 津村前揭《われらの内なる差別》頁二六、二七。

171 野添憲治〈知識人の優越感〉(《思想の科学》一九六一年九月號)頁七一。

172 山口前揭(第一章)《団塊ひとりぼっち》頁五四—五五。

173 永島慎二《フーテン》(ちくま文庫、一九八八年)頁一一五—一一六。原文沒有註記標點符號。

174 〈反戦平和〉(《若さの論理》四,《朝日新聞》一九六九年十月二十三日夕刊)。

175 津村前揭《われらの内なる差別》頁一六。

176 絓前揭《一九六八年》頁一六四。

177 岡本敏雄〈スローガンからの脱却を〉(《ベトナム通信》一九六八年八月號〔第七號〕)前揭(第一章)復刻版頁三二。

178 以這兩者為首,這時期津村執筆的傳單,收錄於津村前揭《魂にふれる革命》。

179 津村前揭《われらの内なる差別》頁一九。

180 同上書頁一四、四六、一五。

181 同上書頁三一、一七、三〇、三四。

182 同上書頁三一、二〇、三八。

183 同上書頁一七、五〇、五一。

184 同上書頁五一、九〇—九一。

185 同上書頁五四。

186 同上書頁一三五、一三六。

187 同上書頁一二四。

188 同上書頁一七。

189 同上書頁四四、三八、一八、九一。

190 同上書頁四二。

191 同上書頁二一、三七。

192 同上書頁三五。

193 同上書頁一〇七。

194 同上書頁五五、八六—八七。

195 絓前揭《一九六八年》頁一六九—一七〇。

196 津村前揭《われらの内なる差別》頁一一四。

197 田村、雛元、余村前揭(第九章)〈体験から何を展望するか〉頁一四五。

198 前揭(第一章)〈全学連女性闘士二十五人の愛情報告〉頁二〇。

199 田村、雛元、余村前揭〈体験から何を展望するか〉頁一三九。

200 全國部落解放研究會連合〈七〇年代階級闘争と革命的部落解放闘争の展望〉(初出《前進》第四百七十一號,一九七〇年二月二十三日,收錄於高澤、蔵田編前揭《新左翼理論全史》)頁四九四、四九五、四九七、四九六、五〇三、五〇二。然而,本文中所提到的從一九六七年十月到六九年十一月為止的鬥爭已經形成一種「循環」,「無論再怎麼懷舊,過去和平的運動已經回不來了」是指,以中核派為首的這兩年的鬥爭,很明顯地除了武裝鬥爭之外什麼也沒留下,「和平的」同和運動等也已經成為了過去式,而中核派不可能公開在機關報上承認「十一月決戰」的落敗。

201 高澤、蔵田編前揭《新左翼理論全史》頁四九四。

202 以下關於一九七〇年七月七日準備集會過程的描述，是根據津村喬〈入管体制とは何か〉（初出《現代の眼》一九七〇年九月號，收錄於津村喬《歴史の奪還》せりか書房，一九七二年。這裡採用初出雜誌中標記的頁數）以及水戸理〈〈差別〉に無自覚な革命主体を弾劾する〉（《情況》一九七〇年九月號）。有關中核派放逐毛澤東主義者方針的引用，出自水戸論文頁八六。全國全共鬥書記局員的發言在兩篇論文中的記述一致。

203 以下引用的四則華青鬥的發言中，上兩則是根據〈在日アジア人民との革命的団結をめざし入管体制粉砕の戦列を強化せよ〉（共勞黨機關報《統一》第三七五號，一九六九年七月十三日），下兩則為〈七・七集会における華青闘代表の発言〉（中核派機關報《前進》第四九一號，一九七〇年七月十三日）。因此，兩者在華青鬥發言的相關報導上有細節上微妙的出入，但主旨沒有太大差異。

204 水戸前揭〈〈差別〉に無自覚な革命主体を弾劾する〉頁八七。

205 〈マル学同中核派の自己批判〉（《前進》第四九一號，一九七〇年七月十三日）。

206 共産主義者勞動者黨中央常任委員會〈入管闘争の新たな前進のために自己批判にかえて〉（《統一》第三七五號，一九七〇年七月十三日）。

207 津村前揭〈入管体制とは何か〉頁一五六。水戸前揭〈〈差別〉に無自覚な革命主体を弾劾する〉八六頁。那須一紀〈戦いのはじまり、戦いのおわり〉（《構造》一九七〇年九月號）頁一三六。

208 小林葉子〈入管闘争から女性問題へ〉（收錄於前揭〔第一章〕《全共闘からリブへ》）頁一四四。

209 よこやまちかこ〈差別問題から同和教育推進〉（收錄於前揭〔第四章〕《全共闘白書》）頁五六。

210 津村前揭〈入管体制とは何か〉頁一五七。那須前揭〈戦いのはじまり、戦いのおわり〉頁一三六。

211 那須前揭〈戦いのはじまり、戦いのおわり〉頁一三六。水戸前揭〈〈差別〉に無自覚な革命主体を弾劾する〉頁九三。

212 津村前揭〈入管体制とは何か〉頁一五三。

213 富村順一《わんがうまりあ沖縄——富村順一獄中書簡集》（拓植書房，一九七二年）之序文〈読者のみなさんへ〉頁一、四（原文沒有記載頁數）。然而，在序文第二頁中提到「一九七〇年時，富村在東京鐵塔的行動並沒有引起太多關注」，「七・七告發」帶來的衝擊淡化了富村的行動，實際上受到注目也是之後的事了。

214 同上〈読者のみなさんへ〉頁六。

215 天野前揭《「無党派（ノンセクト）」という党派性》頁二九八—二九九

216 同上書頁二九九。

217 前揭《討論　三島由紀夫VS東大全共闘》角川文庫版，頁一四八，一四九，六四，一一五，一〇一。前揭《三島由紀夫VS東大全共闘一九六九—二〇〇〇》頁五三中，橋爪大三郎認為，全共鬥是以個人意願自由參加為原則，與構成全學聯的黨派完全形成對比。在此前提上，他說道：「三島先生大概對全學聯沒什麼興趣吧。但對全共鬥就不同了。其理由是，全共鬥雖為一個集團，但可以看到每個人各自都在行動著。」但明明連三島自己都暴露出無法分辨全學聯與全共鬥之間的差別，筆者不太能理解橋爪論述的根據究竟為何。

218 〈全学連各派〝沖縄国会〞に照準〉（《二〇世紀》一九七一年九月號）頁七七。

219 水戸前揭〈〈差別〉に無自覚な革命主体を弾劾する〉頁九〇。

220 Group・戰鬥的女人〈春も盛りだというのにまだ穴から出てこないあなたへ〉（初出一九七一年五月的傳單，收錄於溝口、佐伯、三木編前揭〔第十三章〕《資料　日本ウーマンリブ史I》）頁一一五。

221 「綠色草原」的綱要，刊載於神奈川縣連合會會報《あゆみ》第十一號。關於以「綠色草原」為首，先後發展出的障礙者運動的描述，在立岩真也〈はやく・ゆっくり——自立生活運動の生成と展開〉（收錄於安積純子、尾中文哉、岡原正幸、立岩真也《生の技法》藤原書店，一九九〇年）中有詳細內容。

222 上野、加納前揭（第一章）〈フェミニズムと暴力〉頁四三。

223 水戸前揭〈〈差別〉に無自覚な革命主体を弾劾する〉頁八八。

224 H・K〈十二・八侵略＝差別と闘う女集会アッピール〉（一九七〇年十二月，收錄於溝口、佐伯、三木編前揭《資料　日本ウーマン・リブ史I》）頁二二五。

225 高澤皓司《歴史としての新左翼》（新泉社，一九九六年）頁四三—四四。

226 以下樋口的引述內容出自樋口前揭（第十三章）〈革命戰略と革命モラル〉頁一九一、一九二—一九三、一九四。

227 金城前揭《沖縄処分》頁一二七。

228 根據仲里効的回憶。以下關於仲里的引述內容出自仲里、小熊前揭〈沖縄——視線と自画像の相克〉頁三五、三六。

229 以下關於闖入皇居鬥爭的發生經過，出自高澤前揭《歴史としての新左翼》頁四五，以及金城前揭《沖縄処分》頁一三〇。

230 庄司前揭（第十三章）〈ささやかな決意〉頁一一六。

231 瀧田修〈地域パルチザン批判〉（初出《情況》一九七〇年九月號，收錄於瀧田前揭《ならずもの暴力宣言》）頁二五八。然而，在同號期刊的三〇一—三〇二頁中，瀧田提到文章的標題是由《情況》編輯部決定的，對自己來說多少有點違和感的名稱。

232 太田龍〈『琉球共和国』独立の檄〉（《情況》一九七一年十月號）。重引天野前揭《「無党派（ノンセクト）」という党派性》頁一六二—一六三。

233 小野民樹《年代が僕たちをつくった》（洋泉社，二〇〇四年）頁一二四。

234 新川明、小熊英二〈沖縄現代史と〈反復帰論〉〉（《Inter Commication》第四十七號，二〇〇四年冬）頁一四一。

235 金城一紀、小熊英二〈それで僕は〝指定席〞を壊すために『GO』を書いた（前編）〉（《中央公論》二〇〇一年十一月號）頁二七四—二七五。

236 關於陳玉璽事件的敘述出自森前揭《台湾／日本》頁一八四。

237 NHK取材班前揭（第一章）〈東大全共闘〉頁三五九。

238 茜・柴田前揭（第一章）《全共闘》頁一二三—一二四。

239 長崎浩〈政治世代としての安保世代の倫理〉（初出《現代の眼》一九八〇年四月號，收錄於長崎浩《日本の過激派》海燕書房，一九八八年）頁二一六。

240 小林前揭〈入管闘争から女性問題へ〉頁一四七、一四八。

241 天野前揭《「無党派」という党派性》頁一二。天野所指的，大概與他參加的中大鬥爭有關，但因歧視問題鬥爭之中也有相同的機制，所以引用了他的話。

242 船曳前揭（第一章）〈『東大闘争』とは何であったのか〉頁四三—四四。

243 吉川勇一〈小説『冷え物』批判を契機とする討論について〉（初出《べ平連ニュース》一九七一年九月臨時増刊號、收錄於前揭〔第十三章〕《資料・「べ平連」運動》下卷〉頁一一二。森前揭《日本／台湾》頁一九三。

244 中野前揭（第四章）《ゲバルト時代》頁一九二。

245 酒井求〈朝鮮人被爆者に対する責任〉（《朝日ジャーナル》一九七一年二月五日號）頁一一三。這不是朝鮮人的被爆者第一次動身前往日本，一九六九年時，帶著同樣的補償請求來到日本的人，也同樣被日本政府以偷渡的罪行逮捕了。

246 小田實《随論　日本人の精神》（筑摩書房，二〇〇四年）頁一八七。

247 中野前揭《ゲバルト時代》頁六四。

248 以下的引用出自東亞反日武裝戰線ＫＦ部隊（準）著、發行《反日革命宣言》（一九七九年）的第五章〈ＫＦ部隊（準）の反日思想〉以及被收編在附錄資料的《腹腹時計都市ゲリラ兵士の読本 Vol.一》（一九七四年三月）。松下竜一《狼煙を見よ》（河出書房新社，一九八七年）有對於東亞反日武裝戰線的詳細解說。根據同書的內容，反日武裝戰線的成員們並沒有意圖無差別式殺害「日本人」勞動者，只有計畫要炸毀三菱重工等企業的大樓，雖然事先播了警告電話勸告避難，但炸彈的威力比預期更強，對於造成多數死傷者一事，他們深感後悔。

249 各自的發言出自樋口前揭〈革命戦略と革命モラル〉頁一八六—一八七。

250 荒前揭《破天荒伝》頁一一四。

251 前揭（第四章）〈女闘士は口が堅かった！〉頁二九。

252 共産主義者同盟赤軍派〈戦争宣言〉（高澤、蔵田編前揭《新左翼理論全史》頁四三七。宣揚軍隊組織的相關內容重引自立花前揭（第三章）《中核VS革マル》上卷，頁一四〇—一四一中刊載的內容。

253 重引立花前揭《中核VS革マル》上卷頁一三七、一四〇。

254 重引同上書頁一四一。

255 重引同上書頁一五七。

256 安東、上原、岡留、高野、宮崎、筑紫前揭（第六章）〈いまだ総括されず〉頁二一八。

257 瀧田修〈暴力考〉（初出《序章》第三號，沒有記載發行日期，推測可能是七〇年。收錄於瀧田前揭《ならずもの暴力宣言》）頁二八八。瀧田前揭〈地域パルチザン批判〉頁二六二。

258 茜・柴田前揭《全共闘》頁一二〇。

259 〈冷たい反応　三島の死〉、〈三島事件　こう受けとめる〉（兩者皆出於《朝日新聞》一九七〇年十一月二十五日夕刊）。

260 前揭〈三島事件　こう受けとめる〉。

261 田中前揭（第二章）《いのちの女たちへ》頁二一一。

262 川村湊〈『憂国』を地でいく三島自決に国内外で驚愕〉（收錄於《朝日クロニクル　週刊二十世紀　一九七〇年》朝日新聞

社，一九九九年）頁七。
263 鶴見、上野、小熊前揭《戦争が遺したもの》頁三四八。
264 松本的引用內容重引自川村前揭〈『憂国』を地でいく三島自決に国内外で驚愕〉六—七頁。川村的引用出自川村同論文頁七。
265 中野前揭《ゲバルト時代》頁八九。
266 天野前揭《「無党派（ノンセクト）」という党派性》頁五七。
267 參考赤瀬川源平《桜画報大全》（新潮文庫，一九八五年）。《桜画報》曾經引發筆禍事件而將連載處轉至《現代の眼》，但〈現代機動隊考〉是在連載處轉移之前刊行的文章。
268 赤瀬川源平〈現代機動隊考〉（《現代の眼》一九七〇年一月號）頁二一五、二一八。本篇漫畫專欄並未收錄在上記的《桜画報大全》。
269 小田前揭《随論　日本人の精神》頁六九。
270 瀧田前揭〈地域パルチザン批判〉頁二五七。
271 共產主義者同盟赤軍派前揭〈戦争宣言〉頁四三八。文中並未提及在日朝鮮人與中國人，這可以說顯示出本篇文章是在「七・七告發」前撰寫的內容，然而如同從一九六九年開始，列舉少數群體進而批判「戰後民主主義」的論調漸盛，可以說武裝鬥爭合理化的論述也同樣從一九六九年就已經存在了。
272 瀧田修〈新しい時代の新しい暴力〉（初出《映画批評》一九七〇年十二月號，收錄於瀧田前揭《ならずもの暴力宣言》）頁三一八、三二七。
273 瀧田前揭〈暴力考〉頁二八六。
274 瀧田加入共產同關西派的經過以及相關活動的經歷可參考竹本信弘（たけもとのぶひろ）《瀧田修解体》（世界文化社，一九八九年）第三章第三節。
275 福井惇《一九七〇年の狂気》（文藝春秋，一九八七年）頁二七。
276 高澤前揭《歴史としての新左翼》頁一〇〇—一〇一。刊載了瀧田以本名「竹本信弘」寄稿的文章。
277 瀧田前揭〈新しい時代の新しい暴力〉頁三〇八。
278 同上文，頁三〇八—三〇九。
279 以下，竹本前揭《瀧田修解体》頁二四、二七、一九三、八五、六五、八三。
280 同上書頁二七、一九五。
281 立花前揭《中核VS革マル》上卷頁一八三。
282 同上書頁一八三、一七八—一八一。然而，在一九七一年實際爆炸的炸彈，被記作有三十七起四十一個。
283 以下關於胡差市暴動的事件經過出自金城前揭《沖縄処分》頁一四一—一四三。
284 以下關於三里塚鬥爭的狀況描述與引用，出自立花前揭《中核VS革マル》上卷頁一七八—一八一。
285 白川真澄〈新左翼と暴力〉（收錄於渡邊、鹽川、大藪編前揭《新左翼運動四〇年の光と影》）頁三二三。
286 重引渡邊前揭〈新左翼、何が問題だったのか〉頁一五九。
287 重引立花前揭《中核VS革マル》上卷頁一八九、一九〇。
288 島田前揭（第四章）〈もう僕は、正義、不正義っていうのは基本的に存在しないって思ってる〉頁一四七。
289 荒前揭（第三章）《新左翼とは何だったのか》頁一六六。
290 前揭〈全学連各派〝沖縄国会〞に照準〉頁七九。

291 以下由中核派等發起的一九七一年六月與十一月的大規模鬥爭的相關概要，出自立花前揭《中核VS革マル》頁一八五一八六、一九二—一九七。

292 茜・柴田前揭《全共闘》頁一二三。

293 下文中赤衛軍事件與瀧田被捕的相關敘述，參考下列三本著作。福井前揭《一九七〇年の狂気》、穗坂久仁雄《潛行——田修と赤衛軍の幻》（流動出版，一九八一年）、川本的回憶錄的川本前揭（第一章）《マイ・バック・ページ》。

294 相關過程出自福井前揭《一九七〇年の狂気》頁一八—二〇。菊田的訪談刊載於《週刊朝日》一九七一年三月五日號。

295 福井前揭《一九七〇年の狂気》頁三二—三三。紀錄這個事件的其他著作中，皆有提及菊田有說謊的習慣，菊田本人的自白內容也是每次都有變化。

296 川本前揭《マイ・バック・ページ》頁一一三。

297 同上書頁一四五。

298 福井前揭《一九七〇年の狂気》頁三三。

299 同上書頁三七、三八、八五。

300 菊田的證言中提到的瀧田的話，刊載於同上書頁八五。菊田的蒙面對談刊載於《朝日ジャーナル》一九七一年五月二十一日號。

301 川本前揭《マイ・バック・ページ》頁一三六。

302 同上書頁一四〇、一四七。

303 同上書頁一八三。

304 瀧田的潛逃與逮捕的經過，參考穗坂前揭《潛行》、福井前揭《一九七〇年の狂気》。關於土田Peace香菸罐炸彈事件等警方的捏造內容，於小西誠、野枝榮《公安警察の犯罪》（社会批評社，一九九九年）的第三章中有詳細的敘述。

305 判決書的引用出自穗坂前揭《潛行》頁二四二。福井的後記出自福井前揭《一九七〇年の狂気》頁二四八。

306 ＮＨＫ取材班前揭〈東大全共闘〉頁三七七。

307 秋田前揭（第十三章）〈夕焼け、海、そしてぼく〉頁二〇。

308 ＮＨＫ取材班前揭〈東大全共闘〉頁三六一—三六二。

309 小田前揭《随論 日本人の精神》頁六九。

310 栗原前揭（第十三章）《革命幻談》頁一七九。

311 番場前揭（第四章）〈全共闘運動の突破口としての『性差研』創設〉頁一一六。

312 宮崎前揭《突破者》頁上卷一八一—一八二。

313 同上書頁二四四。

314 立花前揭《中核VS革マル》上卷頁一六三—一六四。

315 以上敘述出自小西誠〈革共同両派の内ゲバの歴史・理論と実態〉（Iida等前揭（第十三章）《検証 内ゲバ》）頁二三—二四，以及立花前揭《中核VS革マル》上卷頁一五七—一五九。

316 小西前揭〈革共同両派の内ゲバの歴史・理論と実態〉頁二四—二五。

317 宮崎前揭《突破者》上卷頁二四四。

318 以下關於海老原殺害事件的相關經過出自立花前揭《中核VS革マル》上卷頁一六〇—一六五。

319 小西前揭〈革共同両派の内ゲバの歴史・理論と実態〉頁二九。

320 同上論文頁三〇、三一。

321 同上論文頁三一。立花前揭《中核VS革マル》上卷頁一六七。

322 八月十四日的報復攻擊的詳情與《朝日新聞》的文章出自立花前揭《中核VS革マル》上巻頁一六七—一六八。
323 出自同上書頁一六八。
324 同上書頁一六八。
325 同上書頁二〇二—二〇三、二〇四。
326 同上書頁二〇五、二〇六。
327 同上書頁二〇七。
328 以下中核派與革馬派的對立狀態描述出自同上書頁二〇七—二〇八、二二一—二二二、二四三。
329 同上書頁二一二。
330 荒前揭《破天荒伝》頁一二六—一二九。
331 生田あい〈内ゲバ——その構造的暴力と女性・子ども〉（收錄於Iida等前揭《検証　内ゲバ》）頁一一二、一一三。
332 西川亨〈一九七〇年代前半の学生運動と内ゲバ〉（收錄於Iida等前揭《検証　内ゲバ　Part 2》社会批評社，二〇〇三年）頁二六七。
333 同上論文頁二六六。
334 絓、高橋、府川前揭（第四章）〈『六八年』問題をめぐって〉頁五三。
335 荒前揭《破天荒伝》頁一三七。
336 國富建治〈第四インター派の『内ゲバ』主義との闘い〉（收錄於Iida等前揭《検証　内ゲバ　Part 2》）頁二二四。
337 重引宇井前揭〈天皇制の裏返しのレプリカ〉頁三〇〇。
338 吉野前揭（第七章）〈山本君に言いたかったこと〉頁四七。
339 前揭《全共闘白書》頁四一三。
340 鶴見、上野、小熊前揭《戦争が遺したもの》頁三五一。
341 荒前揭《破天荒伝》頁一二二、一二三、一二五。

第十五章　越平聯

1 關於越平聯，至今已有一些先行研究，但這些先行研究與本書的觀點不同。トーマス・R・H・ヘイブンズ《海の向こうの火事》（吉川勇一訳、筑摩書房、一九九〇年）中有不少關於越平聯的討論，但只是以反戰運動為中心，討論日本與越戰的關係，不只與本書的觀點不同，如同譯者吉川於〈譯者後記〉所述（四一三頁），東京越平聯的部分太過著重於小田個人的描述。此外，平井一臣〈社会運動・市民・地域研究——「エンタープライズ闘争」前後の佐世保市民を中心に〉（岡本宏編《「一九六八年」時代転換の起点》法律文化社、一九九五年所収）、平井一臣〈ヴェトナム戦争と日本の社会運動——べ平連運動の地域的展開を中心に〉（二〇〇三年度歴史学研究会大会報告、《歴史学研究》第七八一号、二〇〇三年一〇月）以及平井一臣〈戦後社会運動のなかのべ平連——べ平連の地域的展開を中心に〉（《法政研究》第七一巻四号、二〇〇五年三月）等，是以越平聯在各地區的發展為焦點、十分有趣的研究，但這些是以社會運動論為研究取徑。另外，夏維勇「Beheirenn；A New Citizens' Movement」（《アジア太平洋研究科論集》第一〇号、二〇〇五年九月）如標題所示，是以現代市民運動起點的角度討論越平聯。此外道場親信《占領と平和——「戦後」という経験》（青土社、二〇〇五年）中於第II部第四章提及戰後和平運動，雖然同時討論到同時代年輕人們的反叛，但並沒有

考察其與越平聯的關係。筆者於前述第一章和《〈民主〉と〈愛国〉》第十六章中檢證鶴見俊輔與小田實的戰爭體驗與思想時，曾提及他們的活動的一環，但並沒有進行全面性的檢證。越平聯對資料保存、復刻十分積極，本章亦引用資料集和報紙的復刻版、回憶錄等，但這些資料都不具研究的特質。本書的主題，將焦點放在越平聯與同時期年輕人反叛之間的協調、對立關係，說明越平聯特質的同時，透過與越平聯對比、理解年輕人們反叛的特質。

2 小松左京「〝平均的人類〟の願い」（初出《文藝》一九六六年一〇月号、前掲〔第十三章〕《資料・「ベ平連」運動》上巻所収）一三五頁、一三六頁。

3 絓前掲（第十四章）《一九六八年》七四頁。

4 吉川前掲（第三章）《市民運動の宿題》九〇、九一頁。

5 高橋芳男〈『ベ平連』をめぐる思想〉（《文化評論》一九六七年七月号）三六頁。

6 鶴見俊輔〈ひとつのはじまり〉（前掲《資料・「ベ平連」運動》上巻序文）一一頁。

7 針生一郎〈市民運動の新たな地平〉（《潮》一九七三年七月号）三四七頁。無法得知是否因為久野與鶴見等人有聯絡才這麼提起。

8 《小田実全仕事》（河出書房新社、一九七〇―七八年）第六巻二四一頁。

9 小田前掲（第十三章）《「ベ平連」・回顧録でない回顧》三三頁。

10 上之郷利昭〈ベ平連に何が起っているか〉（《諸君！》一九七三年四月号）八五頁。

11 吉川前掲《市民運動の宿題》九九―一〇〇頁。

12 鶴見・上野・小熊前掲（第三章）《戦争が遺したもの》三六二、三六一頁。

13 小田前掲《「ベ平連」・回顧録でない回顧》二六頁。

14 久野收〈原点への反省〉（《潮》一九七三年七月号）二六四頁。

15 鶴見・上野・小熊前掲《戦争が遺したもの》三七四頁。

16 久野前掲〈原点への反省〉二六五頁。

17 據二〇〇七年吉川告訴筆者所言。

18 〈四・二四デモへの案内〉（前掲《資料・「ベ平連」運動》上巻所収）六頁。

19 関谷滋・坂元良江編《となりに脱走兵がいた時代》（思想の科学社、一九九八年）四四頁。

20 高見前掲（第四章）《NO! 9条改憲・人権破壊》七七―七八頁。

21 「おさそい」（前掲《資料・「ベ平連」運動』上巻所収）七頁。

22 小田前掲《「ベ平連」・回顧録でない回顧》二七頁。

23 同上書二七頁。飯沼二郎・小田実・北沢恒彦・鈴木正穂・鶴見俊輔〈座談会 京都ベ平連をめぐって〉（前掲〔第一章〕《ベトナム通信》復刻版所収）三頁。

24 阿奈井文彦《ベ平連と脱走米兵》（文春新書、二〇〇〇年）一一〇頁。本名は穴井典彦で、ベ平連初期には本名で書いている。

25 小林トミ〈あらゆる人間を反戦の渦に〉（小田編前掲〔第八章〕『ベ平連』所収）一八〇頁。

26「東大越南反戰共鬥會議」的成立參照福富節男〈六月行動委員会の軌跡〉（初出《思想の科学》一九七一年一〇月号、前掲〔第十三章〕《資料・「ベ平連」運動》下巻所収）一二四頁。

27〈八・一五記念徹夜討論集会《ティーチ・イン》議事録全文 戦争と平和を考える〉（《文藝》一九六五年九月号）五七—五八、六二頁。

28此時的轉播製作人是為了抗議轉播中止，從電視公司辭職，後來成為轉播評論家而聞名的馬場康一。

29吉川前掲《市民運動の宿題》一〇三頁。

30鶴見良行〈『米大使館＝聖域』観の打破〉（初出《朝日ジャーナル》一九六七年一〇月一四日号、前掲《資料・「ベ平連」運動》上巻所収）二五九頁。

31作為「先例」，比方說一九六一年成立的「反對政防法市民会議」。參照小熊前掲《〈民主〉と〈愛国〉》第十六章註六六。

32吉川前掲《市民運動の宿題》一〇四—一〇五頁。

33同上書一〇五頁。

34小中前掲（第一章）《私のなかのベトナム戦争》一二九頁。

35阿奈井前掲《ベ平連と脱走米兵》一二九、一四三—一四四頁。

36吉川勇一〈〝三菱〟は政府より大きい〉（《文藝春秋》一九七一年八月号）一一二—一一三頁。

37福田邦夫《昭和ひとけたの人間学》（青娥書房、一九七八年）一一五頁。

38阿奈井前掲《ベ平連と脱走米兵》一四五頁。久保對阿奈井說過這樣的經驗：宣布戰敗隔天，飛過來的B29用降落傘空投裝了食物的大型鐵桶，附近的居民搶著吃裡面裝的食物。鐵桶裡裝了巧克力和麵包，但有種不知道是什麼東西的「黑色絲線」，久保以為是「美國羊栖菜」，煮了以後非常難吃、無法下嚥。據說這個「黑色絲線」是紅茶的茶葉。

39「爆弾でベトナムに平和をもたらすことができるか？——日本の市民からの訴え」（前掲《資料・「ベ平連」運動》上巻所収）五九頁。起草メンバーは《ベ平連ニュース》一九六五年一一月号（第二号）、前掲（第一章）復刻版三頁。

40「二年目のベ平連へ」（《ベ平連ニュース》一九六六年五月号〔第八・九合併号〕）復刻版一五頁。

41「十一月十六日NYタイムス紙に全面広告」（《ベ平連ニュース》一九六五年一一月号〔第二〇号〕）復刻版三頁。

42「〝反戦広告〟は読まれたか」（《週刊新潮》一九六五年一一月二七日号）一二六、一二七頁。

43「米国市民の反響続々届く」（《ベ平連ニュース》一九六五年一二月号〔第三号〕）復刻版五頁。

44「ワシントン・ポストにベトナム戦争反対の広告を出そう！」（《ベ平連ニュース》一九六六年五月号〔第八・第九合併号〕）復刻版一八頁。

45鶴見俊輔・開高健・小田実編《平和を呼ぶ声》（番町書房、一九六七年）。

46前掲〈〝反戦広告〟は読まれたか〉一二七頁。

47鶴見・上野・小熊前掲《戦争が遺したもの》三七五頁。

48吉川前掲（第四章）〈国境をこえた『個人原理』〉二四〇頁。

49〈ベ平連はゆく〉（《週刊読書人》一九六九年七月七日号）。

50〈平和賛歌〉（前掲《資料・「ベ平連」運動》上巻所収）二〇頁。

51 小田実・佐藤昇・安東仁兵衛・池山重朗〈ベトナム戦争への対応と運動のあり方〉（《現代の理論》一九六五年八月号）三一頁。
52 同上シンポジウム二三、三〇頁。
53 阿奈井前掲《ベ平連と脱走米兵》一六九頁。
54 ベ平連事務所「よびかけ」（前掲《資料・「ベ平連」運動》上巻所収）三九頁。
55 浅田前掲（第十四章）〈市民の反戦の論理〉二九五頁。
56 以下吉川的發言引用自吉川前掲〈国境をこえた『個人原理』〉二四四―二四五頁。
57 《ニューヨーク・タイムズ》紙にベトナム戦争反対の広告を出そう」（前掲《資料・「ベ平連」運動》上巻所収）四六頁。
58 鶴見良行「米国からの手紙を読んで」（《ベ平連ニュース》一九六五年一二月号〔第三号〕）復刻版五頁。
59 桑原武夫〈北爆停止の訴え〉（初出『朝日新聞』一九六五年一一月一六日、前掲《資料・「ベ平連」運動》上巻所収）六〇頁。
60 〈読者からの便り〉（《ベ平連ニュース》一九六五年一二月号〔第三号〕）復刻版六頁。
61 北沢豊美〈『ベ平連』伊那谷の会〉（《ベ平連ニュース》一九六五年一一月号〔第二号〕）復刻版四頁。
62 『ベトナム反戦はよけいなおせっかい』――日本人の〝ベトナム感覚〟に爆弾を投じた三浦朱門氏」（《週刊読売》一九六七年七月二八日号）二〇頁。
63 〈ベ平連のベトコン援助感覚〉（《週刊文春》一九六七年一一月六日号）三二頁。
64 當時在越平聯事務所幫忙的大學生，在美國的報紙和雜誌上看見人們別著反戰徽章，也想在日本製作類似的東西，便向設計事務所提案，偶然接下提案的正是和田。鶴見俊輔・吉岡忍《脱走の話》（SURE、二〇〇七年）二二―二三頁。
65 深作光貞〈ベ平連・小田実の徹底的解剖〉（《新評》一九六九年七月号）一七九頁。此外，深作是初期越平聯的成員，後來成為京都精華大學的校長，曾經將企業號中的兩位逃兵藏在自己家裡。（鶴見・吉岡前掲《脱走の話》六四―六五頁）。他的評價，可以說是來自熟知越平聯的人。
66 小田前掲《「ベ平連」・回顧録でない回顧》六三頁。
67 「読者欄」（《ベ平連ニュース》一九六五年一〇月号〔第一号〕）復刻版二頁。
68 上田耕一郎〈『ベトナムに平和を』のスローガンについて〉（《アカハタ》一九六五年五月一一日付）。霜多正次〈『ベトナムに平和を！』への疑問〉（《アカハタ》一九六五年五月二三日付）。
69 高橋前掲〈『ベ平連』をめぐる思想〉二三頁。這篇評論中，對於越平聯聚集希望和平的「普通市民」這點給予正面評價。（二四頁）然而，這篇論文的骨幹是，缺乏階級觀點的小田等人的「給越南和平！」的口號有其極限，「須明確區別參加『越平聯』運動、擁有諸多善意的人們以及如此反黨分子」，主張不應容許後者「反黨分子」的謀略。（四四頁）
70 針生前掲〈市民運動の新たな地平〉三四七頁。
71 松村雄〈ベ平連の思想的位置〉（《ベ平連ニュース》一九六六年二月〔第五号〕）復刻版九頁。

72〈今、我々は何をなすべきか〉（《ベ平連ニュース》一九六六年一月号〔第四号〕）復刻版七頁。
73〈清水谷公園〉（《ベ平連ニュース》一九六五年一二月号〔第三号〕）復刻版六頁。
74松岡輝雄〈我々は『消費者』にすぎないのだろうか〉（《ベ平連ニュース』一九六六年三月号〔第六号〕）復刻版一二頁。
75北沢恒彦〈京都『ベ平連』〉（《ベ平連ニュース》一九六五年一一月号〔第二号〕）復刻版四頁。
76飯沼二郎〈『市民』は海、『ゲリラ』は魚〉（小田編前掲《ベ平連》所収）一二八頁。北沢前掲〈京都『ベ平連』〉四頁。
77前掲〈今、我々は何をなすべきか」七頁。
78古山洋三〈二年目のベ平連へ〉（《ベ平連ニュース》一九六六年五月号〔第八・第九合併号〕）復刻版一五頁。
79阿奈井前掲《ベ平連と脱走米兵》一四九頁。
80山崎美枝子〈清水谷公園」（《ベ平連ニュース》一九六六年三月号〔第六号〕）復刻版一二頁。
81吉川前掲〈国境をこえた『個人原理』〉二四七頁。
82以上の経緯は〈アメリカ大使館前で沈黙の坐り込み〉（《ベ平連ニュース》一九六六年八月号〔第一一号〕）復刻版二二頁。
83以下の内容は〈よびかけ〉（前掲《資料・「ベ平連」運動》上巻所収）六七頁。
84同上文六八頁。
85巡迴演講的行程與成員參照〈全国縦断講演旅行の成果〉（《ベ平連ニュース》一九六六年六月号〔第一〇号〕）復刻版一九頁。
86吉川前掲〈国境をこえた『個人原理』〉二五二頁。
87阿奈井前掲《ベ平連と脱走米兵》一五八頁。
88〈ベトナムに平和を！日米市民会議のよびかけ〉（《ベ平連ニュース》一九六六年八月号〔第一一号〕）復刻版二一頁。
89出席者一覧同上論文。
90〈日米反戦平和市民条約〉（前掲《資料・「ベ平連」運動》上巻所収）一〇八、一〇九頁。這場日美市民會議的狀況全收錄於《文藝》一九六六年一〇月号。
91以下小田的演講引用自、小田前掲（第一章）〈平和への具体的提言〉一〇四、一〇七、一〇八、一一〇、一一一頁。
92小田・佐藤・安東・池山前掲〈ベトナム戦争への対応と運動のあり方〉二六頁。
93本多勝一《戦場の村》（朝日新聞社、一九六七年。文庫版一九八一年）文庫版二二四、三一四頁。
94以下、浅田前掲〈市民の反戦の論理〉二九五、二九六頁。
95記録〈ベトナムに平和を！日米市民会議〉（《文藝》一九六六年一〇月号）二六五、二六六頁。
96同上記録二六九—二七〇頁。
97前掲〈ベ平連のベトコン援助感覚〉三三一—三三三頁。
98小松前掲〈〝平均的人類〟の願い〉一四〇頁。
99鶴見前掲（第十四章）〈新しい世界と思想の要請〉一二九頁。
100同上論文一二九、一三〇頁。
101〈事務局だより〉（《ベ平連ニュース》一九六六年一〇月号〔第一三号〕）復刻版三〇頁。
102〈名古屋ベ平連〉（《ベ平連ニュース》一九六七年一月号〔第一六号〕）復刻版三八頁。根本正一〈シュプレヒコールの注文〉（《ベ平連ニュース》一九六七年一月号〔第一六号〕）復刻版三九頁。

103 高野すま子〈反戦行動に日曜日はないはず〉（《ベ平連ニュース》一九六七年二月号〔第一七号〕）復刻版四三頁。〈立川でのビラまきと砂川の見学〉（《ベ平連ニュース》一九六七年四月号〔第一九号〕）復刻版四九頁。

104 〈事務局だより〉（《ベ平連ニュース》一九六七年二月号〔第一七号〕）復刻版四四頁。

105 深作前掲〈ベ平連・小田実の徹底的解剖〉一八四頁。北小路主張「越平聯隧道論」是事實，在本文中記述的內容引自深作的摘要。

106 〈ベトナムに平和を！日本各地の動き〉（《ベ平連ニュース》一九六六年一一月号〔第一四号〕）復刻版三三頁。

107 十二月八日午前六時五十分〉（前掲《資料・「ベ平連」運動》上巻所収）一六〇頁。集会の模様は〈十二月八日・抗議の早朝集会」および「ベトナム帰休兵に反戦ビラ」（《ベ平連ニュース》一九六七年一月号〔第一六号〕）復刻版三七頁。

108 前掲〈ベトナム帰休兵に反戦ビラ〉復刻版三七頁。

109 関谷・坂元編前掲〈となりに脱走兵がいた時代〉三五頁。

110 〈ベ平連討論集会〉（《ベ平連ニュース》一九六七年四月号〔第一九号〕）復刻版五〇頁。

111 山田彰江〈見えるものを見るということ〉（《ベ平連ニュース》一九六七年九月号〔第二四号〕）復刻版七六頁。

112 鶴見前掲〈新しい世界と思想の要請〉一三一頁。発言者はデヴィッド・デリンジャー。

113 反戦非暴力直接行動委員会〈不服従を組織しよう」（前掲《資料・「ベ平連」運動》上巻所収）一五一頁。反戰非暴力直接行動委員會和非暴力直接行動委員會是同一個團體，名稱似乎不固定。

114 一九六七年一月在三菱重工下丸子工廠發的傳單，參照栗原幸夫〈自発性と多様性の統一〉（《ベ平連ニュース》一九六七年二月号〔第一七号〕）復刻版四二頁。一九六六年一月於石川島播磨、日產PRINCE、日立龜有、伊藤忠發的傳單，引自曾為委員會成員金井佳子的證言。〈座談会 年たった今考える」（安保拒否百人委員会編・発行《遠い記憶としてではなく、今》一九八一年所収）三二―三三頁。

115 酒向靖雄〈だらしない平和が好き〉（《ベ平連ニュース》一九六七年一月号〔第一六号〕）復刻版三九頁。

116 大越輝雄・笠井聖志・坪井孝良・森井雅枝〈放映無期延期に対する抗議文〉（前掲《資料・「ベ平連」運動》上巻所収）一五五頁。

117 笠井聖志〈はじめに〉（前掲《資料・「ベ平連」運動》上巻所収）一五八―一五九頁。

118 古山洋三・伊津信之介・小田実・久能昭・小中陽太郎・鶴見俊輔・鶴見良行・福富節男・山口文憲・武藤一羊・吉川勇一〈討論・われわれにとっての〝ベトナム〟とは〉（小田編前掲《ベ平連》所収）八四頁。

119 栗原前掲〈自発性と多様性の統一〉復刻版四二頁。

120 小田実〈私は死がこわい〉（初出《読売新聞》一九七〇年一月二八―三〇日・前掲〔第十三章〕《資料・「ベ平連」運動》中

巻所収）二五五頁。

121 吉川前掲〈国境をこえた『個人原理』〉二四六頁。鶴見・吉岡前掲『脱走の話』二四頁。

122 〈ベ平連——一九六六年〉（《ベ平連ニュース》一九六七年一月号〔第一六号〕）復刻版四〇頁。

123 井下千栄〈教室の中から〉（《ベ平連ニュース》一九六七年七月号〔第二三号〕）復刻版六八頁。

124 〈高校生反戦連絡会議〉（《ベ平連ニュース》一九六七年一〇月号〔第二五号〕）復刻版八四頁。

125 府川充男〈宿命に拉致された人生の落とし前を五〇代でつけたぞ〉（聞き手・荒岱介、府川前掲〔第四章〕《ザ・一九六八》所収）二九四頁。

126 中野前掲（第四章）《ゲバルト時代》六二、六三頁。

127 古山洋三「ベ平連全国会議をおわって」（《ベ平連ニュース》一九六六年一一月号〔第一四号〕）復刻版三三頁。此文亦收錄於前掲《資料・「ベ平連」運動》上巻一五三―一五五頁。

128 〈全国にベ平連を！〉（《ベ平連ニュース》三月号〔第一八号〕）復刻版四八頁。

129 菊地伸視〈札幌ベ平連からの便り〉（《ベ平連ニュース》一九六六年一二月号〔第一五号〕）復刻版三六頁。菊池伸視〈札幌ベ平連の活動〉（《ベ平連ニュース》一九六七年一一月号〔第二六号〕）復刻版九二頁。

130 〈名古屋ベトナム問題懇談会〉（《ベ平連ニュース》一九六六一一月号〔第一四号〕）復刻版三三頁。《越平聯新聞》的發行數量，據前掲〈ベ平連——一九六六年〉，一九六六年一月五百五十份、一九六六年末約一千份。

131 林道雄〈岡崎ベ平連〉（《ベ平連ニュース》一九六七年九月号〔第二四号〕）復刻版七五頁。

132 吉川勇一〈書評・『〈民主〉と〈愛国〉』〉（《季刊運動〈経験〉》二〇〇三年冬号）。

133 百野聡子〈沖縄までいってきます〉（《ベ平連ニュース》一九六七年二月号〔第一七号〕）復刻版四三頁。

134 M〈A君への手紙（一）〉（《ベ平連ニュース》一九六七年八月号〔第二三号〕）復刻版七二頁。〈ベトナム反戦大阪行動委員会通信〉第八号からの転載。

135 〈ベトナムに医療船を〉（《ベ平連ニュース》一九六七年七月号〔第二二号〕）復刻版六三頁。

136 小田実〈『平和の船』を送ろう〉（《ベ平連ニュース》一九六七年八月号〔第二三号〕）復刻版六九頁。召集人名簿亦參照同頁。這篇文章亦刊載於前掲《資料・「ベ平連」運動》上巻二三五―二三八頁，附註中提及一九六九年一月募得七百三十萬日圓，以及讓船往北越出發的始末。

137 〈ベ平連米大使館前をデモ〉（《ベ平連ニュース》一九六七年一一月号〔第二六号〕）復刻版八五頁。

138 中井貫太〈未来は新しきものの豊庫〉（《ベ平連ニュース》一九六七年一一月号〔第二六号〕）復刻版八六頁。

139 日坂千恵子〈いたたまれない気持〉、小橋七雄〈激しい憤りを感じる〉、山本昭之〈全学連の足をひっぱるな〉。いずれも《ベ平連ニュース》一九六七年一一月号〔第二六号〕復刻版八七、八八頁。

140 井上前掲（第八章）〈戦無派——一〇・八ショック組闘争宣言〉一八八—一八九頁。此外，井上說他在一九六七年十月八日山崎博昭死後，覺得「得做點什麼」而去了越平聯事務所，並在「同年年末」成立一橋大學越平聯。然而如前所述，一九六七年一月號的《越平聯新聞》提到一橋大學於一九六六年成立越平聯。越平聯是自願者組成的團體之故，推測應是一九六六年成立的一橋大學越平聯後來自然消滅，井上不知道過去的事，而於一九六七年底設立新的一橋大學越平聯。這似乎在各地的越平聯也經常發生，東京越平聯事務所也沒有充分掌握小型越平聯團體的動向。

141 〈三千人が米大使館へ〉（《ベ平連ニュース》一九六七年一一月号〔第二六号〕）復刻版八五頁。關於參與團體，參照福富前掲〈六月行動委員会の軌跡〉一二二頁。

142 〈私たちの訴え〉（《ベ平連ニュース》一九六八年一月号〔第二八号〕）復刻版一〇四頁。

143 〈北爆に参加したくない——脱走水兵ベ平連が支援〉（《ベ平連ニュース》一九六七年一二月号〔第二七号〕）復刻版九三頁。

144 ジョン・マイケル・バリラ〈正しいと信じるから行動した〉、リチャード・D・ベイリー〈わが憲法の精神に勝利あれ〉（いずれも前掲《資料・「ベ平連」運動》上巻所収）二六三、二六五頁。

145 久原喜作・才川裕興〈平和憲法を守る〉（《ベ平連ニュース》一九六八年一月号〔第二八号〕）復刻版一〇六頁。

146 奥野卓司〈安保を忘れない」、高良英二〈世界の市民連合へ〉、〈堀川高校より〉。いずれも《ベ平連ニュース》一九六八年一月号〔第二八号〕）復刻版一〇六、一〇五頁。

147 岡田由美子〈脱走兵事件に拍手〉（《ベ平連ニュース》一九六八年一月号〔第二九号〕）復刻版一一三頁。

148 大橋憲広〈中学生連合は、どう?〉（《ベ平連ニュース》一九六八年三月号〔第三〇号〕）復刻版一一八頁。

149 鶴見・上野・小熊前掲《戦争が遺したもの》三六四頁。

150 久野収・小田実〈ベ平連とは、脱走兵援助活動とは何だったのか〉（関谷・坂元編前掲《となりに脱走兵がいた時代》所収）四九一頁。

151 〈事務局だより〉（《ベ平連ニュース》一九六八年一月号〔第二八号〕）復刻版一〇八頁。

152 關於此襲擊事件與事務所受害狀況，參照〈暴力事件の経過〉（《ベ平連ニュース》一九六八年一月号〔第二八号〕）復刻版一〇四頁。

153 深作前掲〈ベ平連・小田実の徹底的解剖〉一七九頁。

154 吉川勇一〈脱走兵とふつうの市民たち〉（初出《アサヒグラフ》一九六七年一二月一日号、前掲《資料・「ベ平連」運動》上巻所収）二七〇—二七一頁。

155 關於以下吉川的經歷，詳細參照吉川前掲《市民運動の宿題》。

156 鶴見・上野・小熊前掲《戦争が遺したもの》三七八頁。

157 同上書三七七、三七八頁。

158 吉川勇一〈割当て動員への疑問〉（初出《月刊全電通》一九六八年一〇月号、前掲《資料・「ベ平連」運動》上巻所収）四五三頁。

159 天野道映〈転機に立つかベ平連〉（《朝日ジャーナル》一九六

七年一二月一〇日号）一〇三頁。

160 關於在橫須賀發放傳單如前所述，關於在立川發傳單，參照前掲〈立川でのビラまきと砂川の見学〉四九頁。岩國則參照〈岩国の米兵に反戦のビラまきを！〉（前掲《資料・「ベ平連」運動》上巻所収）二一六頁。

161 東京越平聯於一九六七年三月的定期遊行中發的傳單：「保護朝鮮青年金東希」以及連署活動的呼籲文「為青年金東希站出來」，收於前掲《資料・「ベ平連」運動》上巻一九四－一九六頁。《越平聯新聞》於一九六七年四月號（第十九號）復刻版四十九頁，刊載題為〈守護青年金東希〉的文章。最後金東希免於被遣返回將以逃亡罪處刑的韓國，但也沒有獲得流亡日本的許可，一九六八年一月，金東希被送往第三希望的北韓。

162 吉川勇一〈ベ平連始末記〉（前掲〔第一章〕《連合赤軍〝狼〟たちの時代》所収）。

163 鶴見・上野・小熊前掲《戦争が遺したもの》三六四頁。

164 以下經過出自山田健司〈新宿の路上で生まれたジャテックの芽〉および関谷滋〈イントレピッドの四人とジャテックの誕生〉（いずれも関谷・坂元編前掲《となりに脱走兵がいた時代》所収）一一－一三、一九、二〇頁。

165 鶴見・上野・小熊前掲《戦争が遺したもの》三六五頁。小田前掲『「ベ平連」・回顧録でない回顧』一六六－一六七頁。

166 鶴見・上野・小熊前掲《戦争が遺したもの》三六五頁。

167 同上書三六七頁。

168 吉川前掲〈国境をこえた『個人原理』〉二五二頁。

169 小中陽太郎〈脱走兵援助活動について〉（一九六八年八月の「反戦と変革にかんする国際会議」での報告、前掲《資料・「ベ平連」運動》上巻所収）四二二頁。

170 小中前掲《私のなかのベトナム戦争》四八－四九頁。

171 吉川勇一〈ソ連大使館との折衝〉（関谷・坂元編前掲《となりに脱走兵がいた時代》所収）四六六頁。據《產經新聞》吉川接觸ＫＧＢ要求資金援助的報導，參照一九九三年一月十七日該報。吉川對此的反駁及補遺，參照吉川勇一〈補遺へのもう一度の追加〉（Ｔ・ホイットモア《兄弟よ俺はもう帰らない》吉川勇一訳、新版第三書館、一九九三年。旧版は時事通信社、一九七五年）三二三－三二九頁。

172 吉川前掲〈国境をこえた『個人原理』〉二四八頁。

173 関谷前掲〈イントレピッドの四人とジャテックの誕生〉三〇頁より重引。

174 吉川前掲《市民運動の宿題》一四〇頁。

175 吉川前掲〈国境をこえた『個人原理』〉二四八頁。

176 同上インタビュー、二五〇頁。

177 然而，以訴諸「志願者」的型態克服這個問題，並非沒有受到批判。小田實在記者會後表示：「由於我們重視個人原理……一定有人會想：『雖然我參加越平聯的遊行，但逃兵的話……』」考慮到這點，便以「越平聯志願者」的名義發表聲明。（小田実〈脱走米兵と有志の原理〉《現代の眼》一九六八年一月号）。對此，京大人文科學研究所助教授樋口謹一說：「志願的各位的個人原理或許是得到尊重了，但被認定是不想介入的『那些人』的個人原理呢？」越平聯幹部不問運動參與者是否有意願，以「考慮」這件事否定個人原理，他批判道：「這是朝開明君主式的現實主義傾斜。」樋口謹一〈ベ平連〉（《中央公論》一九六八年一一月臨時増刊号）一六〇頁。吉川也回想在發表聲明之後，似乎有以相同主旨批判「志願者」的信，吉川前掲〈国境をこえた『個人原理』〉二五〇頁）。在這個意義上，儘管克服了組織化與個人原理的矛盾，卻不是根本的解決方法。

178 吉川前掲〈ソ連大使館との折衝〉四六七頁。

179 關於蘇聯途徑無法使用之後的援助逃兵活動，參照負責活動的高橋武智《私たちは、脱走アメリカ兵を越境させた……》（作品社、二〇〇七年）關於護照偽造，參照鶴見・吉岡前掲『脱走の話』九五—九七頁。

180 〈反戦の声を国会に、米大使館に〉（前掲《資料・「ベ平連」運動》上巻所収）三二五頁の編注。

181 飯沼前掲〈『市民』は海、『ゲリラ』は魚〉一二九頁。

182 天野前掲〈転機に立つかべ平連〉一〇三頁。

183 同上記事一〇四頁。

184 以下小田的計畫與包小型飛機失敗的經過，參照小田前掲（第八章）〈『物』と『人間』〉三一七頁以及吉川前掲市民運動の宿題』一〇七頁。此外，據前掲（第八章）〈佐世保攻防の決定的瞬間〉二三頁，事先準備的傳單有紅、黃、藍三色共三萬張，但這裡依照小田記述，採用一萬張的數字。

185 小田前掲〈『物』と『人間』〉三〇九頁。吉川勇一「水兵に脱走のすすめ」（『ベ平連ニュース』一九六八年二月号〔第二九号〕）復刻版一〇九頁。

186 吉川前掲〈水兵に脱走のすすめ」復刻版一〇九頁。

187 小田前掲〈『物』と『人間』〉三一一頁。

188 前掲〈佐世保攻防の決定的瞬間〉二三頁。

189 吉川前掲〈水兵に脱走のすすめ」復刻版一〇九頁。

190 小田前掲〈『物』と『人間』〉三〇七頁。

191 小田前掲〈『物』と『人間』〉三一〇頁。吉川前掲『市民運動の宿題』一〇七頁。

192 前掲（第八章）〈『反戦市民』ここに誕生〉二七頁。

193 小田前掲〈『物』と『人間』〉三一五頁。

194 同上論文三一五頁。

195 吉川前掲《市民運動の宿題』一〇七頁。

196 吉川前掲〈水兵に脱走のすすめ」復刻版一一〇頁。

197 小田前掲〈『物』と『人間』〉三一一頁。

198 吉川前掲〈水兵に脱走のすすめ」復刻版一一〇頁。

199 同上論文一一〇頁。

200 吉川前掲《市民運動の宿題』一〇八頁。

201 吉川前掲〈水兵に脱走のすすめ」復刻版一一〇頁。

202 前掲〈『反戦市民』ここに誕生」二七頁。「佐世保十九日遊行之會」是以住在佐世保的作家：矢動丸広為中心組成的組織，比佐世保越平聯更為活躍。

203 〈『全国懇談会』開かれる」（『ベ平連ニュース』一九六八年三月号〔第三〇号〕）復刻版一一九頁。

204 以下引用自小田實〈序文〉（小田実・鶴見俊輔編『反戦と変革』学芸書房、一九六八年所収）二、七、五頁。

205 水田前掲（第一章）〈わた史のなかの〈ベ平連〉〉一七六—一七七頁。

206 同上論文一七六頁。
207 武藤一羊〈今こそ行動を！〉（《ベ平連ニュース》一九六八年三月号〔第三〇号〕）復刻版一一八頁。
208 吉川勇一〈ベ平連とは何か〉（小田編前掲《ベ平連》所収）一〇頁。
209 同上論文一一頁。
210 田守順子〈北区野戦病院に反対して〉（《ベ平連ニュース》一九六八年四月号〔第三一号〕）復刻版一二四頁。
211 小中前掲《私のなかのベトナム戦争》九六頁。田守順子〈国際反戦デー〉（《ベ平連ニュース》一九六八年五月号〔第三二号〕）復刻版一三一頁。鶴見俊輔〈ベ平連とは何か？〉（小田編《市民運動とは何か》徳間書店、一九六八年の序文。前掲《資料・「ベ平連」運動》上巻所収）三四七頁。
212 鶴見前掲〈ベ平連とは何か？〉三四七頁。
213 〈小樽ベ平連と小樽商大ベ平連」〉〈高槻ベ平連だより〉、〈山形ベ平連誕生！」、〈お待たせしました！横浜ベ平連〉、〈神奈川県立A高等学校ベトナムに平和を！生徒連合の結成をお知らせします〉。いずれも《ベ平連ニュース》一九六八年四月号（第三一号）。引用は復刻版一二六頁。
214 〈事務局便り〉（《ベ平連ニュース》一九六八年四月号〔第三二号〕）復刻版一二八頁
215 〈ベトナム侵略を直ちに終らせるためさらに一層の脱走兵援助を！〉および〈五人の脱走兵の声明から」（ともに前掲《資料・「ベ平連」運動》上巻所収）三五〇―三五二頁。
216 六月行動実行委員会〈ベトナム反戦のために市民の大デモに参加しよう〉（前掲《資料・「ベ平連」運動》上巻所収）三五四頁。
217 福富前掲〈六月行動委員会の軌跡〉一二二頁。
218 六月行動委員会〈ベトナム反戦全国行動（略称・六月行動）について『案』」および〈六月行動ニュース〉（いずれも前掲『資料・「ベ平連」運動》上巻所収）三五五、三五九頁。
219 六月行動委員会前掲〈ベトナム反戦全国行動（略称・六月行動）について『案』〉三五五頁。
220 日高前掲（第一章）〈直接民主主義と『六月行動』〉三七一頁。
221 吉川前掲《市民運動の宿題》一一五―一一六頁。
222 福富前掲〈六月行動委員会の軌跡〉一二一―一二三頁。
223 高井磊壮〈ベ平連運動は拡大するか〉（《自由世界》一九六九年九月号）八二頁。
224 日高前掲〈直接民主主義と『六月行動』〉三七六頁。
225 〈新しい行動と新しい思想と〉（《ベ平連ニュース》一九六八年七月号〔第三四号〕）復刻版一四八頁。
226 大原前掲（第二章）《時計台は高かった》五五頁。
227 岩永正敏〈ある大学ベ平連から〉（小田編前掲《ベ平連》所収）一九七頁。
228 同上論文一九八頁。
229 前掲〈新しい行動と新しい思想と〉復刻版一四九―一五〇頁。
230 日高前掲〈直接民主主義と『六月行動』〉三七六頁。
231 同上論文三七六頁。
232 同上論文三七七頁。
233 花崎皋平〈北海道の『六月行動』月刊〉および西山朗〈金

沢——衝撃を受けた市民たち〉（ともに《世界》一九六八年八月号）二五二、二五三頁。岡本敏雄〈御堂筋デモ〉（《ベトナム通信》一九六八年七月号〔第六号〕、前掲《ベトナム通信》復刻版所収）復刻版二五頁。此外在金澤，機動隊出動超過一千人應對夾雜著戴著頭盔的參加者、約四百名的遊行隊伍，有兩名學生遭逮捕。遊行隊伍詢問逮捕的理由，卻得到「理由還在討論中」的回答，感到憤怒的學生開始與機動隊陷入亂鬥狀態。此時，機動隊以擴音器說：「停下腳步的人都視為暴徒，以違反道交法逮捕。」造成周圍約一千名民眾對機動隊丟石頭。（西山前掲〈金沢——衝撃を受けた市民たち〉二五三頁）。

234 金原誠〈米軍機墜落事故の怒り〉（《世界》一九六八年八月号）二五六頁。

235 小島輝正〈集会の趣向を工夫する〉（《世界》一九六八年八月号）二五四頁。

236 〈6・15集会・デモ〉（《べ平連ニュース》一九六九年六月号〔第四五号〕）復刻版二三三頁。

237 吉川前掲〈国境をこえた『個人原理』〉二六二頁。

238 岩永前掲〈ある大学べ平連から〉一九五—一九六頁。

239 飯沼二郎〈今後の運動方針について〉（《ベトナム通信》一九六八年三月号〔第四号〕）復刻版一二頁。

240 飯沼二郎〈死ぬまでつづけよう〉（《ベトナム通信》一九七〇年一一月号〔第三四号〕）復刻版二八四、二八五頁。

241 飯沼二郎〈権利としてのデモ〉（《ベトナム通信》一九六九年九月号〔第二〇号〕）復刻版一二九頁。飯沼二郎〈〝市民運動〟の進め方〉（《ベトナム通信》一九六八年六月号〔第五号〕）復刻版一八頁。

242 飯沼二郎〈再び市民運動について〉（《ベトナム通信》一九六八年七月号〔第六号〕）復刻版二四頁。

243 蜂須賀五郎〈飯沼さんのこと〉（《ベトナム通信》一九七〇年一二月号〔第三五号〕）復刻版三〇四頁。

244 飯沼二郎〈秋祭りと市民運動〉（《ベトナム通信》一九六八年一一月号〔第一〇号〕）復刻版六〇頁。

245 絓前掲《一九六八年》一三四頁。

246 奥野卓司〈ダメな男に〈何〉ができるか？〉（《ベトナム通信》一九七〇年五月号〔第二八号〕）復刻版二三〇頁。

247 吉川勇一〈年安保と取組むべ平連〉（初出《月間労働問題》一九六九年四月号、前掲《資料・「べ平連」運動》中巻所収）三一頁。

248 府川前掲（第四章）〈『六八年革命』を遡る断章〉三一頁。

249 堀田卓〈全浪連から来た男〉（吉岡編著前掲〔第四章〕《フォーク・ゲリラとは何者か》）七三頁。

250 飯沼・小田・北沢・鈴木・鶴見前掲〈座談会 京都べ平連をめぐって〉五頁。

251 小田前掲《「べ平連」・回顧録でない回顧》四二六頁。

252 據二〇〇七年吉川告訴筆者所言。

253 同上。

254 吉川勇一〈『中年べ平連?』からの報告」（《べ平連ニュース》一九七〇年一一月号〔第六二号〕）復刻版三七三頁。

255 吉川前掲〈国境をこえた『個人原理』〉二六四—二六五頁。

256 恒口朋久〈べ平連にいる学生として〉（《ベトナム通信》一九

六八年一〇月号〔第九号〕）復刻版五一頁。

257 牧野城司〈合宿に参加して〉（《ベトナム通信》一九六八年一〇月号〔第九号〕）復刻版五〇頁。

258 飯沼前掲〈〝市民運動〟の進め方〉一八頁。關於這位老人不再參加遊行一事，參照田中前掲（第二章）〈私にとってベ平連とは〉二七頁。

259 牧野前掲〈合宿に参加して〉五〇頁。

260 吉川前掲〈国境をこえた『市民原理』〉二六三頁。

261 富田前掲（第一章）〈体内のベトナム〉三三頁。

262 小中前掲『私のなかのベトナム戦争』四九—五一頁。

263 井上澄夫・小田実・北沢恒彦・小中陽太郎・高橋武智・田守順子・鶴見俊輔・鶴見良行・福富節男・古山洋三・武藤一羊・吉川勇一〈デモ・沖縄・日本人米兵・ベ平連〉（小田・鶴見編前掲《反戦と変革》所収）三〇六頁。

264 中野前掲《ゲバルト時代》六九頁。

265 以下府川回想引自府川前掲〈《六八年革命》を遶る断章〉三一頁。

266 吉川勇一〈ベ平連の定例デモについて〉（《ベ平連ニュース》一九六八年八月号〔第三五号〕）復刻版一五九頁。

267 吉川前掲〈割当て動員への疑問〉四五二、四五三頁。

268 吉川前掲〈国境をこえた『個人原理』〉二六一頁。

269 中野前掲《ゲバルト時代》六八、七一頁。

270 鶴見俊輔〈日本とアメリカの対話〉（初出《世界》一九六八年一〇月号、前掲《資料・「ベ平連」運動》上巻所収）四三五頁。

271 作田啓一・鶴見良行・樋口謹一・松田道雄・武藤一羊〈『反戦』から『変革』へ〉（《朝日ジャーナル》一九六八年九月一日号）一〇頁。

272 同上座談会一一頁。

273 同上座談会一〇頁。

274 鶴見前掲〈日本とアメリカの対話〉四三四頁。

275 同上論文四三六、四四一、四三八頁。

276 松田道雄〈支配の論理と抵抗の論理〉（初出《展望》一九六八年九月号、前掲《資料・「ベ平連」運動》上巻所収）四四六、四四五、四四七頁。

277 鶴見前掲〈日本とアメリカの対話〉四一七頁。

278 樋口前掲〈ベ平連〉一五五、一五六頁。

279 松田前掲〈支配の論理と抵抗の論理〉四四六、四四七、四四八頁。

280 鶴見前掲〈日本とアメリカの対話〉四三八頁。

281 鶴見前掲〈日本とアメリカの対話〉四三八頁。樋口前掲〈ベ平連〉一五三頁。小中前掲『私のなかのベトナム戦争』八〇頁。此外，據樋口前掲〈ベ平連〉一五三頁：「據鶴見〔俊輔〕自身的證言，他加入了合唱（據說這是依據『會加以強烈批評但最後仍會一起行動』的『同伴』原理）。」而吉川在前掲〈国境をこえた「個人原理」〉二六六頁，如此陳述自己沒有唱的理由：「小中說得確實沒錯。但那只是為了找個道理才那麼說，並不是很有邏輯地思考。那時候我只是覺得，這不是應該在這裡唱的歌，那樣不對。」

282 小中陽太郎《市民たちの青春——小田実と歩いた世界》（講談社、二〇〇八年）一二頁。飯沼・小田・北沢・鈴木・鶴見

283 前掲〈座談会京都べ平連をめぐって〉一二頁。
284 小田前掲《「べ平連」・回顧録でない回顧》三四七—三四八頁。べ平連〈京都府警への抗議文〉およびべ平連〈読売新聞社への抗議文〉（いずれも前掲《資料・「べ平連」運動》上巻所収）四三〇—四三二頁。
285 笠原芳光〈べ平連とアナキズム〉（《ベトナム通信》一九七三年五・六・七月合併号〔第六三号〕）六二二頁。
286 同上論文六二二頁。
287 小中前掲《私のなかのベトナム戦争》七五頁。
288 吉川前掲〈割当て動員への疑問〉四五三頁。
289 渡辺一衛〈救援運動の思想を問う〉（《現代の眼》一九六九年七月号）一〇四頁。
290 鶴見前掲〈日本とアメリカの対話〉四三八頁。樋口謹一在前掲〈べ平連〉一五六頁提到，儘管年輕人聚集到越平聯的主要原因，是對社共等失望，但鶴見主張那是因為比新左翼黨派受到的鎮壓少，這點則令人存疑。
291 作田・松田・鶴見・武藤・樋口前掲〈『反戦』から『変革』へ〉一五頁。
292 川本孝裕〈立教大べ平連の運動と自分自身〉（立教大学人間連合類編集委員会刊『類』一九七〇年一一月号所収。ガリ版刷りのミニコミ誌）八頁。吉川前掲〈国境をこえた『個人原理』〉二六六頁。
293 〈反安保めざす市民運動〉（《朝日ジャーナル》一九六九年二月一六日号）一一三頁。
294 同上記事一一三頁。
295 小中前掲《私のなかのベトナム戦争》九四—九五頁。
296 鶴見良行・山口文憲・北沢洋子・松田政男〈べ平連を総括する〉（《流動》一九七三年二月号）一二四頁。
297 小田実〈人間として生きるために〉（初出《週刊朝日》一九六八年九月六日号、前掲《資料・「べ平連」運動》上巻所収）四五〇頁。
298 同上論文四五〇、四五一頁。
299 吉川前掲〈国境をこえた『個人原理』〉二六六、二六五頁。
300 以下吉川的引用同前訪談二六七、二六八頁。
301 這段經過參照栗原達夫〈沖縄闘争——私の視覚の中で〉、古屋能子〈沖縄——八月一六日前後〉、柳九平〈八・一溜嘉手納基地闘争の中から〉。皆引用自《越平聯新聞》一九六八年九月号（第三六号）復刻版一六五、一六六、一六七頁。另越平聯詳細參照前掲（第十四章）〈アメリカ大使館への抗議文〉及前掲（第十四章）〈抗議声明〉。同時參照前掲《資料・「べ平連」運動》上巻所収、四四八—四五〇頁。
302 久間勝彦〈成田上空から〝騒音〟をまきちらす〉（前掲《資料・「べ平連」運動』上巻所収）四五四—四五五頁。初出は《べ平連ニュース》一九六八年一一月号（第三八号）、復刻版一八〇頁。
303 べ平連〈清水徹雄君を支援するカンパのお願い〉および角南俊輔〈彼に日本国憲法がある〉（初出《現代の眼》一九六八年一一月号）、ともに前掲《資料・「べ平連」運動》上巻所収、四五五—四六二頁。また《べ平連ニュース》一九六八年一〇月号（第三七号）には吉岡忍〈非〈英雄〉のスタートライン〉

が掲載されている。
304 以上的經過來自〈《ベ平連』初の手入れ》（《毎日新聞》一九六八年一〇月一四日）および小中前掲《私のなかのベトナム戦争》八四頁。
305 井上澄夫〈動員の思想自立の思想〉（《ベ平連ニュース》一九六八年一一月号〔第三八号〕）復刻版一七七頁。
306 〈新宿米タンク・ローリー車抗議〉（《ベ平連ニュース》一九六八年一一月号〔第三八号〕）復刻版一七六頁。此外，依這篇文章，遊行隊伍約三千人，加上小中的記述，本文取用約五千人的數字。
307 小中前掲《私のなかのベトナム戦争》八二—八三頁。
308 前掲〈新宿米タンク・ローリー車抗議〉復刻版一七六頁。小中陽太郎〈反戦の理念〉（初出《現代の眼》一九六八年一二月号、前掲《資料・「ベ平連」運動》上巻所収）四八二頁。
309 小中前掲《私のなかのベトナム戦争》八三頁。
310 福家麻夫〈最大共通点の確認を〉（《ベ平連ニュース》一九七〇年一月号〔第五二号〕）復刻版二九五頁。
311 吉川前掲〈国境をこえた『個人原理』〉二五七頁。
312 小中前掲《私のなかのベトナム戦争》九五頁。
313 同上書九七頁。
314 同上書一〇〇頁。
315 同上書一〇一頁。
316 吉川勇一〈編集部より〉（《ベ平連ニュース》一九六九年二月号〔第四一号〕）復刻版二〇七頁。
317 青木智子〈失望しました〉（《ベ平連ニュース》一九六九年六月一日号〔第四五号〕）復刻版二三七頁。
318 匿名〈一東大関係者の家族〉〈東大紛争について〉（《ベ平連ニュース》一九六九年二月一日号〔第四一号〕）復刻版二〇七頁。
319 吉川前掲〈編集部より〉復刻版二〇七頁。
320 命館ベ平連〈ベ平連解散宣言〉（《ベ平連ニュース》一九六九年八月号〔第四二号〕）復刻版二一六頁。
321 小林正敏〈擬制としての市民運動〉（《自由》一九六九年一一月号）一七八頁より重引。
322 據二〇〇七年吉川告訴筆者所言。
323 以下小田的引用來自小田前掲（第十一章）〈自分に立ちかえる〉一七—一八、一五、一四—一五、一二頁。
324 吉川前掲〈国境をこえた『個人原理』〉二五三頁。
325 小田前掲《「ベ平連」・回顧録でない回顧》三六二、四四六、四四七頁。
326 同上書四四六、四四七、四五二—四五三頁。
327 海老坂武《かくも激しき希望の歳月——一九六六—一九七二》（岩波書店、二〇〇四年）一六九—一七四頁。声明文の全文も収録されている。
328 吉川前掲〈国境をこえた『個人原理』〉二五八頁。
329 山口文憲〈釧路の〝大包囲作戦〟〉（初出《朝日ジャーナル》一九六八年一一月二四日号、前掲《資料・「ベ平連」運動》上巻所収）四八九—四九〇頁。儘管邁爾斯被遣返美國遭判有罪，但他認為自己的行動是正確的，後來再次拜訪日本，也與以前的越平聯成員再次相聚。「驚きものの木世紀『ベ平連・

友情の大脱走作戦』」（大阪・朝日放送、一九九五年八月一八日放映）参照。

330 深見進介〈脱走援助から米兵との共闘へ〉（初出《朝日ジャーナル》一九七〇年五月一〇日号、前掲《資料・「ベ平連」運動》中巻所収）三二八頁。

331 吉川前掲〈国境をこえた『個人原理』〉二五一頁。

332 吉川前掲《市民運動の宿題》一四〇頁。

333 〈新刊紹介 小田実・鶴見俊輔編著《脱走兵の思想》〉（『ベ平連ニュース』一九六九年七月号〔第四八号〕）復刻版二四八頁。

334 蜂須賀五郎〈脱走兵から人間へ〉（初出《思想の科学》一九七〇年四月号、前掲《資料・「ベ平連」運動》中巻所収）二九五頁。深見前掲〈脱走援助から米兵との共闘へ〉三二九、三三七頁。

335 阿奈井前掲《ベ平連と脱走米兵》六六、五三頁。

336 山田塊也《アイ・アム・ヒッピー》（第三書館、一九九〇年）六八—六九頁。

337 深見前掲〈脱走援助から米兵との共闘へ〉三二八頁。

338 前掲〈新刊紹介 小田実・鶴見俊輔編著《脱走兵の思想》〉二四八頁。

339 吉岡忍〈苦い記憶〉（初出《朝日新聞》一九九七年二月二三日、関谷・坂元編前掲《となりに脱走兵がいた時代》所収）四六九—四七一頁。

340 吉川前掲〈ベ平連始末記〉。

341 吉川前掲（第三章）〈連合赤軍事件と市民運動〉一七六頁。

342 鶴見・上野・小熊前掲《戦争が遺したもの》三八一頁。

343 鶴見前掲〈ひとつのはじまり〉一二頁。

344 岩本重雄〈ふたたびベトナムを考える〉（《ベ平連ニュース》一九六八年一二月号〔第三九号〕）復刻版一八九頁。

345 植野芳雄〈『ベトナムと沖縄のための一〇時間』行動〉（《ベ平連ニュース》一九六八年一二月号〔第三九号〕）復刻版一八九頁。

346 奥野卓司〈この感動を君に告げたい〉（《ベ平連ニュース》一九六九年一月号〔第四〇号〕）復刻版一九七頁。

347 〈新宿と花ともみじと〉（《ベ平連ニュース》一九六九年二月号〔第四一号〕）復刻版二〇五頁。

348 古山洋三〈花束デモとジグザグデモ〉（《ベ平連ニュース》一九六九年二月号〔第四一号〕）復刻版二〇五頁。

349 前掲〈新宿と花ともみじと〉復刻版二〇五頁。

350 山本晴子〈戦う女キリスト者〉（吉岡編著前掲《フォーク・ゲリラとは何者か》所収）一一一頁。

351 高野光世〈《反戦フォークの集い》から〉（《ベ平連ニュース》一九六九年二月号〔第四一号〕）復刻版二〇五頁。

352 以下鶴見的瓊・拜亞論，引自鶴見良行〈『志』の女 ジョーン・バエズ〉（初出《朝日ジャーナル》一九六七年二月一九日号、前掲《資料・「ベ平連」運動》上巻所収）一八九、一九〇、一九二頁。

353 高野前掲〈《反戦フォークの集い》から〉復刻版二〇五頁。

354 小黒前掲（第四章）〈フォークバンドから街頭へ〉八九頁。

355 前掲（第八章）〈情報交換に集まる人々〉八九頁。

356 〈新宿の名物〝全学連ティーチ・イン〟〉（『平凡パンチ』一

九六八年四月一日号）三三頁。

357 東野芳明「新宿西口〝広場〟の生態学〉（『中央公論』一九六九年一〇月号）二七八頁。關於開發經過與法律根據，是東野採訪負責設計新宿西口、板倉（準三）建築研究所的東孝光與田中一昭的內容。

358 同上論文二七八頁。

359 室謙二〈ドキュメント・東京フォークゲリラ〉（室謙二編《時代はかわる——フォーク・ゲリラの思想》社会新報、一九六九年所収）二四頁。但在室的回憶中，二月二十七日是從當時越平聯事務所所在地的信濃町出發，邊唱歌邊遊行到新宿，之後在新宿東口唱歌，而沒有在西口唱歌的記載（二四頁）。另一方面在堀田前掲〈全浪連からきた男〉中寫著：「我帶著吉他第一次到新宿西口是二月二十七日。」（六四頁）即使是當事人，對於二月二十七日他們是否在西口唱歌，記憶也有所出入，但在此選擇二十七日開始在西口唱歌的記述。

360 高野光世〈西口広場は誰のもの?〉（《ベ平連ニュース》一九六九年六月号〔第四五号〕）復刻版二三六頁。

361 伊津信之介〈広場は消えたのか〉（《ベ平連ニュース》一九七〇年四月号〔第五五号〕）復刻版三二二頁。

362 堀田前掲〈全浪連から来た男〉七七、六四—六五頁。

363 小黒前掲〈フォークバンドから街頭へ〉八九—九〇頁。

364 伊津信之介〈検事調書的な私の告白〉（吉岡編著前掲《フォーク・ゲリラとは何者か》所収）九六、九七、九八頁。

365 同上論文九八—九九頁。

366 堀田前掲〈全浪連から来た男〉六五頁。室前掲〈ドキュメント・東京フォークゲリラ〉二四—二五頁。

367 〈機動隊に入ろう!〉（《ベ平連ニュース》一九六九年七月号〔第四六号〕）復刻版二四八頁。

368 フォーク・ゴリラ（小黒弘）〈フォーク・ゲリラは、あらゆる空間を解放する〉（小田編前掲《ベ平連》所収）一六四頁。

369 吉岡忍〈フォーク・ゲリラのすすめ〉（吉岡編著前掲《フォーク・ゲリラとは何者か》所収）四三—四四頁。

370 小黒前掲〈フォーク・ゲリラは、あらゆる空間を解放する〉一六三頁。旨趣幾乎相同的內容也刊載在小黒弘〈プロテスト・ソング〉（《ベ平連ニュース》一九六九年五月号〔第四四号〕）復刻版二三一頁。

371 小黒弘〈被告人意見陳述書〉（《ベ平連ニュース》一九七〇年六月号〔第五七号〕）復刻版三三六頁。

372 小黒前掲〈プロテスト・ソング〉復刻版二三一頁。

373 高野前掲〈西口広場は誰のもの?」復刻版二三六頁。

374 伊津前掲〈検事調書的な私の告白〉一〇一—一〇二頁。

375 室前掲〈ドキュメント・東京フォークゲリラ〉二四頁。

376 伊津前掲〈検事調書的な私の告白〉九九、一〇〇頁。

377 小黒前掲〈フォークバンドから街頭へ〉九〇頁。

378 小黒前掲〈フォーク・ゲリラは、あらゆる空間を解放する〉一六四頁。

379 〈午後〉（《ベ平連ニュース》一九六九年四月号〔第四三号〕）復刻版二二〇頁。對話稍嫌冗長之故，適當省略後摘要。小黒前掲〈フォークバンドから街頭へ〉八四—八五頁也寫了這段對話。

380 小黒前掲〈フォーク・ゲリラは、あらゆる空間を解放する〉一六四—一六五頁。

381 〈編集後記〉(《ベ平連ニュース》一九六九年五月号〔第四四号〕)復刻版二三二頁。

382 小黒前掲〈フォーク・ゲリラは、あらゆる空間を解放する〉一六五頁。

383 高野前掲〈西口広場は誰のもの?〉復刻版二三六頁。

384 室前掲〈ドキュメント・東京フォークゲリラ〉一九—二〇頁。

385 高野前掲〈西口広場は誰のもの?〉復刻版二三六頁。

386 同上論文復刻版二三六頁。

387 鶴見良行〈歌を取締まるのは誰だ〉(初出『朝日ジャーナル』一九六九年六月一日号，前掲《資料・「ベ平連」運動》中巻所収)四八、四九頁。

388 室前掲〈ドキュメント・東京フォークゲリラ〉一二—一三頁より重引。

389 高野前掲〈西口広場は誰のもの?〉復刻版二三六頁。

390 室前掲〈ドキュメント・東京フォークゲリラ〉二八頁。

391 高野前掲「西口広場は誰のもの?〉復刻版二三六頁。

392 〈『土曜ショー』ついに五千人〉(《毎日新聞》一九六九年五月二五日付)。

393 《毎日新聞》一九六九年五月二五日付。室前掲〈ドキュメント・東京フォークゲリラ〉三四頁より重引。

394 報導為《毎日新聞》一九六九年六月三日。室前掲〈ドキュメント・東京フォークゲリラ〉四一頁。給商店街的信引自〈反戦フォーク集会への招待状〉(《ベ平連ニュース》一九六九年八月号〔第四七号〕)復刻版二五七頁。這封信在室前掲〈ドキュメント・東京フォークゲリラ〉五一頁也有收錄，在寫這封信的七月十九日左右，管制變得更為嚴格，已經無法召開集會。

395 吉岡忍〈編集後記〉(《ベ平連ニュース》一九六九年六月号〔第四五号〕)復刻版二四〇頁。

396 高野前掲〈西口広場は誰のもの?〉復刻版二三六頁。

397 室前掲〈ドキュメント・東京フォークゲリラ〉三五頁。

398 以下《朝日新聞》一九六九年六月二十二日的文章所描述的六月二十一日的集會模樣，二次引用自室前掲〈ドキュメント・東京フォークゲリラ〉三六—四〇頁。

399 引自前掲〈討論・われわれにとっての〝ベトナム〟とは〉九三頁，吉川勇一的発言。

400 小中前掲《私のなかのベトナム戦争》一〇六—一〇七頁。

401 同上書一〇七頁。

402 二次引用自室前掲〈ドキュメント・東京フォークゲリラ〉三八頁。

403 佐々前掲(第四章)《東大落城》文庫版三二二—三二三頁。

404 柳沢五郎〈フォークゲリラと反戦おばさん〉(《二〇世紀》一九六九年九月号)一四八頁。

405 同上論文一四八頁。

406 小黒前掲〈フォークバンドから街頭へ〉九〇頁。

407 堀田前掲〈全浪連から来た男〉六六—六七頁。小黒前掲〈フォークバンドから街頭へ〉九〇頁。

408 〈終りのない歌を歌え〉(《朝日ジャーナル》一九六九年六月

八日号）二四頁。

409 伊津前掲〈検事調書的な私の告白〉一〇二頁。小黒前掲〈フォークバンドから街頭へ〉九一頁。前掲「終りのない歌を歌え」二四頁。

410 堀田前掲〈全浪連から来た男〉七五—七六頁。

411 遠藤洋一〈ある日の西口広場〉（《ベ平連ニュース》一九六九年七月号〔第四六号〕）復刻版二四六頁。

412 以下六月二十八日以及隔天報導等事態，引用自遠藤洋一〈市民の広場に催涙弾〉（《ベ平連ニュース》一九六九年七月号〔第四六号〕）復刻版二四六頁。事態的描寫亦引用《朝日新聞》一九六九年六月二十九日的文章（二次引用自室前掲〈ドキュメント・東京フォークゲリラ〉四八—五〇頁）。

413 新聞引用與事實經過引自吉川前掲〈ベ平連とは何か〉一六頁。

414 伊津前掲〈検事調書的な私の告白〉一〇二頁。堀田前掲〈全浪連から来た男〉六八—六九頁。山本前掲〈戦う女キリスト者〉一一三頁。

415 室前掲〈ドキュメント・東京フォークゲリラ〉五〇頁。

416 小黒前掲「フォークバンドから街頭へ」九一頁。室前掲〈ドキュメント・東京フォークゲリラ〉五一—五二頁。

417 〈東京フォークゲリラ〉（《ベ平連ニュース》一九六九年八月号〔第四七号〕）復刻版二五七頁。

418 室前掲〈ドキュメント・東京フォークゲリラ〉五三頁。

419 及川敏子〈ひどい乱暴やめて機動隊の〝西口規制〞〉（《読売新聞》一九六九年八月一日付）。

420 室前掲〈ドキュメント・東京フォークゲリラ〉五九頁。

421 伊津前掲〈広場は消えたのか〉復刻版三二二頁。

422 同上論文復刻版三二二頁。

423 吉岡忍〈歌は消えていく〉（《ベ平連ニュース》一九六九年八月号〔第四七号〕）復刻版二五七頁。

424 〈懇談会でひろったことば〉（《ベ平連ニュース》一九六九年三月号〔第四二号〕）復刻版二一〇頁。

425 〈ベ平連第四回懇談会〉（《ベ平連ニュース》一九六九年三月号〔第四二号〕）復刻版二〇九頁。

426 同上記事復刻版二〇九頁。

427 小林正明〈地方出身者のベ平連を〉（《ベ平連ニュース》一九六九年八月号〔第四二号〕）復刻版二一六頁。小川孝太郎〈ベ平連と選挙〉（《ベ平連ニュース》一九六九年八月号〔第四四号〕）復刻版二二四頁。

428 福井晋〈何とぶざまなデモであることか〉（《ベ平連ニュース》一九六九年八月号〔第四四号〕）復刻版二二四頁。

429 前掲〈懇談会でひろったことば〉復刻版二一〇頁。

430 山下孝〈八紘一宇の塔に反戦旗を〉（小田編前掲《ベ平連》所収）一六〇—一六一頁。

431 前掲〈ベ平連第四回懇談会〉復刻版二〇九頁。前掲〈懇談会でひろったことば〉復刻版二一〇頁。

432 〈総評大会へのメッセージ〉（《ベ平連ニュース》一九六九年八月号〔第四七号〕）復刻版二五三頁。

433 前掲〈討論・われわれにとっての〝ベトナム〞とは〉八七頁。

434 同上座談会九九頁。

435 吉川前掲〈国境をこえた『個人原理』〉二五四—二五五頁。

436 〈二・四沖縄と連帯して〉（《ベ平連ニュース》一九六九年三月号〔第四二号〕）復刻版二一三頁。

437 砂川のデモは〈基地撤去を狙うピストル〉（《ベ平連ニュース》一九六九年三月号〔第四二号〕）復刻版二一四頁。大村収容所へのデモは鶴見前掲（第十四章）〈なぜ、ベ平連は大村収容所撤去を要求するか〉參照。

438 深作前掲〈ベ平連・小田実の澈底的解剖〉一七七頁。

439 小中前掲《私のなかのベトナム戦争》八五―八八頁。引用之際有減少斷行。

440 同上書八八頁。

441 深作前掲〈ベ平連・小田実の澈底的解剖〉一七八頁。

442 同上論文一七八頁。

443 小田実〈何かが始まっている〉（初出《世界《一九六九年八月号、小田編前掲《ベ平連》所収）三七―三九頁。前掲《資料・「ベ平連」運動》中巻にも所収。

444 久野前掲〈原点への反省〉二六九頁。

445 前掲〈デモ・沖縄・日本人米兵・ベ平連〉三〇六頁。

446 吉川前掲〈ベ平連とは何か〉一一―一二頁。

447 吉川勇一〈ベトナム反戦・反安保・街へ！〉（初出《朝日ジャーナル》一九六九年六月二二日号、前掲《資料・「ベ平連」運動》中巻所収）五八頁。

448 同上論文一四、二一、二二頁。

449 以下「大泉市民集會」的案例來自於和田春樹「四月定例デモについて」（《大泉市民の集いニュース》一九六九年五月七日号〔第一五号〕、〈大泉市民の集い〉三〇年の会編・出版《〈大泉市民の集い〉ニュース》復刻版》、一九九八年所收）復刻版一五二―一五三頁。不過，反戰青年委員會舉行之字形示威時，曾多次推撞市民隊伍後方推腳踏車的市民，事後有不少人提出抗議。

450 只有最後的部分引用自岸剛〈個人原理とヘルメットデモ〉（《大泉市民の集いニュース》一九六九年五月七日号〔第一五号〕）復刻版一五四頁。

451 以下小田的文章引用自小田前掲〈何かが始まっている〉四〇―四一、四二、四三頁。

452 〈ベ平連を大うけさせた型破り組織〉（《週刊現代》一九六九年七月三日号）一三七、一三六頁。

453 同上記事一三六頁。

454 同上記事一三七頁。

455 小田実〈デモ行進とピラミッド〉（初出《展望》一九六九年六月号、前掲《資料・「ベ平連」運動》中巻所収）五二、五三、四九、五七頁。

456 小田前掲〈何かが始まっている〉四一頁。吉川前掲〈ベ平連とは何か〉二一頁。

457 小中前掲《私のなかのベトナム戦争》一一九頁。

458 吉川前掲〈ベトナム反戦・反安保・街へ！〉五九頁。

459 同上論文六二―六三頁。

460 福富前掲〈六月行動委員会の軌跡〉一二五頁。

461 鳥山浩〈街へ出た、歩いた、歌った〉（《ベ平連ニュース》一九六九年七月号〔第四六号〕）復刻版二四二頁。

462 小田前掲〈何かが始まっている〉三五頁。

463 前掲〈ベ平連を大うけさせた型破り組織〉一三四頁。
464 小黒前掲〈フォークゲリラは、あらゆる空間を解放する〉一六八—一六九頁。
465 吉川勇一〈〝遊び〟で行こうベ平連〉(初出《文藝春秋》一九六九年八月号、前掲《資料・「ベ平連」運動》中巻所収)九一頁。
466 同上談話九二頁。
467 引用同上談話九二頁。加入「抗議」的經過是根據二〇〇七年吉川告訴筆者所言。
468 上之郷前掲〈ベ平連に何が起っているか〉七八頁。
469 山下前掲〈八紘一宇の塔に反戦旗を〉一五九頁。
470 前掲〈ベ平連はゆく〉一頁。
471 吉川前掲〈ベ平連とは何か〉八頁。
472 吉川前掲〈国境をこえた『個人原理』〉二六八頁。
473 鶴見良行〈一九七〇年とベ平連〉(小田編前掲《ベ平連》所収)五五—五六頁。
474 小田前掲〈何かが始まっている〉二七頁。
475 同上論文二七、二三頁。
476 小中前掲《私のなかのベトナム戦争》九四頁。
477 上之郷前掲〈ベ平連に何が起っているか〉七八頁。
478 小田実〈アンポへ人間の渦巻を〉(初出《週刊アンポ》0号、一九六九年。前掲《資料・「ベ平連」運動》中巻所収)六四頁。
479 〈大衆運動の新しい〝目〟——ベ平連〉(《サンデー毎日》一九六九年七月六日号)一一二、一一三頁。
480 前掲〈ベ平連を大うけさせた型破り組織〉一三六頁。
481 前掲〈ベ平連はゆく〉。
482 前掲〈大衆運動の新しい〝目〟——ベ平連〉一一三頁。
483 同上記事一一三頁。前掲〈ベ平連を大うけさせた形破り組織〉一三五、一三四頁。
484 前掲〈ベ平連を大うけさせた型破り組織〉一三五頁。
485 秋山篤彦〈変貌したベ平連への疑問〉(《二〇世紀》一九六九年九月号)一三九頁。
486 〈小田実氏へのカ条質問 左翼陣営の結集を考える〉(《新評》一九六九年七月号)一九一頁。
487 前掲〈大衆運動の新しい〝目〟——ベ平連〉一一二頁。
488 吉川勇一〈ベ平連・六九年から七〇年へ〉(初出『世界』一九七〇年五月号、前掲《資料・「ベ平連」運動》中巻所収)三〇六頁。
489 阿賀田卓〈《ベ平連》の七〇年戦略〉(《自由世界》一九六九年五月号)三四頁。
490 同上論文三一、三二頁。
491 前掲〈大衆運動の新しい〝目〟——ベ平連〉一一五頁。
492 秋山篤彦〈一九七〇年と『ベ平連』市民運動〉(《時の話題》一九六九年一一月号)一〇四、一一一頁。
493 絓・高橋・府川前掲(第四章)〈六八年〉『六八年』問題をめぐって〉六五頁。中野前掲《ゲバルト時代》六八頁。
494 白川真澄・田中真人〈《統一》創刊と《六八—六九年》の現代的意味〉(《グローカル》二〇〇六年一二月一日号、第七〇五号)二頁。在此被批判性地提起的對象,是絓前掲《一九六八年》。絓在這本著作的第二章指出,越平聯雖然號稱市民團體，將越平聯視為有共勞黨的「『黨派』意向滲透其中是理所當然。」（一二八頁），二〇〇四年的座談會中的發言也和本文中所述相同。然而絓並沒有提出明確的證據。包括吉川在內，當時在越平聯內的共勞黨員，都說他們沒有把共勞黨的活動方針帶到越平聯，共勞黨方面也如同本文中所提及的狀況。此外，在後面章節所述的一九六九年十月二十一日事件中，吉川等人試著避免共勞黨介入越平聯一事也很明確。

495 白川・田中前掲第二章〈《統一》創刊と《六八—六九年》の現代的意味〉二頁。

496 高井前掲第二章〈ベ平連運動は拡大するか〉九一頁。

497 小田前掲《「ベ平連」・回顧録でない回顧》四四三頁より重引。

498 小中前掲《私のなかのベトナム戦争》一一四頁。

499 關於小田重視幽默一事，參照小熊英二〈解説——『作家』としての小田と『運動家』としての小田〉（小田実『「難死」の思想』岩波現代文庫版、二〇〇八年所収）引自小田前掲《「ベ平連」・回顧録でない回顧》四四四、四四四—四四八頁。但從小田在一九六九年當時所寫的文章，例如前掲〈何かが始まっている〉等，看不出小田當時帶有任何一點如本文中引用的部分所呈現的危機感。不過，在一九九五年的回憶中，提到小田從那時候就帶有危機感這點也是事實。

500 小中前掲《私のなかのベトナム戦争》一四二頁。

501 山田宗睦〈ハンパクの思想と行動〉（初出《毎日新聞》一九六九年八月二七日、前掲《資料・「ベ平連」運動》中巻所収）一三二頁。桑原和岡本當時的立場，參照吉見俊哉《博覧会の政治学》（中公新書、一九九二年）二二三頁。

502 山田前掲〈ハンパクの思想と行動〉一三二頁。

503 小中前掲《私のなかのベトナム戦争》一四三頁。柴田翔〈万博ムードに反逆する陽気な〝小孫悟空〟たち〉（初出《週刊朝日》一九六九年六月六日号、前掲『資料・「ベ平連」運動』中巻所収）一三〇頁。

504 柴田前掲〈万博ムードに反逆する陽気な〝小孫悟空〟たち〉一二八頁。

505 同上論文一二八頁。

506 同上論文一三〇—一三一頁。

507 小中前掲《私のなかのベトナム戦争》一四三頁。山田前掲〈ハンパクの思想と行動〉一三三頁。

508 小中前掲《私のなかのベトナム戦争》一四三—一四四頁。

509 鶴見良行〈予言的な〝小さな大実験〟〉（初出《朝日ジャーナル》一九六九年八月二四日号、前掲『資料・「ベ平連」運動』中巻所収）一三四頁より重引。

510 針生一郎〈反博——反戦運動の試行錯誤〉（《現代の眼》一九六九年一〇月号）一二九頁。

511 小田前掲《「ベ平連」・回顧録でない回顧》五〇三、五〇六頁。

512 針生前掲〈反博〉一二九頁。

513 小中前掲《私のなかのベトナム戦争》一四五頁。

514 針生前掲〈反博〉一二九、一三〇頁。

515 同上論文一三〇頁。

516 鶴見前掲〈予言的な〝小さな大実験〟〉一三六頁。

517 小中前掲《私のなかのベトナム戦争》一四六、一四七頁。

518 同上書一四七頁。

519 小中前掲《私のなかのベトナム戦争》一四五頁、針生前掲〈反博〉一三〇頁。

520 針生前掲〈反博〉一三一頁。

521 鶴見前掲〈予言的な〝小さな大実験〞〉一三六頁。

522 小中前掲《私のなかのベトナム戦争》一四八—一四九頁。針生前掲〈反博〉一三三—一三四頁。

523 針生前掲〈反博」一三四頁。小中前掲《私のなかのベトナム戦争》一四九—一五〇頁。

524 吉川前掲〈年安保と取組むベ平連〉三一頁。

525 針生前掲〈反博〉一三三頁。吉川勇一推測：高畠在一九六五年當時以「市民、文化團體聯合」為構想的越平聯，留學歸國後，越平聯卻演變成個人參與的「市民聯合」，對這件事的違和感導致在「反萬博」中的造反。（據二〇〇七年吉川告訴筆者所言。）在針生前掲〈反博〉一三三頁中也提到高畠的發言：「（越平聯）不是應該是以自律性小團體為核心出發嗎？尊重自發性的原則，對於個人在排除自己的限制這點上可能有效，但是對今後的狀況沒什麼太大幫助。」從這點看來，吉川的推測幾近正確。

526 同上論文一三四頁。

527 同上論文一三四—一三五頁。

528 鶴見前掲〈予言的な〝小さな大実験〞〉一三七頁。

529 小中前掲《私のなかのベトナム戦争》一四七頁。

530 鶴見前掲〈日本とアメリカの対話〉四三七頁。

531 小中前掲《私のなかのベトナム戦争》一五〇頁。在鶴見前掲〈予言的な〝小さな大実験〞〉一三七頁中，約兩百人留在帳篷，「約三萬人」去參加遊行。

532 小中前掲《私のなかのベトナム戦争》一五〇頁。

533 以下小田的引用來自小田前掲《「ベ平連」・回顧録でない回顧》五二三、五二五、五三一頁。

534 小中前掲《私のなかのベトナム戦争》一五一—一五二頁。

535 吉川前掲〈国境をこえた『個人原理』〉二七二頁。

536 小田実〈『味方』を肥らせよう〉（初出《週刊アンポ》一九六九年一二月一五日号、前掲《資料・「ベ平連」運動》中巻所収）二二二—二二三頁。

537 真継伸彥〈小田実の 示〉（前掲《小田実全仕事》第一巻解説）四二三頁。小田遭空襲的經驗與思想，參照小熊前掲（第一章）《〈民主〉と〈愛国〉》第一章。

538 鈴木千里〈ハンパク考〉（《ベ平連ニュース》一九六九年九月号〔第四八号〕）復刻版二六二頁。同一期也刊載了猪瀬良一〈ハンパク考〉。

539 吉川勇一〈ハンパク考〉（《ベ平連ニュース》一九六九年九月号〔第四八号〕）復刻版二六三頁。

540 ベトナム通信編集長（富田正勝）〈公開質問状〉（《ベトナム通信》一九六九年九月号〔第二〇号〕）復刻版一二七頁。

541 富田正勝「批判者同盟からのメッセージ〉（《ベトナム通信》一九六八年一二月号〔第一一号〕）復刻版六五、六六頁。

542 馬場俊明〈オールド・ベ平連を解体せよ〉（《ベトナム通信》一九六九年一〇月号〔第二一号〕）復刻版一四一頁。

543 鶴見俊輔〈ベトナム通信編集長へ一言〉（《ベトナム通信》一九六九年一〇月号〔第二一号〕）復刻版一四〇頁。

544 同上論文復刻版一四〇頁。
545 鶴見俊輔《期待と回想》（晶文社、一九九七年）上巻九九頁。
546 以下吉川的引用來自吉川勇一〈公開質問状に答える〉（《ベトナム通信》一九六九年一一月号〔第二二号〕）復刻版一五〇、一五一頁。
547 小中前掲《私のなかのベトナム戦争》一四九頁。
548 吉川前掲《市民運動の宿題》一四五―一四七頁。這個回憶錄在一九九一年出版，但相同旨趣的內容也刊於《世界》一九七〇年五月号〈べ平連・六九年から七〇年〉三〇五―三〇六、三〇八―三〇九頁。顯示吉川已經有那樣的認識。文中提到的越平聯三原則，小田直到一九七〇年才明確寫下，但如上所述，這似乎是自發生根的。
549 吉川前掲〈〝遊び〟で行こうべ平連〉九三頁。
550 上述小田與小中的發言，參照前掲〈大衆運動の新しい〝目〟——べ平連〉一一四頁。
551 吉川前掲〈年安保と取組むべ平連〉三〇頁。
552 吉川前掲〈国境をこえた『個人原理』〉二五六頁。
553 馬場俊明〈自己解放としてのデモ〉（《ベトナム通信》一九六九年九月号〔第二〇号〕）復刻版一三二頁。
554 吉川前掲〈国境をこえた『個人原理』〉二六四頁。
555 山口前掲（第十二章）〈あすに引継ぐものはなにか〉一一頁。
前掲（第十三章）「『月』にかける新左翼の表情」五頁。
556 福富前掲〈六月行動委員会の軌跡〉二二六頁。
557 吉川前掲〈べ平連・六九年から七〇年へ〉三〇六頁。
558 堀田前掲（第十三章）〈十・十から七十年へ〉復刻版二七八頁。
559 山口前掲〈あすに引継ぐものはなにか〉八頁。
560 吉川勇一〈べ平連デモと権力との対決〉（《べ平連ニュース》一九六九年一一月号〔第五〇号〕）復刻版二八二頁。
561 山口前掲（第十三章）〈わたしの見た十月二十一日〉復刻版二七九頁。
562 吉川前掲〈べ平連デモと権力との対決〉復刻版二八二頁。
563 同上論文復刻版二八二頁。
564 上之郷前掲〈べ平連に何が起っているか〉七七頁。傍点は上之郷による。
565 同上論文七六、七七頁。
566 吉川前掲《市民運動の宿題》一一一頁。
567 吉川前掲《市民運動の宿題》一一二―一一三頁。
568 白川・田中前掲〈《統一》創刊と《六八―六九年》の現代的意味〉二頁。
569 吉川前掲《市民運動の宿題》一一三頁。白川・田中前掲〈《統一》創刊と《六八―六九年》の現代的意味〉二頁。
570 小田前掲《「べ平連」・回顧録でない回顧》五三二頁。
571 以上的經過來自〈首相訪米反対市民デモ扼殺の記録〉（初出『週刊アンポ』一九六九年一二月一五日号、前掲《資料・「べ平連」運動》中巻所収）および〈十一月十六日十七日のこと〉（《べ平連ニュース》一九六九年一二月号〔五一号〕）参照。
572 鈴木正穂〈十一月・京都・坐り込みのこと〉（初出《週刊アンポ》一九六九年一二月一五日号、前掲《資料・「べ平連」運動》中巻所収）参照。
573 札幌べ平連〈年になにを〉（《べ平連ニュース》一九七〇年一

月一日号〔第五二号〕）復刻版二九四頁。

574 武藤一羊〈新安保体制の亀裂〉（初出《週刊アンポ》一九六九年一二月一五日号、前掲《資料・「ベ平連」運動》中巻所収）二二八頁。

575 小田前掲《「ベ平連」・回顧録でない回顧》五七二頁。

576 吉川前掲（第十三章）〈安保日録（抄）〉二三七頁。

577 古山洋三〈変革を求める市民運動の方向〉（初出《週刊アンポ》一九七〇年二月二三日号、前掲《資料・「ベ平連」運動》中巻所収）二六九、二七一頁。「ぜんこくこんだんかいのはなしのなかから」（《ベ平連ニュース》一九七〇年三月号〔第五四号〕）復刻版三一〇、三一一頁。

578 古山前掲〈変革を求める市民運動の方向〉二七二頁。前掲〈ぜんこくこんだんかいのはなしのなかから〉復刻版三一一頁。福岡ベ平連〈福岡ベ平連のきのう―きょう―あす〉（《ベ平連ニュース》一九七〇年二月号〔第五三号〕）復刻版三〇五頁。

579 前掲〈ぜんこくこんだんかいのはなしのなかから〉復刻版三一〇、三一一頁。

580 小田実〈表現の自由を奪うのは誰か〉（初出《文藝春秋》一九七〇年五月号、前掲《資料・「ベ平連」運動》中巻所収）二九〇、二九一頁。古山前掲〈変革を求める市民運動の方向〉二六九頁。小田と小中の共著《反戦のすすめ》は三一書房、高校生新書、一九六七年。

581 吉川前掲〈安保日録（抄）〉三二二、三二三頁。

582 小中前掲《私のなかのベトナム戦争》一二〇頁。福富節男〈六月のあらたな共同行動を求めて〉（《ベ平連ニュース》一九七〇年六月号〔第五七号〕）復刻版三三二頁。

583 小中前掲《私のなかのベトナム戦争》一二〇頁。六月行動委員会〈四・二八沖縄デーについてのお知らせ〉（前掲《資料・「ベ平連」運動》中巻所収）三一一頁。吉川前掲〈安保日録（抄）〉三三四頁。

584 吉川前掲〈安保日録（抄）〉三七六頁。

585 小中前掲《私のなかのベトナム戦争》一二〇頁。

586 吉川前掲〈安保日録（抄）〉三七八頁。

587 〈ベ平連の〝毎日デモ〟に参加した市民〉（初出《平凡パンチ》一九七〇年六月二九日号、前掲《資料・「ベ平連」運動》中巻所収）三七一頁。

588 吉川前掲〈安保日録（抄）〉三七八―三八八頁。然而，事後才知道共產同叛旗派不是為了武裝內鬥才接近革馬派，而是為了舉辦獨立的集會才移動。

589 久野前掲〈原点への反省〉四〇五頁。

590 小田前掲《「ベ平連」・回顧録でない回顧》五七二頁。

591 ベ平連救対部〈すべてのたたかう人々に知ってほしいこと、六月をむかえて！〉（《ベ平連ニュース》一九七〇年六月号〔第五七号〕）復刻版三三八頁。

592 吉川勇一〈私服刑事をなぐる話 内ゲバを阻止する話　間違えてなぐった話〉（《ベ平連ニュース》一九七〇年七月号〔第五八号〕）復刻版三四〇頁。

593 同上論文復刻版三四〇頁。

594 吉川前掲〈『中年ベ平連？』からの報告〉三七三頁。

595 吉川前掲〈私服刑事をなぐる話内ゲバを阻止する話 間違えて

なぐった話〉復刻版三四〇頁。
596 福富前掲〈六月行動委員会の軌跡〉一二六頁。
597 高原行風〈海老原君殺害事件によせて〉、柳田忠憲〈海老原君殺害事件によせて〉。ともに《ベ平連ニュース》一九七〇年九月号（第五〇号）復刻版三五七頁。
598 福富前掲〈六月行動委員会の軌跡〉一二六頁。
599 六月行動委員会〈デモ行進参加についての御注意〉（前掲《資料・「ベ平連」運動》中巻所収）三七一頁。
600 小田実〈自分の足で歩く市民たち〉（初出『アサヒグラフ』一九七〇年六月二六日号、前掲《資料・「ベ平連」運動》中巻所収）三六六、三六七頁。
601 小田実〈自分の足で歩く市民たち〉（初出《アサヒグラフ》一九七〇年六月二六日号、前掲《資料・「ベ平連」運動》中巻所収）二九八頁。
602 以下小田的引用來自小田前掲《「ベ平連」・回顧録でない回顧》五七〇、五七二、五七三、五三七頁。
603 前掲〈ベ平連の〝毎日デモ〟に参加した市民〉三六九頁。
604 〈二日がかりの23日のデモ〉（《読売新聞》一九七〇年六月二四日付）。
605 同上記事。
606 六月行動委員会前掲〈デモ行進参加についての御注意〉三七二頁。
607 前掲〈二日がかりの日のデモ〉。
608 前掲〈ベ平連の〝毎日デモ〟に参加した市民〉三七〇頁。
609 小田前掲〈自分の足で歩く市民たち〉三六八頁。
610 小田前掲《「ベ平連」・回顧録でない回顧》五三二頁。
611 鶴見俊輔〈おわりにひとこと〉（初出《週刊アンポ》一九七〇年六月一四日号、前掲《資料・「ベ平連」運動》中巻所収）三五九頁。
612 たとえば〈在日米軍基地は揺れている！〈岩国では〉〉（《ベ平連ニュース》一九七〇年四月号〔第五五号〕）復刻版三一九頁。〈在日アジア人を差別する存在としての〈在日日本人〉を告発する鎖国を超えるものとして〉（《ベ平連ニュース》一九七〇年五月号〔第五六号〕）復刻版三二八頁。武藤みちお・庄司洸〈小西叛軍裁判開かる！〉（《ベ平連ニュース》一九七〇年八月号〔第五九号〕）復刻版三四七頁。〈なぜ私たちは公害と取り組むのか〉（《ベ平連ニュース》一九七〇年九月号〔第六〇号〕）復刻版三五七頁。
613 以下阿部的引用來自〈運動の分蘖に期待しながらも〉（《ベ平連ニュース》一九七〇年一〇月号〔第六一号〕）復刻版三六一頁。
614 以下引用自古山洋三〈《転機》に来たか？ベ平連運動〉（《ベ平連ニュース》一九七〇年一〇月号〔第六一号〕）復刻版三六二頁。
615 吉川勇一〈真の連帯とは〉、井上澄夫〈どうすればいいのでしょう〉。ともに《ベ平連ニュース》一九七〇年一〇月号（第六一）復刻版三六三、三六二頁。
616 吉川前掲〈〝三菱〟は政府より大きい〉一一三頁。
617 〈最大の『公害』製造業者 死の商人・大軍需産業を糾弾しよう〉《ベ平連ニュース》一九七〇年一〇月号〔六一号〕）復刻

版三六三頁、三六二頁。

618 朝霞反戰播音經過，參照清水知久〈こちらRMG……大泉反戦放送局です〉（初出《週刊アンポ》一九七〇年四月二〇日号、前掲《資料・「ベ平連」運動》中巻所収）。

619 〈70年代のJATEC〉（初出《脱走兵通信》一九七〇年六月号、前掲《資料・「ベ平連」運動》中巻所収）三四一、三四〇、三四二頁。

620 〈三沢に〝反戦スナック〟〉（《朝日新聞》一九七〇年一〇月六日付）。

621 〈ふるさとあの瞬間反戦喫茶アウル〉（《東奥日報》二〇〇七年夕刊連載記事）。引用自第三回「米兵との連帯目指す」（一〇月七日付）。集會的模樣引用自第四回「日米800人詰めかける」（一〇月九日付）。」

622 〈反軍GI新聞続々〉（《朝日ジャーナル》一九七〇年一〇月一一日号）。

623 小西描述自己行動經過的文章，收錄於前掲《資料・「ベ平連」運動》中巻。

624 《整列ヤスメ》については、〈自衛官諸君！〉および「『整列ヤスメ』のスローガン」（ともに初出《整列ヤスメ》創刊号、前掲《資料・「ベ平連」運動》中巻所収）三三六、三三七頁参照。引用は〈自衛官諸君！〉三三六頁より。

625 此選舉經過參照小沢遼子〈よそもの連合、市会に登場〉（初出《展望》一九七一年八月号、前掲《資料・「ベ平連」運動》下巻所収）。引用自九三、九七頁。

626 一股股東運動會誌的經過參照吉川前掲「〝三菱〟は政府より大きい」一一二頁。

627 警察搜索「ＨＯＢＢＩＴ」以及越平聯對此表示抗議的情況，參照前掲《資料・「ベ平連」運動》下巻二二一－二三四頁參照。

628 關於「ＣＩＴＡＤＥＬ」的消失與重建運動，參照池田信一〈「シタデル」再建決死隊〉（《現代の眼》一九七一年七月号）參照。引用は一四〇頁。

629 川本前掲《マイ・バック・ページ》九八－一〇〇頁。川本描述，ＯＷＬ員工、年輕的越平聯運動者們「難以做到積極地呼籲逃走」，理由是「被迫在越南面對生死的是他們美軍士兵，而日本人是第三者」，因此對於勸美軍逃走一事，感覺有點愧疚。然而如同在本文中所述，這個時期越平聯和ＪＡＴＥＣ已經停止鼓勵美軍士兵逃走，ＯＷＬ的態度應該是循著同一個方針，前掲〈「ふるさとあの瞬間反戦喫茶アウル〉第五回〈逃げ場求める厭戦米兵〉中也有「原田〔隆二。ＯＷＬ老闆〕也說不出『逃走吧』」的記述。儘管也有可能是出於採訪的不足，原田提到：「店開始營業後，早早就與越平聯疏遠，沒有獲得支援。」以及在第七回〈支援なく資金尽きる〉所述，原田等人可能不知道ＪＡＴＥＣ轉換方向。無論如何，三澤沒有逃走的美軍。前掲〈逃げ場求める厭戦米兵〉中，在三澤基地憲兵隊指揮日本人警備隊的小比類巻命介，因此說：「三澤在本州最北端，不像横須賀（神奈川）與横田基地（東京都）附近與大都市接壤，所以逃離軍隊大概也無處可去、無處可躲吧。」

630 川本前掲《マイ・バック・ページ》一〇三頁。

631 前掲〈ふるさとあの瞬間反戦喫茶アウル〉第八回〈〝資本主義〟

に幻滅〉（十月二四日付）以及第六回〈ビラまき不退去罪に〉（十月二二日付）。後者是OWL領導人原田隆二的記述，他於一九七一年五月十五日基地開放日時，在基地內發反戰傳單後遭到逮捕。原田後來學習越平聯，成為「日本這樣下去可以嗎市民聯合」的事務局長。

632 秋川正夫〈〈正しさ〉のかなたへ〉（《ベトナム通信》一九七一年九月号〔第四三号〕）復刻版三八八頁。

633 吉川前掲《市民運動の宿題》一一四頁。

634 小田前掲《「ベ平連」・回顧録でない回顧》五八五頁。

635 吉川前掲《市民運動の宿題》一三一—一三二頁。

636 小中陽太郎《ふぁっく》（現代評論社、一九七二年）四三—四四頁。

637 飯沼二郎〈運動への誘いと運動の相互批判〉（《ベトナム通信》一九七二年二月号〔第四八号〕）復刻版四二七頁。

638 ベトナムに平和を！市民連合 満州事変の頃生まれた人の会〈市民の網の目をつくろう〉（《ベ平連ニュース》一九七一年二月号〔第六五号〕）復刻版三九七頁。

639 鈴木正穂〈なまけものとして〉（《ベ平連ニュース》一九七一年二月号〔第六五号〕）復刻版三九八頁より。

640 北井記〈編集後記〉（《ベ平連ニュース》一九七一年二月号〔第六五号〕）復刻版四〇二頁。

641 小田実〈素人に徹したいのだ〉（《ベ平連ニュース》一九七一年二月号〔第六五号〕）復刻版三九六頁。

642 小中前掲《私のなかのベトナム戦争》一八二頁。

643 同上書一八二頁。

644 小田前掲《「ベ平連」・回顧録でない回顧》五四〇—五四一頁。

645 絓前掲《一九六八年》一八三頁。

646 吉川勇一〈小説《冷え物》批判を契機とする討論について〉（『ベ平連ニュース』一九七一年九月号〔臨時増刊号〕）復刻版四四七頁。

647 同上論文復刻版四四七頁。

648 小田前掲《「ベ平連」・回顧録でない回顧》五四二頁。

649 同上書五四二頁。

650 吉川前掲〈小説『冷え物』批判を契機とする討論について〉復刻版四四八頁。

651 小中前掲《私のなかのベトナム戦争》一八六頁。

652 同上書一八五頁。

653 同上書一八五頁。

654 以下年輕人的發言同上書一八五、一八六頁。

655 同上書一八四頁。

656 吉川前掲〈国境をこえた『個人原理』〉二七三頁。

657 小中前掲《私のなかのベトナム戦争》一八六頁。

658 小田前掲《「ベ平連」・回顧録でない回顧》五四三、五五〇頁。

659 吉川前掲〈小説『冷え物』批判を契機とする討論について〉復刻版四四八頁。

660 小中前掲《私のなかのベトナム戦争》一八八、一八九頁。

661 同上書一八九、一八八頁。

662 同上書一九一頁。

663 同上書一九三頁。小田前掲《「ベ平連」・回顧録でない回顧》五六二頁。

664 小中前掲《私のなかのベトナム戦争》一九三―一九四頁。引用時有減少斷行。
665 小中陽太郎〈こらむ・べ平連的人間〉（小田編前掲《べ平連》所収）二三三頁。
666 小中前掲《私のなかのベトナム戦争》一九四頁。
667 同上書一八四頁。
668 吉川前掲〈国境をこえた『個人原理』〉二七四頁。
669 小田前掲《「べ平連」・回顧録でない回顧》五六一頁。
670 此相模原鬥争也被視為日本反越戰運動最後的盛會。「ただの市民が戦車を止める」会編《戦車の前に座り込め》（さがみ新聞労働組合、一九八〇年）参照。
671 前掲〈ふるさとあの瞬間反戦喫茶アウル〉第九回〈今も生きる『殺すな』〉（一〇月二五日付）および第七回〈支援なく資金尽きる〉（一〇月二三日付）。
672 小中前掲《私のなかのベトナム戦争》九六頁。
673 マサホ〈〈コーヒー・ハウス『ほびっと』開店一ヶ月〉（《ベトナム通信》一九七二年四月号〔第五〇号〕）復刻版四五七頁。
674 Y・M〈四・二八実委の出発から解散まで、かかわったものとして（2）〉（《ベトナム通信》一九七二年三月号〔第四九号〕）復刻版四三六、四三七頁。
675 福富前掲〈六月行動委員会の軌跡〉一二七頁。
676 以下一九七二年六月的遊行情況，參照山口文憲〈嗚呼！安保粉砕〉（初出《婦人民主新聞》一九七二年七月七日号、前掲《資料・「べ平連」運動》下巻所収）一九八頁。
677 小中前掲《私のなかのベトナム戦争》一五三頁。
678 小田前掲《「べ平連」・回顧録でない回顧》五三六頁。
679 小中前掲《私のなかのベトナム戦争》一五三頁。
680 吉川勇一〈目的に沿う組織を〉（初出《労働ニュース》一九七二年一二月六日号、前掲《資料・「べ平連」運動》下巻所収）二八四―二八五頁。
681 法政べ平連〈『べ平連』吉川一派の闘争収拾策動の犯罪性を暴露・糾弾しベトナム革命完全勝利の日まで闘い抜け！〉（前掲《資料・「べ平連」運動》下巻所収）二八三頁。
682 以下吉川引用自吉川前掲〈目的に沿う組織を〉二八五頁以及吉川前掲〈国境をこえた「個人原理」〉二七六頁。
683 吉川前掲〈目的に沿う組織を〉二八四頁。
684 鶴見・山口・北沢・松田前掲〈べ平連を総括する〉一一四頁。
685 小田実ほか〈市民運動の大交流から『成長・連合』へ！〉（《潮》一九七三年七月号）二九二頁。
686 鶴見・山口・北沢・松田前掲〈べ平連を総括する〉一一三頁。
687 久野前掲〈原点への反省〉二七一頁。
688 吉川勇一〈べ平連解散と小田氏からの手紙〉（前掲《資料・「べ平連」運動》下巻所収）四七二頁。

國家圖書館出版品預行編目(CIP)資料

1968：日本現代史的轉捩點,席捲日本的革命浪潮. 第三冊/小熊英二著；黃耀進, 馮啓斌, 羅皓名譯. -- 初版. -- 新北市：黑體文化出版：遠足文化事業股份有限公司發行, 2024.12
面； 公分. -- (黑盒子；31)
譯自：1968. 下：叛乱の終焉とその遺産
ISBN 978-626-7512-32-6 (平裝)

1.CST: 學運 2.CST: 現代史 3.CST: 日本史

731.2793　　113017906

黑體文化　　讀者回函

黑盒子31

1968：日本現代史的轉捩點，席捲日本的革命浪潮 第三冊

1968〈下〉叛乱の終焉とその遺産

作者・小熊英二｜譯者・羅皓名、馮啓斌｜責任編輯・張智琦｜封面設計・林宜賢｜出版・黑體文化／遠足文化事業股份有限公司｜總編輯・龍傑娣｜發行・遠足文化事業股份有限公司（讀書共和國出版集團）｜電話：02-2218-1417｜傳真・02-2218-8057｜客服專線・0800-221-029｜讀書共和國客服信箱service@bookrep.com.tw｜官方網站・http://www.bookrep.com.tw｜法律顧問・華洋法律事務所・蘇文生律師｜印刷・中原造像股份有限公司｜排版・菩薩蠻數位文化有限公司｜初版・2024年12月｜ISBN・9786267512326｜EISBN・9786267512258（PDF）・9786267512272（EPUB）｜書號・2WBB0031｜套書ISBN・9786267512340｜套書EISBN・9786267512302（PDF）・9786267512296（EPUB）｜套書不分售・定價3600元